JN095312

令和**6**年版

# 図解

# 民法（親族・相続）

鈴木潤子 監修

一般財団法人 大蔵財務協会

# は　し　が　き

　「図解民法（親族・相続）」令和6年版をお手にとっていただき、ありがとうございます。

　本書令和6年版では、第二編相続法の「第4章 相続の承認及び放棄」、及び「第7章　成年後見」を、執筆者の変更に伴い、全面的に改訂いたしました。

　また、それ以外にも、令和5年版以降に出された新たな判例の紹介・解説を追加し、戸籍の広域交付などの新たな制度についてもコラムでご紹介しております。

　以上のとおり、本書令和6年版は、親族法・相続法の基礎から最新の改正までを網羅し、また、最新の最高裁判決等も紹介しております。

　皆様が実務で親族法・相続法を利用されるにあたり、少しでもお役に立てれば幸いです。

　平成21年9月発行の本書の初版は執筆者24名、監修者7名がチームを組んで作成しました。今回の改訂版は、上記監修者7名のうち、田中千草と私の2名が改定作業に従事しました。

　改訂にあたり、一方ならぬご尽力をいただきました大蔵財務協会のみなさまに御礼申し上げます。

　令和6年9月

改訂担当2名を代表して　　鈴 木 潤 子

〔凡　　例〕

　本文中に引用している法令等については、次の略称を使用しています。

1　法令等
　　民 ……………………………………… 民法
　　民訴 …………………………………… 民事訴訟法
　　民訴規 ………………………………… 民事訴訟規則
　　民執 …………………………………… 民事執行法
　　民保 …………………………………… 民事保全法
　　破 ……………………………………… 破産法
　　非訟 …………………………………… 非訟事件手続法
　　家事 …………………………………… 家事事件手続法
　　家事規 ………………………………… 家事事件手続規則
　　戸籍 …………………………………… 戸籍法
　　戸籍規 ………………………………… 戸籍法施行規則
　　所税 …………………………………… 所得税法
　　相税 …………………………………… 相続税法
　　地税 …………………………………… 地方税法
　　人訴 …………………………………… 人事訴訟法
　　実施法 ………………………………… 国際的な子の奪取の民事面に関す
　　　　　　　　　　　　　　　　　　　　る条約の実施に関する法律
　　生殖補助医療法 ……………………… 生殖補助医療の提供等及びこれに
　　　　　　　　　　　　　　　　　　　　より出生した子の親子関係に関す
　　　　　　　　　　　　　　　　　　　　る民法の特例に関する法律
　　【表示例】
　　　民900 I ① ………………………… 民法第900条第1項第1号
　　※　家事事件手続法の別表1及び2の各項については、次のとおり表示しています。
　　　家事39別1① ……… 家事事件手続法第39条別表1第1項

2　判例等
　(1)　裁判所
　　　大 …………………………………… 大審院
　　　最 …………………………………… 最高裁判所
　　　高 …………………………………… 高等裁判所
　　　地 …………………………………… 地方裁判所
　　　家 …………………………………… 家庭裁判所
　(2)　判決
　　　判 …………………………………… 判決
　　　決 …………………………………… 決定
　　　審 …………………………………… 審判
　(3)　年月日
　　　H30.12.21 …………………………… 平成30年12月21日
　　【表示例】
　　　東京家審 H31.2.22 ………………… 東京家庭裁判所平成31年2月22日
　　　　　　　　　　　　　　　　　　　　審判

3　判例集
　　民集 …………………………………… 最高裁判所民事判例集
　　集民 …………………………………… 最高裁判所裁判集民事
　　高民集 ………………………………… 高等裁判所民事判例集
　　下民集 ………………………………… 下級裁判所民事裁判判例集
　　家月 …………………………………… 家庭裁判所月報

**【表示例】**

## 4　文献

(注)1　本書は令和6年7月1日現在の法令等によって作成しています。
　　2　平成30年改正民法の施行日は、次のとおりです。
　　　「民法の一部を改正する法律」（平成30年6月20日法律第59号）（成人年齢の引
　　下げ）：令和4年4月1日（附則1）。
　　　「民法及び家事事件手続法の一部を改正する法律」（平成30年7月13日法律第72号）
　　（相続法制の改正）：原則として、令和元年7月1日。ただし、次の規定は各定める日。
　　　　自筆証書遺言の方式を緩和する方策：平成31年1月13日。
　　　　配偶者居住権及び配偶者短期居住権の新設等：令和2年4月1日。
　　3　令和元年民法改正（特別養子縁組）の施行日は令和2年4月1日です。
　　4　令和3年改正民法の施行日は、令和5年4月1日です。
　　5　令和4年改正民法の施行日は、令和6年4月1日です。
　　　懲戒権に関する規定の見直しに関する規定のみ令和4年12月16日から施行されまし
　　た。

# 第2章　婚　姻

# 第3章　離　婚

# 第4章　親　子

# 第5章　親　権

# 第6章　未成年後見

# 第7章　成年後見

目　　　次

# 第8章　扶　養

# 第二編　相続法

## 第1章　相続の開始等

## 第2章　相　続　人

# 第3章　相続の効力

# 第4章　相続の承認及び放棄

# 第5章　財産分離

# 第6章　相続人の不存在

第7章　遺　言

# 第10章　特別の寄与

# 第一編

## 親　族　法

# 第1章　親　族

## 第1　親族とは

### 1　親族の範囲

　親族とは一般的には血統・婚姻によってつながる人々をいいますが、法律上は6親等内の血族、配偶者及び3親等内の姻族をいいます（民725）。

　親族になると、親等に応じて相続権や扶養義務、又は成年後見等の開始の請求権などの権利義務が発生したり、近親婚の禁止や縁組禁止など、親族であることが一定の法律行為の障害事由となったり、さらには親族であることで刑法上の罪が免除されたり罪の成立要件が異なったりと、様々な権利義務や法的効果が発生します。これら親族関係により生じる権利義務や法的効果についての詳細は、「第2　親族間の権利・義務その他の法的効果」を参照してください。

**(1)　血族**

血族とは、「血統の相連結する者の関係」をいいます（旧民法人事編19Ⅰ参照）。血族には自然血族と法定血族、直系と傍系、尊属と卑属といった区分があります。

**＜自然血族と法定血族＞**

| 自然血族 | 相互に生理上及び法律上の血縁のある者。例えば、親子、兄弟姉妹、おじ・おば、いとこなど |
|---|---|
| 法定血族 | 本来、血縁関係のない者の間に、法律によって血縁関係を擬制するもの。現行民法上、血縁関係を擬制するのは縁組のみ |

**＜直系血族と傍系血族＞**

| 直系血族 | いずれか一方が他方の子孫である場合において、その間に血統が直下する形で連絡する血族。例えば、祖父母、父母、子、孫など |
|---|---|
| 傍系血族 | 共同の祖先より直下する2つの異なる親系に属する血族。例えば、兄弟姉妹、おじ・おば、いとこなど |

**＜尊属と卑属＞**

| 尊属 | 父祖及び父祖と同世代の傍系血族。例えば、父母、おじ・おば、祖父母など |
|---|---|
| 卑属 | 子孫及び子孫と同世代の傍系血族。例えば、子、孫、甥・姪など |

(注)　血族であっても同世代の血族は尊属にも卑属にも属しません。例えば、兄弟姉妹やいとこなどは尊属にも卑属にも該当しません。

**(2)　姻族**

姻族とは、

①　配偶者の血族（3親等まで）と

②　自分の血族（3親等まで）の配偶者

です。例えば、①は配偶者の親、兄弟であり、②は兄弟姉妹の配偶者です。

兄弟姉妹の配偶者同士の間や妻の兄弟姉妹と夫の兄弟姉妹の間には姻族関係はありません。

**(3)　配偶者**

配偶者とは、夫から見た妻、妻から見た夫をいいます。血族にも姻族にも該当しません。

## 2　親等

　親等とは親族関係の親疎遠近の度を測定する序数をいい、親等は、親族間の世代数を数えてこれを定めるとされます（民726Ⅰ）。すなわち、1つの親子間を1親等と数えます。例えば、親子なら1親等、孫と祖父なら2親等となります。

　傍系親族の親等を定める場合には、その1人又はその配偶者から同一の祖先に遡り、その祖先から他の1人に下るまでの世代数によります（民726Ⅱ）。つまり、兄弟姉妹は、共同祖先である父母の世代（1世代）に遡り、そこから親子の世代（1世代）に下ることになります。1世代遡り、1世代下るので、兄弟姉妹は2親等となります。

## ＜親族の範囲及び親等＞

○ ：姻族
□ ：血族

尊属　　　　卑属

網かけ：直系
：は親族関係がないことを示しています。
㊟　すべての親族を記載したものではありません。

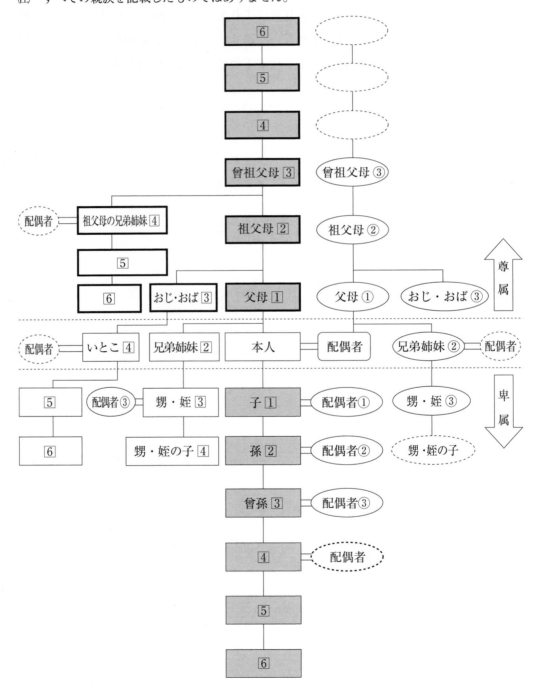

## 3　氏と戸籍

### (1)　氏と戸籍

「氏」は、いわゆるファミリーネームです。戸籍は、原則として、夫婦及びこれと氏を同じくする子ごとに編製されています（戸籍6）。

＜氏と戸籍＞

| 氏 | 「個人の呼称」<br>人の同一性を判断するための手段 |
|---|---|
| 戸　籍 | 出生から死亡に至るまでの人の重要な身分関係の変動を記載する戸籍法により規定される制度 |

### (2)　子の氏と戸籍

人が生まれると氏を本来的に取得します。嫡出子の場合は、原則として父母の氏を称し、例外として出生前に父母が離婚したときは離婚の際の父母の氏を称します（民790Ⅰ）。非嫡出子の場合は、分娩により当然に親子関係の生ずる母の氏を称します（民790Ⅱ、最判 S37.4.27民集16・7・1247）。

嫡出子は原則として父母の戸籍に入りますが（戸籍18Ⅰ）、出生前に離婚したときは、離婚の際の父母の（いずれか一方が離婚により除籍されている）戸籍に入ります。非嫡出子は母の戸籍に入ります。

嫡出子の父母が子の出生後に離婚しても、非嫡出子が出生後に認知されても、当然には氏の変動は生じません。

＜子の氏と戸籍＞

| 嫡出子 | 原則 | 父母の氏と戸籍 |
|---|---|---|
| | 出生前に父母が離婚 | 離婚の際の父母の氏と一方が除籍された戸籍 |
| 非嫡出子 | | 母の氏と戸籍 |

氏については、夫婦同氏の原則（民750）、養親子同氏の原則（民810）、同氏同籍の原則（戸籍18）の定めがあり、原則として夫婦は同じ氏で同じ戸籍、養子も同じ氏で同じ戸籍、父と母の氏が異なるときは氏の同じ親の戸籍に入ることになります。

なお、夫婦同氏の原則は、違憲である（憲法第14条《法の下の平等》違反、同法第13条《氏名保持権》違反、同法第21条《表現の自由》違反、同法第24条《婚姻の自由》違反）という議論があります。つまり、夫婦別姓を認めていないことが、憲法違

反に該当するのではないか、という問題です。この点について、最高裁判所判決では、平成27年12月26日、夫婦同氏の原則について、憲法第13条、第14条、第24条のいずれにも反さず、合憲であるとの判断がなされました。詳しくは、41頁を参照してください。

## (3) 氏の変動

氏の変動をもたらす事由は法律によって定められています。

<氏の変動>

| | 氏の変動事由 | | 根拠条文 |
|---|---|---|---|
| ア | 婚姻による氏の変動（夫婦同氏の原則） | | 民750 |
| イ | 離婚・婚姻の取消しによる復氏 | 協議離婚 | 民767Ⅰ |
| | | 裁判上の離婚 | 民771→767Ⅰ |
| | | 婚姻の取消し | 民749→767Ⅰ |
| ウ | 夫婦の一方の死亡による復氏 | | 民751Ⅰ |
| エ | 縁組による氏の変動（養親子同氏の原則） | | 民810本文 |
| オ | 離縁・縁組の取消しによる復氏 | 離縁 | 民816Ⅰ |
| | | 縁組の取消し | 民808Ⅱ→816Ⅰ |

### ア 婚姻による氏の変動

夫婦は婚姻の際に定めるところに従い夫又は妻の氏のどちらかを選択して、婚姻後は配偶者と同じ氏を称することになります（夫婦同氏の原則、民750）。夫婦が称する氏は、婚姻届に記載しなければなりません（戸籍74Ⅰ）。氏の選択は婚姻のときのみに認められるため、その後の変更は氏の変更によらなければなりません（戸籍107Ⅰ）。選択した氏の夫又は妻が、戸籍筆頭者でない場合は、別途新戸籍を編成します（戸籍16Ⅰ）。

また、婚姻中は夫婦同氏の原則が及ぶので、選択した氏の夫婦の一方に身分の変動があり氏が変わった場合、もう一方の氏も変更になります。例えば、夫の氏を称している夫婦の夫が、婚姻中に離縁により従前の氏に復氏する場合は、妻も氏を変更することになります。

### イ 離婚・婚姻の取消しによる復氏

婚姻により氏を改めた夫又は妻は、離婚又は婚姻の取消前の氏に当然に復氏します（協議離婚：民767Ⅰ、裁判上の離婚：民771、婚姻の取消し：民749）。この場合、

復氏する者は婚姻前の戸籍に復籍します（戸籍19 I）。したがって、離婚の際に新戸籍を作成したい場合は、離婚届の際に本人が申し出る必要があります（戸籍19 I ただし書）。実際には離婚届の「婚姻前の氏に戻る者の本籍」に新戸籍を編成する旨を記載して、届け出ることになります。

　婚姻前の氏に復した夫又は妻は離婚又は婚姻取消しの日から3か月以内に戸籍法上の届出をすることにより（戸籍77の2）、離婚又は婚姻の取消しの際に称していた氏を称することができます（婚氏の続称。民767 II、771、749）。

　離婚又は婚姻の取消しによって復氏し、3か月の除斥期間を経過した後に婚氏に戻す場合は、家庭裁判所の氏の変更の許可が必要となります（戸籍107 I）。戸籍法第107条第1項の氏の変更の許可には「やむを得ない事由」が求められるところ、婚姻中の氏への変更を求める場合は、一般よりも緩やかに解される傾向があるようです（東京高決H元.2.15家月41・8・177など）。詳細は16頁(4)イを参照してください。

　なお、離婚又は婚姻の取消しの際に称していた氏を称する場合の氏の変更は、学説上議論はありますが、「民法上の氏の変更」ではなく「呼称上の氏の変更」に過ぎないと考えられています。そのため、婚氏を続称した後にさらに婚姻の前の氏に変更する場合は、子が父又は母と氏を異にしてはいますが、「民法上の氏の変更」によって氏を異にするに至った場合を対象としている「子の氏の変更」（民791）ではなく、氏の変更の許可（戸籍107 I）の手続によるべきとされています（東京高裁S54.9.14家月31・11・85判タ401・151参照）。

**＜呼称上の氏＞**

| 呼称上の氏 | 離婚又は婚姻の取消しの際に称していた氏を称する場合 |
| --- | --- |
| | 離縁又は縁組取消しの際に称していた氏を称する場合 |
| | やむを得ない事由により変更した氏を称する場合 |

**＜離婚の際に称していた氏を称する届の記載例＞**

| | | |
|---|---|---|
| | 受理 令和　年　月　日　第　　　号 | 発送 令和　年　月　日 |
| 離婚の際に称していた氏を称する届 | 送付 令和　年　月　日　第　　　号 | 長印 |
| （戸籍法77条の2の届） | | |
| 令和 ○ 年 ○ 月 ○ 日 届出 | 書類調査　戸籍記載　記載調査　附票　住民票　通知 | |
| △△区 長 殿 | | |

| | | |
|---|---|---|
| (1) 離婚の際に称していた氏を称する人の氏名 | （現在の氏名、離婚届とともに届け出るときは離婚前の氏名）（よみかた） こう の　　　は な こ | |
| | 氏 甲 野　名 花 子 | 平成○○年 ○ 月○○日生 |
| (2) 住 所 〔住民登録をしているところ〕 | 東京都△△区 △△町 △　番地 番 △ 号 | |
| | 世帯主の氏名 乙 野 一 郎 | |
| (3) 本 籍 | （離婚届とともに届け出るときは、離婚前の本籍）東京都○○区 ○○町 ○　番地 番 | |
| | 筆頭者の氏名 甲 野 太 郎 | |
| (4) 氏 | 変更前（現在称している氏） 甲 野 | 変更後（離婚の際称していた氏）（よみかた） こう の 甲 野 |
| (5) 離婚年月日 | 令和○○年 ○ 月 ○ 日 | |
| (6) 離婚の際に称していた氏を称した後の本籍 | （(3)欄の筆頭者が届出人と同一で同籍者がない場合には記載する必要はありません）東京都△△区 △△町 △　番地 番 | |
| | 筆頭者の氏名 甲 野 花 子 | |
| (7) その他 | | |
| (8) 届出人署名押印（変更前の氏名） | 甲 野 花 子　　　　㊞ | |

字訂正　字加入　字削除

届出印

| | | |
|---|---|---|
| 住定年月日　　・　・ | | 日中連絡のとれるところ 電話（○×）△△×× 自宅・勤務先 呼出（　　方） |

### ウ　夫婦の一方の死亡による復氏

　夫婦の一方が死亡した場合は、生存配偶者は婚姻前の氏に復することができます（民751Ⅰ）。復氏の意思表示は要式行為であり、市区町村への届出が必要になります（戸籍95）。また、夫婦の一方が死亡すると婚姻関係は消滅しますが、姻族関係は終了しません（民728Ⅱ）。姻族関係は終了の意思表示（ただし、要式行為で姻族関係終了届の市区町村への届出が必要）により終了します。

　なお、姻族関係の終了の意思表示と死亡による復氏の意思表示は何ら関係がありません。

＜姻族関係終了の意思表示と死亡による復氏の意思表示の関係＞

| 意思表示の有無 | | 婚族関係 | 氏 |
|---|---|---|---|
| 姻族関係の終了の意思表示をした場合 | 死亡による復氏の意思表示をした場合 | 終了 | 婚姻前の氏 |
| | 死亡による復氏の意思表示をしない場合 | 終了 | 婚姻中の氏 |
| 姻族関係の終了の意思表示をしない場合 | 死亡による復氏の意思表示をした場合 | 継続 | 婚姻前の氏 |
| | 死亡による復氏の意思表示をしない場合 | 継続 | 婚姻中の氏 |

＜復氏届の記載例＞

| 復　氏　届 | 受理　令和　年　月　日 | | 発送　令和　年　月　日 | |
|---|---|---|---|---|
| | 第　　　　号 | | | |
| 令和 ○年 ○月 ○日届出 | 送付　令和　年　月　日 | | | 長　印 |
| | 第　　　　号 | | | |
| △△区　長　殿 | 書類調査　戸籍記載　記載調査　附票　住民票　通知 | | | |

| （よみかた） | こうの　　　　　はなこ | | | |
|---|---|---|---|---|
| 復氏する人の氏　名 | 氏 甲　野 | 名 花　子 | 平成○年 ○月 ○日生 | |
| 住　　　所 〔住民登録をしているところ〕 | 東京都△△区 △△町 △ 番地番 △ 号 | | | |
| | 世帯主の氏名 甲　野　花　子 | | | |
| 本　　　籍 | 東京都○○区 ○○町 ○ 番地番 | | | |
| | 筆頭者の氏名 甲　野　太　郎 | | | |
| 復　す　る　氏父　母　の　氏　名父母との続き柄 | 氏（よみかた）おつ　の 乙　野 | 父 乙野一郎 | 続　き　柄□男 | |
| | | 母 梅子 | 長 ☑女 | |
| 復氏した後の本　　　籍 | ☑もとの戸籍にもどる　□新しい戸籍をつくる （よみかた） | | | |
| | 東京都△△区 △△町 △ 番地番 筆頭者の氏名 乙野一郎 | | | |
| 死亡した配偶者 | 氏名 甲　野　太　郎 平成××年 ×月 ×日死亡 | | | |
| そ の 他 | | | | |
| 届　出　人署　名　押　印 | 甲　野　花　子 甲野㊞ | | | |

字訂正字加入字削除

届出印

住定年月日　　　・　・

日中連絡のとれるところ
電話（○×）△△×× 
自宅 勤務先 呼出（　　方）

### エ 縁組による氏の変動

養子（普通養子縁組と特別養子縁組とを問わず）は養親の氏を称するものとされ（民810本文）、縁組により養子は養親の氏を称し（養親子同氏の原則）、養子が夫婦の場合を除き同籍に入ります（戸籍18Ⅲ）。養子が夫婦のときは、新戸籍を編成します（戸籍20）。

ただし、養子が婚姻により氏を改めた場合は、婚姻の際に定めた氏を称すべき間は養親子同氏の原則は及びません（民810ただし書）。また、養子の子については氏の変動は生じません。氏を変更するには、民法第791条（子の氏の変更）によることになります。

### オ 離縁・縁組の取消しによる復氏

養子は離縁により縁組前の氏に復します（民816Ⅰ本文）。ただし、配偶者とともに養子縁組をした養親の一方のみと離縁をしたときは、氏の変動はありません（民816Ⅰただし書）。

縁組の日から7年間を経過して離縁又は縁組取消しとなり、縁組前の氏に復した養子は、離縁又は縁組取消しの日から3か月以内に戸籍法上の届出をすることにより（戸籍73の2）、縁組又は縁組取消しの際に称していた氏を称することができます（民816Ⅱ）。婚氏続称の場合と同様、この場合の氏の変更は「民法上の氏の変更」ではなく、「呼称上の氏の変更」にすぎないと考えられています。

## ＜離縁の際に称していた氏を称する届の記載例＞

<table>
<tr><td rowspan="2" colspan="2">離縁の際に称していた氏を称する届<br>（戸籍法73条の2の届）</td><td colspan="2">受理 令和 　年　月　日<br>第　　　　　号</td><td colspan="2">発送 令和 　年　月　日</td></tr>
<tr><td colspan="2">送付 令和 　年　月　日<br>第　　　　　号</td><td colspan="2">長 印</td></tr>
<tr><td colspan="2">令和 ○年 ○月 ○日 届出<br><br>△△区 長殿</td><td>書類調査　戸籍記載</td><td>記載調査　附　票</td><td>住民票　通　知</td><td></td></tr>
</table>

| | | |
|---|---|---|
| (1) 離縁の際に称していた氏を称する人の氏名 | （よみかた）　こうの　　　たろう<br>氏　甲　野　　　名　太　郎　　　平成○○年 ○月○○日生<br>（現在の氏名、離縁届とともに届け出るときは離縁前の氏名） | |
| (2) 住　所<br>〔住民登録をしているところ〕 | 東京都△△区 △△町 △　番地　番　△ 号<br>世帯主の氏名　乙　山　次　郎 | |
| (3) 本　籍 | 東京都○○区 ○○町 ○　番地　番<br>（離縁届とともに届け出るときは、離縁前の本籍）<br>筆頭者の氏名　甲　野　一　郎 | |

字訂正　字加入　字削除　　届出印

| | | |
|---|---|---|
| (4) 氏 | 変更前（現在称している氏）<br>甲　野 | 変更後（離縁の際称していた氏）<br>（よみかた）こうの<br>甲　野 |
| (5) 縁組年月日 | 平成 ○年　　○月　　○日 | |
| (6) 離縁年月日 | 令和○○年　　○月　　○日 | |
| (7) 離縁の際に称していた氏を称した後の本籍 | （(3)欄の筆頭者が届出人と同一で同籍者がない場合には記載する必要はありません）<br>東京都△△区 △△町 △　番地　番<br>筆頭者の氏名　甲野太郎 | |
| (8) その他 | | |
| (9) 届出人署名押印（変更前の氏名） | 甲　野　太　郎　　　　　㊞（甲野） | |

住定年月日　　・　　・

日中連絡のとれるところ<br>電話（○×）△△×× <br>⦅自宅⦆勤務先 呼出（　　方）

## (4)　氏の変更

| | 内　容 | 根拠条文 |
|---|---|---|
| ア | 子の氏の変更 | 民791 I II |
| イ | やむを得ない事由による氏の変更 | 戸籍107 I |

### ア　子の氏の変更

　　子が父又は母と氏を異にする場合、子は家庭裁判所の許可を得て、戸籍法の定めるところにより届け出ることで父又は母の氏を称することができます（民791 I、戸籍107）。典型的な例としては、両親が離婚し、子は婚姻のときの父母の氏である父の氏を称している場合、親権を母が取ったときに、一緒に暮らす母と子の氏が異なることになってしまいます。その場合の不都合を回避するために子の氏の変更の手続を用意しているわけです。

　　この場合の「子」には制限はなく、成年、未成年、婚姻中であると否とを問わず、氏の変更が可能です。また、「父又は母」には養父母も含まれますが、父又は母が死亡している場合も認められるかは争いのあるところです。家庭裁判所の許可は、子の住所地を管轄する家庭裁判所による「子の氏変更申立て」に対する審判（家事39別1⑫）によることになります。どのような場合に家庭裁判所の許可が出るかですが、子の福祉、氏の変更により影響を受ける利害関係者の調整、氏の変更濫用の防止が目的ですので、氏の変更及びそれに伴う籍の変動を踏まえて、個々の事例ごとに判断が行われます。

　　ただし、民法第791条による子の氏の変更は、民法上の氏が異なる場合に認められるものであって、呼称上の氏が異なる場合には認められません。

**＜民法上の氏が異なる場合と呼称上の氏が異なる場合の図1＞**

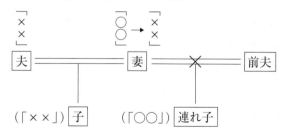

(注)　夫の氏は「××」、妻の婚姻前の氏が「○○」で婚姻により「××」の氏を選択し、子が生まれた場合は子の氏は「××」となります。妻に前婚で設けた連れ子がいれば、その連れ子の氏は「○○」です。

＜民法上の氏が異なる場合と呼称上の氏が異なる場合の図２＞

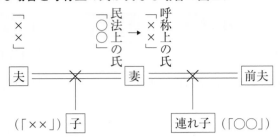

（注） 夫の氏は「××」、妻の婚姻前の氏が「○○」で、婚姻により「××」の氏を選択した後、夫と妻が離婚した場合、妻の民法上の氏は「○○」となりますが、婚氏続称を届け出ると呼称上の氏が「××」となります。

このとき子及び連れ子が母の戸籍に入るためには、子は民法上の氏が異なるので、民法第791条第1項による子の氏の変更の手続によりますが、連れ子は民法上の氏が同じであるので、子の氏の変更によることはできず、「同籍する旨の入籍届」によることになります。

父母が婚姻中の場合、子は父母の婚姻中に限り、家庭裁判所の許可なく氏を父母の氏に変更することが可能です（民791Ⅱ）。典型的な例としては、認知した非嫡出子（母の氏）の父と母が婚姻した場合、子は準正嫡出子となりますが氏は母の婚姻前の氏を称していることになります。この場合には、氏の変更濫用や、利害関係人の調整、子の福祉といった観点から考えても特段の問題はなく、家庭裁判所の許可は不要であるとされたものです。

このとき子が婚姻している場合には、配偶者の氏も変更となることから、配偶者とともに届出をする必要があります（戸籍98Ⅱ）。

## イ やむを得ない事由による氏の変更

上記のいずれにもよらない場合でも、戸籍法上、家庭裁判所の許可を得て、市区町村に届け出ることにより、氏の変更を認めています（戸籍107Ⅰ）。身分変動とは無関係な氏の変更は社会生活への影響が大きいことから、個人の意思のみによっては認めず、やむを得ない事由によって家庭裁判所の許可（氏の変更審判）を得ることを必要としています（戸籍107Ⅰ）。氏の変更の効果は同籍者全員の氏が変更となり、同籍者の一部のみの氏の変更はできません。

「やむを得ない事由」として認められたものの一部は、以下の表のとおりです。

この場合の氏の変更は、「呼称上の氏の変更」であり、「民法上の氏の変更」ではないと考えられています。

＜戸籍法第107条第1項の「やむを得ない事由」＞

| 事　由 | 内　容 | 具体例 |
|---|---|---|
| 珍奇・難解・難読の場合 | 社会生活上著しい困惑を自他ともに被る場合、他人より嘲笑侮蔑されるような意味を帯びて人格を不当に傷つけられるおそれのある場合は認められます。 | ・「肴屋」という氏について<br>長崎家審S61.7.17<br>家月38・11・125 |
| 社会生活上に支障がある場合 | 社会生活上の著しい支障のある場合に認められます。 | ・外国人と婚姻し、双方の氏が結合した氏を称していた場合について<br>東京家審H6.10.25<br>家月47・10・765<br>・元暴力団員として周知されている場合<br>宮崎家審H8.8.5<br>家月49・1・140 |
| 長年の通称使用の場合 | 戸籍上の氏名がかえって同人の同一性を惑わし、社会生活を混乱せしめる場合は認められます。 | ・内縁関係について<br>横浜家審H4.7.8<br>家月45・1・140<br>・外国人配偶者について<br>大阪高決H3.8.2<br>家月44・5・33 |
| 婚氏続称の届をした後に、婚姻前の氏に変更する場合 | 緩やかに解す見解と、それに反対する見解とがいずれもあるので、基準が明確とはいい難い状況でありますが、認めたものもあります。 | ・東京高決S58.11.1<br>家月36・9・88<br>・福岡高決S60.1.31<br>家月37・8・45 |

(注)　家名承継、先祖祭祀（同じお墓に入る）、責任免脱等の目的の場合は審判申立ては認められません。

## ＜氏の変更届の記載例＞

<table>
<tr><td colspan="2" rowspan="2">氏　の　変　更　届<br>（戸籍法107条1項の届）<br><br>令和 ○年 ○月 ○日 届出<br><br>△△　長殿</td><td>受理 令和　年　月　日<br>第　　　　　　号</td><td>発送 令和　年　月　日</td></tr>
<tr><td>送付 令和　年　月　日<br>第　　　　　　号</td><td>長　印</td></tr>
<tr><td colspan="2"></td><td colspan="2">書類調査　戸籍記載　記載調査　附　票　住民票　通　知</td></tr>
</table>

| 本　　籍 | 東京都△△区△△町△　番地番 |
|---|---|
| | 筆頭者の氏名　（変更前の氏名）（よみかた）　こうの　たろう<br>甲　野　太　郎 |

| （よみかた）<br>氏 | 変更前　こうの<br>甲　野 | 変更後　おつやま<br>乙　山 |
|---|---|---|

| 許可の審判 | 令和○○年　○月　○○日確定 |
|---|---|

<table>
<tr><td rowspan="2">字訂正<br>字加入<br>字削除</td><td>（よみかた）たろう<br>筆頭者（名）<br>太郎</td><td>（住所・・・住民登録をしているところ）<br>東京都△△区△△町△　番地番　△号</td><td>（世帯主の氏名）<br>甲野太郎</td></tr>
</table>

| 届出印 | お な じ 戸 籍 に あ る 人 | 配偶者　はなこ<br>花子 | 同　上　番地番　号 | 同　上 |
|---|---|---|---|---|
| | | | 番地番　号 | |
| | | | 番地番　号 | |
| | | | 番地番　号 | |
| | | | 番地番　号 | |
| | | | 番地番　号 | |

| そ の 他 | 次の人の父母欄の氏を更正してください |
|---|---|

| 届　出　人<br>署　名　押　印<br>（変更前の氏名） | 筆頭者<br>甲　野　太　郎　㊞ | 配偶者<br>甲　野　花　子　㊞ |
|---|---|---|
| 生　年　月　日 | 平成○○年　○月　○日 | 平成△△年　△月　△日 |

| 記入の注意 | 筆頭者の氏名欄には、戸籍のはじめに記載されている人の氏名を書いてください。<br>変更後の氏には、よみかたを書いてください。これは戸籍には記載されません。<br>住民票の処理上必要とするものです。 |
|---|---|

**日中連絡のとれるところ**
電話（○×）△△××
（自宅）勤務先　呼出（　　方）

# 第2　親族間の権利・義務その他の法的効果

親族間には、次のような権利・義務、その他の法的効果が生じます。

## 1　扶け合う義務

直系血族及び同居の親族は、互いに扶け合わなければなりません（民730）。

この規定については、議論はありますが、法律上の強制力のある扶養義務を生じさせるものではないと考えられています。しかし、生活保護といった公的扶助の範囲に関して、民法第730条を私的扶助について定めた規定として解釈し「日常生活において法律の趣旨を十分尊重する必要がある」などといった行政の説明が行われ、公的扶助の範囲に影響を与えているという実態があります。

## 2　扶養の権利義務

直系血族及び兄弟姉妹は互いに扶養する義務があります（民877Ⅰ）。

特別の事情があると家庭裁判所が認めたときは、直系血族及び兄弟姉妹以外の3親等内の親族間（血族及び姻族）で扶養の義務を負わせることができます（民877Ⅱ、家事39別1⑭）。扶養の順序・程度・方法は当事者の協議により、協議ができないときは、家庭裁判所の審判によるものとされ（民878、879）、画一的な処理にはなじまないため、家庭裁判所の裁量に委ねられています。扶養の権利は一身専属権とされ（民881）、相続の対象にも、債権者代位権の対象にもなりませんし、差押えも制限されています（民執152Ⅰ①）。

扶養の具体的な義務の内容については、本編第8章「扶養」を参照してください。

## 3　相続権

親族である場合には、相続の開始により法律上当然に相続の効果（被相続人の遺産及び債務の承継）を享受し得る地位（いわゆる相続権）を有することがあります（「新版注釈民法⑳」54頁）。「相続権」と包括して呼びますが、債務も承継します。詳細は第二編を参照してください。

## 4 請求・申立ての資格

親族であることにより、請求や申立ての資格が与えられることがあります。

具体的には、後見開始・保佐開始・補助開始の審判の請求権（民7、11、15Ⅰ）、婚姻・縁組の取消請求権（民744Ⅰ、805、806Ⅰ、807）、親権喪失等の申立権（民834、836）、推定相続人の廃除に関する審判確定前の遺産管理（民895Ⅰ）などが挙げられます。

## 5 障害事由・欠格事由

親族であることが一定の法律行為の障害事由あるいは欠格事由となることがあります。

具体的には、近親婚の禁止（民734〜736、直系姻族間では婚姻終了後、養親子関係では離縁により終了後も婚姻が禁止されます。）、縁組の禁止（民793）、後見人・後見監督人としての欠格事由（民847④、850）、遺言の証人・立会人としての欠格事由（民974③）などが挙げられます。

## 6 刑法、訴訟法その他の効果

犯人蔵匿罪及び証拠隠滅罪については、犯人又は逃走した者の親族がこれらの者の利益のために犯したときは刑を免除することができるとされています（刑法105）。窃盗罪及び不動産侵奪罪については、配偶者、直系血族、同居の親族との間では刑が免除され、その他の親族との間では親告罪とされています（刑法244ⅠⅡ）。詐欺、恐喝、横領についても、刑法第244条が準用されています（刑法251、255）。

訴訟法上は、一定の親族関係があるときは裁判官等が除斥・忌避・回避の理由となります（民訴23Ⅰ①②、24、民訴規12、刑事訴訟法20②、21、刑事訴訟規則13）。その他、親族関係がある場合には証言拒絶権が認められています（民訴196①、刑事訴訟法147①）。

＜親族間の権利・義務その他の法的効果＞

| 項　目 | 内　容 | 根拠条文 |
|---|---|---|
| 扶け合う義務 | 直系血族及び同居の親族 | 民730 |
| 扶養の権利義務 | 直系血族及び兄弟姉妹（特別の事情がある場合 3 親等内の親族） | 民877 I（II） |
| 相続権 | 被相続人の遺産及び債務の承継 | 民887、890 |
| 請求・申立ての資格 | 後見開始・保佐開始・補助開始の審判の請求権 | 民7、11、15 I |
| | 結婚・縁組の取消請求権 | 民744 I、805、806 I、807 |
| | 親権喪失等の申立権 | 民834、836 |
| | 推定相続人の廃除に関する審判確定前の遺産管理など | 民895 I |
| 障害事由・欠格事由 | 近親婚の禁止 | 民734〜736 |
| | 縁組の禁止 | 民793 |
| | 後見人・後見監督人としての欠格事由 | 民847④、850 |
| | 遺言の証人・立会人としての欠格事由など | 民974③ |
| その他の効果 | 刑法 | 犯人蔵匿罪及び証拠隠滅罪 | 刑法105 |
| | | 窃盗罪及び不動産侵奪罪 | 刑法244 |
| | | 詐欺及び恐喝の罪及び横領の罪 | 刑法251、255→244 |
| | 訴訟法 | 除斥・忌避・回避 | 民訴23 I ①②、24、民訴規12、刑事訴訟法20②、21、刑事訴訟規則13 |
| | | 証言拒絶権 | 民訴196①、刑事訴訟法147① |

# 第3　親族関係の発生・消滅

## 1　血族関係の発生・消滅

### (1)　発生

#### ア　自然血族

　嫡出子の場合は、出生により血族関係が発生します。

　非嫡出子の場合は、母との関係では出生により（最判Ｓ37.4.27民集16・7・1247参照）、父との関係では認知により出生に遡って発生します（民784）。

　なお、発生ではありませんが、特別養子縁組が離縁となった場合は、特別養子縁組により終了した自然血族関係が復活します（民817の11）。

#### イ　法定血族

　養子縁組により養子と養親、養子と養親の血族との間には養子縁組の日から血族間におけるのと同一の親族関係を生じます（民727）。養子縁組の効力は、普通養子縁組では「養子縁組届出が受理されたときから」、特別養子縁組では「家庭裁判所の審判の確定した日から」生じます。注意すべき点は、養子縁組では養子の血族と養親又は養親の血族との間には親族関係は生じないことです。養子縁組後に出生する血族との間には親族関係が生じるので、養親と養子の子の親族関係は養子の子の出生と縁組の効力が生じる前後で異なることになります。

　養親族関係の発生は、養子縁組の大きな効果の１つといえます。その他の養子縁組の効果としては養親子関係という嫡出子関係の創設が挙げられます（民809）。

**＜養親子関係の範囲＞**

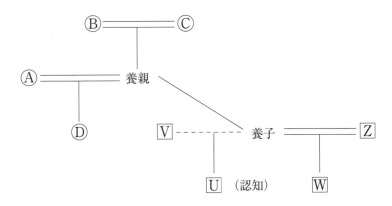

【設例1】Wが生まれた後に縁組があった場合
→縁組の効果は遡及しないので、Wは養親の孫とはなりません。

【設例2】Uが生まれ、その後縁組し、縁組後に養子がUを認知した場合
→認知の効果は遡及し（民784）、縁組の効果は遡及しないので、Uは養親の孫とはなりません（準正（民789）でも同様です。）。

【設例3】縁組後にWが生まれた場合
→Wは養親の孫（直系卑属）となります。

【設例4】縁組後にWが生まれ、その後離縁し、再度縁組をした場合
→Wは養親の孫となりません。

【設例5】縁組後、養親がAと婚姻した場合
→Aと養子との法定血族関係は生じません。

【設例6】養子が養親の非嫡出子である場合
→養子は法定血族としての嫡出子たる地位を得ます。

【設例7】養子が養親の非嫡出子で、縁組後離縁した場合
→養子は自然血族たる非嫡出子たる地位に戻ります。

(注)　養子縁組については、本編第4章 第2「養子」を参照してください。

## (2)　消滅

### ア　自然血族

　死亡により死亡者と死亡者以外の血族との血族関係は終了しますが、死亡者以外の血族関係には影響を及ぼしません。具体的には、本人が死亡しても、（本人から見た）父母と子の間が祖父母と孫として血族関係にあることに変化はありません。

　また、特別養子縁組により、実方の父母及びその血族との親族関係が終了します（民817の9）。

### イ　法定血族

　離縁により、養子及びその配偶者並びに養子の直系卑属及びその配偶者と養親及びその血族との親族関係が終了します（民729）。縁組の取消しも同様に考えられます。

　また、縁組の当事者の一方の死亡により養親子関係は消滅しますが、養親又は養子を通じた親族関係は存続します。生存当事者は家庭裁判所の許可（審判）を得て、

離縁することができます（民811Ⅵ、家事39別1㉒）。養親子関係の死亡による終了は、以下の図のとおりとなります。

**＜養親子関係の死亡による終了＞**

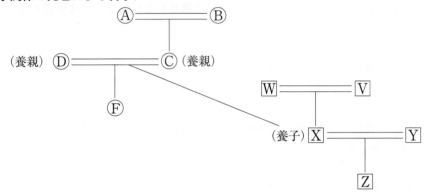

【設例1】養子Xが死亡し、Cが養親族関係を終了させたい場合
→養親であるCは家庭裁判所の審判で離縁することができます。

【設例2】養子Xが死亡し、Yが養親族関係を終了させたい場合
→配偶者Yは婚姻関係終了の意思表示で養親族関係を終了させることができます。

【設例3】養子Xが死亡し、Zが養親族関係を終了させたい場合
→方法はありません。

【設例4】養親Cが死亡し、Xが養親族関係を終了させたい場合
→Dとは離縁をし、別途家庭裁判所の審判でCと離縁する必要があります。ただし、戸籍については、Dと離縁した段階で養子は直ちに復籍し、縁組前の氏を称することになりますので、注意が必要です。

　　離縁等によって養親族関係が終了した場合でも、養子と養親の直系親族とは婚姻が禁止されているなど、残存する効果もあります（民734Ⅱ）。

＜血族関係の発生・消滅＞

| 発生 | 自然血族 | 嫡出子 | 出生 |
|---|---|---|---|
| | | 非嫡出子 | 母：出生、父：認知 |
| | 法定血族 | | 養子縁組 |
| 消滅 | 自然血族 | | 死亡、特別養子縁組 |
| | 法定血族 | | 死亡、離縁、縁組の取消し |

## 2　姻族関係の発生・終了

### (1)　発生

　姻族関係は、婚姻により発生します。

### (2)　終了

　姻族関係は、離婚（民728Ⅰ）により終了するほか、婚姻の取消しによっても終了します。

　また、離縁により養子及びその配偶者並びに養子の直系卑属及びその配偶者と養親及びその血族との親族関係は消滅するので（民729）、離縁により養子の養方における姻族関係等が終了します。縁組の取消しも同様です。具体的には、離縁により養親の実子の配偶者や、養親と養子の子の配偶者との姻族関係が終了します。

　加えて、夫婦の一方が死亡した場合に生存配偶者が姻族関係を終了させる意思表示をしたときは姻族関係が終了します（民728Ⅱ）。つまり、配偶者の一方の死亡によっても、生存配偶者と死亡配偶者の血族との姻族関係は当然に消滅しません。姻族関係を終了させる意思表示は、身分行為の一般原則に従い、意思能力さえあれば制限行為能力者でも可能です。また、死亡配偶者の血族はこれをすることができません。

　姻族関係終了の意思表示の方法は、生存配偶者の本籍地又は所在地（住居地に限りません。）の市区町村に姻族関係終了届を提出します（戸籍96）。姻族関係終了の意思表示を行っても、氏には影響がないので、別途復氏をしなければ氏にも戸籍にも変動がありません（戸籍19Ⅱ、戸籍規35参照）。

＜姻族関係終了届の記載例＞

# 姻族関係終了届

令和 ○年○月○日 届出

○○　長殿

| 受　理　令和　　年　　月　　日 | | 発　送　令和　　年　　月　　日 |
|---|---|---|
| 第　　　　　　　号 | | |
| 送　付　令和　　年　　月　　日 | | 長印 |
| 第　　　　　　　号 | | |
| 書類調査 | 戸籍記載 | 記載調査 |

| | | | |
|---|---|---|---|
| （よみかた） | こう　の | た　ろう | |
| 姻族関係を終了させる人の氏名 | 氏 甲　野 | 名 太　郎 | 平成○○年　○月　○日生 |
| 住　　　所 〔住民登録をしているところ〕 | 東京都△△区△△町△ | | 番地 番　　△　号 |
| | 世帯主の氏名 甲　野　太　郎 | | |
| 本　　　籍 | 東京都○○区　○○町　○ | | 番地 番 |
| | 筆頭者の氏名 甲　野　太　郎 | | |
| 死亡した配偶者 | 氏名 甲　野　花　子 | 令和○○年　○月　○日死亡 | |
| | 本籍 東京都○○区　○○町　○ | | 番地 番 |
| | 筆頭者の氏名 甲　野　太　郎 | | |
| そ　の　他 | | | |
| 届出人署名押印 | 甲　野　太　郎 | | 甲野㊞ |

字訂正
字加入
字削除

届出印

日中連絡のとれるところ
電話（○×）△△××
自宅 勤務先　呼出（　　　方）

　姻族関係終了の効果は、基本的には親族関係の終了の効果といえ、親族関係に基づく権利・義務等が消滅することです。姻族関係終了に伴う特殊な効果としては、婚姻で氏を改めた妻又は夫が祭祀財産を承継している場合にはこれを返還し、別途承継者を協議により決定しなければならないこと（民769）、直系姻族間での婚姻の禁止は継続すること（民735）などが挙げられます。詳細は、以下の表のとおりです。

**＜姻族関係の発生・終了＞**

| 発　生 | 婚姻 |
|---|---|
| 終　了 | 離婚、婚姻の取消し |
| | 離縁、縁組の取消し |
| | 生存配偶者による婚姻関係終了の意思表示 |

**＜姻族関係終了の効果＞**

| 区　分 | 内　容 | 根拠条文 |
|---|---|---|
| 発生するもの | 祭祀財産の権利の承継者の決定 | 民769 |
| 消滅するもの | 扶養の権利義務 | 民877Ⅱ |
| | 後見開始・保佐開始・補助開始の審判の請求権 | 民7、11、15Ⅰ |
| | 結婚・縁組の取消請求権 | 民744Ⅰ、805、806Ⅰ、807 |
| | 親権喪失等の申立権 | 民834、836 |
| | 推定相続人の廃除に関する審判確定前の遺産の管理 | 民895Ⅰ |
| 存続するもの | 直系姻族間での婚姻の禁止 | 民735 |

## 3　配偶者関係の発生・消滅

### ⑴　発生

　配偶者関係は、婚姻により発生します。

### ⑵　消滅

　配偶者関係は離婚・婚姻の取消しその他、婚姻の解消により消滅します。

＜配偶者関係の発生・消滅＞

| 発　生 | 婚姻 |
| --- | --- |
| 消　滅 | 婚姻の解消（離婚、婚姻の取消しなど） |

# 第2章　婚　姻

## 第1　婚姻の成立

### 1　婚姻の要件

　婚姻とは、終生の共同生活を目的とし、社会的に承認された男女の性的結合関係です。婚姻関係が認められるためには、以下に述べる形式的（手続的）要件と実質的要件を満たすことが必要です。

**＜婚姻関係と形式的・実質的要件＞**

| | | 実質的要件（婚姻意思存在・婚姻障害不存在） | |
|---|---|---|---|
| | | なし | あり |
| 形式的要件（届出） | なし | ― | 内縁 |
| | あり | 無効又は取消し可 | 婚姻関係 |

### (1)　婚姻の形式的（手続的）要件

　婚姻の形式的（手続的）要件として、婚姻の届出が必要とされています。我が国では、婚姻意思に基づいて共同生活を始めたことや結婚式を挙げたことなどにより法律上の婚姻と認める制度（事実婚主義）を採用しておらず、婚姻と認められるためには法律で定められた方式を踏むことが必要です（法律婚主義）。

　民法は、婚姻の方式として戸籍法に定められた届出を必要としており（民739Ⅰ）、この届出によって婚姻が成立すると考えるのが通説的見解です。

　婚姻の届出は書面によることが一般であり、市区役所又は町村役場に届出用紙が備え付けられています。この用紙に当事者双方及び成年の証人2人が署名・押印して提出します（次頁参照）。

　婚姻届の提出は郵送することも他人に委託することもできますが、受付前に当事者が死亡したときは、仮に受理されたとしてもその婚姻は無効と考えられています。

　婚姻の届出の方法としては、婚姻届の提出のほかに、口頭による届出も可能です（民739Ⅱ後段）。当事者双方が市区役所又は町村役場に出頭し、婚姻届に記載すべき事項を陳述（口頭で述べること）します。

## ＜婚姻届の記載例＞

| 受理 令和　年　月　日 | | 発送 令和　年　月　日 | |
|---|---|---|---|
| 第　　　　　号 | | | 長印 |
| 送付 令和　年　月　日 | | | |
| 第　　　　　号 | | | |
| 書類調査 | 戸籍記載 | 記載調査 | 調査票 | 附票 | 住民票 | 通知 |

# 婚　姻　届

令和 ○年 ○月 ○日 届出

東京都○○区 長殿

| | | 夫 に な る 人 | | 妻 に な る 人 | |
|---|---|---|---|---|---|
| (1) | （よみかた） | こう の （氏） た ろう（名） | | おつやま（氏） はな こ（名） | |
| | 氏　　名 | 甲　野 | 太　郎 | 乙　山 | 花　子 |
| | 生 年 月 日 | 平成○○年　○月○○日 | | 平成△△年　△月△△日 | |
| (2) | 住　　所 | 東京都○○区 ○○町 | | 東京都△△区 △△町 | |
| | | ○○番地 ○ 号 | | △丁目△番地 △ 号 | |
| | [住民登録をしているところ] | 世帯主の氏名　甲野一郎 | | 世帯主の氏名　乙山次郎 | |
| (3) | 本　　籍 | 東京都○○区 ○○町 | | 東京都△△区 △△町 | |
| | [外国人のときは国籍だけを書いてください] | ○○番地 | | △丁目 △番地 | |
| | | 筆頭者の氏名　甲野一郎 | | 筆頭者の氏名　乙山次郎 | |
| | 父 母 の 氏 名 父母との続き柄 [他の養父母はその他の欄に書いてください] | 父　甲野一郎 | 続き柄 | 父　乙山次郎 | 続き柄 |
| | | 母　　梅子 | 長男 | 母　　桃子 | 長女 |

| (4) | 婚姻後の夫婦の氏・新しい本籍 | ☑夫の氏 □妻の氏 | 新本籍 （左の☑の氏の人がすでに戸籍の筆頭者となっているときは書かないでください） |
| | | | 東京都○○区 ○○町○○　　　番地 |
| (5) | 同居を始めたとき | 令和○○年　○月 | 結婚式をあげたとき、または、同居を始めたときのうち早いほうを書いてください |
| (6) | 初婚・再婚の別 | □初婚　再婚 [□死別　年 月 日／□離別] | □初婚　再婚 [□死別　年 月 日／□離別] |

| (7) | 同居を始める前の夫妻のそれぞれの世帯のおもな仕事と | [夫][妻] 1．農業だけまたは農業とその他の仕事を持っている世帯 |
| | | [夫][妻] 2．自由業・商工業・サービス業等を個人で経営している世帯 |
| | | [夫][妻✓] 3．企業・個人商店等（官公庁は除く）の常用勤労者世帯で勤め先の従業者数が1人から99人までの世帯（日々または1年未満の契約の雇用者は5） |
| | | [夫✓][妻] 4．3にあてはまらない常用勤労者世帯及び会社団体の役員の世帯（日々または1年未満の契約の雇用者は5） |
| | | [夫][妻] 5．1から4にあてはまらないその他の仕事をしている者のいる世帯 |
| | | [夫][妻] 6．仕事をしている者のいない世帯 |
| (8) | 夫妻の職業 | （国勢調査の年・・・　年・・・の4月1日から翌年3月31日までに届出をするときだけ書いてください） |
| | | 夫の職業　　　　　　　　妻の職業 |

| その他 | |
|---|---|

| 届出人署名押印 | 夫　　甲野　太郎　㊞（甲野） | 妻　　乙山　花子　㊞（乙山） |
|---|---|---|
| 事件簿番号 | | |

| | 住 定 年 月 日 |
|---|---|
| 夫 | ・　・ |
| 妻 | ・　・ |

字訂正
字加入
字削除

届出印

記　入　の　注　意

鉛筆や消えやすいインキで書かないでください。

この届は、あらかじめ用意して、結婚式をあげる日または同居を始める日に出すようにしてください。その日が日曜日や祝日でも届けることができます。

札幌市内の区役所に届け出る場合、届書は1通でけっこうです。（その他のところに届け出る場合は、直接、提出先にお確かめください）

この届書を本籍地でない役場に出すときは、戸籍謄本または戸籍全部事項証明書が必要です。

| | 証　　人 | |
|---|---|---|
| 署　名　押　印 | 丙野　次朗　　㊞ | 丁山　秋子　　㊞ |
| 生　年　月　日 | 平成 3 年　　5 月　　5 日 | 平成 10 年　　8 月　　25 日 |
| 住　　所 | 東京都〇□区□□　　□丁目□番地 番 □号 | 東京都××区△△　　△丁目 △番地 番 △号 |
| 本　　籍 | 東京都□□区〇〇　　〇丁目 〇番地 番 | 東京都××区△△　　△丁目 △番地 番 |

⟶　「筆頭者の氏名」には、戸籍のはじめに記載されている人の氏名を書いてください。

⟶　□には、あてはまるものに☑のようにしるしをつけてください。

外国人と婚姻する人が、まだ戸籍の筆頭者となっていない場合には、新しい戸籍がつくられますので、希望する本籍を書いてください。

⟶　再婚のときは、直前の婚姻について書いてください。

内縁のものはふくまれません。

届け出られた事項は、人口動態調査（統計法に基づく基幹統計調査、厚生労働省所管）にも用いられます。

> 　婚姻によって、住所や世帯主が変わる方は、あらたに住所変更届、世帯主変更届の手続きが必要となりますので、ご注意ください。
> 　なお、婚姻届と同時にこれらの届を出すときは、住所、世帯主欄は、変更後の住所、世帯主を書いてください。
> 　就業時間以外（土曜日、日曜日、祝日等）の住民異動届は受付できませんので後日届出願います。

●署名は必ず本人が自署してください。

●印は各自別々の印を押してください。

●届出のとき持参するもの

　　①夫・妻の戸籍謄本または戸籍全部事項証明書　各1通
　　　（札幌市内の区役所に届け出る場合、札幌市に本籍がある方については必要ありません。）
　　②夫・妻の印鑑

| 日中連絡のとれるところ |
|---|
| 電話（〇×）△△×× |
| 自宅 勤務先 呼出（　　　方） |

㊟　本籍地以外の役場に届け出る場合，戸籍謄本又は戸籍全部事項証明書が必要になります。

　外国にいる日本人の間で婚姻するときは、郵送などの方法で届け出ることができるほか、その国に駐在する日本の大使、公使又は領事に届出をすることもできます。

　日本人が外国人と婚姻する場合には、婚姻の方法は婚姻する国の法律によることになりますが、婚姻の成立要件は各当事者の本国法（日本人であれば日本の法律）によることになります。

## (2)　婚姻の実質的要件

　形式上婚姻を届け出ても、当事者の間に婚姻意思の合致がない場合や、法的に保護すべき婚姻といえない（婚姻障害に当たる）場合には、婚姻の実質的要件を満たしません。

**＜実質的要件を欠く場合＞**

| 実質的要件を欠く場合 | 内　容 | 根拠条文 |
|---|---|---|
| 当事者間に婚姻意思の合致がない場合（積極的要件） | 人違いその他の事由により当事者間に、婚姻をする意思がない | 民742Ⅰ |
| 婚姻障害に当たる場合（消極的要件） | ㋐　不適齢婚 | 民731 |
| | ㋑　重婚 | 民732 |
| | ㋒　近親婚 | 民734～736 |

### ア　当事者間に婚姻の合意がない場合

　憲法第24条第1項は、「婚姻は両性の合意のみに基づいて成立」することを定めています。また、民法上も、「人違いその他の事由によって当事者間に婚姻をする意思がないとき」には婚姻を無効と定め（民742Ⅰ）、婚姻意思の合致を婚姻の要件とすることを前提としています。したがって、次のように当事者間に婚姻意思の合致がない場合には、有効な婚姻とは認められません。

　㋐　人違い

　　この場合の人違いとは、相手の人格の同一性を誤ること（Aだと思ってBと婚姻してしまったような場合）であり、相手の性格、年齢、職業などの属性が異なっていたことではありません。

　　相手が違っていた場合（Bだった場合）には、その相手（B）との間に婚姻意思の合致はなく、婚姻の実質的要件を欠くことになります。

　㋑　婚姻意思の不存在

　　婚姻は終生の共同生活を目的とするものであり、当事者間に共同生活をする意

思が全くない場合など、実質的意思を欠く場合は婚姻とは認められません。

**＜実質的意思を欠く例＞**

| ①　当事者の一方又は両方に婚姻意思がないのに、第三者が勝手に届出をした場合 |
| :--- |

| ②　当事者が婚姻に合意し、届出を作成した後に婚姻意思を撤回した場合 |
| :--- |

| ③　当事者に婚姻意思はなく、ほかの意図（相続させるため、子に嫡出子の身分を与えるためなど）を達成するため、当事者が合意の上で婚姻を届け出た場合 |
| :--- |

㊟　③については、婚姻意思について婚姻を届け出る意思（形式的意思）で足りるとする考え方に立てば、有効な婚姻となり得ます。しかし、判例（最判 S44.10.31民集23・10・1894）は実質的意思説を採用し、子に嫡出性を得させるために婚姻届を出した事案について、婚姻を無効としています。

　また、婚姻意思は婚姻の性質上、無条件かつ無期限なものでなくてはなりません。婚姻期間を決めたり、一定の条件の下で離婚する合意がなされたとしても、その部分に効力はなく、婚姻意思としては無条件・無期限に成立したものと見るべきです。

　さらに、婚姻は当事者の自由な意思に基づかなければなりません。このため、成年被後見人であっても、意思能力がある限り、自らの意思で婚姻することができ、他人によって代理されたり、補充されたりすることはありません（ただし、成年被後見人については婚姻についての意思能力があることを証する医師の診断書を添付することが必要です。）。

　当事者間に婚姻の合意がない場合、婚姻は無効です。

**＜婚姻の合意として疑問のある例＞**

| 婚姻の合意として疑問のある例 | 効　果 |
| :---: | :---: |
| 第三者の勝手な届出 | 無効 |
| 婚姻届作成後、届出前に翻意した | 無効 |
| ほかの意図（子に嫡出性を与えるため、相続のためなど）を達成するための届出 | 無効 |
| 条件・期間の定めがある合意 | 無条件・無期限のものとして有効 |
| 成年被後見人など | 意思能力があれば有効<br>（医師の診断書添付が必要） |

**イ　婚姻障害に当たる場合**

（ア）　不適齢婚

　民法第731条により、18歳にならなければ婚姻をすることはできません。

　このように婚姻適齢が定められているのは、精神的・肉体的に未成熟な者が婚姻した場合に生じる弊害を防ごうとする公益的な要請によるものです。

　不適齢婚の届出が誤って受理された場合には取消原因となります。ただし、不適齢者が適齢に達した後は、本人以外の取消請求は認められませんし、本人の取消請求も適齢に達した後3か月間に限られ、適齢に達した後に追認した場合には取消しは認められません（民745ⅠⅡ）。

　なお、平成30年民法改正前は、成年となる年齢と婚姻適齢が異なっていたため、婚姻適齢にある未成年者が婚姻するには父母の同意が必要とされていました（民737）。平成30年民法改正で成年となる年齢と婚姻適齢が同じ18歳とされたため、この民法第737条は削除されました。

(ｲ)　重婚

　我が国では一夫一妻制を採っており、配偶者のある者は重ねて婚姻することはできません（民732）。重ねて婚姻するとは、婚姻届出のある者が重ねて婚姻届を出すことであり、通常は届出が受理されないため阻止されますが、誤って受理された場合や、離婚後再婚した後に離婚が取り消された場合などに重婚が生じます。

　重婚は婚姻の取消原因となります（民744。前婚については離婚原因、民770Ⅰ①⑤）。

　また、重婚した女性が出産した場合で嫡出推定の規定（民772）では父を定めることができないときは、「父を定めることを目的とする訴え」（民773）により裁判所が父を定めることになります（第4章「親子」第1、6参照）。

**再婚禁止期間　〜令和4年民法改正〜**

　従前、女性は前婚の解消等から一定期間（6か月間。平成28年改正後100日間）、再婚が禁止されていました。この期間を再婚禁止期間又は待婚期間といいます。

　令和4年民法改正前の旧民法は、婚姻の解消等から300日以内に出生した子は前婚の夫の子と、再婚から200日経過後に出生した子は後婚の夫の子とそれぞれ推定されることは改正後と同じですが、子の出生時に再婚していた場合に再婚後の夫の子と推定するとの規定がありませんでした。したがって、女性が婚姻の解消からすぐに再婚すると、前婚の夫と後婚の夫の父性推定が重複するおそれがありました。この重複を避けるため、女性のみ婚姻の解消等から一定期間の再婚が禁止されていたのです。

　令和4年民法改正で母が再婚した後に生まれた子は再婚後の夫の子と推定するとの規定が設けられたことに伴い（民772Ⅰ後）、女性の再婚禁止期間は意味がなくな

り撤廃されました。

(ウ) 近親婚

優生学的又は倫理上の配慮から、以下のような近親者間の婚姻は禁止されています。

近親者の婚姻は取消原因となります（民744）。

a 血族

直系血族間、3親等内の傍系血族間では婚姻をすることができません（民734Ⅰ）。特別養子縁組により養子と実方の血族との親族関係が終了した後（民817の9）も、婚姻は許されません。

ただし、養子と養方の傍系血族との間での婚姻は許されています（民734Ⅰただし書）。

**＜婚姻禁止－血族＞**

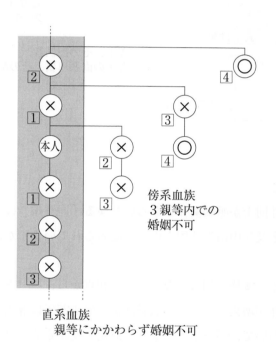

傍系血族
3親等内での
婚姻不可

直系血族
親等にかかわらず婚姻不可

b 直系姻族

直系姻族間では婚姻をすることはできません（民735）。離婚・死亡により姻族関係が終了した場合（民728）及び特別養子縁組により養子と実方の血族との姻族関係が終了した後（民817の9）も、婚姻は許されません。

＜婚姻禁止－直系姻族＞

c　養親子関係者

養子若しくはその配偶者、又は養子の直系卑属若しくはその配偶者と、養親又はその直系尊属との間で婚姻することはできません。離縁の後も婚姻は禁止されます（民736）。

＜婚姻禁止－養親子関係者＞

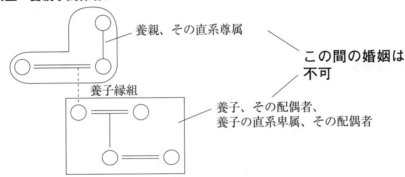

> **参考**
>
> **同性婚について**
>
> 男性同士、女性同士が婚姻関係となるいわゆる「同性婚」は、諸外国においては、ヨーロッパ、北米及び中南米諸国を中心に認められていますが、日本では認められていません。
>
> そのため、近年、多様な個人の尊重という観点から、パートナーシップ認定制度を導入する自治体が増えています。渋谷区が、平成27年に導入したのを皮切りに、多くの自治体において、パートナーシップ認定制度が定められています。都道府県レベルでは、大阪府、茨城県など12都府県で導入されています。
>
> 自治体のパートナーシップ認定制度の趣旨は、事業者に対して、住居の賃貸借契約における同居や病院での面会時に家族としての取扱いを求めるものなどです。
>
> また、同性カップルが婚姻できない現行制度は憲法第24条の婚姻の自由に反する、同法第14条の法の下の平等に反するなどとして国家賠償を求める訴訟が全国で提起されており、第1審の判決では違憲・合憲と判断が分かれています。令和6年3月14日に高等裁判所としてはじめて判断した札幌高等裁判所は、「性的指向及び同性

間の婚姻の自由は、憲法上の権利として保障される人格権の一内容を構成し得る重要な法的利益」とし、民法及び戸籍法の婚姻に関する諸規定について、「個人の尊厳に立脚し、性的指向と同性間の婚姻の自由を保障するものと解される憲法24条の規定に照らして、合理性を欠く制度であり、少なくとも現時点においては、国会の立法裁量の範囲を超える状態に至っていると認めることが相当である」と判断しました。また、憲法第14条第1項については、「国会が立法裁量を有することを考慮するとしても、本件規定が、異性愛者に対しては婚姻を定めているにもかかわらず、同性愛者に対しては婚姻を許していないことは、現時点においては合理的な根拠を欠くものであって、本件規定が定める本件区別取扱いは、差別的取扱いに当たると解することができる」として、憲法に違反するとしました。

なお、国家賠償については否定されています。

今後の最高裁判所の判断が注目されます。

## 2　婚姻の無効及び取消し

民法は、婚姻の実質的要件を満たしていない場合には婚姻届を受理しないこととしています（民740）。婚姻の実質的要件を満たしていないにもかかわらず誤って婚姻届が受理されてしまった場合には、程度に応じて無効又は取り消し得るものとなることがあります。

### ⑴　婚姻の無効

#### ア　無効事由

婚姻の無効事由は、次のとおりです。

＜婚姻の無効事由＞

| ① | 婚姻意思の欠缺 | 人違いその他の事由によって当事者間に婚姻をする意思がないとき。 | 民742① |
| ② | 届出意思の欠缺 | 当事者が婚姻の届出をしないとき。（注） | 民742② |

（注）　届出の方式に関する要件を欠くにすぎない場合は婚姻は無効になりません（民742②ただし書）。

#### イ　無効の場合の手続

無効な婚姻は、婚姻無効の判決や審判がなくても当然に無効と考えるのが通説であり、利害関係人は、判決や審判を経ていなくても婚姻無効を主張することができます。そして、婚姻無効に関する訴えは確認の訴えと考えられています。

なお、婚姻無効の訴えを提起するには、まず家庭裁判所に調停を申し立てなければなりません（調停前置主義。家事257Ⅰ）。

### ウ　無効の効果

　婚姻無効の効果は遡及し、初めから夫婦としての法律関係が全く生じなかったこととになります。したがって、婚姻が無効であった場合、その間に生まれた子は非嫡出子となります。

### (2)　婚姻の取消し

### ア　取消事由

　不適法な婚姻（民731、732、734〜736）は、婚姻の取消しを家庭裁判所に請求することができます（民744）。

　取消事由の中には、公益的見地から認められるものと、私益的見地から認められるものがあります。婚姻障害の大部分は、公益的見地から取消事由とされています。

　また、詐欺又は強迫によって婚姻がなされた場合も取消しを家庭裁判所に請求することができます（民747）。これは、私益的見地から取消事由とされているものです。

### イ　取消しの手続

　婚姻を取り消すには、取消訴訟又は審判（家事277）によらなければなりません。これらの判決や審判には対世的効力があり、訴えを提起した者等が届け出ることにより戸籍に記載されます（戸籍75）。

　取り消すことができる者（取消権者）は、公益的見地から取消事由とされているものについては当事者・その親族・検察官（当事者双方の生存中のみ）です。そのうち重婚及び再婚禁止期間内の婚姻については、当事者の配偶者又は前配偶者も取消しを請求することができます。私益的見地から取消事由とされている詐欺・強迫については、詐欺・強迫を受けた当事者のみに取消しが認められます。

＜各取消事由の取消権者と取消期間＞

| 取消事由 | 認められる見地 | 取消権者 | 取消期間 | 根拠条文 |
|---|---|---|---|---|
| 不適齢婚 | 公益的 | 各当事者 親族 検察官 | 当事者が適齢に達するまで 当事者は適齢に達した後3か月間（追認していないことを要します。） | 民731、745 |
| 重婚 | 公益的 | 各当事者 前配偶者 親族 検察官 | 制限なし | 民732、744Ⅱ |
| 近親婚 | 公益的 | 各当事者 親族 検察官 | 制限なし | 民734〜736 |
| 詐欺・強迫による婚姻 | 私益的 | 詐欺・強迫を受けた当事者のみ | 詐欺を発見し、強迫を免れた後3か月以内（追認していないことを要します。） | 民747ⅠⅡ |

### ウ　取消しの効果

　婚姻取消しの効果は婚姻無効の場合と異なり、判決・審判によって初めて形成されます。また、一般の法律行為を取り消した場合（民121）と異なり、効果は遡及せず、将来に向かってのみ生じます。したがって、取消事由のある婚姻であっても、取消前に生まれた子は嫡出子の身分を失いません。

　これは、それまで夫婦共同生活を営んできた事実を全くなかったことにするのは不可能であり、取消前に生まれた子（効果が遡及すると嫡出子ではなくなってしまう）など第三者の利益を損なうこともあるためです。

　このように将来に向かって生じる婚姻取消しの効果が離婚に類似していることから、離婚の規定が準用されており（民749）、子の監護者の決定（民766）、復氏（民767）、財産分与（民768）、祭祀財産の継承（民769）などについて、離婚の場合と同様の効果が生じます。

# 第 2　婚姻の効力

## 1　婚姻の効力

　民法は、婚姻の効力（民750以下）として、大きく以下のものを定めています。それ以外に、婚姻の効力としては、婚姻によって、親族（姻族）関係が発生（民725）することなども挙げられます。

＜婚姻の効力＞

| 内　　容 | 根拠条文 |
|---|---|
| 夫婦の義務（夫婦同氏、同居・扶助・協力義務等） | 民750、752 |
| 夫婦間の契約の取消権 | 民754 |

## 2　夫婦の義務

　夫婦の義務としては、以下の３つがあります。

＜夫婦の義務＞

| 内　　容 | 根拠条文 |
|---|---|
| 夫婦同氏 | 民750 |
| 同居、協力・扶助義務 | 民752 |
| 貞操義務 | （民770 I ①）（注） |

（注）　直接の規定はありません。

### ⑴　夫婦同氏

　民法は、夫婦が婚姻の際に定めるところにより、一方の氏を称することとしています（民750）。具体的には、夫婦は婚姻届の際に一方の氏を定めることとされています（戸籍74①）。

　婚姻により氏を変更した者が婚姻前の氏に復する場合としては、次の場合があります。

＜婚姻前の氏に復する場合＞

| ケース | 原　則 | 例　外 | 根拠条文 |
|---|---|---|---|
| 配偶者が死亡した場合 | 婚姻後の氏のまま | 復氏届を提出すれば婚姻前の氏に復することができます。 | 民751、戸籍95 |
| 離婚した場合 | 婚姻前の氏に復する | 離婚の日から3か月以内に離婚の際に称していた氏を称する届を提出すれば婚姻後の氏を継続して利用することができます。 | 民767、戸籍77の2 |

　参考

**夫婦同氏の原則は憲法違反か**

　夫婦同氏の原則については、憲法第13条の定める人格権の侵害をするものである、憲法第14条の法の下の平等に反するものである、憲法第24条の婚姻の自由に反するものであるなどとして憲法違反が争われています。最高裁判所は憲法違反を認めていません（最判H27.12.16民集69・8・2586、最決R3.6.23集民266・1）。

　最高裁裁判所は、平成27年大法廷判決において、第13条違反については、「婚姻の際に「氏の変更を強制されない自由」が憲法上の権利として保障される人格権の一内容とはいえない。本件規定は、憲法13条に違反するものではない。」、第14条違反については、本件規定は、「夫婦がいずれの氏を称するかを夫婦となろうとする者の間の協議に委ねているのであって」、「夫婦となろうとする者の個々の協議の結果、夫の氏を選択する夫婦が圧倒的多数を占めることが認められるとしても、それが、本件規定のあり方自体から生じた結果であるということはできない。憲法14条1項に違反するものではない。」と判示しました。また、第24条違反についても、夫婦が同一の姓を称することは、家族という一つの集団を構成する一員であることを対外的に示し、識別する機能を有していること、特に、夫婦間の子が共同親権に服する嫡出子となるところ、嫡出子と示すために子が両親双方と同姓である仕組みを確保することも一定の意義があること、確かに、夫婦同姓制度の下では、結婚によって姓を改める者にとって、アイデンティティーの喪失感を抱いたり、結婚前の姓を使用する中で形成してきた個人の社会的な信用、評価、名誉感情等を維持することが困難になったりするなどの不利益を受ける場合があることは否定できず、かつ、そして姓の選択に関し、夫の姓を選択する夫婦が圧倒的多数を占めている現状からすれば、妻となる女性が不利益を受ける場合が多い状況が生じていると推認できるが、これらの不利益は、通称使用により一定程度は緩和され得るものであること、を挙げ、「本件規定の採用した夫婦同氏制が」、「直ちに個人の尊厳と両性の本

質的平等の要請に照らして合理性を欠く制度であるとは認めることはできない。憲法24条に違反しない。」と判示し、いずれの規定についても、合憲としました（最判 H27.12.16民集69・8 ・2586）。

　最高裁判所は、令和３年の決定においても、「平成27年大法廷判決以降にみられる女性の有業率の上昇、管理職に占める女性の割合の増加その他の社会の変化や、いわゆる選択的夫婦別氏制の導入に賛成する者の割合の増加その他の国民の意識の変化といった原決定が認定する諸事情等を踏まえても、平成27年大法廷判決の判断を変更すべきものとは認められない」として、憲法24条違反を認めませんでした（最決Ｒ３.６.23集民266・１）。

### (2)　同居義務、協力扶助義務

民法では、夫婦は同居し互いに協力し扶助しなければならないとされています（民752）。

#### ア　夫婦の同居義務

　同居義務は、夫婦が共同生活体を構成することに伴う夫婦関係の本質的義務であり、精神的・肉体的に共同生活を営む同居義務であり、単に同じ建物内にいれば同居義務を果たしているという意味ではありません。

＜同居義務の内容＞

| | 内　容 |
|---|---|
| 同居義務の効力 | 同居義務は強行規定であるため、別居合意は原則として許されません。しかし、すべての夫婦に例外なく同居義務を認めるとすると、かえって不都合な結果を生むことになりかねません。当分の間別居生活を送る方が同居をするよりも夫婦関係の円満な協力関係の維持形成につながることが期待されるといった、別居を正当化する事情がある場合には、同居義務に反する当事者間の別居合意も有効であると考えられます。 |
| 同居義務に違反した場合の対抗措置 | 一方の配偶者が同居義務を守らない場合、他方の配偶者は同居を求める審判を申し立てることができます（家事39別２①）。例えば、東京高等裁判所平成12年５月22日決定（判時1730・30）は、「同居を拒否する正当な事由が無い限り」夫婦の一方は他の一方に対し同居の審判を求めることができるとした上で、夫に暴力等の非行がないこと、妻が指摘する問題点も夫において是正不可能なことではないこと、別居期間がそれほど長期に及んでいないこと（１年余り）などの事実に基づいて、同居の審判を認めました。 |
| 同居義務の審判に基づく強制執行 | 同居をするか否かは個々人の人格的要素の強い問題であるため、強制執行になじまず、同居を定めた審判について直接強制も間接強制もできないとされています（間接強制を否定した判例として大判Ｓ5.9.30大審院民集9・11・926）。 |

　次に、婚姻関係が破綻した夫婦間において、居住建物を所有する夫婦の一方から居住し続ける他の一方に対し建物明渡請求がなされた場合に、他の一方が同居義務を根拠に明渡請求を拒否できるかについて判例は、同居義務を根拠として配偶者は居住権を有し、明渡請求を原則として否定しています。ただし、特段の事情が認められる場合に、例外的に明渡請求を肯定しています。

**＜明渡請求に関する裁判例＞**

| 肯定例・否定例 | 内　容 | 判　例 |
|---|---|---|
| 建物明渡請求を肯定した事例 | 妻の夫に対する建物明渡請求に関し、「明渡請求を正当とすべき特段の事情がない限り」、同居義務を根拠に明渡しを拒むことができるとした上で、夫が多数回にわたり妻に暴力を振るった点、当該建物が妻の営む洋裁店の営業拠点であり、夫が洋裁店の顧客や従業員に嫌がらせをしており、それが当該建物に夫が居住し続けていることに直結している点などから、明渡しを求める特段の事情があるとして建物明渡請求を認めました。 | 徳島地判S62.6.23<br>判タ653・156 |
| | 妻の夫に対する建物明渡請求について、民法第752条に基づき夫婦の一方は、その行使が権利の濫用に該当するような事情のない限り、他方の所有する居住用建物につき居住権を主張することができるものとした上で、当該事案においては両者の婚姻関係は破綻しており、破綻状態の原因も専ら夫にあることから、夫が居住権を主張することは権利の濫用に該当するものであるとして、建物明渡請求を認めました。 | 東京地判H3.3.6<br>判タ768・224 |
| 明渡請求を否定した事例 | 判決は「夫婦が明示または黙示に夫婦共同生活の場所を定めた場合において、その場所が夫婦の一方の所有する家屋であるときは、他方は、少なくとも夫婦の間においては、明示又は黙示の合意によって右家屋を夫婦共同生活の場所とすることを廃止する等の特段の事由のない限り、右家屋に居住する権原を有すると解すべき」とした上で、①夫が婚姻費用20万円の支払義務を負担していること、②夫の建物退去は被告に原因があり、かつ、婚姻関係が破綻していることが、それぞれ上記特段の事由に該当するという夫の主張は、主張自体失当ないし主張自体理由がないとして、夫の妻に対する建物明渡請求を否定しました。 | 東京地判S62.2.24<br>判タ650・191 |

### イ　夫婦の協力扶助義務

　　夫婦の協力扶助義務も夫婦が共同生活体を形成していることに伴う義務です。

　　この夫婦の協力扶助義務は、一般的に、親族間の扶助義務（生活扶助義務）より強い、相手の生活を自分の生活と同一の内容・程度のものとして保証する扶助義務（生活保持義務）であると考えられています。

**＜夫婦間の協力扶助義務と親族間の扶助義務＞**

| | |
|---|---|
| 夫婦間の協力扶助義務（民752） | 相手方の生活を自分の生活と同一の内容・程度のものとして保証するというもの（生活保持義務） |
| 親族間の扶助義務（民877） | 相手方が最低限度の生活もできない場合に自分の相応の生活を犠牲にすることなくできる程度の扶養（生活扶助義務） |

　　別居した夫婦においても協力扶助義務が問題となります。婚姻関係が破綻し、妻の夫に対する離婚訴訟係属中である夫婦において、夫が離婚調停期日で妻に妻子の家財道具等を引き渡すと約束していたにもかかわらず、これを引き渡さないためになした審判前の保全処分において、判例は、「別居中の夫婦であっても、また既に離婚訴訟が裁判所に係属していても、夫婦である限り原則として右規定にいう協力扶助の義務を免れることはできず、その一方は他の一方に対し事情に応じた協力扶助を求めることができるものと解するのが相当であるから、別居中の夫婦の一方が他の一方に対し生活上必要な衣類や日用品等の物件の引渡しを求めた場合には、他の一方は自己の生活に必要でない限り、これに応じる義務を負う」として、妻の申立てを却下した原決定を取り消して差し戻したものがあります（大阪高決H元．11.30判タ732・263）。

　　夫婦の一方が協力扶助義務を守らない場合、他方は扶助を求める審判を申し立てることができます（家事39別2①）。もっとも、協力扶助義務と婚姻費用の分担（民760）は、その本質において異なるものではないため、実務上多くのケースでは婚姻費用の分担の調停・審判の申立てにより協力扶助義務の不履行の問題は解決されています。婚姻費用の分担に関しては、本編第3章　第3　1　「婚姻費用の分担」（90頁以降）を参照してください。

### ウ　同居義務、協力扶助義務と離婚事由との関係

　　同居義務、協力扶助義務を履行しない場合、いかなる離婚事由（民770Ⅰ）に該当するかが問題となります。

**＜同居義務、協力扶助義務違反と離婚事由（民770Ⅰ）の関係＞**

| 民770Ⅰ | 内　容 |
|---|---|
| 2　号 | 同居義務、扶助・協力義務違反は、悪意の遺棄に該当することがあります。 |
| 5　号 | 妻のいささか限度を超えた宗教的活動等の行動が夫婦間の扶助協力義務に違反していることや別居期間が8年間に及んでいること等を根拠に、民法第770条第1項第5号の「婚姻を継続しがたい重大な事由」に該当するものとして、離婚を認めた事例があります（大阪高判H2.12.14判時1384・55）。 |

### ⑶　貞操義務

　貞操義務は民法上明確に定められていませんが、不貞行為が離婚原因（民770Ⅰ①）とされていることから、夫婦間に貞操義務が存在すると考えられています。貞操義務は、夫婦の協力扶助義務（民752）の一部とも考えられますが、一般的には協力扶助義務と区別して論じられています。

　不貞行為に関する損害賠償（慰謝料）請求についての判例の考え方は、次のとおりです。

**＜不貞行為に関する損害賠償請求者・義務者＞**

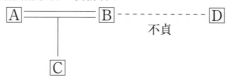

　夫婦の一方（図のB）と不貞関係を持った第三者（図のD）に対する、夫婦の他方（図のA）からの損害賠償請求を認めています（最判S54.3.30判時922・3）。しかし、婚姻関係破綻後に夫婦の一方（図のB）が第三者（図のD）とした不貞行為に関する損害賠償請求ついて、婚姻関係が既に破綻していた場合には婚姻共同生活の平和の維持という権利又は法的保護に値する利益があるとはいえないから、特段の事情のない限り、不貞行為をした第三者（図のD）は不法行為責任を負わないものとしています（最判H8.3.26民集50・4・993）。

　また、その夫婦の子（図のC）からの第三者（図のD）に対する損害賠償請求は、不貞行為の結果、日常生活において不貞行為を行った親から子が「愛情を注がれ、その監護・教育を受けることができなくなったとしても、その女性（図のD）が害意をもって父親（図のB）の子に対する監護等を積極的に阻止するなど特段の事情のない限り」不法行為を構成するものではないとして、損害賠償請求を認めませんでした（最判S54.3.30判時922・3）。なお、同日に判決がなされた類似の事案においても（た

だし、不貞をした者（図のB）が、不貞相手の住む外国に行ってしまったという事情あり）、同様の理由で、子からの損害賠償請求を否定しました（最判S54.3.30判時922・8）。

　不貞行為の相手方（図のD）が、不貞行為をした者（図のB）に対して行った損害賠償請求が認められるかも問題となります。大審院時代の判例は民法第708条で「不法な原因のために給付をした者は、その給付したものの返還を請求することができない」とする不法原因給付の精神から不貞行為の相手方からの損害賠償請求を否定していました（大判S15.7.6大審院民集19・13・1142）。しかし、最高裁判所昭和44年9月26日判決（民集23・9・1727）は、損害賠償請求を画一的に否定するのは妥当でないとした上で、諸般の事情を斟酌し「情交関係を誘起した責任が主として男性（図のB）にあり、女性（図のD）の側におけるその動機に内在する不法の程度に比し、男性の側における違法性が著しく大きいものと評価できるときには」、慰謝料請求が許容されるとし、当該事案においては、慰謝料請求が認められるとしました。同様に慰謝料を認めた判決として、東京地方裁判所昭和59年2月23日判決（判タ530・178）があります。

　これらをまとめると以下のようになります。

**＜不貞行為に関する損害賠償請求権のまとめ＞**

| | 原　則 | 例　外 |
|---|---|---|
| AからDへの損害賠償請求 | 肯定される | AB間の婚姻関係破綻後の損害賠償請求は、特段の事情のない限り否定されます。 |
| CからDへの損害賠償請求 | 否定される | 害意をもって親の子に対する監護等を積極的に阻止するなど特段の事情の認められる場合は損害賠償請求が肯定されることもあります。 |
| DからBへの損害賠償請求 | 否定される | 情交関係を誘起した責任が主として男性（B）にあり、女性（D）の側におけるその動機に内在する不法の程度に比し、男性の側における違法性が著しく大きいものと評価できる場合、損害賠償請求が肯定されることもあります。 |

(注)　A～Dは45頁＜不貞行為に関する損害賠償請求者・義務者＞の図と対応しています。

　参考　～成年となる年齢の引下げ～

　平成30年民法改正により、成年年齢が20歳から18歳に引き下げられることになりました（民4）。また、婚姻適齢は、男女問わず18歳となり、その結果、女性については婚姻可能な年齢が従来の16歳から引き上げられることになりました（民731）。

これにより、未成年者の婚姻、という概念がなくなったため、未成年者の婚姻に対する父母の同意（民737）及び婚姻による成年擬制（民753）の条文は削除されました。

　なお、成年年齢が18歳となっても、喫煙・飲酒等の規制や、資格の取得可能な年齢、その他20歳を判断基準とした方が望ましいと思われるものについては、それぞれの法律で「成年」と規定されていたものを「20歳」と改正することにより、従前どおり20歳をもって判断基準としています。

**＜成年年齢の変更による対象年齢の変更の有無＞**

| 20歳から18歳に変更となったもの | | 20歳のまま維持されたもの | |
|---|---|---|---|
| 対象となる行為等 | 根拠条文（＊） | 対象となる行為等 | 根拠条文（＊） |
| 婚姻適齢<br>＊女性については16歳から18歳に引上げ | 民731 | 養親となることのできる年齢 | 民792等 |
| 水先人の登録可能年齢<br>＊「水先人」とは水先区において、船舶に乗り込み当該船舶を導く資格のある者をいいます。 | 水先法15等 | 喫煙行為が許される年齢 | 20歳未満の者の喫煙の禁止に関する法律 |
| 認知により日本国籍を取得できる上限年齢<br>国籍を再取得できる者の上限年齢 | 国籍法3<br><br>国籍法17 | 飲酒行為が許される年齢 | 20歳未満の者の飲酒の禁止に関する法律 |
| 二重国籍者の国籍選択期限<br>＊「20歳から2年間」を「18歳から2年間」に引下げ | 国籍法14 | 小児慢性特定疾病児童等に該当する児童<br>＊20歳未満を対象とします。 | 児童福祉法6の2等 |
| 社会福祉主事の資格取得可能年齢 | 社会福祉法19 | 競馬における勝ち馬投票券の購入が許される年齢 | 競馬法28 |
| 船舶職員及び小型船舶操縦者法に基づく資格取得可能年齢 | 船舶職員及び小型船舶操縦者法別表1－5等 | 競輪における車券の購入が許される年齢 | 自転車競技法9 |

| | | | |
|---|---|---|---|
| 有効期間10年の旅券の発行の対象となる年齢<br>＊18歳未満は有効期間5年 | 旅券法5 | オートレースにおける勝車投票権の購入が許される年齢 | 小型自動車競走法13 |
| 性同一性障害による性別の取扱い変更の審判を請求できる年齢 | 性同一性障害者の性別の取扱いの特例に関する法律3 | 競艇における舟券の購入が許される年齢 | モーターボート競争法12 |
| 恩給の加給原因となる子(注) | 恩給法75Ⅲ等 | アルコール健康障害の対象となる飲酒年齢 | アルコール健康障害対策基本法2 |
| インターネット異性紹介事業を行うことができる年齢 | インターネット異性紹介事業を利用して児童を誘引する行為の規制等に関する法律8 | 少年事件の対象たる少年<br>＊20歳未満を対象とします。 | 少年法 |

＊ いずれも平成30年改正後のもの（改正がないものは現行法の条文）

(注) 平成30年改正前は、18歳から20歳の子について「重度障害の状態にある者に限る（恩給法14Ⅰ①）」とされていました。

## 3 夫婦間契約の取消し

　夫婦間で行った契約は、婚姻中、いつでも、夫婦の一方から取り消すことができるとされています（民754本文）。夫婦間の契約の問題は、夫婦間の道義によるべきであって、法的拘束力をもたせて裁判所が判断するのは妥当ではないという点に規定の趣旨があります。

　夫婦間契約の取消権は消滅時効によって消滅しません。ただし、第三者の権利を害することはできないとされています（民754ただし書）。

**＜夫婦間契約の取消しの判例による制限＞**

| 法文上の原則 | 判例による制限 | 取消可能な場合 |
|---|---|---|
| 夫婦間の契約はいつでも取り消すことができます。 | 婚姻関係破綻後になされた法律行為の取消しに民法第754条本文は適用されません（最判 S33.3.6民集12・3・414）。<br>婚姻関係破綻前になされた契約を婚姻関係破綻後に取消しすることはできるかが争われた事案で、判例は「民法第754条にいう『婚姻中』とは単に形式的に婚姻が継続していることではなく、形式的にも、実質的にもそれが継続していることをいうものと解すべき」であるとして、婚姻関係が実質的に破綻した後に夫婦間の契約を取り消すことは許されないとしました（最判 S42.2.2民集21・1・88）。 | 左の判例の解釈からすると、法律行為・取消しのいずれの時点でも夫婦関係が破綻していない場合に取消可能となります。 |

# 第3　夫婦財産制

## 1　夫婦財産制

　民法は、夫婦間の財産について、婚前の夫婦財産契約の締結と、法定財産制を定めています。

## 2　夫婦財産契約

　民法は、夫婦が、婚姻の届出前に夫婦の財産について契約することができるとしています（民755）。これを夫婦財産契約といい、私的自治の原則の1つの表れです。婚姻の届出前の契約に限っているのは、婚姻後には夫婦間契約の取消しの規定（民754）があるためです。

**＜夫婦財産契約の変更・対抗要件＞**

| 内容変更の可否・対抗要件 | 内　容 | 根拠条文 |
|---|---|---|
| 婚姻届出後の内容変更 | 変更できないのが原則です。 | 民758 I |
| 内容変更が認められる例外 | 夫婦の一方が他の一方の財産を管理する場合において管理が失当であったことによってその財産を危うくしたときは、他の一方は、自ら管理することを家庭裁判所に請求することができます。また、共有財産については、分割を請求することができます。 | 民758 II III |
| | 夫婦財産契約の内容の中に変更を予定しておいた場合は、その規定に基づいて管理者又は共有財産の分割をすることができます。 | ― |
| 第三者に対する対抗要件 | 登記。財産の管理者の変更や共有財産の分割についても登記が対抗要件です。 | 民756、759 |

　以上のように夫婦財産契約について説明しましたが、夫婦財産契約がなされるケースは稀です。条文上は、夫婦財産契約の締結がされない場合の補充的な位置付けとして次に述べる法定財産制を定めています。しかし、ほとんどすべての夫婦間の財産は法定財産制によって処理されています。

**＜夫婦財産契約と法定財産制＞**

| | 契約財産制 | 法定財産制 |
|---|---|---|
| 意味 | 夫婦の財産の帰属等を、夫婦間の契約（夫婦財産契約）によって決める制度です。 | 夫婦の財産の帰属等を、法律によって決める制度です。 |
| 民法における契約財産制と法定財産制の関係 | 原則的な位置付けです。夫婦財産契約があればその契約に従います。 | 補充的な位置付けです。夫婦財産契約がなければ自動的に適用されます。 |
| 実際の状況 | ほとんど利用されていません。 | ほとんどすべての夫婦の財産は法定財産制によっています。 |

## 3　法定財産制

　夫婦財産契約が締結されるのは稀であるため、ほとんどすべての夫婦の婚姻中における財産に関する取扱いは、法定財産制によって定まることになります。しかし、民法では法定財産制に関する規定を第760条から第762条までの3つの条文でしか定めていません。

### (1)　婚姻費用の分担

　民法は、婚姻から生ずる費用を夫婦で分担するとしています（民760）。「婚姻から生ずる費用」（婚姻費用）とは、夫婦が通常の社会生活を維持するために必要な生計費をいいます。

　婚姻費用の具体例としては、衣食住の費用・交際費・医療費・子の監護や教育に要する費用などが挙げられます。

　婚姻費用が実務上問題となるのは、婚姻関係が破綻して夫婦の一方が他方の婚姻費用を分担しない場合が大半であるため、婚姻費用に関する詳細は後述する本編第3章 第3「離婚に関する諸問題」1　「婚姻費用の分担」（90頁以降）で解説します。

### (2)　夫婦間の財産の帰属

#### ア　内容

　民法は、夫婦間の財産の帰属は夫婦の一方が婚姻前から有する財産及び婚姻中自己の名前で得た財産はその特有財産であるとしており（民762Ⅰ）、夫婦別産制を原則としています。

　これに対し、夫婦のいずれに属するか明らかでない財産は、夫婦の共有に属する

ものと推定するとしています（民762Ⅱ）。

　しかし、夫婦別産制によると一方が専業主婦（主夫）の夫婦の場合に、本来夫婦が協力して財産が形成されているはずなのに、財産は収入のある者ばかりに集中し、主婦（主夫）に財産がほとんど帰属しないのではないかという疑問から、夫婦の財産を以下のとおりに分ける考え方があります。

＜夫婦共有財産に関する我妻説＞

| 分　類 | 効　力 | 条文との関係 |
|---|---|---|
| 名実ともに夫婦それぞれの所有の財産 | 夫婦各自の所有となります。 | 民法第762条第1項はこれを意味します。 |
| 名実ともに夫婦の共有に属する財産 | 夫婦がそれぞれ各持分を主張できます。 | 特にありません。 |
| 名義は夫婦の一方に属するが実質的に共有に属するとすべき財産 | 対外的には、名義によって判断し、対内的（夫婦間）には、対価等により夫婦の一方の実質的な所有であることを立証しなければなりません。 | 夫婦間においては夫婦共有財産の推定（民762Ⅱ）を破らなければ、一方の所有となりません。 |

**イ　夫婦間の共有財産の第三者に対する効力**

　夫婦一方の名義で得られた財産でも、実質的に他方の配偶者の協力等があった場合に、第三者に対し、財産が他方の配偶者との共有に属する旨を主張できるかが問題となります。

＜夫婦間の共有財産の第三者に対する効力＞

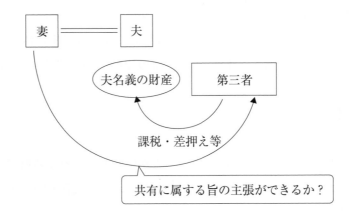

**＜夫婦間の共有財産の第三者に対する効力についての判例＞**

| 判　　例 | 判決の内容 | 判決からの帰結 |
|---|---|---|
| 最高裁判所（最判 S 36.9.6 民集15・8・2047） | 夫の所得税の確定申告の際、所得が得られたのは妻の協力によって得られたから、所得の半分は妻に帰属するとし、それに基づいて課税すべきであって、それに反する民法第762条第1項の規定は夫婦間の平等をも定める憲法第24条に違反するものであると主張された事件。<br>判決は、「配偶者の一方の財産取得に対しては他方が常に協力、寄与するものであるとしても、民法には、別に財産分与請求権、相続権ないし扶養請求権等の権利が規定されており、右夫婦相互の協力、寄与に対しては、これらの権利が行使されることにより、結局において夫婦間に実質上の不平等が生じないような立法上の配慮がされている」ことを根拠に民法第762条第1項の規定は、憲法第24条に違反しないとしました。 | 一方の名義で取得された財産（給与、預貯金、不動産など）については、通常、第三者に対し、夫婦の共有である旨主張することはできないといえます。 |
| その後の下級審判決（東京地判 S50.4.16 判タ326・249） | 婚姻後に取得した夫婦の家財道具に対しなされた仮差押えについて、夫婦の共有に属すると解すべきであって、持分権を差し押さえることは妨げないとしても、共有物自体の差押えはできないと解すべきであるとして、妻からの第三者異議の訴えを認めました。 | 家財道具という典型的な夫婦共有財産については、第三者に対し夫婦の共有に属すると主張する余地があります。 |

### ウ　夫婦間

　夫婦間においては、一方の名義の財産が、夫婦共有財産であるか、夫婦一方の特有財産であるか等について紛争が生じることがあります。

## ＜夫婦共有財産と特有財産＞

| 肯定例・否定例・その他 | 内　容 | 判　例 |
|---|---|---|
| 所有名義人の特有財産であることが肯定された事例 | 婚姻後に夫の借入金や社内預金等をもって夫名義で購入した土地建物に対し、婚姻継続中に妻が2分の1の持分権の確認及び所有権移転登記を求めた事案で、夫婦別産制を強調し、これを否定しました。 | 大阪高判 S48.4.10<br>判時710・61 |
| 所有名義人の特有財産であることが否定された事例 | 旅館を共に経営していた夫婦間において、土地の大部分の費用は夫が負担するものの、名義を妻として購入する旨の合意をしていたが、その後、妻の不貞で離婚し、夫が妻のこれまでの旅館等への協力に対し金銭を分割払で支払って財産分与し、完済までは土地を妻名義とすることを約束したとの事実関係の下で、夫からの土地の所有権移転登記請求に対し、妻が土地を自己の特有財産であると主張した事案。原審（福岡高判 S32.3.28）が、「夫婦がその一方の財産を合意の上で他方の所有名義とした場合（その法律関係は通謀虚偽の意思表示となるであろう）にまで、これをその所有名義人の特有財産とする趣旨であるとするとはとうてい解せられない」としたところ、最高裁判所はこれをそのまま支持しました。 | 最判 S34.7.14<br>民集13・7・1023 |
|  | 共働きの貯蓄及び収入から土地代金を支払った夫名義の土地について、たとえ夫の「単独名義で買い受けたものであっても、これを名義人の特有財産とする旨の合意若しくは特段の事情のない限り」夫婦の共有に属すると解するのが相当であるとし、妻に共有持分2分の1を認めました。 | 札幌高判 S61.6.19<br>判タ614・70 |
|  | 妻が婚姻中に生活費等の剰余金の中から購入した夫名義の国債を離婚後夫が無断で売却したことに対し、妻が損害賠償請求を行った事案。<br>判決は、国債が夫婦の共有財産に属することを理由に損害賠償請求権のうち2分の1を認めませんでした。 | 浦和地川越支部判<br>H元.9.13<br>判時1348・124 |

**＜夫婦共有財産を所有名義人が持ち出して費消した場合＞**

| 内　容 | 判　例 |
|---|---|
| 妻が別居するに際し、夫が保管していた国債、ゴルフ会員権等を持ち出したため、夫が妻に対し損害賠償請求とゴルフ会員権名義の移転を求めた事案（なお、夫婦間では別件で離婚・財産分与に関する訴訟が係属していました。）。<br>判決は、①妻の特有財産以外の国債については、夫の収入を原資として購入されたが、実質的には夫婦の共有財産であり、夫婦の実質的共有に属する財産の一部を持ち出したとしても、その持ち出した財産が将来の財産分与として考えられる対象、範囲を著しく逸脱するとか、他方を困惑させる等不当な目的をもって持ち出したなどとの特段の事情がない限り違法性はなく不法行為とならないものとし、<br>②ゴルフ会員権については、実質的には共有財産である妻名義のゴルフ会員権は、妻の名義は便宜上のものであり、夫の特有財産とする合意があったような場合を除いては、夫が一方的に被告に対し名義の変更を求めることはできないとし、離婚と財産分与を求める訴訟が係属しているのであるから実質的共有財産のゴルフ会員権の帰属は財産分与の際に決すべきであるとしました(注)。 | 東京地判 H4.8.26<br>判タ813・270 |

(注)　この判例は、離婚・財産分与に関する訴訟が継続中であったため、離婚・財産分与に関する訴訟で解決を図ることを求めたものと思われます。

## ⑶　日常家事債務の連帯責任

### ア　規定

　民法は婚姻から生ずる費用は夫婦で分担するものとしました（民760）。日常の家事は夫婦共同の事務であり、家事処理に伴う債務（日常家事債務）は夫婦のいずれが名義人であっても実質的に夫婦共同の債務となります。

　また、民法は、相手方保護の見地から日常家事債務について夫婦の連帯責任を定めました。すなわち、夫婦の一方が日常の家事に関して第三者と法律行為をしたときは、他の一方は、これによって生じた債務について、連帯してその責任を負うとしています（民761本文）。もっとも、第三者に対し責任を負わない旨予告した場合には日常家事債務の連帯責任は生じません（民761ただし書）。

　日常家事に関する法律行為の例としては、一般的には、生活用品等の購入契約や、共同生活を営む住居の賃貸借契約、家族の病気の治療に関する契約等が挙げられます。

## イ　内容

**＜日常家事責務について＞**

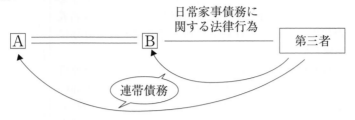

**＜日常家事債務に関する主な判例＞**

| 問　題 | 判決の内容 | 判　例 |
|---|---|---|
| 日常家事債務の規定は、夫婦相互に他方を代理する権限を認めるものか。 | 日常の家事に関する法律行為につき代理権を認めています。 | 最判 S44.12.18 民集 23・12・2476 |
| 「日常の家事」に関する法律行為といえるかの判断基準はいかなるものか。<br>具体的には夫婦間の事情（主観的事情）、法律行為の性質等（客観的事情）のいずれを重視するものか。 | 判例は「その具体的な範囲は、個々の夫婦の社会的地位、職業、資産、収入等によって異なり、また、その夫婦の共同生活の存する地域社会の慣習によっても異なるというべきであるが、他方、問題になる具体的な法律行為が当該夫婦の日常の家事に関する法律行為の範囲内に属するか否かを決するに当たっては、同条が夫婦の一方と取引関係に立つ第三者の保護を目的とする規定であることに鑑み、単にその内部的な事情やその行為の個別的な目的のみを重視して判断すべきではなく、さらに客観的にその法律行為の種類、性質等も十分に考慮して判断すべきである」と総合的に判断すべきであるとしています。 | 最判 S44.12.18 民集 23・12・2476 |
| 夫婦が連帯責任を負うと信じた第三者の保護はいかに図られるべきか。<br>具体的には表見代理（民110）の規定が適用ないし類推適用されるか。 | 判例は「夫婦の一方が右のような日常の家事に関する代理権の範囲を超えて第三者と法律行為をした場合においては、その代理権の存在を基礎として広く一般的に民法第110条所定の表見代理の成立を肯定することは、夫婦の財産的独立を損なうおそれがあって、相当でないから、夫婦の一方が他の一方に対しその他何らかの代理権を授与していない以上、当該越権行為の相手方である第三者においてその行為が当該夫婦の日常の家事に関する法律行為の範囲内に属すると信ずるにつき正当の理由のあるときにかぎり、民法第110条の趣旨を類推適用して、その第三者の保護を図れば足りるものと解するのが相当」であるとしました。 | 最判 S44.12.18 民集 23・12・2476 |

| 問　題 | 判決の内容 | 判　例 |
|---|---|---|
| 婚姻関係破綻後も、①民法第761条は適用されるか。②破綻した場合に民法第761条が適用されないとして、日常家事に関する代理権を信用した第三者のために表見法理の適用又は類推適用が認められるか。 | 婚姻関係破綻後の日常家事に関する法律行為について、民法第761条の適用を認めず、表見代理の主張も認めませんでした。 | 東京高判 S56.4.28 判タ446・97 |
| | 婚姻関係が破綻している事案でしたが、金融機関からの借入行為を日常家事の範囲外とした上で、表見法理の類推適用の余地を認めました（結論としては表見法理の適用を認めませんでした。）。 | 東京地判 S53.11.1 判時931・78 |

### ウ　具体的に日常家事債務が問題となるケース

　　判例の考え方は上記イの内容となっていますが、具体的に日常家事債務が問題となった判例をご紹介します。

**＜日常家事債務が問題となるケース＞**

| 問題となった行為 | 日常家事債務の範囲内とした判例 | 日常家事債務の範囲外とした判例 |
|---|---|---|
| 不動産の処分行為 | ― | 売買代金を生活資金に充てたとしても日常家事債務の範囲には含まれないとしました（名古屋高判 S58.8.10判時1106・80）。 |
| 金銭の借入れ | 妻が、夫の所得税及び固定資産税の支払資金として10万円を借り入れて、夫名義の居住家屋に抵当権を設定し、公正証書作成等をした行為を、日常家事に関する行為であるとしました（横浜地判 S42.11.14判タ219・166）。 | 婚姻関係が破綻している事案でしたが、消費者金融からの10万円の借入行為を日常家事の範囲外としました（東京地判 S53.11.11判時931・78）。 |
| | 妻が夫（年収約330万円）に無断で、台所改修と諸設備購入費用に使うと説明して、信用金庫から借り入れた150万円について、台所改修等に使用された約30万円及び息子の入院治療費7万円の限度で日常家事に関する法律行為に該当するとしましたが、その余の部分は日常家事の範囲外とした上、妻が印鑑証明書を信用金庫に持参した等の事情を考慮しても日常家事に関する法律行為であると信ずるにつき正当な理由があったと認めることはできないとしました（高松高判 S56.12.22旬刊金融法務事情997・42）。 | |

| 問題となった行為 | 日常家事債務の範囲内とした判例 | 日常家事債務の範囲外とした判例 |
| --- | --- | --- |
| クレジット契約による商品購入 | 手数料込みで合計59万6,000円の子ども向け教材を購入するために締結された立替払契約について、行為時の夫婦の職業（夫会社員、妻保険外交員）、収入（夫年収550万円）、資産（200万円の預金、150〜160万円の積立保険等）を考慮して、日常家事代理権の範囲内に属するものとしました（東京地判 H10.12.2判タ1030・257）。 | 手数料込みで合計約72万円の子ども向け教材を購入するために締結された立替金契約について、夫婦の収入（夫月約12万円、妻7、8万円）や借金（300万円）の存在等を考慮した上で日常家事に関する法律行為に該当しないとしました（八女簡判 H12.10.12判タ1073・192）。 |
| 定期預金の解約行為 | ― | 給与27〜28万円程度の収入である会社員の夫名義の定期預金約146万円を、妻が夫に無断で解約した事案で、当該解約行為を日常家事の範囲外とし、更に日常家事の範囲に属すると信ずるにつき正当な理由もないとして表見代理の趣旨の類推適用も否定しました（大津地判 H16.1.9金融商事判例1200・55）。 |

# 第3章 離 婚

## 1 離婚とは

　婚姻関係を解消することを離婚といいます。

　婚姻関係の解消事由としては、離婚の他に、一方当事者の死亡、婚姻の取消しがあります。

＜婚姻関係の解消事由＞

| 婚姻関係の解消事由 | 根拠条文 |
|---|---|
| 一方当事者の死亡 | 明文なし |
| 婚姻の取消し | 民744、747 |
| 離婚 | 民763、770 |

## 2 離婚の手続

　離婚をする方法には、当事者の合意のみで離婚をする方法（協議上の離婚）と、裁判手続を利用して離婚をする方法があります。

　離婚のための裁判手続としては、家庭裁判所での調停と訴訟が利用できます。ただし、訴訟を提起する前に調停を申し立てなければならないとされています（調停前置主義。家事257Ⅰ）。

＜離婚の方法＞

| 手 続 | 離婚の方法 | 根拠条文 |
|---|---|---|
| 協議上の離婚 | 夫婦間の合意及び戸籍法の定めに従った届出 | 民763 |
| 調停離婚 | 調停成立 | 家事244、268Ⅰ |
| 審判離婚 | 調停に代わる審判の確定<br>（審判後2週間以内に異議の申出がない場合） | 家事284Ⅰ、287、286Ⅰ→279Ⅱ |
| 判決離婚<br>（離婚の訴え） | 判決確定 | 民770 |
| 請求認諾、訴訟上の和解による離婚 | 被告の認諾、和解の成立 | 人訴37 |

　協議離婚の場合は、戸籍法などの法令に定める方法に従って市区町村に届け出て初めてその効力が生じます（このような届出を創設的届出といいます。）。

　これに対し、裁判手続を利用した離婚の場合は、調停成立、判決確定等により離婚が成立しており、市区町村への届出は報告的な意味合いに留まります（このような届出を報告的届出といいます。）。

　この違いは、離婚届の不受理申出制度の効力にも影響してきます。離婚届の不受理申出制度については、74頁を参照してください。

**＜協議離婚及び裁判離婚と届出＞**

| 離婚の方法 | 協議上の離婚 | 判決離婚 |
|---|---|---|
| 離婚の成立時期 | 市区町村に届け出て受理された時 | 判決確定時など |
| 届出の意味合い | 創設的届出 | 報告的届出 |
| 不受理申出の効力 | 受理されない | 受理される |

## 3　離婚手続の流れ

　離婚の手続の一般的な流れは、次のようになります。

### (1)　協議上の離婚（協議離婚）

　離婚は、まず夫婦で話し合うのが通常です。この話し合いで離婚をすることと未成年子がいる場合はその親権者など、離婚届に記載する事項についての合意ができれば、協議上の離婚が成立します（民763）。

### (2)　調停離婚

　夫婦間の協議では上記の合意に至ることができなかった場合、若しくは、夫婦で協議することすら難しい場合に離婚をするには、家庭裁判所に調停を申し立てる必要があります（調停前置主義。家事257Ⅰ）。

　なお、相手方が所在不明の場合などで、裁判所が調停に付することを適当でないと認めるときは、調停を経ずに訴訟の手続を進めることができます（調停前置主義の例外、家事257Ⅱただし書）。

　調停は、家庭裁判所の調停委員会が間に入って当事者の話し合いを行う手続です。調停委員会は、通常、裁判官1人、民間人である調停委員2人の計3人で組織されて

います。

　調停委員が間に入って話し合うことで、離婚の合意に至る事案は数多くあります。

　調停が成立してする離婚を、調停離婚といいます。

　調停での話し合いが平行線でどのような内容の合意にも至ることができなかった場合は、調停は不成立として終了することになります。


⑶　審判離婚

　調停は成立しないけれども裁判所が相当と認めるとき、裁判所は、職権で離婚の審判をすることができます（家事284Ⅰ）。

　ただ、この審判の手続は、実務ではほとんど使われていません。


⑷　裁判上の離婚

　調停が成立しなかった場合、家庭裁判所に離婚訴訟を提起することになります（民770、人訴4）。

　離婚訴訟で離婚請求を認容した判決がなされ、確定すると、離婚が成立します。この離婚を判決離婚といいます。家庭裁判所の判決に対しては、敗訴した当事者は高等裁判所に対して控訴をすることができます（人訴29→民訴281Ⅰ、裁判所法16①）。控訴がなされると控訴審の結論が出るまで判決の確定が妨げられます。

　また、訴訟において、相手が離婚を認諾する答弁をした場合も離婚が成立します（認諾離婚）。認諾による離婚が認められるのは、財産分与などの附帯処分についての裁判、親権者の指定についての裁判をすることを要しない場合に限られます（人訴37Ⅰただし書）。

　判決の前に和解が試みられ、和解で離婚が成立することもあります（和解離婚）。


＜離婚手続の申立機関＞

| 手　続 | 申立機関 | 管　轄 | 根拠条文 |
|---|---|---|---|
| 離婚調停申立て | 家庭裁判所 | 相手方の住所地を管轄する家庭裁判所又は当事者が合意で定める家庭裁判所 | 家事245Ⅰ |
| 離婚の訴え | 家庭裁判所 | 原告又は被告の住所地を管轄する家庭裁判所 | 人訴4Ⅰ |
| 離婚審判 | 離婚調停から職権で移行されるため当事者の申立ては不要 | | 家事284Ⅰ |

**附帯処分等について**

　離婚は、多くの場合、子の親権者や金銭の請求などの、離婚そのもの以外の問題を伴います。

　家庭裁判所に調停ないし訴訟を申し立てて離婚を求める場合、親権者指定、養育費の支払、財産分与、年金分割といった離婚に関連する問題を、同時に申し立てることができます。これらを附帯処分といいます。附帯処分を申し立てられた家庭裁判所は、離婚請求を認容する場合は、附帯処分についての裁判もしなければなりません（人訴32Ⅰ）。

　また、離婚の原因である事実によって生じた損害に関する損害賠償請求も、離婚の請求と同時に申し立てることができます（人訴17Ⅰ）。慰謝料の請求がこれに該当します。なお、慰謝料請求については、通常の損害賠償事件として、地方裁判所（請求金額によっては簡易裁判所）に申し立てることも可能です。

　協議上の離婚の場合は、このような離婚に関する問題も夫婦で話し合って決めることになります。

　離婚すること自体は合意しているけれども金銭的な条件等が折り合わないという場合、協議上の離婚をした後に、別途裁判手続で財産分与や慰謝料を請求することもできます。もっとも、親権者指定については、父母のどちらかが決まらないと、協議上の離婚をすることができません。

＜離婚手続フローチャート＞

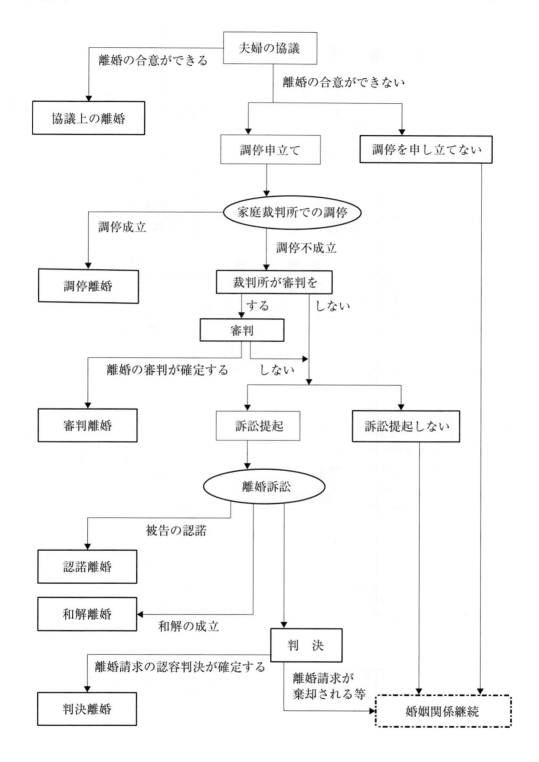

**＜離婚届の記載例＞**

# 離　婚　届

令和 ○ 年 ○ 月 ○ 日届出

○○区 長殿

| 受理 令和　年　月　日 | | 発送 令和　年　月　日 |
|---|---|---|
| 第　　　　　号 | | 長 印 |
| 送付 令和　年　月　日 | | |
| 第　　　　　号 | | |
| 書類調査 | 戸籍記載 | 記載調査 | 調査票 | 附票 | 住民票 | 通知 |

| | | 夫 | 妻 |
|---|---|---|---|
| (1) | （よみかた） | こうの　　　た　ろう | こうの　　　はな　こ |
| | 氏　　名 | 氏 甲野　名 太郎 | 氏 甲野　名 花子 |
| | 生 年 月 日 | 平成 5 年 4 月 4 日 | 平成 3 年 5 月 5 日 |
| | 住　　所（住民登録をしているところ） | 東京都○○区○○ ○番地番 ○号 | 千葉県○○市○○ ○番地番 ○号 |
| | | 世帯主の氏名 甲野太郎 | 世帯主の氏名 甲野花子 |
| (2) | 本　籍（外国人のときは国籍だけを書いてください） | 東京都○○区○○ ○番地番 | |
| | 筆頭者の氏名 | 甲野太郎 | |
| | 父母の氏名　父母との続き柄（他の養父母はその他の欄に書いてください） | 夫の父 甲野　一郎　　続き柄 | 妻の父 乙野　太郎　　続き柄 |
| | | 母　　　　梅子　　長　男 | 母　　　　桃子　　二　女 |

| (3)(4) | 離婚の種別 | ☑協議離婚 | □和解　　　年　月　日成立 |
|---|---|---|---|
| | | □調停　　　年　月　日成立 | □請求の認諾　年　月　日認諾 |
| | | □審判　　　年　月　日確定 | □判決　　　年　月　日確定 |

| | 婚姻前の氏にもどる者の本籍 | □夫　は　□もとの戸籍にもどる | |
|---|---|---|---|
| | | ☑妻　　　☑新しい戸籍をつくる（よみかた） | 番地番　筆頭者の氏名 → |

| (5) | 未成年の子の氏名 | 夫が親権を行う子 | 妻が親権を行う子 甲野秋子 |
|---|---|---|---|
| (6)(7) | 同居の期間 | 平成○年 ○ 月 から（同居を始めたとき） | 令和○年 ○ 月 まで（別居したとき） → |
| (8) | 別居する前の住所 | 東京都○○区○○ ○番地番 ○号 | |
| (9) | 別居する前の世帯のおもな仕事と | □1. 農業だけまたは農業とその他の仕事を持っている世帯<br>□2. 自由業・商工業・サービス業等を個人で経営している世帯<br>□3. 企業・個人商店等（官公庁は除く）の常用勤労者世帯で勤め先の従業者数が1人から99人までの世帯（日々または1年未満の契約の雇用者は5）<br>□4. 3にあてはまらない常用勤労者世帯及び会社団体の役員の世帯（日々または1年未満の契約の雇用者は5）<br>□5. 1から4にあてはまらないその他の仕事をしている者のいる世帯<br>□6. 仕事をしている者のいない世帯 | |
| (10) | 夫妻の職業 | （国勢調査の年・・・　　年・・・の4月1日から翌年3月31日までに届出をするときだけ書いてください）<br>夫の職業　　　　　　　　　　妻の職業 | |
| | その他 | | |

| | 届出人署名押印 | 夫 甲野太郎 （甲野印） | 妻 甲野花子 （甲野印） |
|---|---|---|---|
| | 事件簿番号 | | |

婚姻中の氏で署名押印してください。

| 字訂正 |
|---|
| 字加入 |
| 字削除 |
| 届出印 |

| 住定年月日 | | |
|---|---|---|
| 夫 | ・ | ・ |
| 妻 | ・ | ・ |

鉛筆や消えやすいインキで書かないでください。
筆頭者の氏名欄には、戸籍のはじめに記載されている人の氏名を書いてください。
札幌市内の区役所に届け出る場合、届書は1通でけっこうです。　（その他のところに届け出る場合は、直接、提出先にお確かめください。）
この届書を本籍地でない市区町村役場に提出するときは、戸籍謄本または戸籍全部事項証明書が必要です。
そのほかに必要なもの　調停離婚のとき→調停調書の謄本
　　　　　　　　　　　審判離婚のとき→審判書の謄本と確定証明書
　　　　　　　　　　　和解離婚のとき→和解調書の謄本
　　　　　　　　　　　認諾離婚のとき→認諾調書の謄本
　　　　　　　　　　　判決離婚のとき→判決書の謄本と確定証明書

| 証　　　　人 　（協議離婚のときだけ必要です） | | |
|---|---|---|
| 署名押印 | 乙山太郎　㊞ | 乙山花子　㊞ |
| 生年月日 | 平成 2 年 4 月 5 日 | 平成 4 年 6 月 8 日 |
| 住所 | 東京都〇〇区〇〇 〇丁目 〇番地番 〇号 | 東京都〇〇区〇〇 〇丁目 〇番地番 〇号 |
| 本籍 | 東京都〇〇区〇〇 〇番地番 | 東京都〇区〇 〇番地番 |

□には、あてはまるものに☑のようにしるしをつけてください。

・今後も離婚の際に称していた氏を称する場合には、左の欄には何も記載しないでください（この場合にはこの離婚届と同時に別の届書を提出する必要があります。）。

・同居を始めたときの年月は、結婚式をあげた年月または同居を始めた年月のうち早いほうを書いてください。

届け出られた事項は、人口動態調査（統計法に基づく基幹統計調査、厚生労働省所管）にも用いられます。

父母が離婚するときは、面会交流や養育費の分担など子の監護に必要な事項についても父母の協議で定めることとされています。この場合には、子の利益を最も優先して考えなければならないこととされています。

・未成年の子がいる場合は、次の□のあてはまるものにしるしをつけてください。

☑面会交流について取決めをしている。　　　面会交流：未成年の子と離れて暮らしている親が子と定期的、継続
□まだ決めていない。　　　　　　　　　　　的に、会って話をしたり、一緒に遊んだり、電話や手紙などの方法
　　　　　　　　　　　　　　　　　　　　　で交流すること

・経済的に自立していない子（未成年の子に限られません）がいる場合は、次の□のあてはまるものにしるしをつけてください。

☑養育費の分担について取決めをしている。　　養育費：経済的に自立していない子（例えば、アルバイト等による
□まだ決めていない。　　　　　　　　　　　　収入があっても該当する場合があります）の衣食住に必要な経費、
　　　　　　　　　　　　　　　　　　　　　　教育費、医療費など。

詳しくは、各市区町村の窓口において配布している「子どもの養育に関する合意書作成の手引きとQ＆A」をご覧ください。法務省ホームページ（http://www.moj.go.jp/MINJI/minji07_00194.html）にも掲載されています。

●署名は必ず本人が自署してください。
●印は各自別々の印を押してください。
●届出人の印を御持参ください。

| 日中連絡のとれるところ |
|---|
| 電話（　03　）〇〇〇〇－△△△△ |
| ⓐ自宅 勤務先 呼出（　　　　方） |

離婚によって、住所や世帯主が変わる方は、あらたに住所変更届、世帯主変更届の手続きが必要となりますので、ご注意ください。
　なお、離婚届と同時にこれらの届を出すときは、住所、世帯主欄は、変更後の住所、世帯主を書いてください。
　就業時間以外（土曜日、日曜日、祝日等）の住民異動届は受付できませんので後日届出願います。

| 受付印 | 夫婦関係等調整調停申立書　事件名（　　離婚　　） |
|---|---|

（この欄に申立て1件あたり収入印紙1,200円分を貼ってください。）

| 印　紙 | 円 |
|---|---|
| 郵便切手 | 円 |

印

紙

（貼った印紙に押印しないでください。）

この申立書を提出する裁判所名

この申立書を作成した日

| 東 京 家庭裁判所 御中　令和 ○ 年 ○ 月 ○ 日 | 申　立　人（又は法定代理人など）の　記名押印 | 甲 野 花 子　㊞ |
|---|---|---|

| 添付書類 | （審理のために必要な場合は、追加書類の提出をお願いすることがあります。）<br>☑ 戸籍謄本（全部事項証明書）（内縁関係に関する申立ての場合は不要）<br>☑ （年金分割の申立てが含まれている場合）年金分割のための情報通知書<br>☐ | 準 口 頭 |
|---|---|---|

住所の記載方法については、別添「申立書や答弁書の「住所」の記載について」を参照してください。

| 申立人 | 本　籍（国　籍） | （内縁関係に関する申立ての場合は、記入する必要はありません。）<br>○○ 都道府県 ○○市 ○○町 ○ 番地 | |
|---|---|---|---|
| | 住　所 | 〒 ○○○ － ○○○○<br>東京都 ○○区 ××× ○丁目○番○号 ハイツ○○　○○○ 号<br>（　○○○ 方） | |
| | フリガナ<br>氏　名 | コ ウ ノ　ハ ナ コ<br>甲 野 花 子 | 昭和<br>平成 ○年○月○日生<br>（　　○○ 歳） |
| 相手方 | 本　籍（国　籍） | （内縁関係に関する申立ての場合は、記入する必要はありません。）<br>○○ 都道府県 ○○市 ○○町 ○ 番地 | |
| | 住　所 | 〒 ○○○ － ○○○○<br>東京都 ○○区 ××× ○丁目○番○号　○○アパート ○○ 号<br>（　　方） | |
| | フリガナ<br>氏　名 | コ ウ ノ　タ ロ ウ<br>甲 野 太 郎 | 昭和<br>平成 ○年○月○日生<br>（　　○○ 歳） |
| 対象となる子 | 住　所 | ☑ 申立人と同居　　／　☐ 相手方と同居<br>☐ その他（ | 平成<br>令和 ○年○月○日生 |
| | フリガナ<br>氏　名 | コ ウ ノ　イ チ ロ ウ<br>甲 野 一 郎 | （　　○　歳） |
| | 住　所 | ☑ 申立人と同居　　／　☐ 相手方と同居<br>☐ その他（ | 平成<br>令和 ○年○月○日生 |
| | フリガナ<br>氏　名 | コ ウ ノ　ジ ロ ウ<br>甲 野 次 郎 | （　　　　歳） |
| | 住　所 | ☐ 申立人と同居　　／　☐ 相手方と同居<br>☐ その他（ | 平成<br>令和 　年 　月 　日生 |
| | フリガナ<br>氏　名 | | （　　　　歳） |

（注）太枠の中だけ記入してください。対象となる子は、付随申立ての(1)、(2)又は(3)を選択したときのみ記入してください。☐の部分は、該当するものにチェックしてください。

夫婦(1/2)

（令5. 2　東京家）

（東京家庭裁判所ホームページより）

㊟ 「申立書や答弁書の「住所」の記載について」は東京家庭裁判所のホームページを参照してください。

※ 申立ての趣旨は、当てはまる番号（1又は2、付随申立てについては(1)〜(7)）を○で囲んでください。
　□の部分は、該当するものにチェックしてください。
☆ 付随申立て(6)を選択したときは、年金分割のための情報通知書の写しをとり、別紙として添付してください（その写しも
　相手方に送付されます。）。

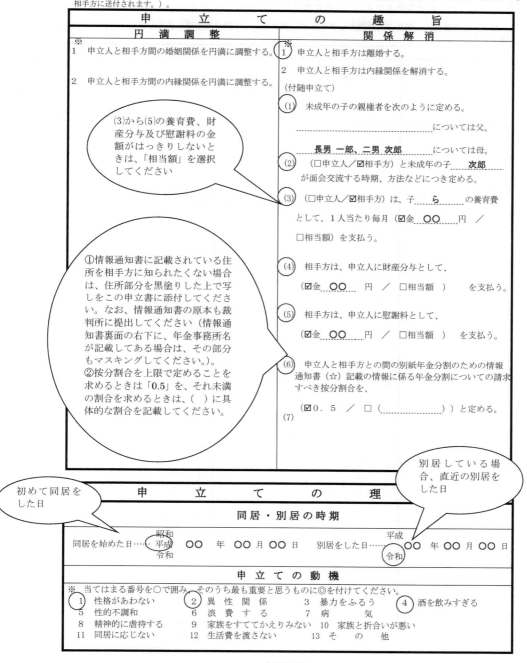

| 申　立　て　の　趣　旨 | |
|---|---|
| 円　満　調　整 | 関　係　解　消 |

**円　満　調　整**

※
1　申立人と相手方間の婚姻関係を円満に調整する。

2　申立人と相手方間の内縁関係を円満に調整する。

吹き出し：(3)から(5)の養育費、財産分与及び慰謝料の金額がはっきりしないときは、「相当額」を選択してください

吹き出し：①情報通知書に記載されている住所を相手方に知られたくない場合は、住所部分を黒塗りした上で写しをこの申立書に添付してください。なお、情報通知書の原本も裁判所に提出してください（情報通知書裏面の右下に、年金事務所名が記載してある場合は、その部分もマスキングしてください。）。
②按分割合を上限で定めることを求めるときは「0.5」を、それ未満の割合を求めるときは、（　）に具体的な割合を記載してください。

**関　係　解　消**

※
① 申立人と相手方は離婚する。

2　申立人と相手方は内縁関係を解消する。

（付随申立て）

① 未成年の子の親権者を次のように定める。

………………………………………………については父。

**長男 一郎、二男 次郎**　　　　　については母。

② （□申立人／☑相手方）と未成年の子　**次郎**
　が面会交流する時期、方法などにつき定める。

③ （□申立人／☑相手方）は、子　**ら**　の養育費
　として、1人当たり毎月（☑金　○○　円　／
　□相当額）を支払う。

④ 相手方は、申立人に財産分与として、
　（☑金　○○　円　／　□相当額　）　　を支払う。

⑤ 相手方は、申立人に慰謝料として、
　（☑金　○○　円　／　□相当額　）　　を支払う。

⑥ 申立人と相手方との間の別紙年金分割のための情報
　通知書（☆）記載の情報に係る年金分割についての請求
　すべき按分割合を、
　（☑0．5　／　□（………………………））と定める。

(7)

吹き出し：別居している場合、直近の別居をした日

吹き出し：初めて同居をした日

| 申　立　て　の　理 | |
|---|---|
| 同居・別居の時期 | |

同居を始めた日……（昭和／平成／令和）　○○　年　○○　月　○○　日　　別居をした日……（平成／令和）　○○　年　○○　月　○○　日

**申　立　て　の　動　機**

※ 当てはまる番号を○で囲み、そのうち最も重要と思うものに◎を付けてください。

① 性格があわない　　　② 異性関係　　　3 暴力をふるう　　④ 酒を飲みすぎる
5 性的不調和　　　　　6 浪費する　　　　7 病　　　気
8 精神的に虐待する　　9 家族をすててかえりみない　10 家族と折合いが悪い
11 同居に応じない　　　12 生活費を渡さない　　　13 そ　の　他

夫婦(2/2)

（令5．2　東京家）
（東京家庭裁判所ホームページより）

— 67 —

令和　　年（家　　）第　　　　　号　　事情説明書（夫婦関係調整）　　（　書式　No.3　）

> この書類は，申立ての内容に関する事項を記載していただくものです。あてはまる事項にチェックを付け（複数可），必要事項を記入の上，申立書とともに提出してください。
>
> **なお，この書類は，相手方には送付しませんが，相手方から申請があれば，閲覧やコピーが許可されることがあります。**

| 1 この問題でこれまでに家庭裁判所で調停や審判を受けたことがありますか。 | □　ある　　　　平成・令和　　年　　月頃　　　　家裁　　　支部・出張所<br>　□　今も続いている。　　申立人の氏名＿＿＿＿＿＿＿＿＿＿<br>　　　　　　　　　　　　　事件番号　平成・令和　　年（家　　）第　　　　号<br>　□　すでに終わった。<br>□　ない |
|---|---|
| 2 調停で対立すると思われることはどんなことですか。（該当するものに，チェックしてください。複数可。） | □　離婚のこと　　　　□　同居または別居のこと<br>□　子どものこと（□親権　□養育費　□面会交流　□その他　　　　　　　）<br>□　財産分与の額　　　□　慰謝料の額　　　　□　負債のこと<br>□　生活費のこと　　　　　　　　□　その他　（　　　　　　　　　） |

| 3 それぞれの同居している家族について記入してください（申立人・相手方本人を含む。）。<br>※申立人と相手方が同居中の場合は申立人欄に記入してください。 | 申立人（あなた） | | | | 相　手　方 | | | |
|---|---|---|---|---|---|---|---|---|
| | 氏　名 | 年齢 | 続柄 | 職業等 | 氏　名 | 年齢 | 続柄 | 職業等 |
| | | | | | | | | |
| | | | | | | | | |
| | | | | | | | | |
| | | | | | | | | |

| 4 それぞれの収入はどのくらいですか。 | 月収（手取り）　約　　　　　万円<br>賞与（年　回）計約　　　　　万円<br>□実家等の援助を受けている。月　　　万円<br>□生活保護等を受けている。　月　　　万円 | 月収（手取り）　約　　　　　万円<br>賞与（年　回）計約　　　　　万円<br>□実家等の援助を受けている。月　　　万円<br>□生活保護等を受けている。　月　　　万円 |
|---|---|---|
| 5 住居の状況について記入してください。 | □　自宅<br>□　当事者以外の家族所有<br>□　賃貸（賃料月額　　　　　　　円）<br>□　その他（　　　　　　　　　） | □　自宅<br>□　当事者以外の家族所有<br>□　賃貸（賃料月額　　　　　　　円）<br>□　その他（　　　　　　　　　） |
| 6 財産の状況について記入してください。 | (1)　資産<br>　□　あり<br>　　□　土地　　□　建物<br>　　□　預貯金（約　　　万円）<br>　　□　その他　※具体的にお書きください。<br>　　（　　　　　　　　　　）<br>　□　なし<br>(2)　負債<br>　□　あり　□住宅ローン（約　　　万円）<br>　　　　　□その他　（約　　　万円）<br>　□　なし | (1)　資産<br>　□　あり<br>　　□　土地　　□　建物<br>　　□　預貯金（約　　　万円）<br>　　□　その他　※具体的にお書きください。<br>　　（　　　　　　　　　　）<br>　□　なし<br>(2)　負債<br>　□　あり　□住宅ローン（約　　　万円）<br>　　　　　□その他　（約　　　万円）<br>　□　なし |
| 7 夫婦が不和となったいきさつや調停を申し立てた理由などを記入してください。 | -----------------------------------------------------------------<br>-----------------------------------------------------------------<br>----------------------------------------------------------------- | |

令和　　年　　月　　日　　申立人＿＿＿＿＿＿＿＿＿＿印

（東京家庭裁判所ホームページより）

令和　年（家　）第　　　号　　子についての事情説明書　　（書式　No.4）

この書類は，申立人と相手方との間に未成年のお子さんがいる場合に記載していただくものです。あてはまる事項にチェックを付け，必要事項を記入の上，申立書とともに提出してください。

なお，この書類は，相手方には送付しませんが，相手方から申請があれば，閲覧やコピーが許可されることがあります。

| 1 現在，お子さんを主に監護している人は誰ですか。 | ☐ 申立人<br>☐ 相手方<br>☐ その他（　　　　　　　　　　　　　　　　　　　　　　　　　　　　） |
|---|---|
| 2 お子さんと別居している父または母との関係について，記入してください。<br><br>＊ お子さんと申立人及び相手方が同居している場合には記載する必要はありません。 | ☐ 別居している父または母と会っている。<br>☐ 別居している父または母と会っていないが，電話やメールなどで連絡を取っている。<br>☐ 別居している父または母と会っていないし，連絡も取っていない。<br>→ 上記のような状況となっていることについて理由などがあれば，記載してください。 |
| 3 お子さんに対して，離婚等について裁判所で話合いを始めることや，今後の生活について説明したことはありますか。 | ☐ 説明したことはない。<br>☐ 説明したことがある。<br>→ 説明した内容やそのときのお子さんの様子について，裁判所に伝えておきたいことがあれば，記載してください。 |
| 4 お子さんについて，何か心配していることはありますか。 | ☐ ない<br>☐ ある<br>→ 心配している内容を具体的に記載してください。 |
| 5 お子さんに関することで裁判所に要望があれば記入してください。 | |

令和　年　月　日　　申立人　＿＿＿＿＿＿＿＿＿＿＿　印

（東京家庭裁判所ホームページより）

（書式No．5）

＊ この用紙はコピーして使用してください。＊

令和　　年（家　　）第　　号

# 非開示の希望に関する申出書

＊裁判所にだけ伝えたい情報（非開示希望情報）が書かれた書面を提出する場合には、<u>非開示を希望する書面ごと</u>にこの申出書を作成し、<u>本申出書の下に、ステープラー（ホチキスなど）で留めて一体として提出して下さい（ファクシミリ不可）。本申出書がない場合、</u>非開示の希望があるものとは扱われません。

＊非開示を希望しても、裁判官の判断により、開示されることがあります。

1　別添の書面については、【□全て　□マーカー部分　】を非開示とすることを希望します。
　　※　書面の一部について非開示を希望する場合、その部分が分かるように<u>マーカーで色付け</u>するなどして特定してください。

2　非開示を希望する理由は、以下のとおりです（複数選択可。カッコ内に具体的な理由を記載してください。）。

＊住所、氏名やそれを推測させる情報については、<u>その記載部分を個別具体的に特定した上で、</u>非開示希望を申し出ることができます。(1)～(4)のいずれかの理由がある場合は、他方当事者等から閲覧謄写の申請があったとしても不許可となりますが、<u>非開示希望の申出がない場合は、閲覧謄写の申請が許可されます</u>ので、十分にご注意ください。

(1)　□　事件の関係人である未成年者の利益を害するおそれがある。
　　　（理由：＿＿＿＿＿＿＿＿＿＿＿＿＿＿＿＿＿＿＿＿＿＿＿＿＿＿＿＿＿）

(2)　□　当事者や第三者の私生活・業務の平穏を害するおそれがある。
　　　（理由：＿＿＿＿＿＿＿＿＿＿＿＿＿＿＿＿＿＿＿＿＿＿＿＿＿＿＿＿＿）

(3)　□　当事者や第三者の私生活についての重大な秘密が明らかにされることにより、その者が社会生活を営むのに著しい支障を生じるおそれがある。
　　　（理由：＿＿＿＿＿＿＿＿＿＿＿＿＿＿＿＿＿＿＿＿＿＿＿＿＿＿＿＿＿）

(4)　□　当事者や第三者の私生活についての重大な秘密が明らかにされることにより、その者の名誉を著しく害するおそれがある。
　　　（理由：＿＿＿＿＿＿＿＿＿＿＿＿＿＿＿＿＿＿＿＿＿＿＿＿＿＿＿＿＿）

(5)　□　その他（具体的な理由を書いてください。なお、住所、氏名やそれを推測させる情報は、(1)ないし(4)のいずれにも該当せず「その他」のみを理由に非開示を希望することはできません。）

＿＿＿＿＿＿＿＿＿＿＿＿＿＿＿＿＿＿＿＿＿＿＿＿＿＿＿＿＿＿＿＿＿＿＿＿

＿＿＿＿＿＿＿＿＿＿＿＿＿＿＿＿＿＿＿＿＿＿＿＿＿＿＿＿＿＿＿＿＿＿＿＿

　　　　令和　　年　　月　　日
　　　　　　氏　名　＿＿＿＿＿＿＿＿＿＿＿＿＿　印

＊ 本書面は、<u>非開示を希望する書面がある場合に限り</u>提出してください。

（令5．3　東京家）

（東京家庭裁判所ホームページより）

（左余白・縦書き）ステープラー（ホチキスなど）で留めて下さい。

**参考**

### 離婚調停について

　離婚を希望して家庭裁判所に調停を申し立てた場合でも、事件名は「夫婦関係等調整調停事件」です。復縁ないし円満を希望して調停を申し立てた場合も同じ事件名となります。

　これは、「離婚」の申立てがなされた場合でも、調停を進めるうちに話し合いで「円満」となる可能性もあることから、このような事案に柔軟に対応するためです。

　調停を申し立てるには、調停の「申立書」を家庭裁判所に提出します（家事255 I）。東京家庭裁判所では、申立書とは別に事情説明書等を提出するように求められます。申立書は、相手方に写しが送付されますが（家事256 I）、事情説明書は送付されません。相手方が読んで感情を害するおそれがある事柄や、相手方に知られたくないけれども調停委員会には知っていてほしい事柄は、事情説明書のみに記載することになります。

　ただし、申立書等の記録については、当事者は閲覧・謄写を求めることができ、裁判官の許可があった部分について、閲覧・謄写をすることができます（家事47 I）。

　提出する書類のうち、相手に見せたくないものについては、「非開示の希望に関する申出書」を提出しておけば、相手から閲覧・謄写の申請があった場合に、配慮してもらうことができます。

　相手に住所、氏名等が知られることによって、社会生活を営むのに著しい支障を生ずるおそれがあるときは、裁判所に秘匿決定の申立てをして秘匿決定を得ることで、秘匿事項として届け出た書面についての閲覧・謄写が制限されます（家事38の2→民訴133 I）。

　前掲の「夫婦関係等調整調停申立書」、「事情説明書（夫婦関係調整）」、「子についての事情説明書」及び「非開示の希望に関する申出書」は東京家庭裁判所の書式です。これらは裁判所のホームページからダウンロードできます。

# 第1　協議上の離婚

　我が国においては、一定の要件の下、夫婦間の合意による離婚が認められています（協議上の離婚、民763）。外国には、裁判離婚しか認めないという国もあるので、夫婦の一方又は両方が外国人である場合、協議上の離婚ではその国での離婚の効力が認められない可能性があるので注意が必要です。

　協議の離婚が認められる要件とは、①戸籍法や戸籍法施行規則等の「法令の定めに従った届出」をすること（形式的要件）と、②夫婦間に離婚意思があること（実質的要件）です。

＜協議上の離婚の要件＞

| | |
|---|---|
| 要件① | 法令の定めに従った届出をすること（形式的要件） |
| 要件② | 夫婦の間に離婚意思があること（実質的要件） |

## 1　形式的（手続的）要件

　協議上の離婚の要件の一つである形式的（手続的）要件は、法令の定めに従って届出をするということです。

　届出の形式としては、書面（離婚届）による届出のほか、口頭での届出も法令に定められていますが（戸籍37）、実務では書面で届け出ることがほとんどです。

### (1)　書面による届出

#### ア　記載内容

　離婚届に必要事項（戸籍76、戸籍規57）及びその他通則に定められた事項（戸籍29、35）を記入します。

　離婚の届出書は、様式が決められており（戸籍規59）、何を記載すべきかがあらかじめ印刷されています。具体的には、次の表に記載したとおりの事項を記載することになります。

＜離婚届の記載内容＞

| 届出書記載事項 | | 内　容 | 根拠条文 |
|---|---|---|---|
| 基本事項 | | 協議離婚である旨 | 戸籍76②、戸籍規57Ⅰ① |
| | | 同居を始めた年月 | 戸籍76②、戸籍規57Ⅰ④ |
| | | 当事者の父母の氏名及び父母との続柄 | 戸籍76②、戸籍規57Ⅰ③ |
| | | 別居した年月 | 戸籍76②、戸籍規57Ⅰ⑤ |
| | | 別居する前の住所 | 戸籍76②、戸籍規57Ⅰ⑥ |
| | | 別居する前の世帯の主な仕事 | 戸籍76②、戸籍規57Ⅰ⑦ |
| | | 当事者の世帯主の氏名 | 戸籍76②、戸籍規57Ⅰ⑧ |
| 追加事項 | 当事者が外国人のとき | その国籍 | 戸籍76②、戸籍規57Ⅰ② |
| | 当事者が養子であるとき（特別養子を除きます。） | 養親の氏名 | 戸籍76②、戸籍規57Ⅰ③ |
| | 国勢調査実施年の4月1日から翌年3月31日までの届出 | 当事者の職業 | 戸籍76②、戸籍規57Ⅰ⑦ |
| | 当事者に子がいる場合 | 親権者と定められる当事者の氏名 | 戸籍76① |
| | | その親権に服する子の氏名 | |
| | | 面会交流と養育費の分担について取決めをしたかどうか | 民766Ⅰ |

**イ　署名押印**

　離婚する夫婦及び成年の証人2人（民764、739Ⅱ）が離婚届にそれぞれ署名押印をします。

**(2)　口頭による届出**

　当事者双方が自ら市区役所等に出頭し、届出に記載すべき事項を陳述します（戸籍37)。

**(3)　届出の場所**

　届出事件の本人の本籍地又は届出人の所在地の市区役所又は町村役場に提出します（戸籍25)。

＜届出と届出先＞

| | 届出場所 | 届出期間 | 届出人 | 添付書類など |
|---|---|---|---|---|
| 協議離婚に基づく離婚届 | 夫婦の本籍地又は夫婦の所在地の市区町村の窓口（戸籍25、4） | 協議が成立した時（創設的届出） | 夫又は妻 | ・届出書（証人2人の署名押印のあるもの）<br>・戸籍謄本（本籍地以外で届出をする場合）<br>・本人確認ができるもの |
| 婚姻の際称していた氏を称する届出（婚氏続称） | 離婚の際に称していた氏を称しようとする者の本籍地又は所在地の市区町村の窓口（戸籍25、4） | 離婚の日から3か月以内（民767Ⅱ、戸籍77の2） | 離婚の際に称していた氏を称しようとする者 | ・届出書<br>・戸籍謄本<br>・本人確認ができるもの |

参考

**婚氏続称制度**

　離婚をすると、婚姻の時に姓（氏）を変えた当事者は、婚姻前の姓（氏）に戻ります（復氏。民767Ⅰ）。婚姻の時に変えた姓を「婚氏」といいます。

　離婚後も、婚氏を続けて使いたい場合は、離婚の日から3か月以内に届出をすることによって、婚氏を称することができるようになります（民767Ⅱ、戸籍77の2）。

## (4)　届出の効果

　離婚届が受理された時点で離婚が成立します。

参考

**不受理申出制度**（戸籍27の2Ⅲ～Ⅴ、平成20年4月7日付法務省民一1000号通達）

　離婚届が市区町村長に提出された場合、形式的な審査しかせずに受理されるため、離婚の意思がない者の離婚届が受理され、戸籍に離婚が記載されてしまうおそれがあります。

　離婚届の不受理申出制度は、このような事態を回避するために、離婚届の不受理申出後に提出された離婚届は受理しない取扱いがなされるというものです。

　その効力は、不受理の申出をした本人が申出を取り下げるまで続きます。

　ただし、調停離婚、裁判上の離婚の届出を不受理とする効力はありません。

　不受理申出は、離婚以外にも、認知、養子縁組、離縁、婚姻、分籍、復氏などの創設的届出について認められます。

＜不受理申出制度＞

| 目　的 | 実体を伴わない戸籍の記載を未然に防ぐこと |
|---|---|
| 対　象 | ①　認知届<br>②　縁組届<br>③　離縁届<br>④　婚姻届<br>⑤　離婚届<br>などの創設的届出 |
| 申請場所 | 申出人の本籍地の市区町村の窓口の他、非本籍地の市区町村の窓口も可 |
| 効　果 | 縁組等の届出に来た者が不受理申出をした者であるとの確認（本人確認）ができない限り、その届出は不受理となります。<br>また、申出人へ届出があったことを通知します。 |
| 存続期間 | 不受理申出をした本人が取下げをしない限り無期限に効果が存続します。 |
| 根拠条文 | 戸籍27の2Ⅲ～Ⅴ、平成20年4月7日付法務省民一第1000号通達 |

## 2　実質的要件

### ⑴　離婚意思の存在

　離婚意思の中身は離婚の①効果意思（「夫婦生活を廃棄しよう」という意思。実質的意思）と②届出意思（「離婚を届け出よう」という意思。形式的意思）とに分けて考えることができます。

#### ア　効果意思と届出意思との双方が当事者間で合致している場合

　離婚が成立します。

#### イ　効果意思も届出意思もない場合

　離婚は成立しません。

#### ウ　届出意思はあるが効果意思がない場合

　いわゆる仮装離婚といわれる場面であって、離婚が、ある法律効果を得るための便法として使われるものです。

　判例は、離婚を認めています（離婚意思＝届出意思）。

**＜離婚以外の目的があった場合の判例＞**

| 区　分 | 内　　　　容 | 判　　例 |
|---|---|---|
| 肯定例 | 債権者からの強制執行防止の策として一時離婚の形式を取ったという事案につき、「夫婦が協議離婚の届出をなしたるときは、極めて明確な反証なき限り少なくとも法律上の夫婦関係は一応これを解消する意思すなわち法律上真に離婚の意思を持って届出をなしたるもの」と認めました。 | 大判 S16.2.3大審院民事判例集20・70 |
|  | 妻を戸主とする入夫婚姻をした夫婦が実質的婚姻関係を維持しながら単に夫に戸主たる地位を与えるために協議離婚の届出をした事案。 | 最判 S38.11.28民集17・11・1469 |

**エ　効果意思はあるが届出意思がないのに届出がなされた場合**

　あまり議論がされていないところですが、黙示の追認の問題として処理されるものと考えられます。

**＜離婚意思の中身と離婚の成否＞**

| | 離婚意思 | | 離婚の成否 |
|---|---|---|---|
| | 効果意思 | 届出意思 | |
| ア | ○ | ○ | 離婚成立 |
| イ | × | × | 離婚不成立 |
| ウ | × | ○ | 離婚成立（上記ウの判例） |
| エ | ○ | × | （追認の問題として処理か）㊟ |

㊟　具体的判例はありませんが、上記のように解されると考えられます。

**⑵　離婚意思の存在時期**

　離婚意思の存在時期の問題は、離婚の実質的要件である離婚意思が、当事者間で離婚の意思が合致した時にあればよいのか、離婚の届出時にその意思が継続している必要があるのかという問題です。

　いったんは当事者間で離婚することに合意したけれども、届出までの間に一方が翻意してしまった場合などに問題となります。

　当事者間で離婚の意思が合致することによって離婚が成立すると解する見解（離婚意思の中身を効果意思のみと考える場合）では、離婚の届出時に、その意思が継続していることは不要ということになります。

　しかし、離婚は届出によって成立すると解し、その論理的帰結として、離婚の届出

当時、正確には受理の時に離婚意思が必要とするのが学説の大勢です。

**＜離婚意思の存在時期＞**

| 離婚意思の中身 | 存在時期 |
|---|---|
| 効果意思＋届出意思 | 届出時に存在している必要があります。 |
| 効果意思のみとする考え | 届出時に存在している必要はありません。 |
| 届出意思のみとする考え | 届出時に存在している必要があります。 |

**＜具体的な場面＞**

| 具体的場面 | 離婚の可否 | 判　例 |
|---|---|---|
| 離婚合意後届出前に一方当事者が死亡 | （否　定）㊟ | ― |
| 離婚合意後届出前に一方当事者が意思能力喪失 | （否　定）㊟ | ― |
| 離婚合意後届出前に一方当事者が離婚意思を撤回 | 否　定 | 最判Ｓ34.8.7<br>民集13・10・1251 |

㊟　具体的判例がないためかっこ付としています。

# 第2　裁判上の離婚

## 1　離婚事由

　裁判で離婚をするには、民法第770条第1項に定められた「離婚事由」が認められる必要があります。

　また、同項第1号から第4号の「離婚事由」が認められたとしても、裁判所が一切の事情を考慮して離婚の継続を相当と認めるときは、離婚は認められません（民770Ⅱ）。

　離婚事由として、民法上規定された5つの事由は次のとおりです。

**＜離婚事由＞**

| 離婚事由 | 根拠条文（民770Ⅰ） |
|---|---|
| (1)　不貞行為があったとき | 民770Ⅰ① |
| (2)　悪意による遺棄があったとき | 民770Ⅰ② |
| (3)　生死が3年以上明らかでないとき | 民770Ⅰ③ |
| (4)　強度の精神病にかかり回復の見込みがないとき | 民770Ⅰ④ |
| (5)　その他婚姻を継続し難い重大な事由があるとき | 民770Ⅰ⑤ |

### (1)　不貞行為があったとき

#### ア　「不貞行為」の意義

　不貞行為とは、「配偶者のある者が、自由な意思に基づいて配偶者以外の者と性的関係を結ぶこと」（最判 S48.11.15民集27・10・1323）とされています。

　裁判所は、夫が配偶者以外の者を強姦をした事例につき離婚を認容（前掲最判 S48.11.15）していることからもわかるとおり、相手方が自由意思を有していたか否かは問題としていません。

#### イ　不貞行為に至った理由

　不貞行為に至った理由は原則として考慮されません。

　生活苦のため妻が売春をした事例につき離婚を認容した判例もあります（最判 S38.6.4家月15・9・179）。

### ウ　不貞行為の解釈

　不貞行為があれば原則として離婚が正当化されることから厳格な解釈がなされます。

　結婚後数か月で夫が同性愛者となり、妻に全く性的関心を示さなくなった事案につき本号ではなく後述の民法第770条第1項第5号で認容した判例があります（名古屋地判Ｓ47.2.29判時670・77）。

＜不貞行為＞

| 定　義 | 配偶者のある者が、自由な意思に基づいて配偶者以外の者と性的関係を結ぶこと。 |
|---|---|
| 不貞行為に至った理由 | 原則として考慮されません。 |

### ⑵　悪意で遺棄されたとき

#### ア　「遺棄」、「悪意」の意義

　「遺棄」とは、「正当の理由なくして民法第752条に定める夫婦としての同居及び協力扶助義務を継続的に履行せず、夫婦生活というにふさわしい共同生活の維持を拒否することを指称する」（新潟地判Ｓ36.4.24判タ118・107）とされています。すなわち、夫婦共同体の本質として民法第752条に規定された同居・協力・扶助の義務を履行しないことをいいます。

　「悪意」とは、悪い意思という倫理的な意味を持ちます。

＜夫婦共同体の本質＞

| 夫婦に要求される義務 | 遺棄に当たり得る行為 |
|---|---|
| 夫婦の同居義務<br>夫婦の協力義務<br>夫婦の扶助義務 | これらを怠ることが「遺棄」となります。 |

#### イ　「遺棄」の具体的場面

＜遺棄とは＞

| 同居義務違反 |
|---|
| 単に外形上同居義務に違反している場合すべてをいうのではなく、不当な、正当理由のない同居義務違反に限られます。 |

| 協力義務違反 |
|---|
| 自分から家出して遺棄する場合だけでなく、相手方を虐待その他の手段で追い出したり、あるいは出ざるを得ないように仕向けて復帰を拒むような場合には、この協力義務違反となり「遺棄」に当たります。 |

| 扶助義務違反 |
|---|
| 正当な同居義務拒絶であっても扶助義務に反すれば、「遺棄」に当たります。 |

　なお、有責配偶者との関係で、婚姻の破綻について主たる責任を負い、一方配偶者から扶助を受けられないようになった責任も自らにある場合には、その者は扶助請求権を主張し得ず、他方配偶者の扶助拒否は、遺棄には当たらないとした判例があります（最判Ｓ39.9.17民集18・7・1461）。

　もっとも、実務は、常に扶助請求権を主張し得ないとするのではなく、その有責性の度合いを考慮して判断しており、この判例の後も、有責配偶者からの婚姻費用分担請求を認める裁判例が出ており（名古屋高金沢支部決Ｓ59.2.13判タ528・301）、あくまでも婚姻費用の分担義務を減免するにとどまるとされています（「婚姻費用の算定を巡る実務上の諸問題」判タ1208・24）。

**＜「遺棄」における同居義務と扶助義務との関係＞**

| 態　様 | 遺棄に当たるか否か |
|---|---|
| 他方配偶者との別居が正当な場合であっても一方配偶者が他方配偶者を扶助しない場合 | 遺棄に当たります。 |
| 婚姻の破綻について主たる責任を負う有責配偶者に対して、一方配偶者が扶助しない場合 | 他方配偶者の有責性との関係で、その一方配偶者の扶助義務が免除されない限り、遺棄に当たります。 |

**ウ　所在不明の場合**

　所在不明と悪意の遺棄とは別個の概念であり、単に所在不明が長期に及ぶというだけでは、悪意の遺棄には当たらないとされます。

　「配偶者が所在不明又は生死不明になったときは、通常、悪意の遺棄を伴うことが少なくないであろうが、両者はそれぞれ別個の概念であり、かつ所在不明又は生死不明という事実の存在することにのみによってたやすく悪意による遺棄の成立を認めるならば、離婚原因としての遺棄に悪意という主観的要件の存在を要求している法意、及びそのような主観的要件を必要とすることなく、単に配偶者の生死不明3年以上という客観的事実の存在のみをもって離婚原因とする法意が失われる」（前掲新潟地判Ｓ36.4.24）とする裁判例があります。

## (3) 生死が3年以上明らかでないとき

### ア　意義

　3年以上生死が不明であって、その生死不明が現在も引き続いていることをいいます。生死不明の原因及び過失の有無は問題とされません。

　「民法第770条第1項第3号が、配偶者の生死が3年以上明かでないことを法律上の離婚原因としたのは、夫婦は互いに同居し協力扶助すべき婚姻の本義に照らし、配偶者の一方が3年もの年月にわたって生死不明の状況にある場合には、その夫婦関係は既に破綻を生じているものとして、相手方に婚姻関係を継続する意思がないときには、その請求に基づいて前記婚姻の破綻を公けに宣言することを許した趣旨に外ならないのであって、したがって、その生死不明となるに至った原因如何は問わないものと解すべきである。」とされています（大津地判S25.7.27下民1・7・1150）。

　なお、後述の「その他婚姻を継続し難い重大な事由」（民770Ⅰ⑤）で処理をすべき場合もあり得ます。

### イ　生死不明の起算点

　3年の起算点は、一般的には、最後の音信の時とされています。

### ウ　手続

　配偶者の生死が3年以上明らかでないとき（民770Ⅰ③）には、調停前置主義の例外として調停を経ずに離婚の訴えを提起することができます（家事257Ⅱただし書）。

### エ　失踪宣告との関係

　失踪宣告は、長期間生死が明らかでない不在者について、死亡したものとみなす制度です（民31）。

　生死不明者についての制度という点では離婚事由と共通しますが、離婚事由とされる生死不明の期間は3年のところ、失踪宣告（普通失踪）の期間は、7年とされています。

　また、失踪宣告の場合、期間満了時に死亡したものとみなされますから、相続など、離婚とは異なる効果が発生します。

## ＜離婚と失踪宣言との関係＞

| | ３年以上生死不明<br>（民770Ⅰ③） | 失踪宣告（民31） | |
| --- | --- | --- | --- |
| | | 普通失踪 | 特別失踪 |
| 起算点 | 最後の音信から | 最後の音信から | 戦争、船舶の沈没、その他生命の危険を伴う危難に遭遇した場合、その危難が去った後 |
| 期　　間 | ３年間 | ７年間 | １年間 |
| 裁判所 | 家庭裁判所<br>（人訴４Ⅰ） | 家庭裁判所<br>（家事39別1⑤） | |
| 効　　果 | 離婚成立 | 失踪期間満了時に死亡したものとみなされます。 | 危難が去った時に死亡したものとみなされます。 |
| | （当事者間の婚姻関係が解消されるという点は共通） | | |

## ＜離婚と一方当事者死亡との相違点＞

| | 離　　婚 | 一方当事者死亡 |
| --- | --- | --- |
| 婚姻中氏を改めた生存配偶者の氏 | 当然復氏<br>（例外としての婚氏続称） | 婚姻中の氏を称するか婚姻前の氏に復するかは自由選択です（民751Ⅰ）。 |
| 姻族関係の消滅 | 当然消滅 | 生存配偶者による意思表示（姻族関係終了の届出）が必要です（民728Ⅱ）。 |
| 子がいる場合の親権者の決定 | 必　要 | 不　要<br>（生存配偶者の単独親権） |
| 相　　続 | 発生しません。 | 発生します。 |
| 財産分与 | なされます。 | なされません。 |

## ⑷　強度の精神病にかかり回復の見込みがないとき

### ア　意義

　精神病の配偶者が婚姻の本質である夫婦の分業を維持し継続していく能力を有しておらず、その精神病が不治であることを意味します。

　具体的には、早発性痴呆、麻痺性痴呆、躁鬱病、偏執病、初老期精神病などの高度の精神病であり、健康状態と高度精神病の中間にあるアルコール中毒、モルヒネ中毒、ヒステリー、神経衰弱などは当たらないとされます。

　健康と高度精神病の中間の、病気や強度の精神病ではあるが不治であるか否かが不明なときは、後述の婚姻を継続し難い重大な事由（民770Ⅰ⑤）の問題となります。

＜民法第770条第1項第4号に当たる精神病＞

| 4号に当たる | 4号に当たらない（5号の問題となる） |
|---|---|
| 早発性痴呆、麻痺性痴呆、躁鬱病、偏執病、初老期精神病など | アルコール中毒、モルヒネ中毒、ヒステリー、神経衰弱など |

### イ　期間

「不治」を確定するための期間が必要であり、発病後あまりに早期の離婚請求は認められない可能性があるとされています。

### ウ　離婚の判断の基準

強度の精神病にかかり、回復の見込みがないと認められる場合であっても、病者の離婚後の療養生活等について、できる限り具体的方途を講じた上でなければ、離婚は認められないと考えられています。

＜病者の離婚後の療養、生活等についての判例の判断＞

| 傾　向 | 内　容 | 判　例 |
|---|---|---|
| 厳格に解する | 病者の今後の療養、生活等についてできる限りの具体的方途を講じ、ある程度において、前途に、その方途の見込みのついた上でなければ、ただちに婚姻関係を廃絶することは不相当と認めて、離婚の請求は許さない法意であると解すべきであるとしました。 | 最判 S33.7.25 民集12・12・1823 |
| 穏やかに解する | 精神病配偶者の妻の実家は療養費に事欠くような資産状態ではなく、他方、夫は、妻の過去の療養費について、妻の後見人との間で示談をし、約定どおり全額支払い、その将来の養育費については、原審の和解勧試において、自己の資力で可能な範囲の支払をなす意思のあることを表明しており、夫と妻との間の子供は出生当時から夫が引き続き養育をしているという事実関係の下で離婚請求を認めました。 | 最判 S45.11.24 民集24・12・1934 |

これら、離婚後の精神病者の療養・生活については、アルツハイマー病にかかった者（長野地判H2.9.17判タ742・236）や失外套症候群のため植物状態となった者（横浜地横須賀支部判H5.12.21判タ842・193）に対する離婚請求につき、「配偶者が強度の精神病にかかり、回復の見込みがないとき」（民770Ⅰ④）ではなく「その他婚姻を継続し難い重大な事由」（民770Ⅰ⑤）で離婚を認容する際にも、考慮されています。

**エ　手続（意思無能力者である精神病者を相手方とする場合）**

　相手方配偶者が精神上の障害により、離婚について自分では判断できないような場合（意思無能力）、その者を相手として訴訟をすることはできません。

　相手が意思無能力の場合は、その成年後見人を被告とします（人訴14Ⅰ）。配偶者が成年後見人であるときは、成年後見監督人が被告となります（人訴14Ⅰただし書、14Ⅱ）。

　後見人等がいない場合は、成年後見人若しくは特別代理人の選任を裁判所に申し立て、選任された成年後見人若しくは特別代理人を被告とします。

**＜意思無能力者である精神病者を相手方とする場合＞**

| 被　告 | 性　質 | 根拠条文 |
|---|---|---|
| 成年後見人、成年後見監督人 | 職務上の当事者 | 人訴14ⅠⅡ |
| 特別代理人 | 代理人 | 家事19Ⅰ |

**(5)　その他婚姻を継続し難い重大な事由があるとき**

**ア　意義**

　「婚姻を継続し難い重大な事由」とは、「婚姻が破綻していることを意味し、婚姻の破綻とは、婚姻当事者双方が婚姻共同生活を修復させる意思がなく（主観的側面）、客観的に見て婚姻共同生活を修復させることが著しく困難であること（客観的側面）」をいいます（阿部潤「離婚訴訟の審理と運営」家月59・12・1）。あるいは、「婚姻生活共同体の崩壊の程度がその婚姻の維持継続はもはや不能だと一般的に考えられる段階に達していること、つまり、婚姻継続の意思の喪失という主観的不能だけでなく、継続を不能とした事実の程度が、同じ立場に置かれたならば誰でも婚姻継続の意欲を失うであろうと判断される段階に達していること」をいいます（泉久雄・高梨公之教授還暦祝賀「婚姻法の研究下」257頁）。

　具体的には、「婚姻中における当事者双方の行為、態度、婚姻継続の意思の有無、子の有無、子の状態、更には、双方の年齢、性格、経歴、健康状態、資産収入、夫婦の互いの親族との折り合い、夫婦の別居の有無、その期間の長短など当該の婚姻関係に現れた一切の事情を考慮して客観的に決する」（中路義彦「平成2年度主要民事判例解説」判タ762・155）とされています。

＜破綻の具体的要素＞

| | 内容、具体的要素 |
|---|---|
| 主観的側面 | 婚姻生活を継続させる意思がないこと |
| 客観的側面 | 婚姻中における当事者双方の行為、態度、子の有無、双方の年齢、性格、経歴、健康状態、資産収入、夫婦の互いの親族との折り合い、夫婦の別居の有無、その期間の長短などからみて婚姻共同生活を修復させることが著しく困難であること |

### イ　民法第770条第2項との関係

　離婚原因が認められる場合であっても、裁判所は裁量によって離婚請求を棄却することができます（民770Ⅱ）。

　ただし、民法第770条第2項は、「裁判所は、前項第1号から第4号までに掲げる事由がある場合でも」となっており、民法第770条第1項第5号には同条第2項が適用されませんので、第5号を根拠とする請求の場合には、裁判所による裁量棄却はありません。

＜民法770条第2項と同第1項各号の関係＞

| 民法770条第1項の号数 | 民法第770条第2項の適用 |
|---|---|
| ①～④ | あり　（①～④の事由が認められても、裁判所は一切の事情を考慮して婚姻の継続を認めるときは婚姻の請求を棄却することができます。） |
| ⑤ | なし |

### ウ　民法第770条第1項第1号から同項第4号までの事由との関係

　訴訟では、裁判所の審判の対象となる事実は原告が特定します。この特定された審判の対象を訴訟物といい、裁判所は、訴訟物のみを審判します。

　また、判決後は、一度審判の対象になった訴訟物に基づいて再び訴訟を起こすことはできず、請求又は請求の原因を変更することにより主張できた事実に基づいて同一の訴えを起こすこともできません（人訴25Ⅰ）。

　民法第770条第1項第5号は「『その他』婚姻を継続し難い重大な事由」であり、一般的な条項のように見えますが、民法第770条第1項の各号は、それぞれ別の訴訟物と考えられており、民法第770条第1項第1号から第4号を離婚事由と主張して離婚の訴えを提起した場合、反対の事情のない限り、同項第5号の離婚事由も主張されているとは判断されません（最判S36.4.25民集15・4・891）。

　　民法第770条第1項第1号から第4号の事由が認められなくとも、「その他婚姻を
継続しがたい重大な事由（民770Ⅰ⑤）」に該当する可能性がある場合には、併せて
同事由を主張することが必要です。

＜離婚訴訟と訴訟物＞

| 訴訟物 | 棄却判決確定後の他の離婚原因に基づく同一の訴え提起 |
|---|---|
| 民法第770条第1項第1号から同項第5号の各離婚事由ごとに個別の離婚請求権が発生 | 不可（人訴25Ⅰ）<br>（その後に発生した事情に基づく訴え提起のみ可） |

### (6)　有責配偶者からの離婚請求

　　有責配偶者とは、婚姻破綻につきもっぱら又は主として原因を与えた当事者のこと
をいいます。有責配偶者からの離婚請求の典型的な例は、愛人を作って家を出た夫か
らの離婚請求です。

　　最高裁判所は、昭和27年判決では有責配偶者からの離婚請求を否定しましたが（最
判S27.2.19）、その後、認める判例も現れています。

＜有責配偶者からの離婚請求―判例の変遷＞

| ア　最高裁判所判決　昭和27年2月19日<br>（民集6・2・110） | 判　旨 |
|---|---|
| 有責配偶者からの請求を否定 | 有責配偶者からの請求を否定 |

| イ　最高裁判所判決　昭和62年9月2日<br>（民集41・6・1423） | 判　旨 |
|---|---|
| 有責配偶者からの請求を**一定の条件**の下で肯定 | 有責配偶者からの請求を一定の条件の下で肯定<br>「夫婦の別居が両当事者の年齢及び同居期間との対比において相当の長期間に及び、その間に未成熟の子が存在しない場合には、相手方配偶者が離婚により精神的・社会的・経済的に極めて過酷な状態に置かれる等離婚請求を認容することが著しく社会正義に反するといえるような特段の事情の認められない限り、当該請求は、有責配偶者からの請求であるとの一事をもって許されないとすることはできないものと解するのが相当である。」 |

〔有責配偶者からの請求が認められる3要件〕
① 　相当長期間の別居
② 　未成熟子の不存在
③ 　請求が認められた場合に相手方配偶者が過酷な状態に置かれる等著しく社会正義に反するような特段の事情がないこと

| ウ　最高裁判所判決　平成6年2月8日<br>（家月46・9・59） | 判　旨 |
|---|---|
| 上記イの3要件のうち②を例外的に除外し、有責配偶者からの請求を肯定 | 未成熟子がいる場合でも、別居が13年11か月に及び、未成熟子も3歳の頃より一貫して妻の下で育てられ高校を卒業する年齢に達し、原告の夫は別居後も月15万円を送金している実績に照らせば、離婚に伴う経済的給付もその実現を期待できるという事情の下で肯定 |

> 有責配偶者からの請求が認められる3要件のうち、②の要件を欠いているとしつつ、未成熟子が高校2年生であることなどから離婚請求が容認された事案です。
> ①　13年11か月
> ②　4人の子のうち3人は成人。1人が高校2年生
> ③　経済的給付の実現が期待できる
> ⒂　①〜③は上記イの3要件①〜③に対応しています。

| エ　最高裁判所判決　平成16年11月18日<br>（判タ1169・165） | 判　旨 |
|---|---|
| イの有責配偶者からの請求が認められる3要件に当てはめ、有責配偶者からの請求を否定 | 前掲最判 S62.9.2 の3要件を当てはめて否定<br>①別居期間が約2年4か月であって双方の年齢や同居期間（約6年7か月）との対比において相当の長期に及んでいるとはいえないこと、②夫婦間には、その監護、教育及び福祉の面で配慮を要する7歳の未成熟子が存在すること、③妻は子宮内膜症に罹患しているため就職して収入を得ることが困難であり、離婚により精神的・経済的に過酷な状況に置かれることが想定され、有責配偶者からの離婚請求は信義誠実の原則に反するとされました。 |

> ①　別居期間が相当長期に及んでいない（約2年4か月）
> ②　未成熟児の存在（7歳の未成熟児）
> ③　妻が病により就業困難なため、精神的・経済的に過酷な状況に置かれる可能性がある

## 2　裁判離婚後の届出

　離婚を認容する判決がなされると、その判決が確定したときに離婚が成立したことになります。

　ただし、判決を得ただけでは戸籍に影響しませんので、離婚により婚姻前の戸籍に入籍若しくは新戸籍を作って入籍するには、別途戸籍上の届出が必要です。

### ＜裁判離婚後の届出＞

| 届出場所 | 届出期間 | 届出人 | 添付書類など |
|---|---|---|---|
| 夫婦の戸籍地又は夫婦の所在地の市（区）役所、町村役場（戸籍25、4） | 裁判の確定後（調停等成立後）10日以内 | ・裁判の申立人、原告（反訴原告）<br>・（上記の者が届け出ないときは）その相手方（被告）（戸籍77Ⅰ、63） | ・届出書<br>　調停→調停調書<br>・審判→その謄本及び確定証明書<br>　判決→その謄本及び確定証明書 |

 **参考**

**離婚の種類と割合**

　離婚は、大きく分けると協議上の離婚と裁判離婚に分けられます。裁判離婚は、さらに調停離婚、審判離婚、認諾離婚、和解離婚、判決離婚とに分類される訳ですが、どの離婚が一番多いのでしょうか。

　厚生労働省の令和4年度「離婚に関する統計」によりますと、協議上の離婚が約9割を占めています。やはり、離婚の大原則は協議であり、夫婦の問題は夫婦だけで解決したいと考える人が多いということができると思われます。

　また、裁判離婚の割合をみますと、全体の約1割のうちの7割以上が調停離婚です。調停の実質が話合いの場であることからすれば、協議上の離婚と合わせて、離婚のほぼすべては話合いで解決しているといっても過言ではありません。

＜図　離婚の種類別構成割合の年次推移 －昭和 25 ～令和 2 年－＞

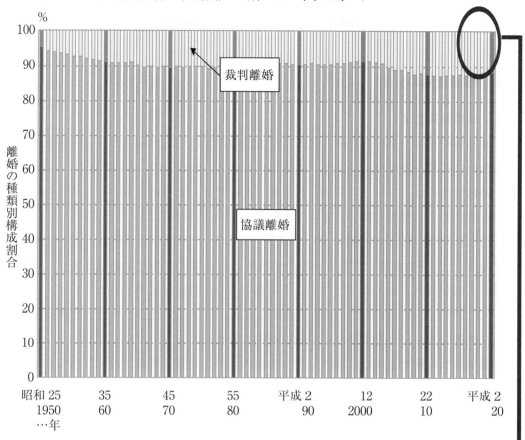

＜裁判離婚の種類別構成割合の年次推移　－平成 28 ～令和 2 年－＞

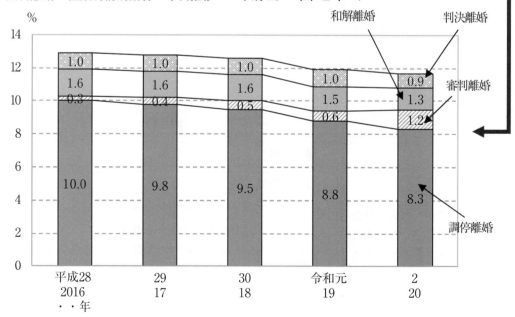

注：認諾離婚は、割合が少ないため表示していない。

（厚生労働省　令和 4 年度「離婚に関する統計」より）

## 第3　離婚に関する諸問題

### 1　婚姻費用の分担

#### ⑴　婚姻費用とは

　婚姻費用とは、夫婦の資産、収入、社会的地位等に応じた通常の社会生活を維持するために必要な費用をいいます（大阪高決Ｓ33.6.19家月10・11・53）。

　婚姻費用には、衣食住の費用、医療費、交際費等、夫婦の日常的な生活費の他、子の監護に要する費用も含まれます（大阪高決Ｓ33.6.19家月10・11・53）。

　ここにいう「子」の範囲については争いがあり、「未成年」であるか否かを基準とする考え方、「未成熟」であるか否かを基準とする考え方などがありますが、実際には、未成年であるか否かではなく、未成熟であるか否かが基準とされています。

　「未成熟」とは、経済的に成熟の過程にあり、独立して自己の生活費を獲得することが期待できないことであり、年齢は関係ありません。

　問題となる例としては、成人した大学生の子の生活費や学費が婚姻費用に含まれるかがありますが、これを認めるケースは多くあります。

　また、父子関係について不存在を確認する判決等が確定した場合は、確定後は子の監護に要する費用部分は婚姻費用から除外されます。婚姻費用分担審判と並行して父子関係の存否について争われている場合に、父子関係の存否は財産上の紛争に関する先決問題として婚姻費用分担審判において審理判断するべきであるとした事案があります（最決Ｒ5.5.17裁時1816・1）。

＜婚姻費用＞

| 定　義 | 内　容 | | |
|---|---|---|---|
| 夫婦の資産、収入、社会的地位等に応じた通常の社会生活を維持するために必要な費用 | 夫婦（婚姻当事者）の生活費等 | | |
| | 子の養育費等 | | |
| | （子の範囲） | **未成年**であるか否かを基準 | |
| | | **未成熟**であるか否かを基準（医科大学在学中の学資が、その進学について夫の了承があり、夫の資力に照らしてその就学が当然と認められる場合には婚姻費用に含まれると判断した例：大阪家審Ｓ41.12.13家月19・7・73）等 | |

### (2)　婚姻費用の分担が問題となる場合

　民法は、「夫婦は、その資産、収入その他一切の事情を考慮して、婚姻から生ずる費用を分担する」と規定しており（民760）、婚姻費用は、夫婦で分担するものとされています。

　婚姻費用の分担は、本来、夫婦が共同生活を維持していることを前提にしていますが、健全な共同生活を営んでいる夫婦間において、婚姻費用の分担請求が問題になることは、あまり考えられません。

　婚姻費用の分担は、実際には、夫婦関係が破綻し、別居状態となった場合における生活費等の分担の問題として生じます。

### (3)　婚姻費用分担額の決定

　婚姻費用の分担は、夫婦双方の資産、収入その他一切の事情を考慮して決定されます。

　夫婦の話合いの結果、合意が成立すれば、その合意に基づき婚姻費用の分担額が決定されます。

　合意に至らない場合は、裁判所に調停又は審判を申し立てることになります。

　通常は、まず調停を申し立てることが多く、調停が不調になれば審判に移行します。

　婚姻費用分担請求事件は、いわゆる家庭裁判所の審判事件（家事39別2②）であり、審判申立てにより、家庭裁判所は、一切の事情を考慮して額を定めることとなります。

　婚姻費用分担請求権は、当事者が婚姻関係にあることが前提であり、離婚時以後の分については請求できません。婚姻費用分担審判の申立て後に離婚により婚姻関係が終了した場合、婚姻関係にある間に当事者が有していた離婚時までの分の婚姻費用について消滅することはなく、家庭裁判所は分担額を決定することができます（最判R2.1.23裁時1740・1）。

　具体的な算定方法については、104頁を参照してください。

＜婚姻費用分担額決定の手続＞

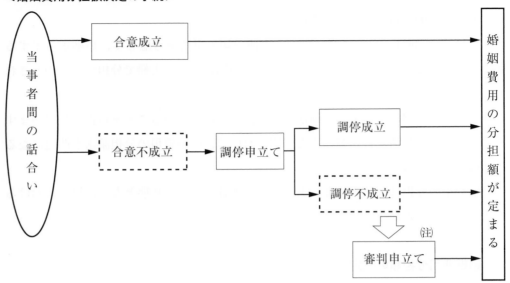

㊟　調停が不調になれば当然に審判に移行し、調停申立時に家事審判の申立てがあったものと
　みなされます（家事272Ⅳ）。

## (4)　履行の確保

　婚姻費用の分担額について、当事者間の合意が成立し強制執行認諾文言付きの公正証書を作成した場合、調停ないし審判が成立した場合に、その履行がなされないときは、以下のような履行確保の方法を採ることができます。

＜履行確保の方法＞

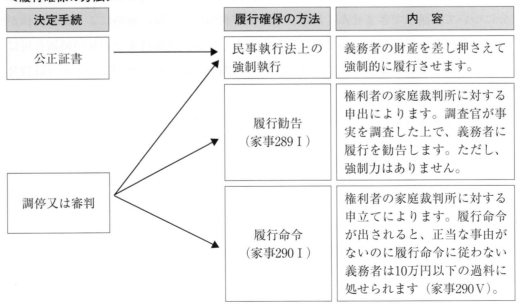

| 決定手続 | 履行確保の方法 | 内　容 |
| --- | --- | --- |
| 公正証書 | 民事執行法上の強制執行 | 義務者の財産を差し押さえて強制的に履行させます。 |
| 調停又は審判 | 履行勧告（家事289Ⅰ） | 権利者の家庭裁判所に対する申出によります。調査官が事実を調査した上で、義務者に履行を勧告します。ただし、強制力はありません。 |
| | 履行命令（家事290Ⅰ） | 権利者の家庭裁判所に対する申立てによります。履行命令が出されると、正当な事由がないのに履行命令に従わない義務者は10万円以下の過料に処せられます（家事290Ⅴ）。 |

## ⑸　変更、取消し

　いったん、婚姻費用分担について決定した後、当事者において、収入・資産の増減、扶養の要否の増減、健康状態の変化等の重要な事情の変化が生じ、取り決めた婚姻費用の額が不相当といえるような場合は、前回の合意や調停（審判）の変更又は取消しを求める調停（審判）を申し立てることができます。

# 2　財産分与

## ⑴　財産分与請求権とは

　財産分与請求権とは、離婚した者の一方が、相手方に対して、財産の分与を求める権利をいいます（民768Ⅰ）。

　この権利は、協議離婚の場合だけでなく、裁判離婚の場合にも認められます（民768、771）。

## ⑵　財産分与請求権の内容

　民法は、財産分与について、「当事者双方がその協力によって得た財産の額その他一切の事情を考慮して、分与をさせるべきかどうか並びに分与の額及び方法を定める」と規定するのみで（民768Ⅲ）、その性質や内容は明示されていません。

　この点、財産分与請求権には、以下の3つの要素が含まれるとされていますが、下の表①の清算的要素が財産分与の中核といえます。

**＜財産分与請求権の内容＞**

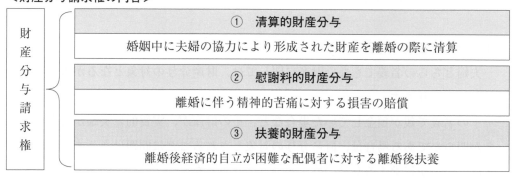

| 財産分与請求権 | ①　清算的財産分与 |
| --- | --- |
| | 婚姻中に夫婦の協力により形成された財産を離婚の際に清算 |
| | ②　慰謝料的財産分与 |
| | 離婚に伴う精神的苦痛に対する損害の賠償 |
| | ③　扶養的財産分与 |
| | 離婚後経済的自立が困難な配偶者に対する離婚後扶養 |

## ⑶　夫婦の財産関係の清算（清算的財産分与）

### ア　分与の対象

　夫婦の財産関係の清算とは、婚姻中に夫婦の協力により形成された財産を離婚の際に分与するものです。

　この点、婚姻中の財産は、下記の３つの内容に分けることができますが、財産分与の対象となるのは、共有財産と実質的共有財産であり、特有財産は、原則として財産分与の対象にはなりません（高松高決Ｓ63.10.28家月41・1・115）。

　ただし、財産分与を請求する者が、相手方の特有財産の維持に寄与したことなどをもって特有財産の一部について分与を認めた事例（東京高判Ｓ55.12.16判タ437・151）や、相手方の特有財産の形成に寄与したことをもって特有財産について一定限度で財産分与の対象とすることを認めた事例（東京高決Ｈ5.9.28判タ845・300）があります。

**＜婚姻中の財産（財産分与の対象）＞**

| 婚姻中の財産 | 内　容 | 分与の対象か |
|---|---|---|
| 共有財産 | 名実共に夫婦が共有する財産 | ○ |
| 実質的共有財産 | 一方の名義ではあるが、実質的には夫婦が共有する財産 | ○ |
| 特有財産 | 名実共に夫婦の一方が単独で有する財産 | 原則として× |

　なお、特有財産とは、夫婦の一方が婚姻前から有する財産及び婚姻中自己の名で得た財産のことをいいますが（民762Ⅰ）、後者については、相続で得た財産が典型例となります。

　また、夫婦のいずれかに属するか明らかでない財産は、その共有に属するものと推定されます（民762Ⅱ）。

**イ　第三者名義の財産の分与**

　夫婦どちらの名義でもない財産に関しては、財産分与の対象となるか否かについて問題となります。

　子の名義で親が預金していた場合など、その財産が、実質的に夫婦が共有することが明らかである場合は、財産分与の対象とされることに問題はありませんが、例えば、一方が経営する会社の財産が分与の対象となるかについて問題となることが考えられます。

　この点、会社と経営者は別人格なので、会社の資産は、原則として、財産分与の対象とはならないといえますが、会社の営業が経営者個人の営業と同視できるような場合に、その会社財産を個人の資産として評価して、分与の対象となるとされた裁判例（大阪地判Ｓ48.1.30判時722・84）、会社が夫婦を中心とする同族会社であ

って、夫婦がその経営に従事してきたことに照らし、会社名義の財産を財産分与の対象として考慮するのが相当とした裁判例（広島高岡山支部判H16.6.18、判時1902・61）などがあります。

### ウ　財産分与と過去の婚姻費用

　一方が婚姻費用分担義務を果たすことなく離婚に至った場合は、その相手方が過当に負担した婚姻費用の清算のための給付も含めて、財産分与の額及び方法を定めることができます（最判S53.11.14判時913・85）。

### エ　財産の対象と評価の基準時

　財産分与の対象財産の範囲については、通常、夫婦の協力関係が終了する別居時を基準とすることが多いといえます。

　対象財産の時価評価については、最終口頭弁論終結時としたものがありますが（最判S34.2.19判時180・36）、これは、「妻に対する離婚後扶養と夫の特有財産形成に対する妻の協力を評価した清算的財産分与を含むもの」（「新版注釈民法(22)」221頁）であり、これらを総合して算定する方法に基づく事案でした。

　これに対し、清算的財産分与に限っていえば、やはり、夫婦の協力関係が終了する別居時を基準として考え、事情により財産の増減を斟酌することが公平であるという考え方があり、これによる裁判例もあります（広島高岡山支部判H16.6.18判時1902・61）。

　そこで、「一応協力関係の終了する別居時を基本とし、公平の見地から事情によりその後の財産の変動をも考慮して妥当な解決を図るのが相当」といえます（司法研究報告書大津千明『離婚給付に関する実証的研究』125-126頁）。

### オ　対象財産の清算割合

　清算的財産分与を請求する場合、論理的には、以下の流れでその内容を検討していくことになります。

＜清算的財産分与請求の検討＞

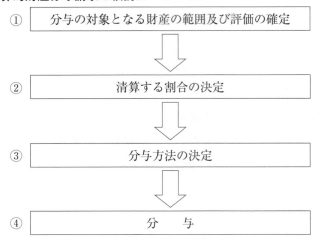

| ① | 分与の対象となる財産の範囲及び評価の確定 |
| ② | 清算する割合の決定 |
| ③ | 分与方法の決定 |
| ④ | 分　与 |

　対象財産の清算割合の決め方としては、従来は、専業主婦の寄与度は、概ね３割から５割で評価されることが多かったようです。

　しかし、近時、実務においては、専業主婦の場合であっても、原則として５割の寄与度を認めた上で、個別の事情により、その割合を増減するという方法が多いといえます。

　なお、平成８年２月に法制審議会が答申した民法改正要綱でも、財産分与について、「当事者双方がその協力により財産を取得し、又は維持するについての各当事者の寄与の程度は、その異なることが明らかでないときは、相等しいものとする」とされています。

### カ　分与の方法

　財産分与の方法は、当事者間の合意により、あるいは裁判所の裁量で（民768Ⅲ）、決定することになります。

＜分与の方法＞

| 方　法 | 内　容 | 判　例 |
|---|---|---|
| 当事者間の合意又は裁判所の裁量 | 金銭支払による分与 | ― |
| | 金銭以外の財産を特定して分与 | 最判 S41.7.15 判時456・32 |
| | その他の事情を考慮した分与（将来の退職金の財産分与等） | 東京地判 H11.9.3 判時1700・79 |

⑷　**離婚に伴う損害の賠償（慰謝料的財産分与）**

　離婚に伴う慰謝料は、財産分与の中に含めて請求することも、財産分与とは別に請求することもできます（最判Ｓ53.2.21家月30・9・74）。

　また、慰謝料を財産分与の中に含めて請求した場合でも、その額及び方法において精神的苦痛を慰謝するには足りないと認められるときは、財産分与後、別個に慰謝料を請求することができます（最判Ｓ46.7.23判時640・3）。

⑸　**離婚後の経済的自立が困難な離婚後配偶者に対する扶養（扶養的財産分与）**

　離婚後における一方の当事者の生計の維持も財産分与の目的の１つとされています（最判Ｓ46.7.23判時640・3）。

　しかし、扶養的要素は、財産分与の中で補充的なものと位置付けられており、共有財産の清算や慰謝料の請求がなし得ないか、これらによる取得分では生計を維持するに足りないような場合に、初めて認められるものとされています（東京高判Ｓ50.6.26判時790・60）。

　また、請求者（分与を求める側）が、自己の収入及び資産により最低生活を維持できる場合は扶養の必要はなく、相手方（分与を求められる側）にこれを支払う能力がない場合も、扶養的財産分与は認められません。

　よって、扶養的財産分与が認められるためには、一般的には、次の要素が必要といえます。

**＜扶養的財産分与請求＞**

| 請求が認められる要素 | |
| --- | --- |
| ① | 共有財産の清算や、慰謝料の請求がなし得ないか、これらによる取得分では生計を維持するのに足りない（補充性） |
| ② | 分与を求める側にこれを認める必要性がある（要扶養状態） |
| ③ | 分与を求められる側にこれを支払う能力がある（扶養能力） |

⑹　**手続**

　ア　**請求の時期**

　前述のとおり、財産分与請求権は、「離婚をした者の一方」が財産の分与を求める権利なので（民768Ⅰ）、離婚と同時に請求することができるのは当然ですが、離婚後に請求することもできます。

＜請求の時期＞

| 時　期 | 期　間 | 根拠条文 |
|---|---|---|
| 離婚時 | ― | 民768Ⅰ |
| 離婚後 | 2年以内（除斥期間） | 民768ⅠⅡ |

### イ　決定の手続

　当事者間の合意か裁判所の手続により決定します。

＜手続＞

| 手　続 | 方　式 | 期　間 | 根拠条文 |
|---|---|---|---|
| 裁判外の合意 | なし | ― | ― |
| 財産分与請求調停、審判 | 家庭裁判所への申立て | 離婚時から2年経過すると請求できません。 | 家事39別2④民768Ⅱただし書 |
| 離婚調停、審判、訴訟 | 離婚請求に附帯して申立て | ― | 家事39別2④人訴32 |

## 3　慰謝料

### ⑴　離婚に伴う慰謝料の意義

　離婚に伴う精神的苦痛に関する損害は、「慰謝料」として賠償を求めることが考えられます。この損害賠償請求には2つの意義があり、法的性質は不法行為であると解されています。

　ただし、実務上、多くは、この2つを明確に区別することなく、一体の不法行為として処理されています。

＜離婚に伴う慰謝料の意義＞

| 意　義 | 内　容 | 法的性質 |
|---|---|---|
| 離婚原因の慰謝料 | 離婚原因となった個別の有責行為により生じた精神的苦痛に対する損害の賠償 | 不法行為（最判S46.7.23民集25・5・805） |
| 離婚自体の慰謝料 | 離婚により配偶者の地位を失うことから生じた精神的苦痛に対する損害の賠償 | |

**不貞行為の相手に対する離婚自体の慰謝料請求**

　離婚に伴う慰謝料には、離婚原因の慰謝料と離婚自体の慰謝料があります。夫婦の一方が不貞行為をし、そのため離婚にいたった場合、夫婦の他方は不貞行為をした一方に対して、不貞行為（離婚原因）の慰謝料と離婚自体の慰謝料の両方を請求することができます。

　では、不貞の相手に対して、慰謝料の請求をすることはできるでしょうか。

　まず、不貞行為の慰謝料は請求できます。不貞相手の慰謝料債務は、夫婦の一方が負う慰謝料債務と不真正連帯債務の関係になります。

　不貞相手に対する離婚自体の慰謝料については、最高裁判所は、「離婚による婚姻の解消は、本来、当該夫婦の間で決められるべき事柄である」ことから、「第三者がそのことを理由とする不法行為責任を負うのは、当該第三者が、単に夫婦の一方との間で不貞行為に及ぶにとどまらず、当該夫婦を離婚させることを意図してその婚姻関係に対する不当な干渉をするなどして当該夫婦を離婚のやむなきに至らしめたものと評価すべき特段の事情があるときに限られるというべきである」として原則として否定しました（最判H31.2.19裁時1718・3）。

(2)　**離婚原因慰謝料**

ア　**有責行為の内容**

　慰謝料発生の根拠となる離婚原因につき個別の有責行為の内容は様々です。

　配偶者の不貞や暴力はその典型ですが、その他の行為も有責行為として慰謝料請求が認められることがあります。

**＜慰謝料請求が認められる有責行為の例＞**

| 有責行為の内容 | 例 | 判　例 |
|---|---|---|
| 配偶者の不貞 | 夫の度重なる不貞等 | 大阪地判S62.11.16<br>判時1273・82 |
| 暴　力 | 顔面を殴る等の暴行 | 神戸地判H6.2.22<br>判タ851・282 |
| 悪意の遺棄 | 妻の病気により夫が遺棄した事例等 | 大阪地判S58.11.21<br>判時1125・134 |
| 性交渉の不存在 | 妻が結婚後一度も性交渉に応じなかった事例等 | 岡山地津山支部判H3.3.29<br>判時1410・100 |

　不貞行為の慰謝料については、第2章、第2　2(3)「貞操義務」（45頁）を参照してください。

### イ　慰謝料請求が認められない場合

　前述のとおり、慰謝料請求の法的性質は不法行為と解されており、不法行為の要件を欠く場合は慰謝料の請求は認められません。

　慰謝料請求が認められない場合について、以下のような類型化がなされています。

**＜慰謝料請求が認められない場合＞**

**【類　型　例】**

| 加害行為が証拠上認められない場合 |
| --- |
| 慰謝料を支払わせるほどの有責行為がない場合 |
| 婚姻破綻の責任が同等の場合 |
| 慰謝料を請求された配偶者の行為に違法性がない場合 |

| 慰謝料により補填すべき損害がない場合 | i　有責行為や婚姻の破綻による精神的苦痛が離婚自体により慰謝されるので、離婚の認容の他に、慰謝料を認める必要がない場合 |
| --- | --- |
| | ii　損害ないし責任はあるが、慰謝料を認めるほどのものではない場合 |
| | iii　不貞の相手方から十分な慰謝料を受領していることにより、損害が補填されている場合 |

| 有責行為と婚姻の破綻との間に因果関係が認められない場合（不貞行為の以前に婚姻関係が破綻していたような場合など） |
| --- |

### ⑶　請求

### ア　訴訟手続

　離婚に伴う慰謝料請求は、通常の民事訴訟として提起できるほか、離婚請求と併合して提起することができます。

＜訴訟手続＞

| 裁判所 | 態様 | 根拠 |
|---|---|---|
| 地方裁判所又は簡易裁判所（訴額によります。） | 慰謝料のみの請求 | 通常の民事訴訟 |
| 家庭裁判所 | 離婚請求と併合 | 家庭裁判所に係属する人事訴訟に係る請求の原因である事実によって生じた損害の賠償に関する請求（人訴8、17） |

### イ　慰謝料額

　慰謝料の金額は、婚姻期間、原因となる行為、精神的苦痛の程度等により異なります。

　慰謝料のみの統計資料ではありませんが、財産分与についての令和4年司法統計資料によりますと、調停（調停に代わる審判を含みます。）で離婚が成立し算定可能な財産分与の取り決めがあった事件（5,869件）のうち、財産分与の金額が100万円以下は約27％（1,578件）、100万超200万円以下は約14％（819件）、200万超400万円以下は約16％（941件）であり、400万円以下が半数以上を占めています。慰謝料的財産分与の金額はこの金額以下と考えられます。

## 4　親権者の指定

### (1)　親権とは

　親権は、未成熟子の監護・教育を中心とするもので、財産管理も含む親子関係の中核的効果といえます（本編第5章　親権を参照してください。）。

### (2)　親権者の指定手続

　親権に服する者は未成年者です（民818Ⅰ）。

　婚姻関係にある父母は、原則として、共同で親権を行使します（民818Ⅲ）。

　離婚の際には、どちらか一方を親権者と定めることになります（民819ⅠⅡ）。

&lt;親権者指定の手続&gt;

| 手続 | 内容 | 根拠条文 |
|---|---|---|
| 協議離婚 | 離婚届と同時に親権者を指定して届出 | 民819 I |
| 協議離婚 | 家庭裁判所の協議に代わる審判（協議が整わないとき又は協議をすることができないとき、父又は母の請求により審判をすることができます。） | 民819 V、家事39別2⑧ |
| 調停離婚 | 離婚調停において親権者指定も協議 | 家事244、39別2⑧ |
| 裁判離婚 | 判決で親権者を決定 | 民819 II |

### (3) 親権者指定の基準

　親権者指定の基準について規定はなく、審判官（裁判官）が、子の利益を最優先に考慮して、その裁量により決めることになります（民766 I）。

　裁判例、審判例によれば、次の事情が考慮されています。

&lt;親権者指定の考慮事情&gt;

| 内容 | 判例 |
|---|---|
| 子が乳幼児の場合に母を親権者と指定する例 | 東京地判 S55.8.5判タ425・135 |
| 子の意思 | 新潟家審 S.42.10.25判タ232・243 |
| 関係者の扶養能力 | 東京高判 S54.3.27判タ384・155 |
| 監護の意欲 | 東京高判 S32.10.16家月9・11・70 |
| 従前の監護状況 | 東京高判 S56.5.26判時1009・67 |

　なお、実務上重視される事情として、子の環境の継続性があります。

参考

**親権の濫用**

　親権は、子の監護養育をする権利であり義務です。離婚に際し親権者とならなかった親が子を監護養育している場合、親権者は親権者でない親に対して子の引渡しを請求することができます（最判 S45.5.22判時599・29）。

　ただし、親権は権利ではあるけれども、「子の利益のため」（民820）の権利であるため、その行使によって子の利益を害することは権利の濫用となって許されません。

　最高裁判所は、次のような事情のある事案について、親権者からの子の引渡し仮処分命令を権利濫用として認めませんでした（最決 H29.12.5裁時1689・13）。

① 親権のない親が4年以上単独で子（7歳）の監護に当たっており、この監護が子の利益の観点から相当でないことの疎明がない。

② 親権のない親は親権変更調停を申し立てている。

③ 子の監護に関する処分としても子の引渡しを求めることができ、この手続では子の福祉に対する配慮が図られているところ（家事65等）、本件親権者にはこの手続ではなく親権に基づく妨害排除として子の引渡しを求める合理的な理由がうかがわれない。

## 5　子の監護に関する事項

### (1)　離婚時に定める子の監護に関する事項

　父母が協議離婚をする場合、次の表の事項を協議で定めます。この場合、子の利益を最も優先して考慮しなければならないとされています（民766Ⅰ）。

　協議が調わないとき、又は協議をすることができないときは、家庭裁判所に調停又は審判を申し立てることになります。

**＜子の監護に関する事項＞**

| ① | 子の監護をすべき者（監護者） |
|---|---|
| ② | 父又は母と子との面会及びその他の交流（面会交流権）（156頁、158頁参照） |
| ③ | 子の監護に関する費用の分担（養育費） |
| ④ | その他監護について必要な事項 |

### (2)　監護者

　監護権は、親権の内、身分上の養育保護を中心とする権利義務の総称です。

　離婚の場合、監護者を親権者と別に定めることができます（民766）。

　監護者指定の手続は、親権者指定の手続に準ずるものですが、親権者指定の場合と異なり、離婚に際して監護者の指定は必要的手続ではないので、離婚手続と切り離して決めることができます。

### (3)　養育費

　未成熟子がいる夫婦が離婚をする場合、子の監護に要する費用の分担を協議で定めるとされています（民766Ⅰ）。協議が調わない場合等は、家庭裁判所に調停又は審判を申し立てることになります。

　上記費用の分担を養育費といい、養育費は、監護・養育を担う親が他方の親に対して請求します。子も扶養権利者として扶養請求をすることができます（未成年の場合、親権者が代理して請求することになります。）。

　また、履行の確保、変更・取消しについては、婚姻費用と同様です。92頁を参照してください。

📖 **参考**

**養育費・婚姻費用の算定方法**

　養育費は、子の監護をしている親が、他方の親に対して、子の監護に関する処分（民766Ⅰ）として請求することができます。婚姻費用は、婚姻中で別居している夫婦の一方が他方に分担を請求できます（民760）。

　養育費・婚姻費用の算定の実務としては、平成30年度司法研究（養育費、婚姻費用の算定に関する実証的研究）の報告記載の算定表（以下「算定表」といいます。）が多く用いられています。算定表は、それまで家庭裁判所において用いられていた資料（標準的な養育費・婚姻費用の額を簡易迅速に算定するための標準算定方式・算定表）（2003年公表）が古くなったことから、この考え方を踏襲しつつ、基礎となる統計資料を更新するなどして提案されたもので、令和元（2019）年12月23日に公表されました。算定表は、裁判所のホームページからダウンロードできます。

　算定表の基本的な考え方は、義務者（養育費等を支払う側）、権利者（養育費等を受け取る側）双方の実際の収入金額（総収入）を基礎として、義務者と子が同居しているものと仮定し、双方の基礎収入の合計額を世帯収入とし、その世帯収入を権利者グループの最低生活費と義務者グループの最低生活費で按分し、義務者が権利者に支払う額を定めるというものです。

　また、この算定表では網羅されていない類型の事案などについては、東京家庭裁判所判事岡健太郎著「養育費・婚姻費用算定表の運用上の諸問題」（判タ1209（2006.7.15）・4）記載の計算方法による算定が多く行われています。

**＜算定表における総収入の認定＞**

| 収入の種類 | 総収入 |
| --- | --- |
| 給与所得者の場合 | 源泉徴収票の「支払金額」 |
| 自営業者の場合 | 確定申告書の「課税される金額」に、「所得から差し引かれる金額」のうち「社会保険料控除」以外の各控除項目と「青色申告特別控除額」及び現実に支払がされていない「専従者給与額の合計額」を加算した額 |

**参考**

**再婚と養子縁組と養育費**

子を引き取らなかった実親の養育費の支払義務は、子を引き取った親（監護親）が再婚し、子がその再婚相手と養子縁組をした場合、どうなるでしょうか。

未成熟子と養子縁組をした養親には養子に対する扶養義務が生じますので、第一次的には養親が監護親とともに養子を扶養することになります。子を引き取らなかった実親は、養親との養子縁組が解消されたり、養親が死亡したりするなど、養親が扶養できなくなった場合に限り、養育費を負担することになります。

親の未成熟子に対する扶養義務は生活保持義務とされ、自己と同程度の生活をさせることが求められるところ、養親と監護親の夫婦の収入による扶養では、子を引き取らなかった実親の生活程度に達しない場合はどうでしょうか。

生活保持義務は、第一次的に扶養義務を負う監護親と養親と同程度の生活を維持すれば果たされていると考えられるため、この場合でも子を引き取らなかった実親には養育費支払義務は生じません（最決H30.6.28判例集未登載）。

## 6 復氏

婚姻によって氏を改めた夫又は妻は、離婚によって当然に婚姻前の氏に復することになります（民767Ⅰ）。ここに復氏によって称する「婚姻前の氏」は、原則として婚姻直前の氏となります。

また、離婚によって復氏する者は、届出によって婚姻中の氏を称することができます（民767Ⅱ）。このように婚姻によって氏を改めた夫又は妻は、離婚後の氏を選択できることとなります。

離婚の際、婚姻中の氏の継続使用（婚氏続称）を選択した者が、婚姻前の氏に変更したい場合は、家庭裁判所の「氏の変更の許可」が必要です。家庭裁判所は、この場合の変更を認める「やむを得ない事由」（戸籍107Ⅰ）の判断においては、一般の氏の変更の場合に比し、緩和して判断する傾向があります（広島高決S62.1.19判時1259・67、大阪高決H3.9.4判時1409・75等）。

＜婚姻と復氏＞

| 事実経過 | | 手 続 | 氏 名 | 根拠条文 |
|---|---|---|---|---|
| （婚姻前） | | | 甲野A | |
| | 乙川Bと婚姻 Bの氏を称する選択 | 婚姻 | 乙川A | 民750 |
| | 乙川Bと離婚 | 離婚 （離婚による復氏） | 甲野A | 民767 I |
| | 婚姻中の氏（婚氏）の 継続使用を選択 | 婚氏続称の届出 （離婚の日から3か月以内） | 乙川A | 民767 II |
| | 婚姻前の氏に変更 | 氏の変更の許可 （変更を認めるやむを得ない 事由が必要） | 甲野A | 戸籍107 I |
| 乙川Bが死亡 | | ― | 乙川A | ― |
| 婚姻前の氏に変更 | | 復氏の届出 （生存配偶者の復氏㊟） | 甲野A | 民751 I 、 戸籍95 |

㊟ 配偶者が死亡した場合も復氏ができます。

**離婚と子の氏**

　子のいる夫婦が離婚した場合、それだけでは子の氏に変更はありません。

　例えば、婚姻で夫の氏を称していた夫婦が離婚し、母親が復氏した場合、子は父親の戸籍に残り、子の氏は父親の氏のままです。子の親権者が母親と定められたとしても同様です。

　このような場合に、子の氏を母親と同じに変更し、母親の戸籍に入籍するには、家庭裁判所の「子の氏の変更の許可」（民791 I 、家事39別1⑥⓪）を得た上で、母親の戸籍への入籍届（戸籍18 II ）をする必要があります。

**離婚の件数と離婚率**

　近年、離婚が増加したことに伴い、離婚に対する社会的な意識も変化していると思われますが、実際に離婚は増えているのでしょうか。

　厚生労働省が発表している令和4（2022）年人口動態統計によると、令和4年の離婚件数は17万9,099組、人口1,000人当たりの離婚率は1.47です。

　離婚件数は、戦後最も少なかった昭和36年は6万9,323件（率は1,000人当たり0.74）で、以降長期にわたって増加傾向が続いたものの、59年に減少傾向に転じ、平成3年以降は再び増加が続き、平成14年にピーク（289,836件、1,000人当たり

2.30）となりました。その後はおおむね減少傾向が続いています。

　実際に離婚が減っているのかについては、婚姻率の低下、晩婚化などの影響があるので、一概にいえないのですが、急激な増加の傾向は現在では落ち着き、減少傾向にあるとはいえるでしょう。

**＜図　離婚件数の年次推移 －昭和25～令和2年－＞**

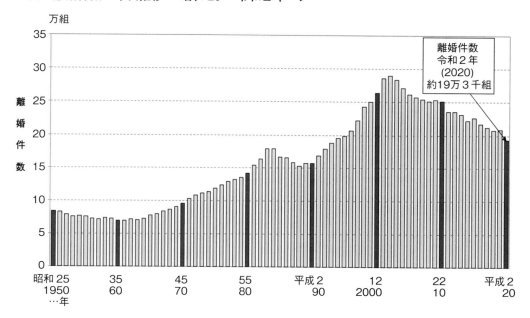

（厚生労働省　令和4年度「離婚に関する統計」より）

# 第4章　親　子

## 第1　実　子

### 1　法律上の親子関係

　法律上、親は未成年の子を養育・監護する権利を持つとともに、義務も負います。また、親と子は、お互いに扶養する権利義務を有していますし、どちらかが死亡した場合には、残った者は相続人となる関係にあります。そこで、法律上の親子関係を確定することが親子法の中心となります。

　この法律上の親子関係には、自然的な血縁関係に基づいて成立する「実子」と、養育の意思に基づいて成立する「養子」とがあります。

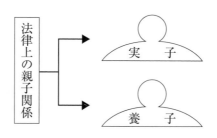

## 2　実親子関係

実親子関係は、自然的な血縁関係に基づいて成立します。

この実親子関係には、母子関係と父子関係とがありますが、このうち母子関係については、出産という外形的な事実によって証明することができます。なお、生殖補助医療により、女性が自己以外の女性の卵子（その卵子に由来する胚を含みます。）を用いた子を懐胎し、出産した場合であっても、出産した女性が母となります（生殖補助医療法9Ⅰ）。

しかし、父子関係については、出産のような外形的事実はなく、血液型や遺伝子鑑定によらなければ、証明することはできません。

そこで、民法は、妻が婚姻中に懐胎した子については当該婚姻における夫の子と推定する父性推定の制度を設けました（民772Ⅰ前）。

そうすると、妻が懐胎した当時、夫との間に婚姻関係が存在しなかった場合には、この父性推定は及ばないことになりますが、婚姻前に懐胎した子であっても婚姻成立後に出生した子は、当該婚姻における夫の子と推定されます（民772Ⅰ後）。子の出生時にも婚姻関係が存在しなかった場合については、父が自分の子であることを承認する認知という制度の対象です（民779）。

**＜父性推定と認知＞**

## 3　父性の推定

### ⑴　嫡出子と非嫡出子

民法は、「妻が婚姻中に懐胎した子は、当該婚姻における夫の子と推定する。女が婚姻前に懐胎した子であって、婚姻が成立した後に生まれたものも、同様とする」と定めています（民772Ⅰ）。この規定は、文字どおり夫の父性を推定するというだけでなく、その子は夫の「嫡出子」と推定される「嫡出推定」を定めた規定でもあります。

「嫡出子」とは、婚姻関係にある男女間に懐胎した子のことをいい、嫡出子でないもの、つまり婚姻関係にない男女間に懐胎した子のことを「嫡出でない子」又は「非嫡出子」といいます。

**非嫡出子**

　嫡出子と非嫡出子の差は、戸籍・住民票の記載と法定相続分にあらわれていました。

　住民票の続柄欄は、平成6年から一律に「子」と記載されるようになり、戸籍の記載については、平成16年の戸籍法施行規則の一部改正により嫡出子と同じく「長男（長女）」等と記載されるようになりました。

　法定相続分については、従前、「嫡出でない子の相続分は、嫡出である子の相続分の2分の1」とされていましたが（民900④ただし書前段（改正前））、平成25年9月4日の最高裁判所決定で「遅くとも平成13年7月当時において、憲法14条1項に違反していた」とされたことを受け、民法が改正され、嫡出子と非嫡出子の相続分は同じになりました。

　なお、出生の届出書には、「嫡出子又は嫡出でない子の別」を記載しなければなりません（戸籍49Ⅱ①）。この取扱いについて憲法第14条「法の下の平等」に反するのではないか争われた事案で、最高裁判所は、「民法及び戸籍法において「嫡出でない子」という用語は法律上の婚姻関係にない男女の間に出生した子を意味するものとして用いられているもの」であり「嫡出でない子について嫡出子との関係で不合理な差別的取扱いを定めたものとはいえず、憲法14条1項に違反するものではない」と判示して合憲としました（最判H25.9.26民集67・6・1384）。

**＜戸籍に記載される父母との続柄＞**

| 変更の時期 | 「嫡出子」の場合 | 「嫡出でない子」の場合 |
|---|---|---|
| H16.11.1より前 | 「長男（二男）」「長女（二女）」と記載 | 「男」「女」と記載。<br>ただし、既に戸籍に「男」「女」と記載されている嫡出でない子については、その記載を「長男（二男）」「長女（二女）」等に改めたいと申し出れば記載を改めることができます。 |
| H16.11.1以降 | 「長男（二男）」「長女（二女）」と記載（戸籍法施行規則の一部を改正する省令〔平成16年　法務省令第76号〕） | |

### (2)　婚姻中に懐胎したことの推定

　妻が婚姻中に懐胎した子は夫の嫡出子であると推定されますが、妻が婚姻中に懐胎した子であることを証明することは容易ではありません。

　そこで、民法は、婚姻成立の日から200日以内に出生した子は「婚姻前に懐胎した

もの」と推定し、婚姻成立の日から200日経過後又は婚姻の解消若しくは取り消しの日から300日以内に出生した子は、「婚姻中に懐胎したもの」と推定するとしました（民772Ⅱ）。

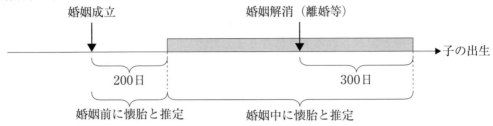

**＜婚姻中に懐胎したことの推定＞**

婚姻成立　　　　　　　　婚姻解消（離婚等）

→子の出生

200日　　　　　　　　　　300日

婚姻前に懐胎と推定　　　婚姻中に懐胎と推定

(3)　嫡出の推定

　次の①②の子は、当該婚姻における夫の子と推定されます。

**＜嫡出の推定＞**

| | 子の懐胎・出生時期 | 根拠条文 |
|---|---|---|
| ① | 妻が婚姻中に懐胎した子 | 民772Ⅰ前 |
| ② | 女が婚姻前に懐胎した子で、婚姻成立後に生まれた子 | 民772Ⅰ後 |

　子が推定される父は「当該婚姻における」夫ですので、子の出生時に母が再婚している場合は、再婚後の夫の子と推定されます。

**＜前婚の夫の子と再婚後の夫の子＞**

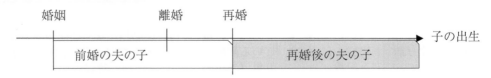

婚姻　　　　　　離婚　　　再婚

→子の出生

前婚の夫の子　　　　　再婚後の夫の子

　母が子の出生までに2回以上結婚していた場合は、子の出生の直近の婚姻における夫（下図では再々婚した夫）の子と推定されます（民772Ⅲ）。その夫の嫡出であることが否認（民774）された場合は、その前の婚姻の夫の子となります（民772Ⅳ）。

**＜再々婚した夫の子と推定される場合＞**

**＜民法第772条の構造＞**

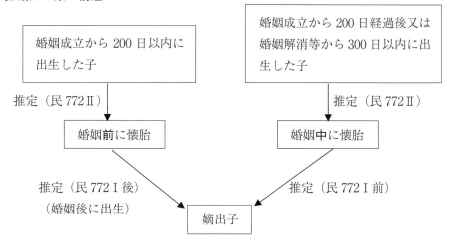

---

📖 **参考**

**離婚後300日問題と推定されない嫡出子　～令和4年民法改正～**

　民法第772条第1項後段の「女が婚姻前に懐胎した子であって、婚姻が成立した後に生まれたものも、同様（当該婚姻における夫の子と推定）とする」の部分は、令和4年民法改正で設けられた規定です。

　改正前は、婚姻の解消等から300日以内に生まれた子については、妻の再婚後に生まれたものであっても、前婚の夫の子と推定されていました。そのため、前婚の夫の子とされるのを避けるために出生届を出さず子を無戸籍者としてしまう事案が発生し問題となっていました。

　令和4年民法改正は、この無戸籍者問題を解消する観点からなされたものなのです。

　また、改正前は、妻が婚姻前に懐胎し婚姻後に出生した子について、法文上は嫡出推定がはたらいていないものの、戸籍実務上は嫡出子として扱っていました。このような、改正前民法第772条により嫡出子と推定されないが嫡出子と扱われる子を「推定されない嫡出子」と呼んでいました。「推定されない嫡出子」は、令和4年民法改正で推定されることになりました。

### ⑷　「推定の及ばない子」

　婚姻中に懐胎した子ではあるが、妻が夫の子を懐胎することが不可能な事実がある場合があります。例えば、事実上の離婚状態にあり性関係が不存在であった場合、夫が行方不明あるいは海外滞在中や在監中であるなど長期不在であった場合などです。このような場合、形式的には嫡出子（民772Ⅰ）に該当しますが、実質的に見れば嫡出推定の基礎を欠くことになります。このように妻が夫の子を懐胎する可能性がない場合の子のことを「推定の及ばない子」と呼び、判例は、このような場合には嫡出推定が及ばないものとしています（最判Ｓ44.5.29民集23・6・1064、最判Ｓ44.9.4判時572・26）。

　また、婚姻の解消等後300日以内に出生した子について、母が出生時に再婚していない場合には前夫の子と推定されます（民772Ⅰ）。このように前夫の子と推定される場合でも、懐胎時期が離婚後であることが明らかであれば、民法第772条の推定が及ばないとして、母の嫡出でない子としての出生届が受理されます（法務省民事局通達（平成19年５月７日））。

**＜婚姻の解消又は取消後300日以内に生まれた子の出生の届出の取扱い＞**

| 対象 | 平成19年５月21日以後に出生届がされたもの。<br>既に前夫の嫡出子として記載された戸籍の訂正をする場合には、従前どおり、裁判所の手続が必要となります。 |
|---|---|
| 要件 | ①　出生届に医師が作成した「懐胎時期に関する証明書」（出生した子及びその母を特定する事項のほか、推定される懐胎の時期及びその時期を算出した根拠について診断を行った医師が記載した書面）を添付する必要があります。<br>②　この証明書により、「懐胎の時期」の最も早い日が、婚姻の解消し又は取消し後であることが証明される必要があります。 |
| 効果 | 再婚している場合には後夫の「嫡出子」として⒥、再婚していない場合には「非嫡出子」としての出生届が受理されます。この届出が受理されると、戸籍上、子の身分事項欄には出生事項とともに「民法第772条の推定が及ばない」旨が記載されます。 |

⒥　令和４年民法改正により、再婚している場合は後夫の嫡出子と推定されます（民772Ⅰ後）。

**＜嫡出推定のまとめ＞**

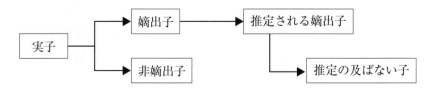

### 性同一性障害者

　性同一性障害者は、次の要件を満たせば、家庭裁判所の審判を受けて性別を変更することができます（性同一性障害者の性別の取扱いの特例に関する法律3、4）。

①　18歳以上であること。

②　現に婚姻をしていないこと。

③　現に未成年の子がいないこと。

④　生殖腺がないこと又は生殖腺の機能を永続的に欠く状態にあること。

⑤　その身体について他の性別に係る身体の性器に係る部分に近似する外観を備えていること。

　要件の一つである「現に未成年の子がいないこと」（同法3Ⅰ③）につき、憲法第13条（幸福追求権）、第14条第1項（法の下の平等）に違反すると争われましたが、最高裁判所は憲法違反を認めませんでした（最決R3.11.30裁時1780・1）。

　「生殖腺がないこと又は生殖腺の機能を永続的に欠く状態にあること」（同法3Ⅰ④）についても憲法違反が争われていました。最高裁判所は、治療としては生殖腺除去手術を要しない性同一性障害者に生殖腺除去手術を要求することは合理的関連性を欠く制約となっていること、社会的に性同一性障害を有する者に関する理解が広まりつつあり本件規定による制約の必要性が低減していることなどから、憲法第13条に違反すると判断するにいたりました（最決R5.10.25民集77・7・1792）。法改正が待たれます。

　また、性別を変更する審判を受けて女性から男性になった者の妻が婚姻中に懐胎した子について、従前の戸籍実務は、性別の取扱いの変更を受けた者を父親と認めていませんでした。妻との性的関係の結果もうけた子ではないことが明らかで、実質的に嫡出推定の基礎を欠くというのがその理由でした。しかし、最高裁判所は、「一方でそのような者に婚姻することを認めながら、他方でその主要な効果である嫡出の推定についての規定の適用を妻との性的関係の結果もうけた子であり得ないことを理由に認めないとすることは相当でない」と決定し、性別の取扱いの変更を受けた者が嫡出の推定によって父親となることを認めました（最決H25.12.10判時2210・27）。

　性別を変更する審判を受けて男性から女性になった者の凍結保存精子を用いた生殖補助医療により出生した子が、父（女性に変更済み）に対して認知を求めた事案について、最高裁判所は、「嫡出でない子は、生物学的な女性に自己の精子で当該子を懐胎させた者に対し、その者の法的性別にかかわらず、認知を求めることができると解するのが相当である」と判断しました（最判R6.6.21判例集未登載）。

## 4　嫡出否認の訴え

### ⑴　嫡出否認の訴えとは

　前述のように、民法第772条は嫡出子であることの推定を定めています。しかし、これはあくまで推定にすぎないため、事実に反する場合にはこれを争うことができます。このための制度が嫡出否認です（民774）。この嫡出否認は、提訴権者、出訴期間が限定されていますが、その趣旨は、第三者が家庭の平和を破壊することを防ぐこと、父子関係を早期に安定させることにあるといわれています。

＜嫡出否認の訴え＞

| 内　容 | | | | | | 根拠条文 |
|---|---|---|---|---|---|---|
| **適用場面** | 原則 | 民法第772条により推定される嫡出子 | | | | 民774Ⅰ |
| | 例外 | 妻が、夫の同意を得て、夫以外の男性の精子を用いた生殖補助医療により懐胎した子は、否認することができません。 | | | | 生殖補助医療法10 |
| **当事者・出訴期間・制限** | 否認権者 | 被　告 | 出訴期間 | | 制　限 | |
| | 父（注1） | 子又は親権を行う母（注3） | 父が子の出生を知った時から（注4） | 3年 | － | 民774Ⅰ、775Ⅰ①、777① |
| | 子（親権者の母・養親、未成年後見人が行使可能） | 父 | その出生の時から | 3年 | － | 民774Ⅰ（Ⅱ）、775Ⅰ②、777② |
| | | | 上記期間満了前6か月以内に親権者等がないとき、親権回復等から | 6か月 | － | 民778の2Ⅰ |
| | 子（親権者の母・養親、未成年後見人は行使不可） | | 父との継続同居期間が3年未満 | 子が21歳に達するまで | 父による養育状況に照らして父の利益を著しく害するとき | 民778の2Ⅱ（Ⅲ） |
| | 母 | 父 | 子の出生の時から | 3年 | 子の利益を害することが明らかなとき | 民774Ⅲ、775Ⅰ③、777③ |
| | 前夫（注2） | 父及び子又は親権を行う母（注3） | 前夫が子の出生を知った時から | 3年（子が成人に達した後は不可） | 子の利益を害することが明らかなとき | 民774Ⅳ、775Ⅰ④、777④、（778の2Ⅳ） |
| **消滅事由** | 父又は母が子の出生後にその嫡出性を承認した時は、それぞれ否認することができなくなります（**嫡出の承認**）。（注5） | | | | | 民776 |

(注)1　子の懐胎から出生までの間に母が2回以上結婚していた場合に、自ら否認権を行使して新たに父と定められた者は、子が自らの嫡出であることを否認することはできません（民774Ⅴ）。

　　2　子の懐胎から出生までの間に母が2回以上結婚していた場合に、子の懐胎から出生までの間に母と婚姻していた夫で、嫡出推定を受けていない夫（民774Ⅳ、772Ⅲ）。

3　親権を行う母がないときは、家庭裁判所が選任する特別代理人（民775Ⅱ）。

4　「子の出生を知った時」とは、妻が子を生んだことを知った時と解するのが通説・判例（大判Ｓ17.9.10「法学」東北大学法学会12・333）です。しかし、これをあまり厳格に適用すると、夫に酷な場合があることから、審判例には、妻の生んだ子が嫡出推定を受けることを知った時をいうとするもの（札幌家審Ｓ41.8.30家月19・3・80、東京家審Ｓ42.2.18家月19・9・76、奈良家審Ｓ53.5.19家月30・11・62）、嫡出推定を受けることを知った時としながら、夫が知らなかったことに重大な過失がないことを要求するもの（前掲奈良家審Ｓ53.5.19）などがあります。

5　具体的にどのような行為が「承認」に当たるのかについては、明らかではありません。通説によれば、命名行為をしたり、子をかわいがったりしただけでは承認には当たらず、また、戸籍法上は父も出生届を提出すべき義務を負っていることから（戸籍52Ⅰ、53）、父が出生届を提出しただけでは承認に当たらないものとされています。裁判例で本条が適用された例はないといわれており、上記のように「承認」の内容が不明であることから廃止論も有力に唱えられています。

　子の懐胎から出生までの間に母が2回以上結婚していた場合に父と定められた者について嫡出が否認され新たに父となった者についても、嫡出否認の訴えが可能です。この場合の否認権者と出訴期間は次のとおりとなります（民778）。

**＜第2次嫡出否認の訴えの出訴期間＞**

| 否認権者 | | 出訴期間 | | 根拠条文 |
|---|---|---|---|---|
| 新たに父となった者 | | 新父が嫡出否認の裁判が確定したことを知った時から | 1年 | 民778① |
| 子 | （親権者の母・養親、未成年後見人が行使可能） | 子が嫡出否認の裁判が確定したことを知った時から | 1年 | 民778②、（774Ⅱ） |
| | | 上記期間満了前6か月以内に親権者等がないとき、親権回復等から | 6か月 | 民778の2Ⅰ |
| | （親権者の母・養親、未成年後見人は行使不可） | 新父との継続同居期間が3年未満のとき | 子が21歳に達するまで | 民778の2Ⅱ（Ⅲ） |
| 母 | | 母が嫡出否認の裁判が確定したことを知った時から | 1年 | 民778③、774Ⅲ |
| 前夫 | | 前夫が嫡出否認の裁判が確定したことを知った時から | 1年（子が成人に達した後は不可） | 民778④、（778の2Ⅳ） |

 **参考**

**嫡出否認の訴えの否認権者と出訴期間　～令和4年民法改正～**

　従前、嫡出推定の否認権は、夫（推定を受ける父）にしか認められていませんで

した。また、否認権の出訴期間は１年間とされていました。父子関係を法的に早く安定させるため否認権は限定的であることが望ましいとの判断からと考えられます。

ただ、母や子が嫡出推定を否認する利益も無視できないこと、望まぬ父の嫡出推定を避けるために出生届を出さずに子が無戸籍となる事案が発生していることなどに鑑み、令和４年民法改正において、嫡出推定規定の改正とともに嫡出否認制度が改正されました。

この改正によって、嫡出否認の訴えの否認権者は母と子に拡大され、また、出訴期間は原則３年となりました。

### (2) 嫡出否認後の子の監護費用・遺産分割

嫡出否認の訴えにより嫡出推定が否認されれば、推定されていた父は子の出生時から父ではなかったと扱われ、新たに推定される父がいる場合の新父は子の出生時から父であったと扱われることになります。

しかし、父であった者がそれまでに支出した子の監護費用については、子は、父であった者に対して償還する義務を負いません（民778の３）。

また、子の懐胎から出生までの間に母が２回以上結婚していた場合に父と定められた者について嫡出が否認され、新たに父となった者について否認権行使前に相続が開始していた場合、他の共同相続人が既に遺産分割その他の処分をしていたときは、遺産分割の請求は価額請求の方法によって行うことになります（民778の４）。

### 5　親子関係存否確認の訴え

「推定の及ばない子」は、戸籍上は嫡出子として扱われます。しかし、「推定の及ばない子」については、そもそも嫡出推定がはたらかないことから、嫡出推定がはたらく場合にこれを否認する嫡出否認の訴えによって父子関係を争うことはできません。この場合に戸籍上の父に対して父子関係の不存在を求める方法は、親子関係不存在確認の訴えになります。

また逆に、子が真実の父に対して父子関係が存在することを求める場合は、親子関係確認の訴えを提起することができますし、認知の訴えによることもできます（前掲最判Ｓ44.5.29民集23・6・1064）。

この親子関係存否確認の訴えについては、民法には規定がありませんが、従来から訴訟類型的に認められてきたもので、人事訴訟法に規定されています（人訴２②）。

なお、親子関係の存否は、確認訴訟によらなくても、相続回復請求訴訟などにおいて、先決問題として争うことも認められています（最判Ｓ39.3.6民集18・3・446、最

判S39.3.17民集18・3・473)。

**＜親子関係存否確認の訴え＞**

| | 内　容 | 根拠条文 |
|---|---|---|
| 適用場面 | 推定の及ばない子 | ― |
| 提訴権者 | 利害関係のある者㈱ | ― |
| 相手方 | 親子関係の存否について確認を求める当事者<br>ただし、当事者の双方が死亡している場合は**検察官** | 人訴12ⅠⅢ |
| 出訴期間 | 出訴期間に制限はありません。 | ― |
| 消滅事由 | 消滅事由はありません。<br>ただし、長期間の経過により権利濫用に当たるとして出訴<br>が制限される可能性はあります。 | ― |

㈱　親子関係不存在確認の訴えの利益を有するというためには、当該親子関係が不存在であること
により自己の身分関係に関する地位に直接影響を受けることを要します（S63.3.1最判民集42・
3・157）。親子関係不存在を確認することにより法定相続人の地位が得られる場合につき訴えの
利益が認められた事案があります（R4.6.24判タ1504・39）。

**参考**

**ＤＮＡ鑑定で父子関係が否定された場合の親子関係不存在確認**

　ＤＮＡ鑑定で生物学上の父子関係が認められなかった場合に、嫡出推定が及ばな
いとして親子関係不存在確認の訴えの対象となるかどうかについては、争いがあり
ました。

　最高裁判所は、この問題につき、「嫡出推定を受ける子につきその嫡出であるこ
とを否認するためには夫からの嫡出推定否認の訴えによるべきものとし、かつ、同
訴えにつき1年㈱の出訴期間を定めたことは、身分関係の法的安定を維持する上か
ら合理性を有する」、「夫と子の間に生物学上の父子関係が認められないことが科学
的証拠により明らかであり、かつ、夫と妻が既に離婚して別居し、子が親権者であ
る妻の下で監護されているという事情があっても（子が、現時点において夫の元で
監護されておらず、妻及び生物学上の父の下で順調に成長しているという事情があ
っても）子の身分関係の法的安定を保持する必要が当然になくなるものではない」
として、親子関係不存在確認の訴えの対象になることを否定しました（最判H26.
7.17判タ1406・59①事件（　）内②事件）。

　嫡出推定が及ぶ父子関係を否定するには、嫡出否認の訴えによるしかありません。
父が嫡出否認の訴を提起する場合の出訴期間は、子の出生を知った時から3年㈱以
内ですので、その後、ＤＮＡ鑑定で父子関係が否定されても、父は法律上の父子関

係を否定することはできないということになります。

　法律上の親子関係はあるけれども生物学上の親子関係がない父が、母である妻と離婚後に子の養育費（監護費用）を支払う義務を負うかについては、原則として支払い義務を負います。ただし、諸事情（事実経過や高額の離婚給付等）から「監護費用の分担につき判断するに当たっては子の福祉に十分配慮すべきであることを考慮してもなお、権利の濫用に当たるというべきである」として養育費の支払義務を否定した判例もあります（最判 H23.3.18家月63・9・58）。

⒜　令和 4 年民法改正前の事案です。出訴期間は従前 1 年でしたが、同改正により 3 年に伸長されました。

## 6　父を定めることを目的とする訴え

　婚姻届の誤受理や再婚後に前婚の離婚が取り消されるなどの事情で重婚となった女性が出産した場合、嫡出推定が前夫と後夫の両方にはたらいてしまいます。

　このように嫡出推定が重複してはたらく場合は、前夫と後夫のいずれが父かを確定するため、「父を定めることを目的とする訴え」という制度を利用することができます（民773）。

**＜父を定めることを目的とする訴え＞**

| 内　容 | | | 根拠条文 |
|---|---|---|---|
| 適用場面 | 嫡出推定が重複してはたらく場合（女性の重婚） | | 民773、732 |
| 提訴権者 | 子、子の母、母の前夫、母の後夫 | | 人訴45 I |
| 当事者 | 原　告 | 被　告 | |
| | 子又は母 | 母の前夫及び後夫の双方⒜ | 人訴45 II① |
| | 母の前夫 | 母の後夫 | 人訴45 II② |
| | 母の後夫 | 母の前夫 | 人訴45 II③ |
| 出訴期間 | 出訴期間に制限はありません。 | | ― |
| 消滅事由 | 消滅事由はありません。 | | ― |

（被告欄 中央：被告とすべき者がすべて死亡している場合　検察官）

⒜　母の前夫、後夫の一方が死亡している場合は他の一方。

## 7　認知

### (1)　認知とは

#### ア　認知の意義・性質

　民法第779条は、「嫡出でない子は、その父又は母がこれを認知することができる」と定めています。この認知によって、子の出生の時に遡って法律上の父子関係（非嫡出父子関係）が生じます。

　認知の性質については、非嫡出父子関係を発生させる父親の意思表示と捉える立場（意思主義）と父親の意思は全く問題としないで、単に父子関係が存在することの事実を確定させるための手続であると捉える立場（事実主義）とがありますが、民法は、父親がその子が自分の子であることを承認する意思表示として認知届を出すことによって行う任意認知と、この任意認知がなされない場合に、子から父親に対して、その父親の意思に反してでも父子関係を確定させる強制認知（認知の訴え）を認め、意思主義と事実主義を折衷させています。

＜認知＞

#### イ　母による認知

　民法第779条によれば、母も認知をすることができるものとされていますが、判例は、法律上の母子関係は、「原則として、母の認知を待たず、分娩の事実により当然発生する」として、母子関係に認知は不要との見解を採っています（最判S37.4.27民集16・7・1247）。したがって、認知が問題となるのは父親だけということになりますが、これでは、条文で「母」にも認知を認めている意味がなくなってしまうことから、同条は、棄児（捨て子）の場合に関する規定であると解する見解もあります。

### (2)　任意認知の手続・要件

#### ア　任意認知の手続（届出主義）

　認知は戸籍法の定めに従い届け出ることによって行います（認知届。民781Ⅰ、戸籍60、61）。届出がなければ認知の効果としての法律上の父子関係は成立しません（要式行為）。

　なお、認知は遺言によっても行うことができますが（民781Ⅱ）、この場合にも戸籍上の届出（遺言執行者が、その就職した日から10日以内に、認知に関する遺言の謄本を添付して行います。戸籍64）が必要となります。

＜認知届＞

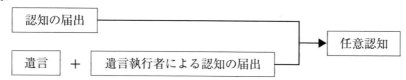

### イ　認知届をせずに認知の効果が発生する場合

　認知届以外の届出をした場合に、認知の効果が発生する場合があります。

**＜認知届以外の届出をした場合における認知の効果の発生（判例）＞**

| 結論 | 事　案 | 判　例 |
|---|---|---|
| 肯定 | 妻以外の女性との間に生まれた子を自己の「嫡出子」として虚偽の出生届をした事案 | 大判Ｔ15.10.11民集5・703 |
| 肯定 | 外国人の父と日本人の母との間に生まれた子を、父が「嫡出でない子」として出生届をした事案 | 最判Ｓ53.2.24民集32・1・110 |
| 否定 | 非嫡出子について、いったん他人夫婦の子として届け出た上で、その他人夫婦の代諾によって自分の養子とした（代諾養子縁組）事案 | 大判Ｓ4.7.4民集8・686 |

### ウ　任意認知の要件

#### ㈠　認知能力

　認知は意思表示である以上、認知を行う者は意思能力を有していることが必要であり、かつそれで足ります。未成年者や成年被後見人であっても、意思能力さえあればよく、法定代理人の同意は不要です（民780）。

**＜認知意思能力のない認知の判例＞**

| 事　案 | 内　容 | 判　例 |
|---|---|---|
| 認知の届出をした時点で意思能力を失っていた場合 | 届出時に認知者が意識を喪失していても、届出書受理の前に翻意したなどの特段の事情がない限り、認知は有効に成立するとしています。 | 最判Ｓ54.3.30家月31・7・54 |

#### ㈡　承諾等が必要となる場合（例外）

　成年の子を認知する場合（民782）、胎児又は死亡した子を認知する場合には

（民783ⅠⅢ）、子の承諾などが必要になります。

**＜任意認知に承諾等が必要となる場合＞**

| 適用場面 | 要　件 | 根拠条文 |
|---|---|---|
| 成年の子を認知する場合 | **子の承諾**<br>（理由）<br>子が養育を必要とする未成年の期間には放置しておきながら、その子が成人したら認知して扶養してもらおうという身勝手を防ぐために規定されたものです。 | 民782 |
| 胎児を認知する場合 | **母親の承諾**<br>（理由）<br>母の名誉・利益を守るとともに、誰がその子の父親であるかについては母が一番よく知っていることから、母の承諾を必要とすることで認知の真実性を確保するためであるとされています。 | 民783Ⅰ |
| 死亡した子を認知する場合 | ①　子に直系卑属がいること<br>②　その直系卑属が成年である場合には、その直系卑属の承諾<br>（理由）<br>直系卑属がいない場合にまで認知を認めることは、何らの利益となるものではなく、また、死亡した子を認知する父は、その子の相続人として相続の利益に与ろうとする場合が多く、このような父の身勝手を防ぐために規定されたものです。 | 民783Ⅲ |

**＜任意認知に承諾等が必要となる場合＞**

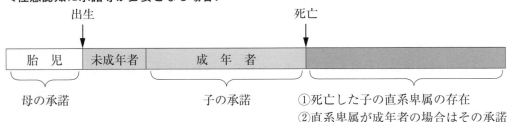

　(ｳ)　嫡出推定の優先

　　認知した胎児が出生し、嫡出推定（民772）により父が定まる場合は認知は効力を生じません（民783Ⅱ）。


**(3)　認知の無効・取消し**

　**ア　認知の無効**

　　民法第786条第1項は、子、認知者及び子の母が、「認知について反対の事実があ

ることを理由として、認知の無効の訴えを提起することができる」と規定していま
す。これは、任意認知が真実に反する場合には、その認知の無効を訴訟により実現
できることを意味しています。

　認知者が無効を主張できるかについては、従前争いがありましたが、令和4年民
法改正により、当該認知をした認知者にも出訴権が認められました（民786Ⅰ②）。

　また、任意認知が意思表示である以上、認知意思が欠ける場合や、第三者が認知
者の氏名を冒用して認知届をした場合など認知者の意思に基づかない場合には、た
とえ真実の親子関係が存在する場合であっても無効とするのが判例です（最判S
52.2.14家月29・9・78）。

　なお、強制認知の場合には、認知の無効は問題となりません。強制認知が真実に
反する場合には、再審手続によりその無効を争うことができるにすぎません（最判
S28.6.26民集7・6・787）。

＜認知の無効の訴えの出訴権者と出訴期間＞

| 出訴権者 | | 被告 | | 出訴期間 | | 制　限 | 根拠条文 |
|---|---|---|---|---|---|---|---|
| 子 | 又はその法定代理人 | 認知者 | 被告とすべき者がすべて死亡している場合検察官（人訴12Ⅲ） | 子又はその法定代理人が認知を知った時から㊟ | 7年 | — | 民法786Ⅰ①、人訴12Ⅰ |
| | （法定代理人は行使不可） | | | 認知者との認知後の継続同居期間が3年未満 | 子が21歳に達するまで | 認知者の養育状況に照らして認知者の利益を著しく害するとき | 民法786Ⅱ（Ⅲ） |
| 認知をした者 | | 子 | | 認知の時から㊟ | 7年 | — | 民法786Ⅰ②、人訴12Ⅰ |
| 子の母 | | 認知者及び子の双方（一方が死亡している場合は他の一方） | | 子の母が認知を知った時から㊟ | 7年 | 子の利益を害することが明らかなとき | 民法786Ⅰ③、人訴12Ⅱ |

㊟　胎児の認知がされた場合は子の出生の時から（民783Ⅰ、786Ⅰ）。

認知無効の訴えが認められ、認知が無効とされた場合であっても、子にはそれまでに認知者が支出した監護費用を償還する義務はありません（民786Ⅳ）。

 **参考**

**認知無効の訴え　〜令和４年民法改正〜**

認知無効の訴えについて、従前の民法は「子その他の利害関係人は、認知に対して反対の事実を主張することができる」（改正前民786）としており、期間の制限はありませんでした。

利害関係を有する者はだれでも認知の無効を主張できること、また、いつまでも認知の無効の主張ができることから、嫡出でない子の地位が不安定すぎると指摘されていました。

そのため、令和４年民法改正で、次のとおり改正されました。

①　出訴権者は子、認知者及び子の母に限定されました。

②　出訴期間は原則７年になりました（子が21歳に達するまで可能とする例外があります）。

③　無効を主張する方法は、認知無効の訴えのみとなりました。

**イ　認知の取消し**

人事訴訟法第２条第２号は、「認知取消しの訴え」を規定していますが、民法第785条が「認知をした父又は母は、その認知を取り消すことができない」としていることから、父又は母による認知の取消しは許されないのではないかが問題となります。

判例は、同条の取消しとは「撤回」を意味するものと解した上で、任意認知が真実に反する場合であっても撤回はできないが、任意認知が詐欺や強迫によりなされた場合には取り消すことができるとしています。これに対し、取消しを通常の意味に解し、詐欺や強迫による場合でも、認知が真実に合致しているのであれば、取り消すことはできないと解する近時の学説があります。

＜認知取消しの訴え＞

| | 内　容 | | 根拠条文 |
|---|---|---|---|
| 取消原因 | 任意認知が詐欺や強迫によりなされた場合<br>法定の承諾を欠いた場合など | | ― |
| 法的性質 | 裁判外の取消しは認められず、認知取消しの訴え又は審判によって裁判上取消しを請求する必要があり、また、認知取消しの裁判によって初めて認知に基づく父子関係が遡及的に消滅すると解されています（通説、**形成訴訟説**）。 | | ― |
| 提訴権者 | 詐欺・強迫等による場合 | **認知者** | ― |
| | 法定の承諾を欠いた場合 | **承諾権者**（成年の子、胎児の母、死亡した子の成年の直系卑属） | ― |
| 相手方 | **認知者が原告となる場合** | **子** | 人訴12Ⅰ |
| | **認知者及び子以外の第三者が原告と**なる場合 | **認知者及び子の双方**（一方が死亡している場合には**他の一方**） | 人訴12Ⅱ |
| | 被告とすべき者が全て死亡している場合 | **検察官** | 人訴12Ⅲ |
| 出訴期間 | 時間的制限はありません。 | | ― |
| 消滅事由 | 追認又は取消権の行使期間については、同じ親子関係である養子縁組の取消しに関する規定（民806の2、806の3、808Ⅰ等）を類推し、「取消権者が、承諾のない認知届が受理されたのを発見したとき」、又は、「詐欺を発見若しくは強迫を免れたとき」等から6か月と解されます（多数説）。 | | ― |

(4)　**強制認知**

ア　**強制認知の意義と法的性質**

　強制認知とは、父が任意認知をしない場合に、子が父親に対して訴えを提起し、父親の意思に反してでも父子関係を確定させる制度であり、この訴えを「認知の訴え」といいます（民787）。認知の訴えは形成訴訟と解されています。

## ＜認知の訴え＞

| | 内　　容 | 根拠条文 |
|---|---|---|
| 適用場面 | ・父が任意認知をしない場合<br>・任意認知が真実に反する場合<br>・戸籍上他人夫婦の嫡出子とされている場合（注１） | ― |
| 提訴権者 | **子、その直系卑属又はこれらの者の法定代理人** | 民787本文 |
| 相手方 | **父又は母**。被告とすべき者の死亡後は**検察官** | 人訴44Ⅰ |
| 出訴期間 | 子の出生後いつでも提訴することができます。<br>ただし、父又は母が死亡した後（死後認知）は、死亡から３年以内しか提訴することはできません。（注２） | 民787<br>ただし書 |
| 消滅事由 | 消滅事由はありません。（注３） | ― |

注１　子は、戸籍上他人夫婦の「嫡出子」と記載されている場合でも、真実の父に対して認知の訴えを提起することができます（最判Ｓ49.10.11家月27・7・46）。
　　　子の直系卑属は、子の生存中は提訴することはできません。
　２　出訴期間の起算点について、判例には、「父の死亡が客観的に明らかになった日」とするものがあります（最判Ｓ57.3.19民集36・3・432）。
　３　認知請求権の放棄
　　　認知請求権を放棄することはできません（最判Ｓ37.4.10民集16・4・693）。これは、父が非嫡出子に対して、認知の訴えを提起しないよう強要するのを防止するためです。


イ　認知の効力

　　民法第784条本文は、認知の効力について、「認知は、出生の時にさかのぼってその効力を生ずる」と規定しています。認知によって発生する法律上の親子関係は、子が出生した時から存在していたものとして扱われることになります。


## ＜その他の認知の効力＞

| 効果の種類 | 内　　容 |
|---|---|
| 扶養義務<br>（養育費） | 認知により、父は子の出生の時から扶養義務を負っていたことになるため、認知前の子の養育費の支払義務を負う可能性が生じます。 |
| 親権者 | 認知がなされても、親権者は母のままであり、父が親権者になるためには、母との協議で定めるか、あるいは家庭裁判所の審判によらなければなりません（民819Ⅳ、同Ⅴ、家事39別２⑧）。 |
| 氏と戸籍 | 認知は、子の氏と戸籍には直接影響を与えません。子は父による認知後も、依然として母の氏を称し、母の戸籍に属します。 |

## 8 準正

　準正とは、父母の婚姻を原因として、非嫡出子に「嫡出子」の身分を付与する制度のことをいいます。準正には、婚姻準正と認知準正の2つがあります。

　子が既に死亡している場合にも、準正により嫡出子となります（民789Ⅲ）。

＜準正＞

| 種　類 | 内　　容 | 効果の発生時期 | 根拠条文 |
|---|---|---|---|
| 婚姻準正 | 父が認知した子は、その父母の婚姻によって嫡出子の身分を取得します。 | 婚姻の時 | 民789Ⅰ |
| 認知準正 | 父母の婚姻後、父が認知した子は、嫡出子の身分を取得します。 | 婚姻の時（通説）（注） | 民789Ⅱ |

（注）　認知準正の効果については、「認知の時から」発生するものと規定されています（民789Ⅱ）。
　　　しかし、これでは婚姻後認知されるまでの間、非嫡出子の期間が残ることになるため、通説は、認知準正の場合も「婚姻の時から」効果が発生すると解しています。

＜婚姻準正＞

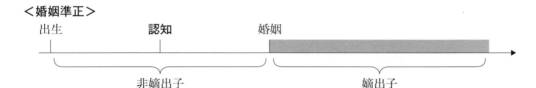

＜認知準正＞

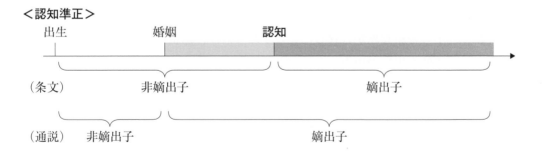

# 第2　養　子

## 1　養子制度

　養子制度は、自然な血縁による親子関係のない者に、法的な親子関係を擬制する制度です。養子には、普通養子と特別養子の2種類があります（民792以下）。特別養子は実方の親族との親族関係が終了する養子制度です。

**＜普通養子と特別養子＞**

| 養子の種類 | 実方の親族との親族関係 |
|:---:|:---:|
| 普通養子 | 終了しない |
| 特別養子 | 終了する |

## 2　普通養子の成立要件

　普通養子は、養子縁組により成立します（民799→739）。養子縁組の成立には、実質的要件と形式的要件の具備が必要です。

### (1)　普通養子縁組の実質的要件

#### ア　養親と養子の縁組意思の合致

　養親と養子の縁組意思が合致したというためには、縁組意思（実質的意思）と届出意思（形式的意思）の両方の合致が必要であり（民802①）、これを欠く縁組は無効となります。

**＜縁組意思＞**

| 縁組意思の種類 | 意　味 |
|:---:|:---|
| 縁組意思<br>（実質的意思） | 社会通念上、真に親子と認められる関係を作ろうとする縁組当事者の意思 |
| 届出意思<br>（形式的意思） | 養子縁組の届出をする意思 |

## イ 養親が20歳に達していること

養親は20歳に達している必要があります（民792）。

平成30年民法改正前は「成年」に達している必要があるとされていました。同改正で成年になる年齢が20歳から18歳に引き下げられましたが、養親になれる年齢は変更されなかったことになります。

## ウ 養子が養親の尊属又は年長者でないこと

養子となろうとする者が養親の尊属に当たれば、一律に養子縁組は禁止されます（民793）。

また、夫婦が養親となる場合、夫婦の一方が養子より年長であっても、他方が養子より年少であれば、民法第793条に抵触し、養子縁組をすることはできません。

＜血族間での養子縁組の可否＞

| 養　親 | 養　子 | 可　否 |
|---|---|---|
| 祖父母 | 孫 | 可 |
| 兄・姉 | 弟・妹 | 可 |
| 甥・姪 | おじ・おば | 不可 |
| いとこ（年長） | いとこ（年少） | 可 |

## エ 養親になろうとする者に配偶者がある場合

（ア）　養子になろうとする者が未成年の場合

配偶者がある者が未成年者を養子とする場合は、夫婦が共同で縁組をすることが原則です（民795）。

**＜配偶者のある者の養子縁組＞**

| 区　分 | 内　容 | 根拠条文 |
|---|---|---|
| 原　則 | 夫婦が共同で養子縁組をする。 | 民795 |
| 例　外 | ①　養子となろうとする者（下図のＤ）が養親となろうとする夫婦（下図のＢＣ）の一方（下図のＢ）の嫡出子である場合、単独の養子縁組が認められています（下図ＣＤ間）。<br>　夫婦共同縁組では、Ｂが自己の嫡出子Ｄを養子にするという無意味な縁組を強制することになるためです。ただし、単独での養子縁組においては、夫婦の他方（下図のＢ）の同意が必要となります。<br><br>**＜配偶者の嫡出子を養子とする場合＞** 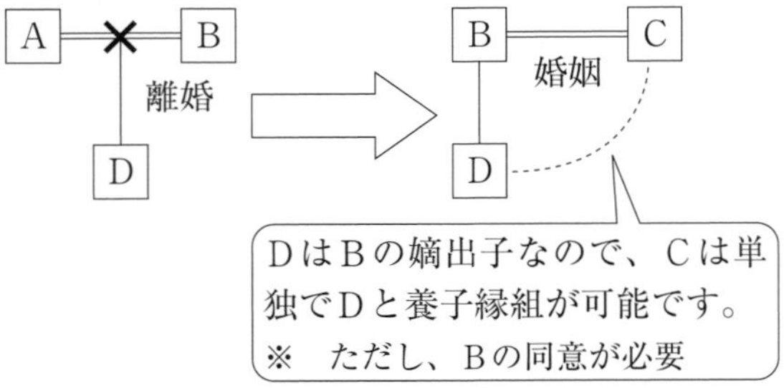<br><br>ＤはＢの嫡出子なので、Ｃは単独でＤと養子縁組が可能です。<br>※　ただし、Ｂの同意が必要 | 民796 |
| | ②　養親となるべき夫婦の一方が、その意思を表示できないときは、単独で縁組ができます。<br>　**心神喪失の状態**にあるときや、**行方不明**になっているときなどがこれに当たります。 | 民796ただし書 |

(イ)　養子になろうとする者が成年の場合

　養親となる者に配偶者があり、養子になろうとする者が成年である場合、養親となる者は配偶者の同意があれば単独で養子縁組ができます（民796）。もちろん、夫婦が共同して縁組をすることはできます。

**＜養親になろうとする者に配偶者がある場合の要件＞**

| 区　分 | 内　容 | 根拠条文 |
|---|---|---|
| 原　則 | 配偶者が縁組に同意していること | 民796本文 |
| 例　外 | 配偶者の同意が不要の場合<br>①　配偶者とともに縁組をする場合<br>②　配偶者がその意思を表示することができない場合 | 民796ただし書 |

### オ　養子が15歳未満の場合

　養子となろうとする者が15歳未満の場合は、法定代理人の承諾（代諾）と監護権者が別にいる場合は監護権者の同意が必要です（民797ⅠⅡ）。養子となる者の父母が親権を停止されている場合、その父母の同意も得なければなりません（民797Ⅱ）。

　代諾権なき者が代諾した縁組は原則として無効ですが、養子が15歳に達した後に、追認が可能です（最判Ｓ27.10.3民集6・9・735）。

　なお、養子となろうとする者が15歳以上であれば、未成年であっても本人が縁組をすることができますが、次項に述べる家庭裁判所の許可は必要です。

### カ　家庭裁判所の許可審判が必要な養子縁組

　(ア)　未成年者を養子としようとする場合

　　家庭裁判所の許可が必要です（民798）。

**＜未成年者を養子としようとする場合の要件＞**

| 区　分 | 内　容 | 根拠条文 |
|---|---|---|
| 原　則 | 家庭裁判所の許可 | 民798 |
| 例　外 | 養親が自己又は自己の配偶者の直系卑属を養子とする場合、家庭裁判所の許可は不要です。 | 民798ただし書 |

　(イ)　後見人が被後見人と養子縁組をする場合

　　家庭裁判所の許可が必要です（民794、家事39別1⑥1）。

　　後見人が、後見業務（被後見人の財産管理）における自己の不正の発覚を防止するために養子縁組を利用することを防止するための規定ですから、後見人の任務が終了した後も、管理の計算（民870）が終わるまでは家庭裁判所の許可が必要です（民794）。

## (2)　普通養子縁組の形式的要件

### ア　養子縁組成立のための形式的要件

　養子縁組成立のための形式的要件は、養子縁組の届出です（民799→739）。

### イ　「藁の上からの養子」

　他人の子を自分の嫡出子と偽り、出生届を提出したとき、これが出生届として無効であるのはいうまでもありません。しかし、この出生届に養子縁組の「縁組届」としての効力を認め得るか、いわゆる「藁の上からの養子」問題があります。

　大審院、最高裁判所は、この出生届に養子縁組の縁組届としての効力は認めませんでした（大判Ｓ11.11.4民集15・1946、最判Ｓ25.12.28民集4・13・701、最判Ｓ50.4.8民集29・4・401）。

### ⑶　要件を欠く縁組の効力

　以上の要件を欠く養子縁組は、それぞれ、無効縁組、取り消し得る縁組となります（後記4）。

## 3　普通養子縁組成立の効力

### ⑴　親子関係の発生

　養子縁組の成立により、縁組の日から養子は養親の嫡出子たる身分を取得します（民809）。具体的な法的効果は、以下のとおりです。

#### ア　養子の氏

　原則として養子は養親の氏を称します（民810本文、下記例Ａ）。

　例外として、養子が婚姻により氏を改めている場合、養子が婚姻中であれば、婚氏が優先し、養子縁組により養親の氏を称することを強制されることはありません（民810ただし書、下記例Ｂ）。

　なお、婚姻により氏を改めた者が、配偶者死亡後に復氏届をしない間に養子縁組をした場合も、自動的に養親の氏を称することはなく、生存配偶者の復氏届をしてはじめて、養親の氏を称することになります。

＜養子の氏＞
例Ａ　〇〇太郎が××次郎の養子となる場合

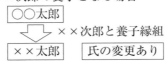

例Ｂ　〇〇太郎が××次郎の養子となるが、その前に太郎は〇〇花子との婚姻により△△太郎から〇〇太郎に氏を改めていた場合

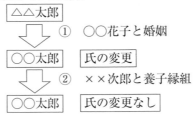

**イ　養子の戸籍**

原則として、養子は養親の戸籍に入ります（戸籍18③）。

ただし、上記のとおり養子が婚姻をしていてこれにより氏を改めていた場合は、養子縁組により氏が変更されることはありません。このため、戸籍の変動はなく、養親の戸籍には入りません。

また、夫婦で養子となる場合や、養子が既に婚姻しており、その際に氏を改めなかった場合は、その夫婦について、新戸籍を編成します（戸籍20）。

**ウ　親権**

養子縁組により、未成年の養子は養親の親権に服し（民818Ⅱ）、実親は養子に対する親権を喪失します。なお、配偶者の子を養子にした場合は、当然、その配偶者は子への親権を喪失しません。

**エ　扶養・相続**

法的親子関係の発生により、養子と養親は相互に扶養義務を負い（民877）、養子は養親を相続します（民887Ⅰ）。

**(2)　親族関係の発生**

有効な養子縁組の成立により、養子と養親の親族の間にも、法定血族関係が発生します。

これにより、以下のとおり婚姻障害（民735）が発生し、離縁等による親族関係の消滅後も婚姻をすることはできません（民736）。

**＜養子縁組による婚姻障害＞**

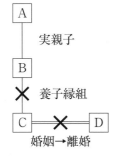

BとCは、離縁しても、婚姻することはできません。
AとC、BとD、AとDも同様です。

⑶　実方の親、親族との関係

　普通養子縁組では、縁組後も、養子と実方の親、その他の親族との親族関係も存続します。このため、養子は実親との関係でもこれを相続することができます。

⑷　養子の子と養親の親族、養子の実方の親族との関係

　養子の子と養親・実方の親族との関係は、次のとおりです。

＜養子の子と養親・実方の親族との血族関係＞

| 出生の時期 | 実方か養方か | 結　論 |
|---|---|---|
| 養子の子が<br>縁組**前**に出生していた場合 | 親の実方の親族との関係 | 発生した血族関係は**消滅しない** |
| | 親の養方の親族との関係 | 血族関係は発生**しない** |
| 養子の子が<br>縁組**後**に出生した場合 | 親の実方の親族との関係 | 血族関係は発生**する** |
| | 親の養方の親族との関係 | 血族関係が発生**する** |

## 4　縁組の無効・取消し

⑴　縁組の無効

　ア　無効事由

　　㈎　原則

　　　上記2⑴の縁組の実質的要件のうち、縁組意思（実質的意思（縁組意思）又は形式的意思（届出意思））を欠く養子縁組は無効となります。

＜縁組の無効事由＞

| ① | 縁組意思の欠缺 | 人違いその他の事由によって当事者間に縁組をする意思がないとき。 | 民802Ⅰ① |
|---|---|---|---|
| ② | 届出意思の欠缺 | 当事者が縁組の届出をしないとき。㈲ | 民802Ⅰ②本文 |

㈲　届出の方式に関する要件を欠くにすぎない場合は縁組は無効になりません（民802Ⅰ②ただし書）。

　　㈑　養子縁組以外の目的・動機があった場合

　　　養子縁組以外の目的・動機があった場合に、縁組意思を欠くとして縁組の有効性が争われる場合があります。

**＜養子縁組以外の目的・動機があった場合の判決＞**

| 区　分 | 内　容 | 裁判例 |
|---|---|---|
| 肯定例 | 養子縁組をした主な目的が自分の資産と営業を養子に一括して相続させることにあったとしても、相続も養親子関係の一つの効果であるから、それを受けることを主たる目的としたこと自体によって養子縁組が無効となるものではないとしました。 | 大阪高判 S 59.3.30<br>判タ528・287<br>最判 S 38.12.20<br>家月16・4・117 |
| 肯定例 | 縁組の動機が専ら養子縁組をすることによる相続税の節税効果等にある場合であった場合について、このような動機と縁組意思は並存することがあり得るので、縁組意思は必ずしも否定されないとしました。 | 最判 H29.1.31<br>裁判所時報1669・1 |
| 否定例 | 長男が自分の父の財産につき兄弟の将来の相続分ないし遺留分の割合を減少させる方便として、右父と長男の妻、長男の長男及びその妻の3名が同時に養子縁組するなどの事情がある場合に、当事者間に養子縁組をする意思がないとして、縁組を無効としました。 | 東京高判 S 57.2.22<br>家月35・5・98 |

 **参考**

### 節税のための養子縁組

　養子縁組は、嫡出親子関係を創設するものであり、養親が死亡した場合、養子は養親の法定相続人になります。

　相続税の計算をする場合、①相続税の基礎控除額、②生命保険金の非課税限度額、③死亡退職金の非課税限度額、④相続税の総額の計算、の4項目において、法定相続人の数を基に行いますので、法定相続人の数を増やす養子縁組は、相続税の節税効果が見込めます。もっとも、これらの計算をするときに法定相続人の数に含められる養子の数は、他に実子がいる場合は1人、いない場合は2人までと制限されているほか、相続税の負担を不当に減少させる結果となると認められる場合は数に含めることができません。

　節税のために長男の子（孫）を養子とした養子縁組について、縁組意思がなく無効ではないかが争われた事件において、最高裁判所は、「相続税の節税のために養子縁組をすることは、このような節税効果を発生させることを動機として養子縁組をするものにほかならず、相続税の節税の動機と縁組をする意思とは並存し得るものである。したがって、専ら相続税の節税のために養子縁組をする場合であっても、直ちに当該養子縁組について民法802条1号にいう『当事者間に縁組をする意思がないとき』に当たるとすることはできない」としました（最判 H29.1.31裁判所時報1669・1）。

㈡　養子になる者が15歳未満のとき

　養子になる者が15歳未満のときは、その縁組意思は、縁組の承諾をする法定代理人（民797Ⅰ）の縁組意思（代諾意思）で判断します。

　法定代理人が父母である場合は、父母双方に縁組意思が必要です。一方の意思に反して、もしくは、一方が不知の間に縁組を代諾した場合は、縁組は無効となります。ただし、父母の一方が親権を行うことができないときは他の一方のみの縁組意思で有効な縁組となります（民818Ⅲただし書）。

㈢　夫婦共同縁組をすべきとき（養子になる者が未成年）の一方の意思の欠如

　夫婦で共同縁組をするべきときに、その一方のみとの縁組届が受理されてしまった場合は、縁組意思のある方との縁組も原則として無効となります。ただし、判例は、特段の事情がある場合（10年間別居し、事実上夫婦関係が破綻していた場合）に、縁組意思のない当事者との縁組は無効となるが、縁組意思のある当事者との縁組は有効であるとして、例外を認めています（最判Ｓ48.4.12民集27・3・500）。

㈣　届出意思の存在時

　届出意思が有効に存在すると認められるためには届出の時に意思能力が必要です。

　ただし、届出の時点では意思能力を失っていたが、それ以前に養子縁組を合意していた場合について、その受理の前に翻意したなどの特段の事情が存在しない限り、届出の受理により養子縁組は有効に成立するとした判例があります（最判Ｓ45.11.24民集24・12・1931）。

### イ　無効の場合の手続

㈠　縁組無効の訴訟と調停

　無効な縁組は、無効の判決がなくとも当然に無効と考えるのが通説です。縁組無効の訴えは確認訴訟と考えられています。

　なお、縁組無効の訴えを提起するには、まず家庭裁判所に調停を申し立てなければなりません（調停前置主義。家事257Ⅰ、244、人訴2Ⅰ③）。

㈡　縁組無効の訴えの当事者

　縁組無効の訴えの当事者は次のとおりです。

＜縁組無効の訴えの当事者＞

| 原則 | | 例外 | |
|---|---|---|---|
| 原告 | 被告 | | |
| 養親 | 養子 | 養子が15歳未満のときは、養子ではなく養子縁組無効後にその法定代理人となるべき者（民815類推、811Ⅱ）。 | 被告となるべき者が死亡して不在の場合は検察官を被告とします（人訴26Ⅱ）。 |
| 養子 | 養親 | | |
| 法律上の利益を有する第三者 | 養親と養子 | 養親と養子のうち一方が死亡しているときは他の一方（人訴12Ⅱ）。 | |

　第三者で縁組無効の訴えを提起できるのは、養子縁組無効を確認する法律上の利益を有する者だけです。この法律上の利益について、判例は、縁組当事者の親族というだけでは足りず、当該養子縁組が無効であることにより自己の相続、扶養等の身分関係上の地位に直接影響を受ける関係にあることを要するとしています（最判Ｓ63.3.1民集42・3・157）。

＜第三者が縁組無効の訴えを提起する場合の法律上の利益の例＞

| | 第三者の属性 | 裁判例 |
|---|---|---|
| 肯定 | 亡養親の実子。 | 最判Ｓ43.12.20 |
| 否定 | 亡養親から不動産を買い受けた第三者が、養子から当該売買契約が無効であるなどとして訴えを提起された場合。 | 東京高判Ｓ52.6.30判タ364・238 |
| | 当該養子縁組が無効であるときは特別縁故者として養親の相続財産の分与を受ける可能性のある親族。 | 最判Ｓ63.3.1民集42・3・157 |
| | 亡養親から包括遺贈を受け、養子から遺留分減殺請求を受けた受遺者。 | 最判Ｈ31.3.5裁時1719・3 |

### ウ　無効の効果

　縁組無効の効果は遡及し、初めから親子としての法律関係が全く生じなかったことになります。

### (2) 縁組の取消し

#### ア　取消事由と取消権者

縁組の取消事由と取消権者は、次のとおりです。

＜縁組取消事由と取消権者＞

| 取消事由 | 取消権者 | 取り消せない場合 | 根拠条文 |
|---|---|---|---|
| 養親が20歳に達していない | 養親又は<br>養親の法定代理人 | 養親が20歳に達した後、<br>①　６か月が経過したとき<br>②　養親が追認したとき | 民792、804 |
| 養子が養親の尊属・年長者 | 養子<br>養親<br>それぞれの親族 | — | 民793、805 |
| 後見人が家庭裁判所の許可なく被後見人と養子縁組 | 養子<br>養子の実方の親族 | 管理計算後、<br>①　６か月が経過したとき<br>②　養子による追認 | 民794、806Ⅰ |
| 配偶者の同意なき縁組(注) | 同意していない配偶者 | 同意していない者が、<br>①　縁組を知ってから６か月が経過したとき<br>②　追認したとき | 民796、806の２Ⅰ |
| 養子となる者が15歳未満で、監護権者たる父母、親権を停止されている父母の同意なき縁組(注) | 同意していない父母 | ①　同意していない者による追認<br>②　養子が15歳に達した後、<br>ⅰ　６か月が経過したとき<br>ⅱ　養子が追認したとき | 民797Ⅱ、806の３Ⅰ |
| 家庭裁判所の許可なく未成年者を養子とした場合 | 養子<br>養子の実方の親族<br>縁組を代諾した者 | 養子が成年に達した後、<br>①　６か月が経過したとき<br>②　追認したとき | 民798、807 |
| 詐欺・脅迫による縁組 | 詐欺・脅迫を受けた当事者 | 詐欺を発見し、若しくは脅迫を免れた後<br>①　６か月が経過したとき<br>②　追認したとき | 民808Ⅰ<br>→747ⅠⅡ |

(注)「同意がない」とは、①同意自体の欠缺と、②詐欺又は脅迫による縁組を指します。

#### イ　取消しの手続

縁組を取り消すには、取消訴訟（人訴２Ⅰ③）又は審判（家事277Ⅰ）によらなければなりません。これらの判決や審判には対世効があり、訴えを提起した者等が

届け出ることにより戸籍に記載されます（戸籍75）。

### ウ　取消しの効果

　縁組取消しの効果は、縁組無効の場合と異なり、判決・審判によって初めて形成されます。また、一般の法律行為を取り消した場合（民121）と異なり、効果は遡及せず、将来に向かってのみ生じます（民808Ⅰ→748Ⅰ）。

　氏については離縁による復氏の規定が準用され（民808Ⅱ→816）、祭祀財産の承継については離婚の規定が準用されます（民808Ⅱ→769）。

## 5　縁組の終了

### ⑴　死亡による縁組の終了と死後離縁

　養子縁組をした親子の一方が死亡した場合、養親子関係は終了します。養子と養親の親族との法定血族関係又は養親と養子の親族との法定血族関係は当然には終了しませんので、養子縁組した親子の一方が死亡した場合、他方は、家庭裁判所の許可を受けて、単独で離縁をすることができます（民811Ⅵ）。

**＜法定血族関係の終了＞**

　ＣＤの養親子関係は、Ｃの死亡で当然終了
　ＡＢとＤの法定血族関係は、死後離縁で終了

### ⑵　協議離縁

　養子縁組の当事者は、協議により離縁をすることができます（民811Ⅰ）。離縁理由は特に定めがなく、離縁意思の合致（実質的要件）と届出（形式的要件）により、離縁が可能です。ただし、次の場合に注意が必要です。

＜協議離縁の例外＞

| 例　外 | 離縁をする者 | | 根拠条文 |
|---|---|---|---|
| 養子が15歳未満 | 離縁後に法定代理人となるべき者（注1、2）が離縁します。 | | 民811Ⅱ～Ⅴ |
| 夫婦である養親と未成年者との離縁 | 原則 | 夫婦が共同で離縁します。 | 民811の2本文 |
| | 例外 | 夫婦の一方がその意思を表示できないとき、単独の離縁が可能です。 | 民811の2ただし書 |

(注)1　実父母が離婚しているときはその協議で、協議が調わないときは家庭裁判所の協議に代わる審判で、一方を親権者となるべき者と定め、この者が離縁をします。
　　2　法定代理人となるべき者がいないとき（父母がともに死亡しているときなど）は、家庭裁判所が選任する離縁後に未成年後見人になるべき者が離縁をします。

## (3)　調停、審判、裁判離縁

### ア　調停離縁、審判離縁

　　養親子関係は裁判離縁による解消が可能ですが、婚姻同様、調停前置主義が採られているため（家事257）、まず調停を申し立てる必要があります。調停に代わる審判（家事284Ⅰ）の制度もあります。

### イ　裁判離縁

#### (ア)　離縁理由

　　民法は、次の場合に離縁の訴えを提起することができると定めています（民814Ⅰ①～③）。

＜離縁理由＞

| 条文上の離縁理由 | 具体例 | 根拠条文 | 判　例 |
|---|---|---|---|
| 悪意で遺棄された場合 | 扶養義務の不履行だけでなく、精神的・経済的な親子としての生活関係の正当な理由なき破壊も含みます。 | 民814Ⅰ① | ― |
| 3年以上の生死不明の場合 | ― | 民814Ⅰ② | ― |
| 重大な縁組継続困難事由がある場合 | 養親子間における実質的親子関係が客観的に破壊されたと認めうる場合。養親子は夫婦と異なり、法律上同居・協力義務がないので、単なる別居や行き来がないというだけで、破綻が認められるわけではありません。 | 民814Ⅰ③ | 最判S36.4.7民集15・4・706 |

㈠ 有責者からの離縁請求の可否

　　**有責者からの離縁請求**の可否については、最高裁判所は否定しています（最判 S 39.8.4民集18・7・1309）。

　　しかし、この判決の後、最高裁判所が離婚における有責配偶者からの離婚請求を認める判断をしましたので（本編第3章 第2 1⑹「有責配偶者からの離婚請求」86頁を参照してください。）、今後、最高裁判所が有責者からの離縁請求を認めるか否かが注目されます。

㈡ 裁量による離縁請求の棄却

　　離縁理由があったとしても、民法は裁判所が裁量棄却をすることを認めていますので（民814Ⅱ→770Ⅱ）、必ずしも離縁が認められるとは限りません。

㈢ 離縁の訴え

　　離縁の訴えは、養子縁組の当事者がこれを提起することができます（民814Ⅰ）（養子が15歳未満の場合は離縁後に養子の法定代理人となる者。民815、811Ⅱ）。

　　離縁の訴えを提起しても、和解や請求の放棄及び認諾が可能であり、判決のほかこれらの調書への記載によっても、離縁が成立します。

## ⑷ その他の終了事由

　養親子関係にある子が、特別養子縁組をした場合も、養親子関係は終了します（民817の9）。

## 6 離縁の効果

## ⑴ 親族関係の終了

　離縁によって、養子と養親との親族関係は終了します（民729）。

＜離縁の効果＞

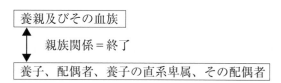

㈲ なお、婚姻障害が残るのは、既に述べたとおりです（民736）。33頁を参照してください。

## ⑵　養子の氏・養子の戸籍

　離縁によって、養子の氏、戸籍は、次のとおりとなります。

**＜離縁後の養子の氏・戸籍＞**

| 区分 | | 内　容 | 根拠条文 |
|---|---|---|---|
| 氏 | 原　則 | 縁組前の氏に復します。 | 民816 I |
| | 例　外 | ①　縁組から7年が経過した後に、離縁をしたときは、離縁の日から3か月以内に届出をすることにより、縁氏の続称が可能です。<br>②　夫婦が共同して養親として養子縁組し、夫婦の一方だけ離縁をする場合は、養子は縁組前の氏に復しません。<br>③　養子が婚姻で氏を改めたときは、氏の変更はありません。 | ①　民816 II<br><br><br>②　民816 I ただし書<br><br>③　民810ただし書 |
| 戸籍 | 原　則 | 縁組前の戸籍に復します。 | ― |
| | 例　外 | 養子が婚姻で氏を改めたときは、戸籍の変動も生じません。 | ― |

## ⑶　未成年養子の親権

　養子が未成年の場合、離縁後の法定代理人は次のとおりとなります。

**＜未成年養子の離縁＞**

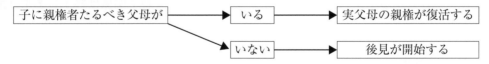

## ⑷　養親の祭祀

　養子が離縁前に養親の祭祀財産を承継していた場合、当事者とその他関係者が協議して、その権利を承継すべきものを定めます（民817→769、897 I）。

## ⑸　財産分与

　離婚と異なり、財産分与を認める規定がなく、判例も消極的です。

## ⑹　慰謝料

　離縁原因となった行為による精神的苦痛だけでなく、離縁そのものによる精神的苦痛についても、慰謝料を請求できます。

## 7 特別養子縁組

### (1) 特別養子縁組とは

　特別養子縁組とは、一定年齢に達しない未成年者について、実方との親子関係を終了させ、養親との間に実親子と同様の養親子関係を成立させる縁組制度です。

　従来の我が国の養子縁組制度は、実方との親子関係を終了させないもののみであり、子のための養子制度としては十分に機能していませんでした。また、我が国では古くから他人の子を引き取って実子として育てる（藁の上からの養子）という慣行がありました。しかし、これには、他人の子を自己の実子として虚偽の出生届をし、戸籍に虚偽の記載をするという問題点があり、判例もこのような行為について、嫡出子出生届をもって養子縁組届とみなすことは許されないとし養子としての効力を認めていません（最判Ｓ50.4.8民集29・4・401）。

　そこで、子の福祉の増進を図るための養子縁組として実方との親子関係を終了させる養子制度が求められるようになり、昭和62年の民法改正で特別養子縁組が制度化されるに至りました。

　令和元年の民法改正前は、特別養子縁組の養子となる者の年齢は6歳未満でなければならないと制限されていました。令和元年改正では、児童養護施設等に入所している年長の子にも養親のもと家庭で育つ環境を与えられるよう、対象年齢の要件を6歳未満から15歳未満に引き上げました。

　また、同改正では、特別養子縁組の成立の手続を①特別養子適格の確認の審判と②特別養子縁組の成立の審判の二段階に分け、①については養親候補者のみならず児童相談所長も申し立てることができるようにして養親候補者の負担を軽減しました。

　特別養子縁組の成立要件の一つである父母の同意についても、いつでも撤回できるとすると、養親候補者は父母が同意を撤回するのではないかという不安を抱きながら試験養育をすることになるため、撤回を制限しました。

**＜父母の同意の撤回制限（家事164の2Ⅴ）＞**

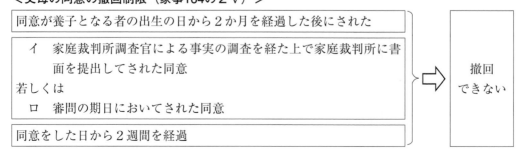

## (2)　特別養子縁組の成立要件

### ア　特別養子縁組の成立要件

　特別養子縁組は子の福祉の増進を図るものであることから、民法は、かかる制度趣旨にかなう特別養子縁組の要件を定めています。

**＜特別養子縁組の成立要件＞**

| | 要　件 | 根拠条文 |
|---|---|---|
| **夫婦共同縁組の原則** | 養親となる者は、配偶者のある者で、かつ夫婦がともに養親とならなければなりません。もっとも、夫婦の一方が他の一方の嫡出である子（特別養子縁組以外の縁組による養子を除きます。）の養親になる場合（いわゆる「連れ子養子」の場合）は、夫婦の一方の単独で縁組をすることができます。 | 民817の3<br>ⅠⅡ |
| **養親の年齢** | 養親は25歳以上でなければなりません。ただし、養親となる夫婦の一方が25歳に達している場合には、他方は20歳に達していればよいとされています。 | 民817の4 |
| **養子の年齢** | 養子となることができる者は、原則として、家庭裁判所に対する縁組の請求時に、15歳未満でなければなりません。ただし、例外的に、その者が15歳に達する前から引き続き養親となる者に監護されていた場合で、15歳に達するまでに縁組の請求がされなかったことについてやむを得ない事由があるときは、縁組が認められます。縁組が成立するまでに18歳に達した者は養子となることができません。 | 民817の5<br>ⅠⅡ |
| **養子の同意** | 養子となる者が15歳に達している場合はその者の同意が必要です。 | 民817の5<br>Ⅲ |
| **父母の同意** | 養子となる者の父母（注1）の同意が必要とされています。ただし、父母が同意の意思表示をできない場合、父母による虐待、悪意の遺棄その他養子となる者の利益を著しく害する事由がある場合には同意は不要です。 | 民817の6 |
| **要保護要件** | 父母による養子となる者の監護が著しく困難又は不適当であることその他特別の事情がある場合において、子の利益のため特に必要があると認められなければなりません（注2）。<br>この要保護要件は、実質的成立要件の1つであるとともに、家庭裁判所が特別養子縁組を成立させる場合の判断基準を明らかにしたものです。 | 民817の7 |
| **試験養育** | 特別養子縁組を成立させるには、養親となる者が養子となる者を6か月以上の期間監護した状況を考慮しなければなりません。この期間は、養親となるものが特別養子縁組を請求した時から起算されますが、請求前から監護がなされていて監護の状況が明らかなときは請求前の期間も算入されます。 | 民817の8 |

（注）1　養父母がいる場合は、実父母と養父母の全員の同意が必要となります。

　　　2　「監護が著しく困難」とは、子の健全な育成を図るための監護養育が不可能であるか、又はこれに近い状態にあることをいい、父母の死亡・行方不明による監護不能状態がこれに該当します。

　　　　「監護が著しく不適当」は、父母による虐待や悪意の遺棄、あるいは父母の親権の濫用や著しい不行跡がある場合などです。

## イ　連れ子養子について

　法が配偶者の連れ子につき特別養子縁組を予定していることは、民法第817条の3第2項ただし書や第817条の9ただし書の規定から明らかです。しかし、いわゆる連れ子養子の場合、養育状況には変化がなく、父母による「監護が著しく困難又は不適当」という要件は通常満たしません。したがって、特別養子を必要とする「その他特別の事情」がないかぎり、特別養子縁組の成立を認めることは困難となります。

　この点、裁判例の多くは、特別の事情の存否について消極的です。連れ子は少なくとも父母の一方の監護に欠けることはなく、養親がその後に離婚する場合に特別養子縁組をしていると離縁することが難しく、かえって問題が生じるおそれがあるので、特別の事情がないとしています。もっとも、裁判例の中には、特別な事情とは「特別養子縁組を成立させ、父母及びその血族との間の親族関係を原則として終了させることが子の利益のために特に必要と判断される事情をも含む」とし、特別の事情を認めたものもあります（東京高決H8.11.22家月49・5・78）。

⑶　**特別養子縁組の手続**

　特別養子縁組は、家庭裁判所の審判によって成立します（民817の２Ⅰ、家事39別1㊳）。特別養子縁組は、子の福祉の増進を図るものであり、実方の血族との親族関係を消滅させるものであることから、家庭裁判所による慎重な審理・判断によって成立するのです。

　家庭裁判所における特別養子縁組の手続は、特別養子適格の確認の審判と特別養子縁組の成立の審判の２段階となっています。

　児童相談所長は、特別養子適格の確認の審判を申し立てることができ（児童福祉法33の６の２Ⅰ）、また、利害関係参加人としてこの手続に参加して実親による養育状況を主張、立証することができます（児童福祉法33の６の３ⅠⅡ）。

　養子となる者の親権者（夫婦の一方が他の一方の実子の養親となる場合を除きます。）は、特別養子縁組の成立の審判事件の手続において養子となる者を代理することはできません。養子となる者の父母はこの手続に参加することはできません（家事164ⅢⅣ）。

＜特別養子縁組の手続の申立人＞

| 手　続 | 申立人 | 根拠条文 |
|---|---|---|
| 特別養子適格の確認の審判 | 養親となる者<br>児童相談所長 | 民817の２Ⅰ、<br>児童福祉法33の６の２Ⅰ、<br>家事39別表１㉘の３ |
| 特別養子縁組の成立の審判 | 養親となる者 | 民817の２Ⅰ、家事39別表１㊳ |

**＜特別養子縁組の手続の流れ＞**

| 手　続 | 内　容 |
|---|---|

| 手続 | 内容 |
|---|---|
| 家庭裁判所への申立て | **特別養子適格の確認の審判** / **特別養子縁組の成立の審判**<br>特別養子適格の確認の審判と特別養子縁組の成立の審判は同時に申し立てます（家事164の2Ⅲ）。<br>申し立てる裁判所は、養親となるべき者の住所地を管轄する家庭裁判所です（家事164の2Ⅱ、164Ⅰ）。 |
| | ⇩ |
| | **審判前の保全処分**　申立人を監護者に選任する、養子となる者の親権者の職務の執行を停止するなど（家事166Ⅰ）。 |
| | ⇩ |
| 事実の調査 | 家庭裁判所調査官が調査をします（家事58Ⅰ）。 |
| | 実親による養育状況や実親の同意の有無（民817の6本文）を確認します。 / 養親となる者と養子となる者の6ヶ月以上の試験養育（民817の8Ⅰ）の状況を調査します。この試験養育は特別養子適格の確認の審判が確定してから始めることができます。 |
| | ⇩ |
| 陳述の聴取 | 次の者の陳述を聴きます。<br>① 養子となる者（15歳以上の者に限る。）<br>② 養子となる者の実親<br>③ 養子となる者の親権者及び未成年後見人<br>④ 養子となる者の父母の親権者及び後見人<br>実親の同意がない場合は、実親の陳述の聴取は、審問の期日においてしなければなりません（家事164の2Ⅵ）。 / 次の者の陳述を聴きます。<br>① 養子となる者（15歳以上の者に限る。）<br>② 養子となる者の親権者（養子となる者の父母及び養子となる者の親権者に対し親権を行う者を除く。）<br>③ 養子となる者の未成年後見人<br>（家事164Ⅵ） |
| | ⇩ |
| 審判 | 実親の同意の要件（民817の6）と実親による監護が著しく困難又は不適当であることその他特別の事情があることの確認ができた場合に特別養子適格の確認の審判をします（家事164の2）（確認できない場合は申立却下の審判）。 / 特別養子適格の確認の審判を受けた者につき特別養子縁組の要件（民法817の3〜817の7）が認められる場合に特別養子の成立の審判をします（民817の2）（認められない場合は申立却下の審判）。 |
| | ⇩ |

| 告知 | 特別養子縁組の確認の審判は、次の者に告知しなければなりません。<br>① 養子となる者（15歳に達していない者で、年齢及び発達の程度その他一切の事情を考慮してその者の利益を害すると認める場合には告知を要しません。）<br>② 養親となる者<br>③ 養子となる者の父母<br>④ 養子となる者の親権者、未成年後見人<br>⑤ 養子となる者の父母の親権者、後見人<br>⑥ 利害関係参加人<br>（家事164の2Ⅸ、Ⅹ） | 特別養子縁組の成立の審判は、次の者に告知しなければなりません。<br>① 養子となる者（15歳に達していない者で、年齢及び発達の程度その他一切の事情を考慮してその者の利益を害すると認める場合には告知を要しません。）<br>② 養親となる者<br>③ 養子となる者の親権者、未成年後見人<br>④ 利害関係参加人<br>養子となる者の父母に告知する必要はありません。住所又は居所が知れている父母には、審判日と審判主文を通知します（家事164Ⅷ、Ⅸ）。 |
|---|---|---|
| 即時抗告 | 特別養子適格の確認の審判に対しては、<br>① 養子となる者<br>② 養子となる者の父母<br>③ 養子となる者の親権者、未成年後見人<br>④ 養子となる者の父母の親権者<br>が、<br>特別養子適格の確認の申立てを却下する審判には、申立人が、即時抗告をすることができます（家事164の2Ⅻ）。 | 特別養子縁組の成立の審判に対しては、<br>① 養子となる者<br>② 養子となる者の親権者、未成年後見人<br>が、<br>特別養子縁組の成立の申立てを却下する審判に対しては申立人が、即時抗告をすることができます（家事164ⅩⅣ）。 |
| 確　定 | 特別養子適格の確認の審判の確定から6か月以内の養子となる者が特別養子縁組の成立の審判を受けることができます（家事164Ⅱ）。 | 養親との間に実親子と同様の養親子関係が成立し、実方との親子関係は終了します。 |

※　特別養子適格の確認の審判と特別養子縁組の成立の審判は、同時にすることも可能です。この場合、特別養子縁組の成立の審判は特別養子適格の確認の審判が確定するまで確定せず、特別養子適格の確認の審判を取り消す裁判が確定したときは特別養子縁組の成立の審判も取り消されます（家事164ⅩⅠ、ⅩⅡ）。

## (4)　特別養子縁組の効果

　特別養子縁組も養子縁組の一種ですから、特別養子縁組の成立によって普通養子縁組と同様の効果が生じます。すなわち、縁組の日から養親の嫡出子としての身分を取

得し（民809）、養子と養親及びその血族との間に親族関係が生じます（民727）。

特別養子縁組特有の効果は、次のとおりです。

**＜特別養子縁組特有の効果＞**

| 効　　果 | 根拠条文 |
|---|---|
| 養子と実方の父母（注1）及びその血族との親族関係が終了します（注2、3）。 | 民817の2 I |
| ただし、夫婦の一方が他方の嫡出子を特別養子とする場合（民817の3 II ただし書）、特別養子と実方の父母との親子関係及びその血族との親族関係は終了しません。 | 民817の9 |

(注)1　「実方の父母」とは縁組前の法律上の父母を意味するので、実父母のほか、養父母も含まれます。
　2　婚姻障害（民734 II、735後段）は適用されます。
　3　親族関係終了の効果は、特別養子縁組成立の審判が確定した時から将来に向かって生じます。したがって、審判確定前に具体的に発生している養子と実方の父母及びその血族との権利義務関係は影響を受けません。

### (5)　特別養子縁組の戸籍

特別養子は、実方の父母との親族関係が終了し、養親のみが法律上の親になることから、特別養子の戸籍については普通養子の戸籍（普通養子の場合、実親の戸籍から養子の戸籍に直接入籍し、「父母欄」と「養父母欄」が設けられます。）とは異なった特殊な処理がされています。

**＜戸籍記載の手続＞**

| 養親からの届出（戸籍68の2→63 I） |
|---|

| 養子について、実親の本籍地で新戸籍（単身戸籍）（A）が編製され（戸籍20の3 I、30 III）、実親の戸籍（B）から除籍されます。 |
|---|

| 特別養子は、戸籍（A）から養親の戸籍（C）に入籍します（戸籍18 III）。 |
|---|

| 戸籍（A）は在籍者が誰もいない戸籍となり、戸籍簿から除いて別につづり、除籍簿として保存されます（戸籍12 I）。 |
|---|

以上のような戸籍記載の手続によって、戸籍（B）からも戸籍（C）からも特別養子縁組を直接には検索することができなくなります。

養親の戸籍（C）については、身分事項欄に「民法八百十七条の二による裁判確

定」と記載され、父母欄に養父母の氏名だけを単に父・母として記載し、父母との続柄欄には「長男」「長女」「二男」「二女」と実子と同様の記載がなされます。

## ⑹　特別養子縁組の離縁

### ア　特別養子縁組の離縁の要件

　　特別養子縁組の離縁は原則として認められません（民817の10Ⅱ）。特別養子縁組は、養親との間に実親子関係と同様の嫡出親子関係を形成し、実親との関係を切断するものだからです。

　　しかし、次の要件のもと、家庭裁判所の審判によって例外的に離縁が認められています（民817の10Ⅰ、家事39別1⑭）。

＜特別養子縁組の離縁の要件＞

| 要　件 | 根拠条文 |
|---|---|
| ①　養親による虐待、悪意の遺棄その他養子の利益を著しく害する事由があること<br>②　実父母が相当の監護をすることができること<br>③　養子の利益のため特に必要があると認められること | 民817の10Ⅰ |

### イ　特別養子縁組の離縁の手続

　　特別養子縁組の離縁は、申立権者の申立てに基づいて、家庭裁判所が判断します。養親からの離縁申立ては許されていません。管轄裁判所と申立権者は次のとおりです。

＜特別養子縁組の離縁の申立て＞

| 項　目 | 内　容 | 根拠条文 |
|---|---|---|
| 申立権者 | 養子（養子が15歳未満の場合は離縁後の法定代理人（実父母など）が養子を代理します。）、実父母、検察官 | 民817の10Ⅰ |
| 管轄 | 養親の住所地の家庭裁判所 | 家事165Ⅰ |

### ウ　特別養子縁組の離縁の効果

　　家庭裁判所の審判によって離縁が認められると、次の効果が生じます。

＜特別養子縁組離縁特有の効果＞

| 効　　果 | 根拠条文 |
|---|---|
| 離縁の日から養子と実父母及びその血族との間に特別養子縁組によって終了した親族関係と同一の親族関係が生じます（実方の血族との親族関係が復活します。）。 | 民817の11 |

　このほか普通養子縁組の離縁において認められるのと同様の効果も生じます。養親及びその血族との間の親族関係は終了し（民729）、子は縁組前の氏に復すことになる（民816Ⅰ）などです。

　また、養子は離縁によって、縁組前の戸籍（実親の戸籍）に復籍します（戸籍19）。

# 第5章　親　権

## 第1　親権者

### 1　親権とは

　親権とは、父母が未成年の子を一人前の社会人とすべく監護教育し、子の財産を管理することを内容とする権利義務の総称です。「権利」というよりも義務的な性格が強いものといえ、子の利益、福祉のために行使されなければなりません。

　こうした観点から、民法第821条では親権者は監護・養育をするに当たって、児童福祉法第33条の2第2項では児童相談所長は監護及び教育に関して児童の福祉のため必要な措置をとる場合において、及び児童虐待の防止等に関する法律第14条では親権者は児童のしつけに際して、「児童の人格を尊重するとともに、その年齢及び発達の程度に配慮しなければならず、かつ体罰その他児童の心身の健全な発達に有害な影響を及ぼす言動をしてはならない」とそれぞれ規定しています。

　民法では「親権者」（民819）と「親権を行う者」（民820等）と2つの言葉を使用していますが、両者を区別する必要はないと解されています。

　なお、学校教育法第16条に規定されている「保護者」とは、子女に対して親権を行う者のほか、未成年後見人も含みますので、親権者よりも広い概念です。

　平成30年民法改正により、成年に達する年齢は「18歳」とされました（平成30年改正民法4）。したがって、未成年は0歳から17歳となります。

### 2　親権の内容

#### (1)　内容

　親権は、大きく①監護教育権、②財産管理権に区別されます。それぞれの内容については、下記のとおりです。

　未成熟の子に対する扶養義務（監護教育費用の負担）については、親であること自体により当然に発生するものであり、親権の有無には関係ありません。

＜親権の内容＞

| 分　類 | 内　容 | | 根拠条文 |
|---|---|---|---|
| **監護教育権**<br><br>未成年の子を一人前の社会人として監護教育する権利（義務） | 監護及び教育の権利義務 | | 民820、821 |
| | 居所指定権 | | 民822 |
| | 職業許可権 | | 民823 |
| | 子の引渡請求権 | | ― |
| | 面会交流権（面接交渉権） | | 民766 I |
| | 身分行為の代理権 | 嫡出否認の訴えにおける被告 | 民775 I ①④ |
| | | 認知の訴え | 民787 |
| | | 子の氏の変更 | 民791 Ⅲ |
| | | 代諾養子 | 民797 |
| | | 養親が未成年の縁組の取消し | 民804 |
| | | 協議離婚 | 民811 Ⅱ |
| | | 離縁の訴え | 民815 |
| | | 親権の代行 | 民833 |
| | 命名権 | | ― |
| **財産管理権**<br><br>未成年の子の財産を管理する権利（義務） | 財産管理権 | | 民824 |
| | 財産上の代理権 | | |

 **参考**

**「懲戒権」　～令和4年民法改正～**

　懲戒権は、「親権を行う者は、第820条の監護及び教育に必要な範囲内でその子を懲戒することができる（改正前民法第822条）」というもので、監護教育権の一部と位置付けられていました。

　この規定が児童虐待を正当化する口実になっているとの指摘を受け、令和4年に懲戒権の規定は削除されました。

　なお、社会的に許容される正当な「しつけ」は、「監護及び教育（民820）」として行うことができます。

## ⑵　監護教育権（身上監護権）

　監護教育権は、子女の身体の保全育成と精神の発達向上を図る権利です（大阪地判 S48.3.1判時721・24）。

　親権者は子の監護教育を第三者に委託することができますが（児童福祉法27Ⅰ③参照）、第三者に委託しても親権者が親権を失うものではありません。

　親権者は、監護及び教育をするに当たって、子の人格を尊重するとともに、その年齢及び発達の程度に配慮しなければならず、かつ、体罰その他の子の心身の健全な発達に有害な影響を及ぼす言動をしてはなりません（民821）。その他、親権が子の福祉、利益のために行使される必要性から各種の制約があります。

**＜監護教育方法とその制約＞**

| 区　分 | 内　　容 | | 根拠条文 | 判　例 |
|---|---|---|---|---|
| 原　則 | ①　子の人格を尊重するとともに、その年齢及び発達の程度に配慮しなければならない。②　体罰その他の子の心身の健全な発達に有害な影響を及ぼす言動をしてはならない。 | | 民821、児福祉法33の2、47Ⅲ、児童虐待の防止等に関する法律14 | — |
| 制　約 | 子の利益・福祉から | 親権の不当行使、不作為（親権の濫用）は許されません。 | — | 大阪高判H4.1.30判タ788・205 |
| | | 親権喪失原因となるほか、子に対して損害賠償責任を負うこともあります。 | 民834 | |
| | 社会公共的見地から | 義務教育を受けさせる義務があります。 | 憲26Ⅱ、教育基本法4Ⅰ | — |
| | | 経済的理由等により子を手元において養育できないときの児童相談所、福祉事務所などへの相談義務があります。 | 児童福祉法30Ⅲ | |

＜監護教育権に含まれる具体的権利＞

| 権　利 | 内　容 | 制約等 | 根拠条文 | 判　例 |
|---|---|---|---|---|
| 居所指定権 | 監護教育をするための子の居所を定める。 | ①　子に意思能力があれば、子の意思に反して指定地に居住させる法的手段はありません。<br>②　父母の意見が対立する場合には、家庭裁判所の決定に委ねることになります（家事39別2①）㊟。 | 民822 | ①大判Ｓ13.3.9 民集17・378 |
| 職業許可権 | 職業を許可する（取消し、制限可能）。 | 職業とは、広く継続的な業務であり、営利を目的としない場合や他人に雇われる場合も含みます。<br>本条の許可以外に別途営業許可を付与することにより、未成年者は成年者と同一の行為能力を有します。 | 民823Ⅱ、6Ⅱ | ― |
| 子の引渡請求権 | 不法に子を手元に置く者に対し、親権及び監護権の行使の妨害排除請求として子の引渡しを求めることができる。 | 共同親権を行う父母の一方が、他方に対して子の引渡請求をする場合は、子の福祉の観点から、いずれの親が監護者として相当かによって判断されることになります。 | ― | ― |
| 面会交流権 | 離婚後、親権者又は監護権者とならなかった親が、その未成年の子と面会交流をすることができる。 | 面会交流は、子の監護について必要な事項（民766Ⅰ）と考えられていますが、その法的性質については、親固有の自然権とする説、子の権利とする説などがあります。<br>子の福祉に反しない限り認めるべきと考えられており、面会交流の頻度・場所・方法などは、諸般の事情を考慮して、父母が協議して決めることになります。 | 民766Ⅰ | 最判Ｓ59.7.6 家月37・5・35 |

| 権　利 | 内　容 | 制約等 | 根拠条文 | 判　例 |
|---|---|---|---|---|
| 身分行為の代理権 | 未成年者の身分行為について代理する。 | 未成年者でも意思能力を有する限り、身分上の行為については本人自身が意思決定すべきところ、子の利益を考慮し、民法上規定されています。民法に規定する以外の身分上の行為の代理については通説は否定しています。<br>【民法に規定されている身分行為の代理権】<br>a　嫡出否認の訴えの被告となること<br>b　認知の訴え<br>c　15歳未満の子の氏の変更<br>d　未成年者が養親となる縁組の取消し<br>e　15歳未満の子の離縁の代諾<br>f　15歳未満の子の離縁の訴え<br>g　親権の代行<br>h　相続の承認及び放棄 | a民775Ⅰ①④<br><br>b民787<br>c民791Ⅲ<br>d民804<br><br>e民811Ⅱ<br>f民815<br>g民833<br>h民917、915Ⅰ | ― |
| 命名権 | 子に名前を付ける。 | 親権者に帰属する権利か子自身の固有の権利か争いがありますが、親権の一部と解するのが通説です。<br>命名は全くの自由ではなく、一定の制約があります。<br>①　常用平易な文字（常用漢字表と人名用漢字表に掲げられた漢字、平仮名、片仮名）を用いなければなりません。<br>　振り仮名は、氏名として用いられる文字の読み方として一般に認められているものでなければなりません。<br>②　子の利益を著しく損なう、又は子の人格を冒とくするような命名は、命名権の濫用として許されません。 | 戸籍50、戸籍規60<br><br><br>令和5年改正戸籍13Ⅰ②Ⅱ | 東京家八王子支部審<br>H6.1.31<br>判時1486・56 |

(注)　虐待を続ける親権者が子の意思に反して再三にわたり子を施設等から連れ戻す場合は、居所指定権の濫用となります。

## 面会交流を不当に拒否された場合の強制手段

　面会交流について当事者間で協議が調わなければ家庭裁判所に対し調停を申し立て、調停でも話し合いがつかなければ審判へと移行して家庭裁判所に決定してもらうことになります。しかし、そうやって面会交流すべき旨の調停が成立したり家庭裁判所の決定が出たりしても、相手方がそれに従わない場合があります。そのような場合、相手方に面会交流の履行を強制させる方法として、間接強制（裁判所が、義務（この場合は面会交流）を履行しない相手方に対し、義務履行違反に対して一定の金銭を支払うことを命じる方法）による強制の方法がとれるかについては争いがありました。

　最高裁判所は、面会交流についても間接強制の手段をとることは可能であることを示しました（最決 H25.3.28集民243・261）。ただし、最高裁判所は、間接強制が認められるのは「面会交流の日時又は頻度、各回の面会交流時間の長さ、子の引渡しの方法等が具体的に定められているなど監護親がすべき給付の特定に欠けるところがない」場合だけである、ともいっています。これは、相手方が履行すべき義務が特定されていなければ何をもって「義務違反」というかが不明だからです。したがって、今後は、当初から相手方が面会交流の実現に非協力的な場合には、調停手続や審判手続において、間接強制を念頭に、面会交流の各条件が具体的に定められるよう注意した方がよいでしょう。

　なお、当事者間に面会交流についての協力体制が整っており、裁判外での協議が可能な場合には、細かく条件を固定してしまうことで却って円滑な面会交流が阻害されるおそれもあります。また、裁判外の合意だけではいずれにせよ間接強制という手段は取れません。したがって、このような場合には、面会条件を概括的に定めても問題ありません。

## (3)　財産管理権

### ア　財産管理権（狭義）

　未成年者に意思能力があれば、親の「同意」により自ら法律行為をすることはできますが（民5Ⅰ）、未成年者の福祉、利益保護の観点から、親権者には子の財産を管理する権利が認められています（民824本文）。したがって、財産管理は一定の目的に沿って財産を保管処理することを意味し、「管理」に処分行為も含まれると解されています（通説）。親権者は「自己のためにすると同一の注意義務」を負います（民827）。

　注意義務に違反し、子に損害を与えると、子に対して損害賠償責任を負うほか、管理失当として管理権喪失原因となります（民835参照）。

**＜財産管理権の及ばない「財産」＞**

| 未成年者の財産 | | | | |
|---|---|---|---|---|
| 未成年者が許可を得た営業に関する財産（民6Ⅰ） | 親権者が目的を定め又は定めなしで処分した財産（民5Ⅲ） | 第三者が親権者に管理させない意思を表示して未成年の子に無償で与えた財産（民830Ⅰ） | 労働契約による賃金請求権及びこれに基づき受け取った賃金（労働基準法59） | それ以外 |

親権者の管理が及ばない　　　　　　　　　　親権者の管理が及ぶ

### イ　財産に関する法律行為の代表（権）

　親権者は未成年の子の財産に関する法律行為について、子を代表します（民824）。代表は代理と同意義で、親権者の代理権は法律上当然に発生する法定代理です。

**＜親権者が代理する行為＞**

| 財産に関する法律行為 | ＝ | 狭義の財産管理権 | ＋ | 子の財産上の地位に変動を及ぼす一切の法律行為（売却、贈与、第三者のための借財、抵当権の設定など） |
|---|---|---|---|---|

　しかし、別表のとおり親権者の財産に関する代理行為についても子の利益、福祉の見地から各種の制限が認められます。

**＜代表権の制限内容＞**

| 制限行為 | 制限効果等 | 根拠条文 | 判　例 |
|---|---|---|---|
| 未成年の子の行為を目的とする債務を生ずる場合 | 未成年の子の同意が必要です。 | 民824ただし書 | ― |
| 管理権を排斥された財産についての管理・処分 | 第三者が子に無償で財産を与える場合には、親権者の一方又は双方の管理権を排斥することができます。この管理権排斥により、当該財産は親権者の管理に属さないこととなり、親権者は子を代理して管理・処分すること、子の管理・処分に同意を与えることができません。<br>※　親権者が2人いる場合に、一方の親権者が子に無償で財産を与える場合、他方親権者の管理権を奪うこともできます。 | 民830Ⅰ | 東京高判H19.5.30判タ1256・169 |
| 親権者の代理行為が子の利益に相反する場合（※163、164頁図表参照） | 特別代理人の選任が必要です。 | 民826Ⅰ | ― |
| 不当な代理権行使、子に不利益を与える行為 | 親権又は管理権の喪失事由になります。<br>※　親権者が代理権濫用により法律行為をしたときは、民法第93条第1項ただし書により、法律行為の相手方が濫用の事実を知り、又は知りうることができた場合には、子に法律効果は及ばないと考えられます。 | ― | ※最判H4.12.10民集46・9・2727 |

**ウ　親権者と未成年者の利益相反行為**

　　親権者の代理行為が子の利益に相反する場合には、特別代理人の選任が必要です（民826Ⅰ、家事39別1㊺）。

＜親権者と未成年者の利益相反行為の判例＞

| 項　目 | 内　容 | 判　例 |
|---|---|---|
| 利益相反行為の判断基準 | 利益相反行為に該当するか否かは、基本的には行為自体又は行為の外形のみから判断すべきとされました。 | 最判 S 37.10.2 民集16・10・2059 |
| 利益相反行為の効力 | 特別代理人の選任がない親権者の利益相反行為は無権代理行為となります。 | 大判 S 11.8.7 民集15・1630、 最判 S 46.4.20 家月24・2・106 |
| | 親権者が特別代理人によらないで子と利益の相反する行為をした場合、後に選任された特別代理人がそれに同意するか、本人である子が成年に達した後に追認しない限り、子に効力は及びません。 | 最判 S 35.10.11 家月13・1・115 |

＜利益相反行為に当たる場合＞

| | 内　容 | 判　例 |
|---|---|---|
| 利益相反行為 | 親権者にとっては利益となるが、未成年の子にとっては不利益となる行為 | － |
| | 同一の親権に服する子の一方にとっては利益となるが、他方にとっては不利益となる行為 | － |
| | 共同親権者の一方とのみ利益が相反する場合 →特別代理人と他方の親権者の共同代理行為 | 最判 S 35.2.25 民集14・2・279 |

＜利益相反行為の具体的肯否事例＞

| 区　分 | 内　容 | 判　例 |
|---|---|---|
| 利益相反行為となる行為 | 子の貸金売掛金等の債権を親権者に譲渡する行為 | － |
| | 親権者が自己の債務のために子を連帯債務者とする行為 | － |
| | 親権者が自己の債務の担保として子の不動産に抵当権を設定する行為 | － |
| | 親権者が自己の債務を子に転嫁するための行為 | － |
| | 親権者が第三者の債務について子と共に連帯保証をし、子と共有する不動産に抵当権を設定する行為 | 最判 S 43.10.8 民集22・10・2172 |
| | 親権者が共同相続人である数人の子を代理してなす遺産分割協議 | 最判 S 48.4.24 民集109・183 |
| | 子の財産を親権者の債務の代物弁済に充てる契約 | － |

| 区 分 | 内 容 | 判 例 |
|---|---|---|
| 利益相反行為となる行為 | 子の親権者等に対する債権の放棄 | — |
| | 子を保険契約者とし、子の保険料（掛金）において親権者を受取人とする生命保険契約の締結 | — |
| | 親権者が未成年の子から子所有の不動産を買い受ける行為 | — |
| | 相続の承認、放棄 | 最判S53.2.24 民集32・1・98 （注1） |
| 利益相反行為とならない行為 | 親権者が子と共同債務者となり、その債務について共有不動産に抵当権を設定する行為 | — |
| | 親権者である母が夫（継父）の債務の担保として、子所有の不動産に抵当権を設定する行為（注2） | — |
| | 子が主債務者、親権者が連帯保証人となっている借受金の支払のために、親権者が共同で約束手形を振り出した行為 | — |
| | 父を定める訴えの提起 | — |
| | 親権者が相続により共有持分を有した子の法定代理人として提起した共有物分割請求訴訟 | 東京地判H17.10.11 判例集未掲載 |
| | 第三者に対する子の財産の処分 | 大判S9.12.21 法律新聞3800・7、東京高判S44.4.28 判タ238・227 |

（注）1　相続の放棄が相手方のない単独行為であることから利益相反行為に当たる余地がないとした判例（大判M44.7.10）を変更し、相続の放棄も利益相反行為となり得ることを認めました。
　　　2　親権者と子の利益相反行為とならなくとも、財産管理の注意義務違反等に該当する可能性はあります。

## エ　財産管理の終了

### ㋐　管理権の消滅

次の場合に、従前の親権者の管理権は消滅し、財産管理は終了します。

①　子が成年に達した場合（民818Ⅰ）

②　子の死亡

③　子の破産手続開始決定

④　親権者の変更

⑤　親権、管理権の喪失、辞任

⑥　親権の移転（子の縁組、離縁など）

㈡　管理計算の義務

　子が成年に達したときは、親権者は遅滞なく管理の計算をしなければなりません（民828）。子の養育及び財産の管理の費用は子の財産の収益とこれを相殺したものとみなされます（民828ただし書）。このため、親権者が子の財産の収益を自分の遊興費に使うなどの事情があったとしても、既に親権者により費消された収益の返還を求めることはできません。

㈢　財産管理について生じた債権の消滅時効

　親権を行った者とその子との間で財産の管理について債権が生じることがあります。

＜管理について生じた債権の具体例＞

| 債権者 | 債務者 | 内　容 |
|---|---|---|
| 親権者 | 子 | 財産管理に要する費用を立て替えた場合の立替金返還請求権 |
| 子 | 親権者 | 親権者が子の財産を売却しその代金を保管する場合の保管金返還請求権 |
| 子 | 親権者 | 親権者が財産管理上の注意義務に違反して子に損害を与えた場合の損害賠償請求権 |

　この債権の消滅時効については、管理権が消滅したときから5年とされています（民832Ⅰ）。

＜財産の管理について生じた債権の消滅時効＞

| 区　分 | 内　容 | 根拠条文 |
|---|---|---|
| 原　則 | 管理権が消滅したときから、5年間で消滅時効にかかります。 | 民832Ⅰ |
| 例　外 | 親権者の管理権の消滅後に弁済期が到来する債権については、弁済期の到来時から時効が進行します。 | － |
| | 子がまだ成年に達しない間に管理権が消滅した場合に、子に法定代理人がいないときは、子が成年に達し、又は後任の法定代理人が就職した時から起算します。 | 民832Ⅱ |

## 3　親権者となる者

　親権者となる者は、次のとおりです。親権者は、子の身分上及び財産上の両面にわ

たって広い内容の権限を持つため財産法上の行為能力に均しい能力が必要であり、後見や保佐の開始決定を受けている者などには親権者となる能力が認められません。

### ＜親権者となる者＞

| 嫡出子 | 原　則 | 父母の双方が親権者となります（共同親権の原則（民818ⅠⅢ））。 |
|---|---|---|
|  | 例　外 | 次の場合は、父母のどちらか一方が親権者となります（単独親権）。<br>　1　一方が親権を行使できないとき（民818Ⅲただし書）<br>　(1)　法律上の障害があるとき<br>　　①　後見開始、保佐開始の審判<br>　　②　親権、管理権の喪失の審判（民835）<br>　　③　親権、管理権の辞任（民837Ⅰ）<br>　(2)　事実上の障害があるとき<br>　〈例〉<br>　　①　行方不明<br>　　②　受刑中<br>　　③　心神喪失又は心神の著しい障害<br>　2　子の出生後に父母が離婚したとき<br>　　離婚時に父母のどちらが親権者となるかを決めます（民819ⅠⅡ）。<br>　3　子の出生前の離婚の場合<br>　　母親の単独親権となります。ただし、子の出生後に父母の協議で親権者を父と定めることは可能です（民819Ⅲ）。 |
| 非嫡出子 |  | 母親が当然に親権者となります（単独親権）。<br>父親が認知しても当然に父親が親権者とはなりません。父母の協議により父親を単独親権と定めることができます（民819Ⅳ）。 |
| 養　子 | 原　則 | 養父母の双方が親権者となります（共同親権（民818ⅡⅢ））。<br>他の養親と転縁組したときは、第1の養親は親権を失い、第2の養親が親権者となります。<br><br>※夫婦の一方が他の一方の子を養子とする場合 |
|  | 例　外 | ①　親権者たる養父母の一方が死去すれば養父母の一方の単独親権となります。その後生存養父母と離縁（縁組の取消し）すれば後見が開始し、死亡した養親との間で死後離縁があれば実親の親権が回復します。<br>②　親権者たる養父母の双方が死去すると、後見が開始します。<br>③　親権者たる養父母双方と離縁すると、実親の親権が回復します。<br>④　親権者たる養父母が離婚すると、一方の養父母が親権者となります。その後、親権者の養父母と離縁（縁組の取消し）すれば後見が開始します。 |

## 4　親権の行使方法

### (1)　共同行使の原則

　婚姻中の父母は、未成年の嫡出子に対し、共同して親権を行使します。養父母も養子に対し、共同して親権を行使します（民818ⅠⅡⅢ）。

　「共同して行う」とは、父母一致の意思決定のもとに、また、他方の同意を得て親権を行使することです。

　この点、新興宗教団体に入信した妻が11歳と9歳の2人の子を連れて出家し、妻が再三にわたり子の引渡請求を拒んだ事例において、「一方親権者による子の全面的支配は、一応自己の有する権限に基づくものといえるので、原則として適法と評価されるが、子の福祉に著しく反する環境の下においてこれを全面的に支配し、他方親権者の関与を完全に排除するなど、実質的に夫婦共同親権行使の趣旨を没却し、親権の濫用と認められる特段の事情がある場合には、例外的に違法になる」（大阪地判H9.7.28判タ964・192）とし、一方親権者による他の親権者の関与の排除を違法とした判例があります。なお、判例は、このような場合は子に対する不法行為ではなく、父母の他の一方に対する不法行為であると判示しました。

### (2)　共同行使の方法

　共同親権の場合の親権は、父母が共同で行使します。

#### ア　父母の一方が単独名義で代理行為を行った場合

　最高裁判所は、共同親権者の名義を用いないで、又は、父若しくは母が親権者として単独で、未成年の子の財産に関してなした行為について、「絶対的に無効」としています（最判S.28.11.26民集7・11・1288、最判S.42.9.29判時497・59）。

#### イ　父母の一方が他方の同意なしに父母共同名義で代理行為をしたとき

　その行為の効力は有効となります。ただし、相手方が悪意であったときは、無効となります（民825）。

　また、父母が共同して代理行為を行った際、父母の一方の意思表示に要素の錯誤などの無効原因があるときは、共同行使の原則に照らし、無効と解されています（広島高判S44.6.5下民集20・5、6・410）。

　まとめると次のとおりです。

＜共同親権の共同行使＞

| 名義 | 一方の親権者の | 法律上の効果 | 判　例 |
|---|---|---|---|
| 父又は母<br>（単独） | 同意又は承諾あり | 有効 | 最判 S 32.7.5<br>民集27・27 |
| 父又は母<br>（単独） | 同意又は承諾なし | 無効（絶対的無効。学説は無権代理とします。） | 最判 S 28.11.26<br>民集7・11・1288 |
| 父・母<br>（共同） | 同意又は承諾あり | 有効。ただし、無効原因がある場合には無効（父母の一方に要素の錯誤などの無効原因があるとき） | 広島高判 S 44.6.5<br>下民集20・5、6・410 |
| 父・母<br>（共同） | 同意又は承諾なし | 有効。ただし、相手方が悪意であったときは無効（相対的無効（民825）） | ― |

## (3)　共同行使の例外

### ア　単独行使

　単独親権の場合は、親権は単独行使となります。

### イ　親権代行

　親権を行う者は、その親権に服する子が親権者であるときは、その子に代わって孫に対する親権を行います（民833）。

　代行すべき親権の範囲は、財産管理権のみならず身分上の行為の代理権にも及びます。

　法定代理人である親権者を代行することから、その形式は復代理人の代理行為同様（民106 I）、未成年者の親権者は代行される親権に服する子の名において法律行為を行うべきと解されています。

**＜親権代行が認められる場合＞**

| 内　容 | | 根拠条文 |
|---|---|---|
| 未成年者の親権代行 | 【適用となる具体的場面】<br>①　未成年の女性が出産した非嫡出子に対する親権を、未成年の母に代わってその父母が行う場合<br>②　未成年の男性が非嫡出子を認知して子の父となり、母との協議により親権者となる場合における男性の父母が行う場合<br>※　親権代行者に代行権の濫用又は著しい不行跡がある場合、財産を危うくした場合などは、親権代行者に対して親権喪失、管理権喪失の規定が準用されますが、未成年の子の親権自体は喪失しません。 | ※　民834〜835 |
| 児童福祉施設の長の親権代行 | 児童福祉施設に入所中の児童で、親権を行う者又は未成年後見人のいない者は、親権を行う者又は未成年後見人があるに至るまでの間、児童福祉施設の長が親権を代行します。 | 児童福祉法47ⅠⅡ |
| 未成年後見人の未成年被後見人の親権代行 | 未成年被後見人に子がある場合、未成年後見人がその子に対する親権を代行します(注)。 | 民867Ⅰ |

(注)　本編第6章　第2　3「未成年後見の事務」を参照してください。

## 5　親権者の変更

　単独親権者の親権に服している子について、その親権者から他方の親への親権者の変更を求める手続です（民819Ⅵ）。家庭裁判所の調停又は審判（家事39別2⑧、244）が必要であり、当事者の協議で決めることはできません。

　離婚により未成年の子の単独親権者として指定されたが、その後、病気や事故で子を養育できない等の事情が生じた場合や他方の親が親権者となった方が子の利益、福祉の見地から適当な場合に親権の変更が問題となります。

　なお、条文上「親権者を他の一方に変更することができる」（民819Ⅵ）と規定されていることから、共同親権に服している子について、単独親権に変更することはできません（実親と養親の共同親権に服している場合に、非親権者である実親への親権者変更は認められません（大阪高決Ｓ48.3.20家月25・10・61、東京高決Ｓ48.10.26判時724・43）。）。

**＜親権者の変更が問題となる例＞**

| 内　　容 | | | 判　　例 |
|---|---|---|---|
| 単独親権者たる実親の死亡 | 原則 | 後見人が選任されます（民838①）。 | ― |
| | 例外 | ①　非親権者の親が生存している場合、後見人選任後であっても親権変更が可能です（無制限回復説）。<br>②　ただし、子の福祉の観点から親権者としての適格性が慎重に判断されるため、非親権者たる親が後見人より優先されるものではなく、家庭裁判所の裁量に任せられます。<br>③　その判断方法については、「新たに親権者となる親が後見人と同様又はそれ以上の監護養育適格者であり、かつ、親権者を変更しても子の利益が確保できるか否かという観点から判断すべき」とされています。 | ①名古屋高金沢支部決<br>S52.3.23<br>家月 29・8・33ほか<br>②福島家審<br>H2.1.25<br>家月42・8・74、福岡家小倉支部審H11.6.8<br>家月51・12・30<br>③東京高決<br>H6.4.15<br>家月47・8・39 |
| 単独親権者たる養親の死亡 | | 争いがあります。<br>①　実親の親権は復活せず後見が開始するとする説<br>　　離縁許可前に実親が親権者変更の申立てをすることはできません。<br>②　実親の親権が当然に復活するとする説<br>　　養親が死亡して親権を行使する者がいなくなった場合には、養子は離縁等の手続を待たず、当然に実親の親権に服することになります。 | ①東京高決<br>S56.9.2<br>家月34・11・24<br>②宇都宮家大田原支部審S57.5.21家月34・11・49 |
| 単独親権者に行方不明など事実上親権を行使できない障害が発生した場合 | | 親権変更の申立てが可能です(注)。<br>ただし、親権者の変更が認められるには、子の利益、福祉の観点から申立人に十分な監護教育をなし得ることが認められる必要があります。 | 大阪家審<br>S39.6.17<br>家月16・12・38 |
| 単独親権者に後見開始など法律上の障害が発生した場合 | 原則 | 未成年後見が開始します。 | ― |
| | 例外 | 未成年者の福祉のために非親権者たる実親を親権者とする特段の事情が認められる場合には、親権変更申立てが可能です。 | 岡山家児島出張所審H3.6.28<br>家月44・6・76 |

(注)　行方不明など調停困難の場合は、審判手続によることになります。

**＜審判手続における親権変更の手続＞**

| 内　容 | | | 根拠条文 |
|---|---|---|---|
| 家庭裁判所へ<br>の申立て | 申立人 | 子の親族　※子に申立権はありません。 | 民819Ⅵ |
| | 相手方 | 親権者 | － |
| | 管　轄 | 子の住所地を管轄する家庭裁判所 | 家事167 |

⇩

| | |
|---|---|
| 審判前の保全処分手続<br>　　親権者の職務執行停止、職務代行者の選任など | 家事175 |

⇩

| 利害関係人の<br>参加 | 子の法律上の監護者、事実上の監護者等は家庭裁判所<br>の許可を得て審判に参加することができます。 | 家事42Ⅱ |
|---|---|---|

⇩

| 事実の調査 | 家庭裁判所調査官が、調査をします。<br>子が満15歳以上であれば子の陳述を聴取しなければな<br>りません。 | 家事58Ⅰ、169<br>Ⅱ |
|---|---|---|

⇩

| 審　判 | 家庭裁判所の家事審判官は、調査の結果等を踏まえ、<br>親権者の変更の審判をします（変更すべきでないと判<br>断したときは申立却下の審判）。 | 家事73Ⅰ |
|---|---|---|
| | 監護者の指定、付随的処分（子の引渡し又は財産上の<br>給付等を命じること）もできます。 | 家事171 |

⇩

| 即時<br>抗告 | 父、母又は子の監護者は、即時抗告をする<br>ことができます。 | 家事172Ⅰ⑩ |
|---|---|---|

⇩

| 確　定 | 親権者となった者は、審判確定の日から10日以内に審<br>判書の謄本と確定証明書を添付して戸籍の届出をしな<br>ければなりません。 | 戸籍79→63Ⅰ |
|---|---|---|

## 6　親権の喪失

### (1)　親権の喪失

　親権（管理権を含みます。）の喪失については、親権者の意思に基づく場合（辞任）と家庭裁判所の審判（家事39別1⑥⑦）による場合があります。

　親権は未成年の子の福祉のために運用されるべきものであり、児童虐待の防止等に関する法律第15条は、「親権の喪失の制度は、児童虐待の防止及び児童虐待を受けた児童の保護の観点からも、適切に運用されなければならない」と規定しています。

　もっとも、親権を喪失しても、子の婚姻に対する同意権（民737）、扶養義務、相続権といった親としての固有の権利義務は存続します。

### (2)　親権の喪失原因

　親権喪失原因を表にまとめると、以下のとおりになります。

**＜親権・管理権喪失原因表①＞**

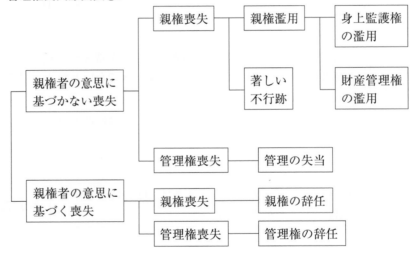

　(注)　各内容については、次の＜親権・管理権喪失原因表②＞を参照してください。

**＜親権・管理権喪失原因表②＞**

| 内　容 | | | | 判例・根拠条文 |
|---|---|---|---|---|
| 親権者の意思に基づかない喪失 | 親権喪失 | 親権濫用 | 身上監護権の濫用 | 積極的濫用<br>社会通念から見て必要な範囲を超えた過度の懲戒行為、児童虐待が典型例です。 | ― |
| | | | | 消極的濫用<br>長年にわたって子の養育を怠り、他人任せにして子を監護教育すべき親権者としての責任を放棄している場合には、監護の懈怠として親権濫用が認められます。 | ― |
| | | | 財産管理権の濫用 | 子の財産につき不当な処分行為、子に不当な債務を負担させる行為、利益相反行為についての制限を無視した行為、子の財産の物理的破壊、必要な管理をせずに放置して荒廃させる、権利の保全や回収の措置を怠るなどの行為がこれに当たります。<br>行為自体だけでなく、行為の動機、目的、対価の使い途などを検討し、子の利益侵害の有無を判断します。子の財産の処分がなされても、それが子の債務の弁済と親権者の病気の療養のためである場合や子の適当な生活及び監護教育に必要である場合には濫用と認められません。 | 仙台高決<br>S25.7.4<br>家月5・4・63 |
| | | 著しい不行跡 | | 性的不品行や飲酒・賭博にふけるなど直接的には子以外のものに向けられる甚だしく不良な行為をいいます。<br>単に社会的に見て著しい不行跡があるというだけでなく、それが子の福祉に著しい悪影響を与えており、親権を喪失させなければ子の福祉が害される場合に認められます。 | ― |

| 内　容 | | | | 判例・根拠条文 |
|---|---|---|---|---|
| 親権者の意思に基づかない喪失 | 管理権喪失 | 管理の失当 | 親権者が子の財産を管理するに当たって、管理が失当でその子の財産を危うくした場合は、財産管理権の喪失事由となります。<br>財産管理の失当は、親権の一内容である管理権のみを喪失させるものであるから、親権濫用としての管理権の濫用とまでいえない程度の管理の不相当も含まれます（大塚正之「親権の濫用と親権喪失宣告」、判タ1100・59）。<br>行為の客観面を重視し、不当性が高い場合には財産管理権の濫用となり、親権喪失事由となります。 | 民835、家事39別1⑥⑦ |
| 親権者の意思に基づく喪失 | 親権喪失 | 親権の辞任 | ①　辞任を許さないことが子の福祉、利益に反する場合、すなわち「やむを得ない事由」がある場合には、裁判所の許可を得て辞任することができます。<br>②　「やむを得ない事由」とは、服役、重病等の長期不在、再婚により親権行使が困難である場合が挙げられます。<br>③　「やむを得ない事由」が止んだときには、家庭裁判所の許可を得て親権の回復が可能です。 | ①民837Ⅰ、家事39別1⑥⑨<br><br>③民837Ⅱ、家事39別1⑥⑨ |
| | 管理権喪失 | 管理権の辞任 | 親権の辞任と同様です。 | ― |

## (3)　親権の喪失の参考裁判例

| 事　案 | 内　容 | 判　例 |
|---|---|---|
| 身上監護権の積極的濫用 | ①　児童福祉施設に入所している児童が親権者である実母及び養父に拒否感情を示していることや、実母らが児童相談所長から児童虐待といわれたことに対する強い抗議活動などの態度から、児童の福祉を著しく損なうものとして、親権濫用と認め、親権喪失を宣告しました。<br>②　一方の親権者が子の福祉に著しく反する環境の下において、子を全面的に支配し、他方親権者の関与を完全に排除するなど、実質的に共同親権行使の趣旨を没却した場合に親権濫用と認められます。 | ①名古屋家岡崎支部審H16.12.9 家月57・12・82<br><br><br><br>②大阪地判 H9.7.28 判タ964・192 |
| | 未成年の子が重篤な心臓疾患のため早急に手術等の医療措置を数次にわたって施さなければ、近い将来、死亡を免れない状況であるにもかかわらず、親権者が宗教上の考えに基づいて子の手術の同意を拒否した行為は合理的理由が認められず、親権を濫用し、未成年者の福祉を著しく損なっているとして、児童相談所長の申し立てた親権喪失申立前の保全処分としての親権者の職務執行停止を認め、職務代行者を選任しました。 | 名古屋家審 H18.7.25 家月59・4・127 大阪家岸和田支部審 H17.2.15 家月59・4・135 |
| 著しい不行跡 | 親権者が窃盗罪の懲役刑による服役や子の財産を勝手に処分した等の前非を悔悟しているとはいえないとして、親権を喪失させました。 | 大阪高決 S31.1.26 家月8・2・42 |
| 管理権喪失 | 親権者が破産宣告（破産手続開始決定）を受けたことは民法第835条の「管理が失当であったことによってその子の財産を危うくした」かどうかを判断するまでもなく、当然に管理権喪失の原因となります。 | 東京高判 H2.9.17 家月43・2・140 |

⑷　**親権喪失手続**

親権喪失手続は、次のとおりです。

**＜家庭裁判所による親権喪失手続＞**

| 内　容 | | | 根拠条文 |
|---|---|---|---|
| 家庭裁判所への申立て | 申立人 | ①　子<br>②　子の親族<br>③　未成年後見人<br>④　未成年後見監督人<br>⑤　検察官 | ①～⑤民834 |
| | | ⑥　児童相談所長 | ⑥児童福祉法33の7 |
| | 相手方 | 親権者<br>父母双方が親権者である場合、父母の一方のみに親権喪失原因があれば、一方のみが相手方となります。 | ― |
| | 管　轄 | 子の住所地を管轄する家庭裁判所 | 家事167 |
| | | 本人（対象親権者）の職務執行停止、職務代行者の選任など | 家事174 |
| 事実の調査 | | 家庭裁判所調査官が、調査をします。<br>親権又は管理権の喪失の審判をする場合には子（15歳以上のものに限ります。）及び本人の陳述を聴取しなければなりません。 | 家事169Ⅰ① |
| 審　判 | | 家庭裁判所の家事審判官は、調査の結果等を踏まえ、親権又は管理権喪失の審判をします（喪失させるべきではないと判断したときは申立却下の審判）。 | 家事73Ⅰ |
| | 即時抗告 | 親権又は管理権の喪失を受けた者又はその親族は、即時抗告ができます。 | 家事172Ⅰ①③ |
| | | 申立て却下の審判に対しては、申立人又は子及び子の親族、未成年後見人、未成年後見監督人は即時抗告ができます。 | 家事172Ⅰ④ |
| 確　定 | | 親権又は管理権喪失の審判があった場合、裁判所書記官が、子の本籍地の戸籍事務管掌者に対し戸籍の記載を嘱託します。 | 家事116① |
| 親権又は管理権喪失審判取消し | | 親権喪失の原因が止んだときは、家庭裁判所は本人又はその親族の請求により、親権又は管理権喪失の審判を取り消すことができます。 | 民836、<br>家事39別1⑱ |

## 7　親権の停止

　親権停止（民834の2）は、不行跡はあるものの親権喪失させるまでには至らない（あるいは親権を完全に喪失させることが必ずしも子の利益にならない）親権者に対して、一定期間（2年を超えない範囲内）親権を停止して様子を見るという制度です。親権喪失の事由は「父又は母による虐待又は悪意の遺棄があるときその他父又は母による親権の行使が著しく困難又は不適当であることにより子の利益を著しく害するとき」（民834）ですが、親権停止の事由は「父又は母による親権の行使が困難又は不適当であることにより子の利益を害するとき」（民834の2）と、親権喪失よりも緩和した内容となっています。

## 8　子の引渡し

　別居中の夫婦の一方、又は親権者ではない親が子を連れ去った場合に、他方が子の引渡しを求めることができるかが問題となります。

### ⑴　別居中の夫婦間の子の奪い合い

　別居中の夫婦の場合、子は父母の共同親権に服していますので、子の引渡しは、家庭裁判所に対して、子の監護者の指定の申立てとともに子の引渡しを求める審判又は調停の申立てをすることが通常です（家事39別表2③、244）。審判前の保全処分を申し立てることもできます（家事105）。家庭裁判所は、調査官の調査報告などを基にして、父母の諸事情や子の事情を総合的に比較衡量し、どちらが子の監護者として適格であるかを決定し、監護者とならなかった者に対して監護者となった者に子を引き渡すよう命じることができます。

　人身保護請求によって子の引渡しを求めることも可能です。ただし、最高裁判所は、別居中の夫婦間の人身保護請求については、要件である顕著な違法性（人身保護規則4）を認めるにつき厳しく解しています。

### ⑵　親権者ではない親の連れ去り

　親権者ではない親が子を連れ去った場合については、家庭裁判所に対して子の引渡しを求める審判又は調停（家事39別表2③、244）を申し立てることができるほか、民事訴訟の手続による親権に基づく妨害排除請求として子の引渡しを求めることも可能です（最判Ｓ35.3.15民集14・3・430）。人身保護請求も認められる方向です。

**＜人身保護請求についての最高裁判所の判断＞**

| 子を連れ去った者 | 子の引渡しを請求する者 | 判　断 |
|---|---|---|
| 別居中の夫婦の一方（共同親権者） | 別居中の夫婦の他方（共同親権者） | 「夫婦がその間の子である幼児に対して共同で親権を行使している場合には、夫婦の一方による右幼児に対する監護は、親権に基づくものとして、特段の事情がない限り、適法というべき」として、顕著な違法性（人身保護規則4条）があるというためには、「（拘束者の）監護が子の幸福に反することが明白であることを要する」としました（最判H5.10.19民集7・8・5099）。 |
| | | 子の幸福に反することが明白であることの要件を満たす場合として次の例を挙げました。<br>①　拘束者に対し、子の引渡しを命ずる仮処分又は審判が出され、その親権行使が実質上制限されているのに拘束者が右仮処分等に従わない場合<br>②　子にとって、請求者の監護の下では安定した生活を送ることができるのに、拘束者の監護の下においては著しくその健康が損なわれたり、満足な義務教育を受けることができないなど、拘束者の幼児に対する処遇が親権行使という観点からみてもこれを容認することができないような例外的な場合（最判H6.4.26民集48・3・992） |
| 監護権を有しない親 | 監護権者 | 「監護権を有する者が人身保護法に基づいて幼児の引渡しを請求するときは、請求者による監護が親権等に基づくものとして特段の事情のない限り適法であるのに対して、拘束者による監護は権限なしにされているものであるから、被拘束者を監護権者である請求者の監護の下に置くことが拘束者の監護の下に置くことに比べて子の幸福の観点から著しく不当なものでない限り、非監護権者による拘束は権限なしにされていることが顕著である場合（人身保護規則四条）に該当」するとしました（最判H6.11.8民集48・7・1337）。 |

(3)　**強制執行について**

　家庭裁判所の子の引渡しを命ずる審判は、これを債務名義として直接強制及び間接強制の執行が可能です。

**＜子の引渡しの執行手続＞**

| 手　続 | 内　容 | 根拠条文 |
|---|---|---|
| 直接強制 | 執行官が執行場所に赴き債務者（連れ去った者）による子の監護を解いて債権者（監護権者）に引き渡す手続 | 民執174Ⅰ① |
| 間接強制 | 裁判所が相手方（連れ去った者）に対して、子の引渡しに応ずるまで金銭（1日当たり○○円）を支払うよう命令する手続 | 民執174Ⅰ②→172Ⅰ |

　直接強制には、次の要件のいずれかが必要です。また、直接強制に当たっては、子の年齢、発達の程度、その他の事情を踏まえて子の心身に有害な影響を及ぼさないように配慮することが求められています（民執176）。

**＜子の引渡しの直接強制の要件（①②③のいずれか一つ）＞**

| | 要　件 | 根拠条文 |
|---|---|---|
| ① | 間接強制の決定が確定した日から二週間を経過したとき（当該決定において定められた債務を履行すべき一定の期間の経過がこれより後である場合にあつては、その期間を経過したとき）。 | 民執174Ⅱ① |
| ② | 間接強制の方法による強制執行を実施しても、債務者が子の監護を解く見込みがあるとは認められないとき。 | 民執174Ⅱ② |
| ③ | 子の急迫の危険を防止するため直ちに強制執行をする必要があるとき。 | 民執174Ⅱ③ |

　引渡しの審判がなされているのに子自身が引渡しを拒絶している場合について、最高裁判所は、「子の引渡しを命ぜられた者は、子の年齢及び発達の程度その他の事情を踏まえ、子の心身に有害な影響を及ぼすことのないように配慮しつつ、合理的に必要と考えられる行為を行って、子の引渡しを実現しなければならないものであり、このことは子が引き渡されることを望まない場合であっても異ならない」として、直ちに間接強制決定を妨げる理由となるものではないとしています。

　そして、審判の確定から約2ヶ月の間に2回にわたり子が引き渡されることを拒絶する言動をしたという事案では、間接強制を認めました（最決R4.11.30集民269・71）。一方、①引渡執行の際、執行を続けると子の心身に重大な悪影響を及ぼすおそれがあるとして執行不能とされた、②人身保護請求事件の審問期日において子は引き渡されることを拒絶する意思を明確に表示し、人身保護請求は棄却された、との事情のある事案では、権利の濫用に当たるとして間接強制を否定しています（裁決H

31.4.26裁時1723・3）。

 **参考**

**ハーグ条約（国際的な子の奪取の民事面に関する条約）**

　「ハーグ条約（国際的な子の奪取の民事面に関する条約）」（以下「ハーグ条約」といいます。）は、国際結婚をした夫婦が離婚した場合などに、夫婦の一方が、子を国境を越えて自国に連れ去ってしまうなどのトラブルの発生を防止し、また、元の居住国に子を迅速に返還するための国際協力の仕組みや、国境を越えた親子の面会交流のための協力を定めた国際的ルールです。

　ハーグ条約の子の返還申立手続の考え方は、国境を越えた移動、奪合いは、子に様々な悪影響を与えてしまう可能性があるので、子の利益を最重要に考えて、原則としてそれまで居住していた国に返すというものです。ただし、元の国に返すことにより、かえって子の身に危険が生じてしまうような場合、子自身が帰国を拒否した場合、連れ去りから1年以上経過して新しい環境になじんでいる場合等は、返還を拒否することができます。返還の申立手続においては、親権や監護権の帰属については決定しません。

　また、ハーグ条約は、国境を越えて所在する親と子が面会交流の機会を得られるよう締結国が支援をすることを定めています。

　ハーグ条約が適用されるのは、連去り先、連去り元の国が双方ハーグ条約の締結国である場合です。令和6年3月現在、103か国がハーグ条約を締結しています。

　返還命令に従わない親に対しては、代替執行が認められています（実施法136）。代替執行は、裁判所の執行官が連れ去った親から子を取戻し、返還を実現する手続です。

＜実施法の代替執行＞

| 項　目 | 内　容 | 根拠条文 |
|---|---|---|
| 間接強制前置<br>（代替執行の申立前に間接強制の手続が必要か） | 代替執行を申し立てられるのは、<br>①　間接強制の決定確定から2週間経過後。<br>②　間接強制を実施しても子の返還の見込みがないとき。<br>③　子の急迫の危険を防止するため直ちに代替執行をする必要があるとき。 | 実施法136①②③ |
| 債務者（連れ去った親）の審尋 | 原則：必要<br>子に急迫した危険があるときその他審尋をすることにより目的を達することができない事情があるときは不要。 | 民執171Ⅲ<br>実施法138Ⅱ |
| 債権者の出頭 | 執行官による子の監護を解くために必要な行為は、債権者が執行場所に出頭した場合に限り、することができます。 | 実施法140→民執175Ⅴ |
| 債務者（連れ去った親）の占有する場所以外の場所における執行官の権限 | 当該場所の占有者の同意を得て子の監護を解くために必要な行為をすることができます。 | 実施法140→民執175Ⅱ |
| 子の心身の負担への配慮 | 子の年齢及び発達の程度その他の事情を踏まえ、できる限り、当該強制執行が子の心身に有害な影響を及ぼさないように配慮しなければなりません。 | 実施法140→民執176 |

＜ハーグ条約の事件における手続の流れ＞

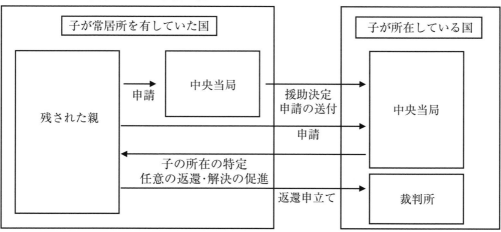

**＜ハーグ条約の裁判例＞**

| 区分 | 内容 | 判例 |
|---|---|---|
| 常居所国への返還を認めた例 | 実施法により子を常居所国に返還することを命ずる旨の終局決定が確定したにもかかわらず子が返還されなかったため起こされた人身保護請求事件において、「（子の返還を命ずる確定した決定に）拘束者が従わないまま当該子を監護することにより拘束している場合には、その監護を解くことが著しく不当であると認められるような特段の事情がない限り、拘束者による当該子に対する拘束に顕著な違法性がある」と判断しました。 | 最判H30.3.15 民集72・1・17 |
| 常居所国への返還を否定した例 | 返還命令が確定した後に事情の変更による変更の申立て（実施法117）がなされた事案について、子らが常居所国に返還された場合の監護養育体勢が看過し得ない程度に悪化したとの事情を認めて、返還命令を変更しました。 | 最決H29.12.21 判時1691・10 |
| 調停に実施法第117条第1項を類推適用することを認めた例 | 子の返還申立事件に係る家事調停事件において子を返還する旨の調停が成立した後に、事情の変更により子の返還条項を維持することを不当と認めるに至った場合は、実施法第117条第1項を類推適用して子の返還条項を変更することができるとして、審理を尽くさせるため原審に差し戻しました。 | 最決R2.4.16 民集74・3・737 |

# 第6章　未成年後見

　未成年後見とは、親権者に代わって未成年者のために保護を与え、その財産を管理する制度をいいます。

　民法は、自分の行為の結果の是非弁別を判断する能力が必ずしも十分といえない未成年者を、制限行為能力者（瑕疵のない完全な法律行為をなし得る能力を有していない者）として保護を図っています。具体的には、未成年者に是非弁別を備えた法定代理人を付けることを強制し（民818、838①）、未成年者が判断能力が十分でないまま法律行為を行って思わぬ損失を被ることのないように配慮しています。

**＜未成年者を保護する法定代理人制度＞**

| 一 | 制　度 | 内　容 | 根拠条文 |
|---|---|---|---|
| ① | 法定代理人の財産管理、法律行為の代理 | 未成年者の法定代理人は、未成年者の財産を管理し、その財産に関する法律行為について未成年者を代理します。 | 民824、859Ⅰ |
| ② | 法定代理人の同意 | 未成年者が法律行為をするには法定代理人の同意が必要です。ただし、単に権利を得、又は義務を免れる行為であれば同意は不要です。 | 民5Ⅰ |
| ③ | 未成年の行った法律行為の取り消し | 法定代理人の同意が必要な場合に同意を得ずに未成年者が行った法律行為は、取り消すことができます。 | 民5Ⅱ |

　未成年者については、第一次的には、未成年者の父母（民818Ⅰ）が、未成年者が養親と養子縁組をしたときは養親（民818Ⅱ）が、未成年者の親権者となり、親権者が当該未成年者の財産を管理し、法律行為を代理する権限を有する法定代理人となります（民824）。

　何らかの理由で親権を行使する者が存在しなくなったり、親権者が未成年者の財産の管理権を喪失したときは、未成年を保護する者がいなくなってしまいます。このような場合に未成年者の保護を図るために、民法は、第二次的な法定代理人として未成年後見の制度を設けました。

　平成30年民法改正により、成年に達する年齢は「18歳」とされました（平成30年改正民法4）。したがって、未成年とは、0歳から17歳をいいます。

**＜未成年者の法定代理人＞**

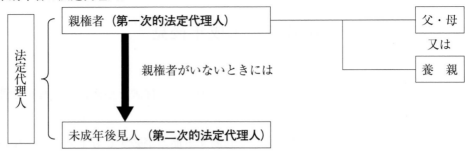

# 第1　未成年後見の開始

## 1　未成年後見の開始原因

　未成年後見は、未成年者に対して親権を行う者がいないとき又は親権を行う者がいたとしてもその者が管理権を有しないときに開始されます（民838①）。

**＜未成年後見開始の具体例＞**

| 未成年後見開始の原因（民838①） | | 具体例 |
|---|---|---|
| 未成年者に対して親権を行う者がないとき | 法律上親権を行う者がいない場合 | ①　親権者の死亡<br>②　親権者が失踪宣告を受けたとき（民31）<br>③　家庭裁判所が親権喪失又は停止の審判をしたとき（民834、834の2）<br>④　親権者が親権を辞したとき（民837Ⅰ）<br>⑤　親権者について成年後見開始（民7）<br>⑥　親権者について保佐開始（民11）（判例） |
| | 事実上親権を行い得ない場合 | ①　親権者の長期不在、生死不明、行方不明<br>②　精神病による長期入院<br>③　心神喪失、心身の著しい障害 |
| 親権を行う者がいても管理権を有しないとき | | ①　家庭裁判所が管理権喪失の審判をしたとき（民835）<br>②　親権者が管理権を辞したとき（民837Ⅰ） |

　なお、未成年者の親権者が父と母の場合、どちらかに後見開始の事由が発生したとしても、もう1名が管理権も含む親権を行使し得る場合には、「親権を行う者がない」「管理権を有しない」とはいえませんので、未成年後見は開始しません。親権・管理権を有する最後の者にこのような事情が発生した場合に限り、未成年後見が開始することになります。

　また、未成年者の両親が離婚した場合や、両親が婚姻していない場合（未成年者が非嫡出子の場合）には、親権を行う者は父か母のどちらか一方に定めますので（民819Ⅰ～Ⅳ）、この場合のただ1人の親権者に上記表の親権・管理権の喪失事由が生じた場合には、未成年者のもう一方の親が生存していても、形式的には未成年後見開始原因に該当します。しかし、実務では、親権者にならなかった生存している親に親権

者としての適性に特に問題がなければ、未成年者の親族からの請求により家庭裁判所が審判によって親権者を他の一方に変更すること（民819Ⅵ、家事39別2⑧）を認める実例が数多くあります。

## 2　未成年後見開始の意味

　親権者の遺言で未成年後見人が指定される場合（指定未成年後見人）を除いては、未成年後見が開始しても当然に未成年後見人が設置されるわけではなく、別に家庭裁判所から選任されてはじめて設置されます。したがって未成年後見の開始とは、実際には未成年者に後見人を設置すべき状態を生じさせるということを意味するに留まります。

# 第2　未成年後見の機関

　未成年後見の機関としては、未成年後見人（民839）と未成年後見監督人（民848）があります。

**＜未成年後見人と未成年後見監督人の相違＞**

| 未成年後見の機関 | 役　割 | 設置の必要性 | 人　数 |
|---|---|---|---|
| 未成年後見人 | 執行機関 | 必要的 | 定めなし、次頁(3)参照 |
| 未成年後見監督人 | 監督機関 | 任意的 | 定めなし |

## 1　未成年後見人

### (1)　未成年後見人の種類

　未成年後見人は、誰が未成年後見人となるか決める方法の違いにより、指定未成年後見人と選任未成年後見人に分かれます。

　遺言によって未成年後見人が指定されたときは指定された者が未成年後見人に就任し、指定された者がない場合は、家庭裁判所が未成年後見人を選任します（民839Ⅰ、840）。ただし、未成年後見人が指定されるケースは極めて少ない状況にあります。

**＜指定未成年後見人と選任未成年後見人＞**

| 種　類 | 後見人の決定の方法 | 根拠条文 |
|---|---|---|
| 指定未成年後見人 | 未成年者に対して最後に親権を行う者（管理権を有しない者を除きます。）が遺言で未成年後見人を指定します。 | 民839Ⅰ |
| | 親権を行う父母の一方が管理権を有しないとき、他の一方が遺言で未成年後見人を指定します。 | 民839Ⅱ |
| 選任未成年後見人 | 家庭裁判所が未成年被後見人又はその親族その他の利害関係人の請求によって未成年後見人を選任します。 | 民840 |

### (2)　未成年後見人の資格（欠格事由）

　次表の者は、未成年後見人となることはできません（これは成年後見人の場合も共通です。）。

＜後見人の欠格事由＞

| | 具体的事由 | 根拠条文 |
|---|---|---|
| 欠格事由 | 未成年者 | 民847① |
| | 家庭裁判所で免じられた法定代理人、保佐人又は補助人 | 民847② |
| | 破産者 | 民847③ |
| | 未成年被後見人に対して訴訟をし、又はした者、並びに未成年被後見人に訴訟をした者の配偶者及び直系血族 | 民847④ |
| | 行方の知れない者 | 民847⑤ |

　遺言によって未成年後見人として指定された者がこれらの欠格事由に該当するときは、この指定は効力を生じません。

　家庭裁判所が審判によって未成年後見人を選任するときには、これらの欠格事由に該当する者を選任することはありませんが、もし誤ってそのような者を選任してしまったときには、選任の審判は無効となります。

　未成年後見人が、就任後にこれらの欠格事由に該当する事態になったときには、当然にその地位を失います。

　なお、法人も未成年後見人となることができます（民840Ⅲ）。

## (3)　未成年後見人の就任

　未成年後見人は、指定又は選任により就任します。

　家庭裁判所が必要と認めるときは複数の未成年後見人を選任することもできます（民840Ⅱ）。複数の未成年後見人がいる場合は、原則として共同してその権限を行使しますが（民857の2Ⅰ）、家庭裁判所の職権により、その一部の者について、財産に関する権限のみを行使すべきことを定めることができます（民857の2Ⅱ）。また、家庭裁判所の定めにより、各未成年後見人が単独で、又は数人の未成年後見人が事務を役割分担して権限を行使することもできます（民857の2Ⅲ）。これにより、それぞれの未成年後見人が自らの得意分野について分担して（例えば財産管理と身上監護を分ける等）事務を行えることになり、より柔軟な未成年者の保護が図られます。

### ア　指定未成年後見人

#### (ア)　指定未成年後見人の指定権者

　未成年者に対して最後に親権を行う者（管理権を有しない者を除きます。）は、遺言によって未成年後見人を指定することができます（民839ⅠⅡ）。

#### (イ)　指定未成年後見人の指定の方法

　遺言により未成年後見人を指定する方法に限られます（民839ⅠⅡ）。

　遺言は、遺言者の死亡の時から効力を生じますので（民985Ⅰ）、遺言で未成年後見人を指定した者が死亡すると、特別な手続を経ることなくその指定は効力を生じ、直ちに被指定者は未成年後見人となります。

　未成年後見人は、就職の日（指定の効力が発生した日＝遺言者が死亡した日）から10日以内に、指定に関する遺言の謄本を添付して戸籍の届出をしなければなりません（戸籍81、83Ⅰ）。

### イ　選任未成年後見人

#### (ア)　選任未成年後見人の選任請求権者

　選任未成年後見人は、指定未成年後見人となるべき者がいないときに、家庭裁判所が請求を受けて選任します。

　家庭裁判所に未成年後見人の選任を請求できる者は、未成年被後見人又は親族その他の利害関係人です。

　利害関係人とは、未成年後見人を選任することに法律上又は事実上利害関係を有する者のことをいいます。

**＜未成年後見人の指定権者・選任請求権者＞**

| | 具　体　例 | 根拠条文 |
|---|---|---|
| 指定権者 | 未成年者に対して最後に親権を行う者（管理権を有しない者を除きます。） | 民839ⅠⅡ |
| 選任請求権者 | 未成年被後見人 | 民840Ⅰ |
| | 親族（民725） | |
| | その他の利害関係人（未成年被後見人を引き取って事実上養育してきた里親・施設長、少年院長や保護観察所長など） | |

㈡　選任未成年後見人の選任請求義務者

　民法は、未成年後見人の選任について、一定の場合には未成年後見人選任の請求を義務付けて、未成年者の保護を図っています。

**＜選任未成年後見人の選任請求義務者＞**

| | 具　体　例 | 根拠条文 |
|---|---|---|
| 請求義務者 | 任務を辞した未成年後見人 | 民845 |
| | 未成年後見人が欠けたときの未成年後見監督人 | 民851② |
| | 福祉のために必要があるときの児童相談所長 | 児童福祉法33の8Ⅰ |
| | 未成年が生活保護を受けるときの保護の実施機関 | 生活保護法81 |

㈢　選任未成年後見人の選任請求手続

　未成年後見人の選任は、家庭裁判所の審判によって行われますので（家事39別1㉑）、選任の請求をするには、家庭裁判所に審判の申立てを行わなければなりません。

　選任された未成年後見人は、就職の日（選任の審判の告知があった日）から10日以内に、選任に関する審判書の謄本を添付して戸籍の届出をしなければなりません（戸籍81、83Ⅱ）。

＜選任未成年後見人の選任請求手続＞

| 内　容 | | 根拠条文 |
|---|---|---|
| 家庭裁判所への申立て | 申立ては申立書を家庭裁判所に提出して行います。申立書には、当事者及び法定代理人、申立ての趣旨及び理由を記載します。<br>添付書類として、申立人・未成年被後見人の戸籍謄本、未成年後見人候補者の戸籍謄本・住民票・身分証明書（破産手続開始決定を受けていない旨の証明書）、未成年後見の開始を証明する資料が必要です。 | 家事49Ⅰ、Ⅱ |
| 調　査 | 家庭裁判所は、申立人以外の未成年被後見人（15歳以上のものに限ります。）及び未成年後見人候補者の意見を聴かなければなりません。調査官は調査報告書を、家事審判官に提出します。 | 家事178Ⅰ①、Ⅱ①、65<br>家事58Ⅲ |
| 審　判 | 家庭裁判所の家事審判官は、調査の結果等を踏まえ、未成年後見人選任の審判をします（未成年後見の開始原因がないと判断したときは申立却下の審判）。<br>選任される未成年後見人に審判書の謄本を交付して告知がされたときに、選任の効力が発生します。 | 家事73Ⅰ<br>家事74Ⅱ |
| 戸籍管掌者への嘱託 | 家庭裁判所書記官は、審判の効力発生後遅滞なく、未成年被後見人の本籍地及び未成年後見人の住所地の戸籍事務を管掌する者に対し戸籍の記載を嘱託します。 | 家事116①、39別1㉑ |

⑷　未成年後見人の辞任

　ア　辞任事由

　　未成年後見人は、辞任するにつき正当な事由があるときは辞任することができます。

　イ　辞任手続

　　未成年後見人が辞任するためには、家庭裁判所の許可を得ることが必要です（民

― 191 ―

844)。この許可は未成年後見人の申立てにより家庭裁判所の審判でなされます（家
事39別1⑫）。

　1名しかいない未成年後見人が辞任すると、未成年後見人が不在となりますので、
その未成年後見人は遅滞なく新たな未成年後見人の選任を家庭裁判所に請求しなけ
ればなりません（民845）。

⑸　**未成年後見人の解任**

　ア　解任事由

　　未成年後見人は、不正な行為を行ったとき、著しい不行跡があったとき、その他
　後見の任務に適しない事由があるときには、解任することができます。

**＜未成年後見人の辞任・解任事由＞**

| | 内　容 | 根拠条文 |
|---|---|---|
| **辞任事由** | 辞任するにつき正当な事由があるとき | 民844 |
| **解任事由** | 不正な行為（違法な行為又は社会的に見て非難されるべき行為）を行ったとき | 民846 |
| | 著しい不行跡（品行ないし操行がはなはだしく悪いこと）があったとき | |
| | その他後見の任務に適しない事由があるとき（権限濫用、管理失当、任務の怠慢など） | |

　イ　解任手続

　　未成年後見人に解任事由があるときは、家庭裁判所は、請求を受けて又は職権に
　より未成年後見人を解任することができます。

　㈠　解任の請求権者

　　家庭裁判所が請求を受けて未成年後見人を解任する場合、この解任を請求でき
　る者は次のとおりです。

＜未成年後見人の解任請求権者＞

| | 具　体　例 | 根拠条文 |
|---|---|---|
| 請求権者 | 未成年後見監督人 | 民846 |
| | 未成年被後見人 | |
| | 未成年被後見人の親族 | |
| | 検察官 | |
| | 児童相談所長 | 児童福祉法33の8Ⅰ |

　㈣　解任手続

　　未成年後見人の解任は、家庭裁判所の審判でなされます（家事39別1�73）。

　　家庭裁判所は、未成年後見人を解任するには、本人の陳述を聴かなければなりません（家事178Ⅰ②）。

　　家庭裁判所は、未成年後見人解任の申立てがあった場合、子の利益のため必要があるときは、解任請求者の申立てによって、未成年後見人の職務の執行を停止し、又はその職務代行者を選任するなど審判前の保全処分をすることができます（家事181→127Ⅰ～Ⅳ）。


## 2　未成年後見監督人

### ⑴　未成年後見監督人の種類

　未成年後見人と同様、未成年後見監督人は、誰が未成年後見監督人となるか決める方法の違いにより、指定未成年後見監督人と選任未成年後見監督人に分かれます。


＜未成年後見監督人の種類＞

| 種　類 | 未成年後見監督人の決定の方法 | | 根拠条文 |
|---|---|---|---|
| 指定未成年後見監督人 | 後見人を指定することのできる者が未成年後見監督人を指定します。 | 【後見人を指定することのできる者の具体例】 ① 未成年者に対して最後に親権を行う者（管理権を有しない者を除きます。）（民839Ⅰ） ② 親権を行う父母の一方が管理権を有しないときの他の一方（民839Ⅱ） | 民848 |
| 選任未成年後見監督人 | 家庭裁判所が、未成年後見監督人を置く必要があると認めるときに審判によって未成年後見監督人を選任します。 | | 民849 |

## ⑵　未成年後見監督人の欠格事由

　次の者は、未成年後見監督人となることはできません。


**＜未成年後見監督人の欠格事由＞**

| 欠格事由の種類 | 具体的な欠格事由 | 根拠条文 |
|---|---|---|
| 未成年後見人と共通の事由 | 未成年者 | 民852→847① |
| | 家庭裁判所で免ぜられた法定代理人、保佐人又は補助人 | 民852→847② |
| | 破産者 | 民852→847③ |
| | 未成年被後見人に対して訴訟をし、又はした者、並びに被後見人に訴訟をした者の配偶者及び直系血族 | 民852→847④ |
| | 行方の知れない者 | 民852→847⑤ |
| 未成年後見監督人独自の事由 | 後見人の配偶者、直系血族、兄弟姉妹 | 民850 |


　遺言によって未成年後見監督人として指定された者がこれらの欠格事由に該当するときは、この指定は効力を生じません。

　家庭裁判所が審判によって未成年後見監督人を選任するときには、これらの欠格事由に該当する者を選任することはありませんが、もし誤ってそのような者を選任してしまったときには、選任の審判は無効となります。

　未成年後見監督人が、就任後にこれらの事由に該当する事態になったときには、当然にその地位を失います。


## ⑶　未成年後見監督人の就任

　未成年後見監督人は、指定又は家庭裁判所が必要があると認めた場合に選任により就任します。逆に、遺言による未成年後見監督人の指定がなく、かつ、裁判所が未成年後見監督人の必要性を認めなかったときには選任されません。未成年後見監督人の人数は複数であっても差し支えありません（民852→857の２）。


### ア　指定未成年後見監督人
#### ㈎　指定未成年後見監督人の指定権者

　未成年後見人を指定できる者（未成年者に対して最後に親権を行う者（管理権を有しない者を除きます。））は、遺言によって未成年後見監督人を指定すること

ができます。

㈡　指定未成年後見監督人の指定の方法

　　遺言により指定する方法に限られます（民848）。

　　遺言は、遺言者の死亡の時から効力を生じるので（民985Ⅰ）、遺言で未成年後見監督人を指定した者が死亡すると、特別な手続を経ることなくその指定は効力を生じ、直ちに被指定者は未成年後見監督人となります。

　　未成年後見監督人は、就職の日（指定の効力が発生した日（遺言者が死亡した日））から10日以内に、指定に関する遺言の謄本を添付して戸籍の届出をしなければなりません（戸籍85→81）。

### イ　選任未成年後見監督人

㈠　選任未成年後見監督人の選任

　　選任未成年後見監督人は、指定未成年後見監督人がない場合に、家庭裁判所が必要であると認めるときに、請求を受けて又は職権により選任します（民849、家事39別1㉔）。

㈡　選任未成年後見監督人の選任請求権者

　　家庭裁判所が請求を受けて未成年後見監督人を選任する場合、この選任を請求をできる者は未成年被後見人、その親族、未成年後見人です。

**＜未成年後見監督人の指定・選任請求権者＞**

| | 具　体　例 | 根拠条文 |
|---|---|---|
| 指定権者 | 未成年後見人を指定できる者（未成年者に対して最後に親権を行う者（管理権を有しない者を除きます。）） | 民848、839 |
| 選任請求権者 | 未成年被後見人 | 民849 |
| | 未成年被後見人の親族 | |
| | 未成年後見人 | |

㋑　選任未成年後見監督人の選任手続

　未成年後見監督人の選任は、家庭裁判所の審判によって行われます（家事39別1㋞）。この審判手続は、請求権者が家庭裁判所に審判の申立てを行うか、又は職権で開始します。

**＜選任未成年後見監督人の選任手続＞**

| 内　容 | | 根拠条文 |
|---|---|---|
| **審判手続の開始** | 請求権者が申立てをする場合は、申立書のほか、添付書類として、申立人・未成年被後見人・未成年後見人の戸籍謄本、未成年後見監督人候補者の全部事項証明書（戸籍謄本）・住民票、未成年後見の開始を証明する資料が必要です。 | 家事49Ⅰ |
| | ㊟　家庭裁判所が、例えば後見事件等の遂行過程で、未成年後見監督人設置の必要性があると判断した場合に、請求権者の申立てを待たずに、職権で立件することによって手続が開始することもあります。 | |
| **調　査** | 家庭裁判所調査官が、申立人や未成年後見人、未成年後見監督人候補者を裁判所に呼び出して面接を行い意見を聴取したり、それ以外の未成年被後見人と関係が深い親族に書面による照会を行い、未成年被後見人が15歳以上の場合は裁判所に呼び出して意向の確認を行うなどの調査を行います。 | 家事178Ⅰ①、Ⅱ②、65 |
| | 調査官は調査報告書を、家事審判官に提出します。 | 家事58Ⅲ |
| **審　判** | 家庭裁判所の家事審判官は、調査の結果等を踏まえ、未成年後見監督人選任の審判をします（未成年後見の開始原因がなかったり、未成年後見監督人の必要性がないと判断したときは申立却下の審判）。 | 家事73Ⅰ |
| | 選任される未成年後見監督人に審判書の謄本を交付して告知がされたときに、選任の効力が発生します。 | 家事74Ⅱ |
| **戸籍管掌者への嘱託** | 家庭裁判所書記官は、審判の効力発生後遅滞なく、未成年被後見人の本籍地及び未成年後見人の住所地の戸籍事務を管掌する者に対し戸籍の記載を嘱託します。 | 家事116①、39別1㋞ |

### ⑷　未成年後見監督人の辞任

　未成年後見監督人が辞任する場合については、未成年後見人の辞任の場合と同様、辞任するにつき正当な事由があるとき、家庭裁判所の許可を得て辞任することができます（民852→844、家事39別1㊆）。

### ⑸　未成年後見監督人の解任

　未成年後見監督人は、未成年後見人の解任の場合と同様、①不正な行為を行ったとき、②著しい不行跡があったとき、③その他未成年後見監督の任務に適しない事由があるときに、家庭裁判所が審判により、後見人の解任の場合と同様の解任請求権者の申立てを受けて、又は職権により解任することができます（民852→846、家事39別1㊇）。

## 3　未成年後見の事務

### ⑴　未成年後見人

　未成年後見人は、未成年後見制度の執行機関として、後見の事務を行うものとされています。未成年後見人の事務については、大きく分けて①就職時の事務、②未成年被後見人の身上に関する権利義務、③未成年被後見人の財産に関する権利義務に分かれます。

### ア　未成年後見人の就任時

　⑺　未成年後見人の就任時の事務

　　未成年後見人に就職した者は、就職後直ちに、未成年被後見人の財産状態や権利義務について把握することが求められ、まずはこれに専念するものとされています。

**＜未成年後見人の就任時の事務＞**

| 事務の種類 | 事務の内容 | 根拠条文 |
|---|---|---|
| ①　支出金の予定 | 未成年後見人は、その就職の初めにおいて、被後見人の生活、教育又は療養看護及び財産管理のため毎年費すべき金額を予定しなければなりません。 | 民861 Ⅰ |
| ②　財産の調査・財産目録の作成 | ア　未成年後見人が就職したときは、遅滞なく未成年被後見人の財産の調査に着手し、1か月以内にその調査を終わり、かつ、財産目録を作成しなければなりません。<br>イ　未成年後見人が財産目録の作成を終わるまでは、急迫の必要がある行為のみをすることができます。ただし、未成年後見人がこの権限を超えた職務を行っても、善意の第三者にはその無権限について対抗できません。<br>未成年後見監督人があるときは、財産の調査・財産目録の作成は、未成年後見監督人の立会いをもってしなければ効力を生じません。 | ア　民853 Ⅰ<br>イ　民854<br>民853 Ⅱ |
| ③　未成年後見監督人があるとき→未成年後見監督人に対する債権・債務の申出 | ア　未成年後見人が未成年被後見人に対して権利を有し、又は義務を負う場合には、財産調査に着手する前に、未成年後見監督人に申し出なければなりません。<br>イ　未成年後見人が、未成年被後見人に対する債権の存在を知ってこれを未成年後見監督人に申し出ないときは、その債権を失います。 | ア　民855 Ⅰ<br>イ　民855 Ⅱ |

(イ)　未成年被後見人が包括財産を取得した場合の事務

　未成年後見人が就職した後に、未成年被後見人が包括財産を取得した場合（未成年被後見人が相続を受けた場合、包括遺贈を受けた場合及び営業譲渡を受けた場合がこれに当たります。）には、未成年被後見人の財産状態に大きな変動が及びます。このような場合に、取得した財産を把握し、またこれにより未成年後見人と未成年被後見人との間に権利義務が発生する場合もありますので、未成年後見人には、未成年後見人就任時と同様、財産の調査、目録の作成、未成年後見監督人がある場合の債権・債務の申出義務があります（民856）。

＜包括財産取得の場合の事務＞

| 事務の種類 | 事務の内容 | 根拠条文 |
|---|---|---|
| ①　財産の調査・財産目録の作成 | ア　未成年被後見人が包括財産を取得したときは、遅滞なく未成年被後見人の財産の調査に着手し、1か月以内にその調査を終わり、かつ、財産目録を作成しなければなりません。<br><br>イ　未成年後見人が財産目録の作成を終わるまでは、急迫の必要がある行為のみをすることができます。ただし、未成年後見人がこの権限を超えた職務を行っても、善意の第三者にはその無権限について対抗できません。<br><br>未成年後見監督人があるときは、財産の調査・財産目録の作成は、未成年後見監督人の立会いをもってしなければ効力を生じません。 | ア　民856→853 I<br><br>イ　民856→854<br><br>民856→853 II |
| ②　未成年後見監督人があるとき→未成年後見監督人に対する債権・債務の申出 | ア　未成年後見人が未成年被後見人に対して権利を有し又は義務を負うことになる場合には、取得した包括財産の財産調査に着手する前に、未成年後見監督人に申し出なければなりません。<br><br>イ　未成年後見人が、未成年被後見人に対する債権の存在を知ってこれを未成年後見監督人に申し出ないときは、その債権を失います。 | ア　民856→855 I<br><br>イ　民856→855 II |

　　未成年被後見人が包括財産を取得した場合は、未成年後見人の就任の場合とは異なり、被後見人に対する支出金を予定すること（民861）は求められません。

### イ　未成年被後見人の身上に関する権利義務

　未成年後見は、未成年者の第一次的な保護者である親権（管理権）を行う者がいなくなったときに未成年後見人が選任されることからも明らかなとおり、未成年者を保護するための親権の延長の制度です。したがって、親権者と同様、未成年被後見人の身上監護につとめる職務権限が次表のとおり定められています。

　　ただし、未成年後見が、親権を行う者が管理権を喪失したことを理由に開始したときは（民838 I後段）、未成年後見人は、次表の身上に関する権利義務は与えられず、次に述べる財産に関する権限のみを有します（民868）。

**＜未成年被後見人の身上に関する権利義務＞**

| | 内　容 | | 根拠条文 | |
|---|---|---|---|---|
| 監護教育権 | 未成年被後見人の監護及び教育をする権利義務があります。 | 親権者が定めたものを変更する場合、未成年後見監督人がいるときにはその同意が必要です。 | 民857→820 | 民857ただし書 |
| 居住指定権 | 未成年被後見人の居所を指定できます。 | | 民857→822 | |
| 営業許可権 | 未成年被後見人が職業を営む許可を与えることができます。未成年被後見人は、この許可を得なければ営業することはできません。未成年被後見人がその営業に堪えることができない事由があるときは、営業許可の取消し、又は制限することができます。 | 未成年後見監督人がいるときにはその同意が必要です。 | 民857→823Ⅰ　民857→823Ⅰ、6Ⅱ | 民857ただし書 |
| その子に対する親権 | 未成年被後見人に子があるときには、未成年被後見人に代わって、その子に対する親権を行使します。 | | 民867Ⅰ | |
| | この場合未成年後見人は、直接子の後見人になったのと同様の制限・監督を後見監督人ないし家庭裁判所から受けます。 | | 民867Ⅱ | |
| 未成年被後見人の身分上の変動を生ぜしめる行為 | 未成年者に関して | 法定代理人として認知の訴えを提起することができます。 | 民787 | |
| | | 未成年者は養親となることはできませんが、これに違反した縁組を未成年被後見人がした場合、縁組の取消しを家庭裁判所に請求できます。 | 民792、804 | |
| | 15歳未満の未成年者に関して | 未成年被後見人が父又は母と氏を異にする場合に、その父又は母の氏を称するために家庭裁判所に許可を求めることができます。 | 民791ⅢⅠ | |
| | | 父又は母が氏を改めたことにより未成年被後見人が父母と氏を異にする場合は、父母の婚姻中に限りその父母の氏を称する届出ができます。 | 民791ⅢⅡ | |
| | | 未成年被後見人が養子となる縁組について、監護権者があるときはその同意を得て、未成年被後見人に代わって承諾することができます。 | 民797 | |
| | | 未成年被後見人の協議離縁を行うことができます。 | 民811Ⅱ | |
| | | 未成年被後見人の離縁の訴えを提起し、又は訴えを受けることができます。 | 民815 | |

## ウ　未成年被後見人の財産に関する権利義務

　未成年後見は、自分の行為の結果の是非弁別を判断する能力がない未成年者を完全な法律行為をなし得ない制限行為能力者として保護するための制度です。それゆえ、未成年被後見人が自らの財産に関して法律行為を行う際に、未成年後見人が行う権利義務は、制度の中心をなすものです。

**＜未成年被後見人の財産に関する権利義務＞**

| | 内　容 | | 根拠条文 | |
|---|---|---|---|---|
| 財産に関する権利義務 | 未成年被後見人の財産を管理し、かつ、その財産に関する法律行為について代表します。 | 営業又は民法第13条第1項に規定する被保佐人が保佐人の同意を必要とする行為をするときには、未成年後見監督人があるときは、その同意が必要です。 | 民859 I | 民864 |
| | 未成年被後見人がする法律行為に同意します。 | | 民5 I | |
| 財産に関する権利義務の制約 | 財産の管理に当たるときには、親権者の場合（自己のためにするのと同一の注意に限定。民827）とは異なり、善良なる管理者の注意をもってしなければなりません。 | | 民869→644 | |
| | 未成年被後見人に債務を生ずべき法律行為を代理するには未成年被後見人の同意を得なければなりません。 | | 民859 II →824ただし書 | |
| | 未成年被後見人を代理して労働契約を締結することも、賃金を代わって受け取ることもできません。 | | 労働基準法58 I 、59 | |
| | 無償で未成年被後見人に財産を与えた第三者が、未成年後見人にこれを管理させない意思を表示したときは、その財産は未成年後見人の管理に属しません。 | | 民869→830 | |
| | 未成年被後見人の財産や未成年被後見人に対する第三者の権利を譲り受けることはできません。これに反した行為は、未成年被後見人は取り消すことができます。 | | 民866 | |
| | 未成年後見監督人、未成年被後見人若しくはその親族、その他の利害関係人の請求又は職権により、家庭裁判所が、未成年被後見人の財産の管理その他後見の事務について必要な処分を命じたときは、これに従わなければなりません。 | | 民863 II | |
| | 家庭裁判所から求められたときは、いつでも後見の事務を報告し、若しくは財産目録を提出しなければなりません。 | 未成年後見監督人から求められたときも同様です。 | 民863 I | |
| | 未成年被後見人と利益が相反する行為については、管理権を有しません。このような行為をするときには、特別代理人を選任することを家庭裁判所に請求しなければなりません。 | 未成年後見監督人があるときは、利益相反行為については、未成年後見監督人が代表します。 | 民860→826 | 民851④ |

### エ　未成年後見人の報酬

　家庭裁判所は、未成年後見人及び未成年被後見人の資力その他の事情によって、未成年被後見人の財産の中から、相当な報酬を未成年後見人に与えることができます（民862、家事39別1⑳）。

### (2)　未成年後見監督人

　未成年後見監督人は、任意の機関ですので、指定や選任請求、裁判所の職権によって就職しないときには設置されません。

　未成年後見監督人が設置されたときは、未成年後見制度の監督機関として、未成年後見人の職務執行を監督します。

**＜未成年後見監督人の権利義務＞**

| 内　容 | 根拠条文 |
|---|---|
| 未成年後見人の事務を監督します。<br>監督の必要上、いつでも未成年後見人に対して後見の事務の報告若しくは財産目録の提出を求め、後見の事務若しくは未成年被後見人の財産の状況を調査することができます。 | 民851①、863Ⅰ |
| 未成年後見人が欠けた場合に、遅滞なく家庭裁判所に選任の請求します。 | 民851② |
| 急迫の事情がある場合に、必要な処分をします。 | 民851③ |
| 未成年後見人と未成年被後見人との利益が相反する行為について被後見人を代表します。 | 民851④ |
| 未成年後見人が営業又は民法第13条第1項各号に規定する被保佐人が保佐人の同意を必要とする行為を代理し、又は同意を与えて未成年被後見人にその行為をさせるときには、未成年後見監督人が同意を与えることができます。未成年後見監督人の同意なしに行った行為は、未成年被後見人又は未成年後見人は取り消すことができます。 | 民864、865 |

　未成年後見監督人が職務を行うに当たっては、善良なる管理者の注意をもってしなければなりません（民852→644）。

## 4　未成年後見の終了

### ⑴　未成年後見の終了事由

未成年後見が終了するのは、次表の場合です。

**＜未成年後見の終了事由＞**

| 種　類 | | 具体的事由 |
|---|---|---|
| 絶対的終了事由 | 保護必要状態の終了 | 未成年被後見人が死亡したとき |
| | | 未成年被後見人が成年となったとき |
| | 親権・管理権の回復 | 行方不明であった親権者が出現したとき |
| | | 親権者が、成年後見・保佐・補助の審判を取り消されたとき |
| | | 親権者が、親権又は管理権の喪失又は停止の審判を取り消されたとき |
| | | 親権者が親権又は管理権の辞任を回復したとき |
| | | 未成年被後見人が養子となる縁組を行い、養親の親権に服したとき（民818Ⅱ） |
| 相対的終了事由 | | 未成年後見人が死亡・辞任・解任・欠格事由の発生により不在となるときは従来の未成年後見人の任務は終了します。<br>その後未成年後見人が選任されたとしても、未成年後見終了時の事務は行われることになります。 |

### (2)　未成年後見終了時の事務

　　未成年後見人の任務が終了したときに行われる事務は、次表のとおりです。


**＜未成年後見終了時の事務＞**

| 内　容 | 根拠条文 |
|---|---|
| 未成年後見人（死亡したときにはその相続人）は、2か月（裁判所において伸長は可能です。）以内に、後見任務の管理の計算をしなければなりません（注1）。 | 民870 |
| 管理の計算の結果、未成年後見人が未成年被後見人に、又は、未成年被後見人が未成年後見人に返還すべき金額があるときには、未成年後見の計算終了時から法定利率の利息を付して返還しなければなりません。 | 民873Ⅰ |
| 未成年後見人が、自己のために未成年被後見人の金銭を消費したときは、消費のときから法定利率の利息を付して返還しなければなりません。さらに損害があるときは、その賠償の責任も負います。 | 民873Ⅱ |
| 未成年後見人（死亡したときはその相続人）は、未成年後見の終了後も、急迫の事情があるときには、未成年被後見人や後任の未成年後見人が事務を処理することができるようになるまで、必要な処分をしなければなりません（注2）。 | 民874→654 |

注1　未成年後見監督人があるときは、その立会いをもってしなければなりません（民871）。
　2　未成年後見監督人についても同様です（民852→654）。


　　未成年被後見人が成人に達した後、計算の終了前に、未成年被後見人が未成年後見人（死亡したときはその相続人）との間でした契約や単独行為は、未成年被後見人は取り消すことができます（民872）。

　　未成年後見が辞任・解任など未成年後見人側の事情で終了したときは、この終了事由を、未成年被後見人に通知したとき又は未成年被後見人がこれを知ったときでなければ、未成年後見の任務終了を未成年被後見人に対して主張できません。未成年後見が親権者の出現など未成年被後見人の側の事情で終了したときも、未成年後見人への通知や、未成年後見人が知ったときでなければ、未成年被後見人は任務終了を主張できないことも同様です（民874→655）。また、未成年後見監督人についても同様です（民852→655）。

　　未成年後見人と未成年被後見人、未成年後見監督人と未成年被後見人との間で後見に関して生じた債権の消滅時効は、後見人の管理権が消滅したときから5年です（民875Ⅰ→832Ⅰ）。

# 第7章　成年後見

## 第1　成年後見制度の概要

### 1　概要

　認知症の進行や知的障害等により判断能力が低下すると、預貯金や不動産等の財産を管理することや、介護サービス等の契約を締結することが困難になります。また、詐欺や悪徳商法の被害に遭う可能性も高くなります。このような判断能力が不十分な人（以下「本人」といいます。）を法的に支援・保護するために設けられているのが成年後見制度です。

　成年後見制度では、援助者が選任され（あるいは委任を受け）、本人に代わって財産管理等の事務を行ったり、本人がした不利益な行為を取り消したりすることにより、本人の支援・保護が図られます。

### 2　分類

**＜成年後見の制度の分類＞**

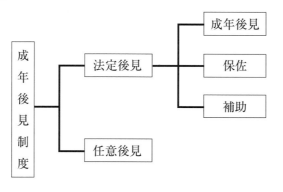

　成年後見制度は、法定後見と任意後見に分けられます。さらに、法定後見は、本人の判断能力の程度に応じて、成年後見（狭義）、保佐、補助の3つの類型に分けられます。

　法定後見は、本人の判断能力が不十分になった後、本人又は関係者の申立てにより、裁判所が援助者を選任する制度です。一方、任意後見は、本人が十分な判断能力を有

する時に、あらかじめ、援助者（任意後見人）となる人や将来その人に委任する事務の内容を契約で定めておき、本人の判断能力が不十分になった後に、任意後見人が委任された事務を本人に代わって行う制度です。

　法定後見が民法上の制度である一方、任意後見は「任意後見契約に関する法律」という特別法により創設された制度です。

**成年後見制度利用促進法**

　成年後見制度が十分に利用されてこなかった反省から、平成28年5月、成年後見制度の利用の促進に関する施策を総合的かつ計画的に推進することを目的とする成年後見制度利用促進法が施行されました。

　この法律に基づき、令和4年3月25日に第2期成年後見制度利用促進基本計画（令和4年度～令和8年度）が閣議決定され、成年後見制度の利用促進策が総合的かつ計画的に推進されています。

# 第2　成年後見（狭義）

## 1　成年後見の概要

　精神上の障害により事理を弁識する能力を欠く常況にある者について、家庭裁判所は、申立てに基づき後見開始の審判をすることができます（民7）。後見開始の審判を受けた本人を「成年被後見人」といい、これを支援する者として「成年後見人」が選任されます（民8、843Ⅰ）。

　「事理を弁識する能力」（事理弁識能力）とは、自分のした法律行為が自らに不利な結果を招かないか等の判断ができる能力をいいます。精神上の障害（認知症、知的障害等）により、事理弁識能力を継続的に欠いているため、日常的な買い物等も自分でできないような場合には、成年後見相当ということになります。

**＜成年後見の関係者＞**

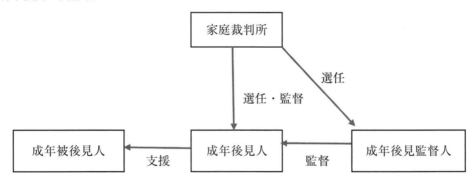

**成年被後見人の選挙権**

　従前、成年被後見人には選挙権・被選挙権が認められていませんでした。しかし、国民の選挙権は議会制民主主義の根幹をなす権利であってやむを得ない事情がない限り制限すべきではない、成年被後見人であっても常に事理弁識能力を欠くわけではなく、成年被後見人の選挙権を制限することは本人の自主決定権を尊重した成年後見人制度の趣旨にも反する等として、成年被後見人に選挙権を認めない公職選挙法の規定が違憲であるとした下級審判決（東京地判H25.3.14）をきっかけに、平成25年5月に公職選挙法が改正され、成年被後見人に選挙権・被選挙権が認められるようになりました。

## 2　後見開始の審判手続

### ⑴　概要

　後見開始の審判手続は、法律で申立権が認められた者が、管轄の家庭裁判所に申立てを行うことにより開始します。

**＜審判手続の概要＞**

| | |
|---|---|
| 管轄裁判所 | 本人の住所地を管轄する家庭裁判所 |
| 主な費用 | 申立手数料800円、家庭裁判所が定める郵券、後見登記手数料、鑑定費用（鑑定を行う場合） |
| 主な必要書類 | 申立書、財産目録、収支状況報告書、財産目録や収支状況報告書に関する資料（預貯金通帳のコピー、不動産の全部事項証明書等）<br>本人の戸籍謄本、本人の住民票写し、後見登記がされていないことの証明書、診断書<br>（後見人候補者がいる場合）候補者の戸籍謄本、住民票写し、身分証明書、後見登記がされていないことの証明書 |

### ⑵　申立権者

　後見開始の審判手続の申立権者の代表例は以下の者です。

**＜申立権者＞**

| 類　型 | 申立権が認められている者 | 根拠条文 |
|---|---|---|
| 親族 | 本人、配偶者、4親等内の親族 | 民7 |
| 法定後見人等 | 未成年者後見人、未成年後見監督人、保佐人、保佐監督人、補助人、補助監督人 | 民7 |
| 任意後見人等 | 任意後見受任者、任意後見人、任意後見監督人 | 任意後見10Ⅱ |
| その他 | 検察官、市区町村長 | 民7、老人福祉法32 |

### ⑶　手続

　成年後見開始の手続の流れは以下のとおりです。

＜後見開始の審判手続＞

| | 内　容 | 根拠条文 |
|---|---|---|
| 家庭裁判所への申立て | 申立権者が家庭裁判所に申立書その他の必要書類を提出します。 | 家事49Ⅰ |
| 関係者の意見聴取 | 家庭裁判所は本人、申立人、成年後見人候補者から意見を聴取します（本人から意見を聴取することができないときは本人からの聴取は行われません）。 | 家事120Ⅰ①③、Ⅱ① |
| 審　査 | 家庭裁判所は医師等に精神鑑定をさせたり（明らかに必要がない場合は鑑定は実施されません）、親族調査を行います。 | 家事109Ⅰ |
| 審　判 | 家庭裁判所は後見を開始すべきと判断したときは、後見開始の審判をします（後見を開始すべきでないと判断したときは申立て却下の審判をします）。 | 家事73Ⅰ |
| 告　知 | 成年後見人に選任された者及び本人に対し、後見開始の審判が告知されます。 | 家事122Ⅰ①、74① |
| 登　記 | 後見開始の審判が確定すると、家庭裁判所書記官の嘱託により、後見登記等ファイルに記録されます。 | 家事116①、39別Ⅰ①③ |

## ⑷　任意後見との関係

　本人について任意後見契約が登記されているときは、家庭裁判所は、原則として後見開始の審判をすることができません。任意後見契約を締結した本人の意思を尊重する必要があるからです。ただし、本人の利益のために特に必要があると認められる場合（例えば、任意後見人の権限では、本人を十分に保護できない場合）は、後見開始の審判をすることができます（任意後見10Ⅰ）。

## 3　成年後見人の選任と辞任・解任

### (1)　成年後見人の資格（欠格事由）

　成年後見人となるために特別な資格は必要ありません。法人も成年後見人に就任することができます（民843Ⅳ）。ただし、次の欠格事由に該当する者は、成年後見人として職務を十分に果たすことが期待できないため、成年後見人になることができません（民847）。

＜欠格事由＞

| 成年後見人になることができない者 | 未成年者 |
| --- | --- |
| | 家庭裁判所で免じられた法定代理人、保佐人、補助人 |
| | 破産者 |
| | 本人に対して訴訟をし、又はした者及びその配偶者並びに直系血族 |
| | 行方の知れない者 |

　成年後見人に選任された後に欠格事由に該当したときは、当然に後見人の地位を喪失します。したがって、複数の事件の成年後見人になっている場合に、ある事件で成年後見人を解任されると、他の事件の後見人の資格も喪失することになります。

### (2)　選任の基準

　成年後見人は、①本人の心身の状態並びに生活及び財産の状況、②成年後見人となる者の職業及び経歴並びに利害関係の有無（成年後見人となる者が法人の場合、事業の種類及び内容並びにその法人及び代表者と本人との利害関係の有無）、③本人の意見、④その他一切の事情を考慮して、適任者が選任されます（民843Ⅳ）。実務上、本人の親族や弁護士等の専門職が選任されるケースが多いです。

　なお、申立ての際、成年後見人として適当と考える者を推薦することはできますが、裁判所はこれに拘束されず、推薦した者が必ず選任されるわけではありません。

＜成年後見人の類型＞

| 類　型 | 具体例 | 選任されやすいケース |
|---|---|---|
| 親　族 | 本人の配偶者、親、子、兄弟姉妹、甥や姪等 | 紛争性が低く、財産関係が比較的簡潔な場合 |
| 専門職 | 弁護士、司法書士、社会福祉士、行政書士等 | 紛争性が高く、財産関係が複雑な場合 |
| 市民後見人 | 地方自治体等の実施する養成研修を受講するなどし、一定の知識・経験を有する一般市民 | 適当な親族がおらず、財産が少ない場合 |

参考

**後見制度支援信託・後見制度支援預金**

　後見制度支援信託は、本人の財産が多額である場合に、日常生活では使用しない金銭を信託銀行等に信託する仕組みです。後見制度支援預金も、後見制度支援信託とほぼ同様の仕組みで、日常生活で使用しない金銭を支援預金用の口座に預金します。信託した財産を受領したり、支援預金を払い戻したりするためには、家庭裁判所の指示書が必要となるため、成年後見人による横領などの不祥事を防止する効果が期待できます。

　これらの制度の導入により、従前、多額の財産の管理のために専門職の成年後見人が選任されていたようなケースでも、親族を成年後見人に選任することが可能となります（ただし、信託契約の締結は専門職に任せることが妥当と考えられることから、信託契約を締結するまでの間、（親族後見人に加えて）一時的に専門職後見人を選任し、信託契約を締結させ、契約締結後に辞任させる取扱いがなされることがあります）。

## (3)　複数選任

　成年後見人に選任されるのは原則として1人だけですが、必要に応じて複数の成年後見人が選任される場合があります（民843Ⅲ）。後見開始後に追加で選任することも可能です。

＜複数選任の場合の権限＞

| 原　則 | 例外（民859の2Ⅰ） |
|---|---|
| それぞれの成年後見人が単独で権限を行使することができる。 | 家庭裁判所が共同行使（共同で権限を行使する）の定めをしたときは、成年後見人らは共同で権限を行使しなければならない。 |
| | 家庭裁判所が事務の分掌（各人が分掌された範囲内で権限を行使する）の定めをしたときは、各成年後見人はその範囲内で権限を行使する。 |

＜事務の分掌の例＞

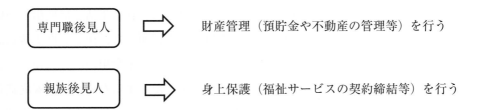

成年後見人が複数あるときは、第三者はそのうちの1人に対して意思表示をすれば足ります（民859の2Ⅲ）。

## ⑷　辞任・解任

### ア　辞任

　自由な辞任を認めると本人に不利益を与えるおそれがあるため、成年後見人は、正当な事由があるとして家庭裁判所が許可した場合でなければ、辞任することができません（民844）。

＜正当事由が認められる例＞

| | |
|---|---|
| ① | 高齢、病気 |
| ② | 遠隔地への転居 |
| ③ | 本人や親族との重大な関係悪化 |
| ④ | 複数選任の必要がなくなった（複数選任時） |

### イ　解任

　成年後見人について、不正な行為、著しい不行跡その他後見の任務に適しない事由があるときは、家庭裁判所は、本人や親族等の申立て又は職権により、解任することができます（民846）。

**＜解任事由の例＞**

| 不正な行為 | 財産の私的流用（横領） |
|---|---|
| 著しい不行跡 | 著しい任務懈怠 |
| | 家庭裁判所による命令の無視 |

### ウ　成年後見人が欠けたときの処理

　成年後見人の死亡や辞任・解任等により、成年後見人が欠けた場合には、家庭裁判所により、新たな成年後見人が選任されます（民843Ⅱ）。

## 4　成年後見人の職務・権限

### (1)　職務

　成年後見人の職務は、財産管理（本人の財産の管理に関する事務）と身上保護（本人の生活、療養看護に関する事務）とされています（民858）。成年後見人に就任したときは、後述する権限を行使して、善良なる管理者の注意をもって、その職務を果たしていくことが求められます（民869→644）。

　成年後見人は、就任後遅滞なく本人の財産の調査に着手し、1か月以内に調査を終え、財産目録を作成しなければならず（民853Ⅰ）、財産目録を作成するまでは、急迫の必要がある行為しか行うことができません（民854）。また、就職の初めにおいて、本人の生活、教育又は療養看護及び財産の管理のために毎年支出すべき金額を予定することが求められています（民861Ⅰ）。

**＜成年後見人の職務＞**

| 財産管理 | 本人の財産の保存、管理、処分<br>　（具体例）<br>　　本人が所有する不動産の管理<br>　　預金の払戻し |
|---|---|
| 身上保護 | 本人の療養看護に関する契約の締結<br>　（具体例）<br>　　要支援・要介護認定の申請<br>　　介護サービス等の利用手続<br>　　入院の手続や費用の支払い |

　なお、後見監督人又は家庭裁判所は、いつでも、成年後見人に対し、後見事務の報告若しくは財産の目録の提出を求めることができます（民863Ⅰ）。すなわち、成年後見人には後見事務の報告義務があり、これも広い意味で成年後見人の職務といえます。


⑵　**権限**


**＜成年後見人の権限＞**

| 包括的代理権 | 取消権 |
|---|---|
| 本人に代わって法律行為を行う権限 | 本人がした法律行為を取り消す権限 |


**ア　包括的代理権**

　成年後見人には、その職務を果たしていくため、本人の財産を管理し、本人に代わって法律行為を行う権限（包括的代理権）が与えられています（民859Ⅰ。なお、婚姻や認知等の身分的法律行為については、包括的代理権の対象ではありません）。この包括的代理権により、本人に代わって、介護・医療サービスの契約締結、預貯金の払戻し、不動産等の財産処分、公共料金等の支払いなど、本人のために必要な行為を行います。

　ただし、成年後見人の包括的代理権には、以下の制限があります。

＜代理権の制限＞

| 代理権の制限 | 制限の内容 | 根拠条文 |
|---|---|---|
| 居住用不動産の処分 | 家庭裁判所の許可を得て行う必要がある。 | 民859の3 |
| 本人の行為を目的とする債務を負担すること | 本人の同意を得て行う必要がある。 | 民859Ⅱ・824ただし書 |
| 営業若しくは民法13条1項各号に掲げる行為をすること | 後見監督人が選任されているときは、後見監督人の同意を得て行う必要がある。 | 民864 |
| 利益相反行為（本人と成年後見人の利益が相反する行為） | 特別代理人あるいは後見監督人が行う必要がある。 | 民860・826 |

### イ　取消権

　成年後見人には、本人がした法律行為を取り消す権限が与えられています（民9）。たとえば、本人が何ら必要のない物を購入する契約を締結してしまった場合、成年後見人は、売買契約を取り消して、支払代金を取り戻します。

　成年後見人の取消権には、以下の例外があります。

＜取消権の原則と例外＞

| 原　則 | 例　外 |
|---|---|
| 本人のした法律行為を取り消すことができる（民9）。 | 「日用品の購入その他日常生活に関する行為」は取り消すことができない（民9ただし書）。 |
| | 本人が行為能力者であることを信じさせるために詐術を用いた場合は取り消すことができない（民21）。 |

　成年後見人が本人の法律行為を取り消すと、本人の行為は初めから無効であったとみなされます（民121）。この場合、取引の相手方は、本人から受領した物あるいは相当額を返還しなければならない一方、本人は現存利益の範囲でのみ返還義務を負うものとされ、本人保護が図られています（民121の2Ⅲ後）。

　なお、成年後見人には、後述する保佐人や補助人と異なり、本人が法律行為をすることに同意する権限がありません。事理弁識能力を欠く以上、成年後見人の同意を得たからといって、本人が正しく法律行為をすることが期待できないからです。

　取消権の対象となる取引の相手方は、本人がその後に行為能力者となった場合、本

人に対し、1か月以上期間を定めて、行為を追認するか催告することができ、期間内に確答がない場合は追認したものとみなされます（民20Ⅰ）。また、本人が制限行為能力者である間も、成年後見人に対して同様の催告を行うことができ、期間内に確答がない場合は追認したものとみなされます（民20Ⅱ）。

＜追認の催告＞

| 催告の時期 | 追認催告の相手方 | 確答がない場合の効果 |
|---|---|---|
| 本人の行為能力が回復した後 | 本人 | 追認したものとみなす |
| 本人の行為能力が回復する前 | 成年後見人 | 追認したものとみなす |

### ウ　郵便物の開披等

成年後見人には、包括的代理権や取消権のほかに以下の権限が認められています。

＜その他の権限＞

| 権　限 | 内　容 | 根拠条文 |
|---|---|---|
| 郵便物の開披権 | 本人宛ての郵便物を開封して読むことができます。 | 民860の3Ⅰ |
| 費用償還請求権 | 後見事務を行うために必要な費用は本人の財産の中から支弁することができます。 | 民861Ⅱ |
| 報酬請求権 | 裁判所が認めた報酬を本人の財産から受け取ることができます。 | 民862 |

　なお、家庭裁判所は、成年後見人の申立てにより、郵便事業者に対し、期間を定めて、本人宛ての郵便物等を成年後見人に転送すべき旨を嘱託することができます（民860の2Ⅰ）。成年後見人が本人の財産・収支状況を正確に把握し、適切な財産管理を行うための制度ですが、本人の通信の秘密に配慮して、転送期間は最長6か月に限定されています（民860の2Ⅱ）。

## 5　成年後見の終了

### (1)　成年後見の終了事由

　本人が死亡した場合、当然に成年後見は終了します。また、本人の判断能力が回復して後見開始の原因が消滅し（民10）、又は、任意後見監督人が選任されたときは（任意後見4Ⅱ）、家庭裁判所が後見開始の審判を取り消すことにより、成年後見が終

了します。

　成年後見が終了したときは、原則として、成年後見人の権限は当然に消滅します。

＜成年後見の終了＞

| 成年後見の終了事由 | 根拠条文 |
|---|---|
| 本人の死亡 | ― |
| 後見開始の原因の消滅 | 民10 |
| 任意後見監督人の選任 | 任意後見4Ⅱ |

## ⑵　終了時の事務

　成年後見が終了した場合、成年後見人（成年後見人が死亡した場合はその相続人）は、2か月以内に管理の計算（後見期間中の収支計算）をしたうえで、本人の相続人等に財産管理を引き継がなければなりません（民870）。

　なお、急迫の事情があるときは、成年後見人は、本人又はその相続人が委任事務を処理することができる時期まで、必要な事務処理をしなければなりません（民874→654）。

## ⑶　死後事務

　本人が死亡した場合、成年後見人に与えられていた権限も消滅するのが原則ですが、以下の要件の下、一定の行為をすることが認められています（民873の2）。

　死後事務のうち、火葬又は埋葬に関する契約の締結その他相続財産の保存に必要な行為については、家庭裁判所の許可を得て行う必要があります。

＜死後事務の要件＞

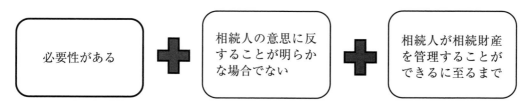

**＜死後事務の内容＞**

| | 内　容 | 具体例 | 根拠条文 |
|---|---|---|---|
| ① | 相続財産に属する特定の財産の保存に必要な行為 | 家屋の修繕、消滅時効の中断 | 民873の2① |
| ② | 相続財産に属する債務（弁済期が到来しているものに限る。）の弁済 | 弁済期が到来した債務の弁済 | 民873の2② |
| ③ | 死体の火葬又は埋葬に関する契約の締結その他相続財産の保存に必要な行為（①②に掲げる行為を除く。） | 火葬・埋葬に関する契約の締結（葬儀はこれに含まれない。）家屋の修繕や債務の弁済のために、相続財産に属する預金を払い戻す行為 | 民873の2③ |

　なお、成年後見人は、後見が終了した後も、急迫の事情があるときは必要な処分をする義務（応急処分義務）を負っており（民874→654）、民法に明記されている死後事務以外にも、応急処分義務に基づき必要な処分を行うことは可能であると解されています。

## 6　成年後見監督人

### (1)　役割

　成年後見人が任務を懈怠したり、その権限を濫用した場合、本人が多大な損害を被ることになります。それを防止するため、家庭裁判所が成年後見人を監督することになりますが（民863）、家庭裁判所のマンパワーに限界があるため、十分な監督ができないこともあります。

　そこで、必要に応じて成年後見監督人を選任し、成年後見人を監督させる制度が設けられています。

### (2)　選任

　家庭裁判所は、必要があると認めるときは、本人、親族若しくは成年後見人の請求により、又は職権で、成年後見監督人を選任することができます（民849）。

　成年後見人と同様に、成年後見監督人も複数選任することができ、また、法人を選任することもできます（民852→民859の2、民843Ⅳ参照）。

　成年後見監督人を選任するか否かは家庭裁判所の裁量によりますが、実務上、財産規模が大きく成年後見支援信託を利用しないケースで成年後見監督人が選任されるこ

とが多いです。

**＜成年後見監督人が選任されやすいケース＞**

| | | |
|---|---|---|
| 本人が保有する財産が多額である場合 | 監督対象の成年後見人の職務が頻回である場合 | 親族間の対立により後見人の事務処理の適否について紛争のおそれがある場合 |

### ⑶　欠格事由

　成年後見人の配偶者、直系血族及び兄弟姉妹は、成年後見人監督人になることができません（民850）。これらの者は、成年後見人との関係のために、十分な監督を期待することが難しいからです。

　また、成年後見人の欠格事由に該当する者は、後見監督人としての職務を適切に遂行することも期待できないため、成年後見監督人になれません（民852→847）。成年後見監督人に選任された後、この欠格事由に該当した場合は、成年後見監督人の地位を当然に喪失することになります。

### ⑷　職務・権限

#### ア　成年後見人の事務の監督

　成年後見監督人の主な職務は、成年後見人の事務の監督です（民851①）。そのために以下の権限が与えられています。

**＜成年後見監督人の権限＞**

| | 内　容 | 根拠条文 |
|---|---|---|
| 成年後見監督人の権限 | 成年後見人による財産目録作成に立ち会うこと | 民853Ⅱ |
| | 成年後見人に対して、事務報告及び財産目録提出を請求し、又は、後見事務や財産状況を調査すること | 民863Ⅰ |
| | 後見の事務について必要な処分を成年後見人に命じるよう家庭裁判所に対して請求すること | 民863Ⅱ |
| | 成年後見人による重要な行為に同意すること | 民864 |
| | 成年後見人の解任を家庭裁判所に対して請求すること | 民846 |
| | 成年後見人による後見の計算に立ち会うこと | 民871 |

### イ　その他の職務・権限

　成年後見人の事務の監督のほか、成年後見監督人の職務・権限として、以下のことが定められています。

**＜成年後見人の監督以外の職務・権限＞**

| 内　容 | 根拠条文 |
|---|---|
| 成年後見人が欠けた場合に、遅滞なくその選任を家庭裁判所に請求すること | 民851② |
| 急迫の事情がある場合に、必要な処分をすること | 民851③ |
| 成年後見人と本人が利益相反する場合に本人を代表すること | 民851④ |
| 人事に関する訴えの相手方が成年後見人であるときに、本人のために訴訟当事者になること | 人訴14Ⅱ |

### ⑸　債権債務の申出

　成年後見人に就任した時点において成年後見監督人がいるときは、成年後見人は、財産調査（民853）に着手する前に、本人に対する債権債務を成年後見監督人に申し出なければなりません（民855Ⅰ）。成年後見人が本人に対する債権を知りながら、これを成年後見監督人に申し出なかったときは、その債権を失います（民855Ⅱ）。

## ⑹　後見監督人の職務の終了

　成年後見人と同様に、成年後見監督人は、正当な事由があるとして家庭裁判所の許可がなければ辞任することができません（民852→844）。また、不正な行為等後見監督の事務に適しない事由があるときは、家庭裁判所により解任されます（民852→846）。

　成年後見監督人は、その職務を辞任し、又は後見が終了した場合であっても、急迫の事情があるときは、引き続き事務を行わなければなりません（民852→654）。

　成年後見監督人は、職務を終了した事実について、本人に通知しておかなければ、監督の義務がなくなったことにつき、本人に対抗することができません（民852→655）。

# 第3　保　佐

## 1　概要

　精神上の障害により事理を弁識する能力が著しく不十分な状態にある者について、家庭裁判所は、申立てに基づき保佐開始の審判をすることができます（民11）。保佐開始の審判を受けた本人を「被保佐人」といい、これを支援する者として「保佐人」が選任されます（民12、876の2Ⅰ）。

　日常的に必要な買物程度はできるものの、不動産の売買や金銭の貸借等の重要な財産行為は自分ではできない程度の判断能力の者は、保佐相当ということになります。

## 2　保佐開始の審判手続

　保佐開始の審判手続は、成年後見人と同様です（民11）。

　本編第7章 第2 2「後見開始の審判手続」を参照してください。

## 3　保佐人の選任と辞任・解任

### ⑴　保佐人の資格

　成年後見人と同様、一定の欠格事由がある場合には保佐人になることができません（民876の2Ⅱ→847）。保佐人の欠格事由は成年後見人と同様です。

　本編第7章第2 3「成年後見人の選任と辞任・解任」を参照してください。

### ⑵　選任の基準

　保佐人の選任基準は、成年後見人の選任基準と同じです（民876の2Ⅱ→843Ⅳ）。本人の親族あるいは弁護士等の専門職が選任されることが一般的です。

　本編第7章第2 3⑵「選任の基準」を参照してください。

### ⑶　複数選任

　必要に応じて複数の保佐人が選任される場合があることやその場合の各保佐人の権限については、成年後見の場合と同様です（民876の2Ⅱ→843Ⅲ・859の2Ⅰ・859の2Ⅲ）。

本編第7章第2　3(3)「複数選任」を参照してください。

### (4)　辞任・解任

#### ア　辞任

　成年後見人と同様、保佐人も、正当な事由があるとして家庭裁判所が許可した場合でなければ、辞任することができません（民876の2Ⅱ→844）。

#### イ　解任

　不正な行為、著しい不行跡その他後見の任務に適しない事由があるときは、家庭裁判所は、本人や親族等の申立て又は職権により、保佐人を解任することができます（民876の2Ⅱ→846）。

#### ウ　保佐人が欠けたときの処理

　保佐人の死亡や辞任・解任等により、保佐人が欠けた場合には、家庭裁判所により、新たな保佐人が選任されます（民876の2Ⅱ→843Ⅱ）。

## 4　保佐人の職務・権限

### (1)　職務

　保佐人の職務が財産管理（本人の財産の管理に関する事務）と身上保護（本人の生活、療養看護に関する事務）であることは、成年後見人と同様であると解されています。ただし、それらの職務を網羅的に行う成年後見人と異なり、保佐人は、保佐人に付与された権限の範囲内で、善良な管理者の注意をもって、その職務を果たせば足ります（民876の5Ⅰ、民876の5Ⅱ→644）。

　なお、保佐人には、成年後見人のような財産調査・目録調整義務（民853）がありませんが、たとえば、金融機関との一切の取引の権限が与えられている場合、その範囲内の財産について、財産目録を作成する義務があると解されます。

⑵　**権限**

＜保佐人の権限＞

> **同意権・取消権**
>
> ・本人が行う<u>重要な財産行為</u>について同意する権限
> ・同意なく行われた行為を取り消す権限

> **代理権**
>
> 特定の法律行為について、本人に代わって法律行為をする権限

**ア　同意権・取消権**

㋐　同意権

　本人が、民法13条 1 項各号（次ページの表参照）の重要な財産行為を行うには、保佐人の同意を得なければなりません（民13Ⅰ①～⑩）。この保佐人が本人の行為に同意する権限を同意権といいます。

　また、民法13条 1 項に列挙されたもの以外の行為について、家庭裁判所は、関係者の申立てにより、保佐人の同意を得なければならない旨の審判をすることができます（民13Ⅱ）。

　一方、民法13条 1 項各号に該当する行為であっても、日用品の購入その他日常生活に関する行為については、保佐人に同意権はありません（民13Ⅰただし書）。

　本人の利益を害するおそれがないにもかかわらず保佐人が同意を拒否する場合、本人は家庭裁判所に対し、保佐人の同意に代わる許可を請求することができます（民13の 3 ）。

**＜同意権・取消権の対象＞**

| | |
|---|---|
| 原則<br>（民13Ⅰ） | 保佐人は、保佐人の同意なく本人がした以下の行為を取り消すことができる。<br>①元本を領収し、又は利用すること。<br>②借財又は保証をすること。<br>③不動産その他重要な財産に関する権利の得喪を目的とする行為をすること。<br>④訴訟行為をすること。<br>⑤贈与、和解又は仲裁合意をすること。<br>⑥相続の承認若しくは放棄又は遺産の分割をすること。<br>⑦贈与の申込みを拒絶し、遺贈を放棄し、負担付贈与の申込みを承諾し、又は負担付遺贈を承認すること。<br>⑧新築、改築、増築又は大修繕をすること。<br>⑨第602条に定める期間を超える賃貸借をすること。<br>⑩上記①～⑨の行為を制限行為能力者の法定代理人としてすること。 |
| 例外 | 日用品の購入その他日常生活に関する行為は同意権・取消権の対象とはならない。 |

### ㈠　取消権

　保佐人は、同意権の対象となる法律行為を本人が同意を得ないまま行った場合、これを取り消すことができます（民13Ⅳ、120Ⅰ）。ただし、例外として、被保佐人が詐術を用いた場合は取り消すことができません（民21）。

　行為能力者になった後の本人あるいは本人が行為能力者になる前の保佐人に対して、取引の相手方が追認を催告できること、それに対して無確答の場合に追認したものとみなされることは、成年後見の場合と同様です（民20ⅠⅡ）。また、保佐の場合には、本人が制限行為能力者（被保佐人）である間でも、取引の相手方は、本人に対して、保佐人の追認を得るよう催告することができ、本人が追認を得た旨を回答しない場合は、その行為を取り消したものとみなされます（民20Ⅳ）。

**＜催告の効果＞**

| 催告の時期 | 催告の相手方 | 無確答の場合の効果 |
|---|---|---|
| 本人の行為能力の回復前 | 保佐人 | 追認したものとみなす |
| | 本人 | 取り消したものとみなす |
| 本人の行為能力の回復後 | 本人 | 追認したものとみなす |

### イ　代理権

　成年後見人と異なり、保佐人には当然に代理権が与えられません。家庭裁判所は、

申立てがあったときに、本人保護の必要に応じ、一定の行為の代理権を保佐人に与えることができます（民876の4 I）。なお、保佐人に代理権を付与するには、本人の同意が必要です（民876の4 II）。

　ただし、付与された代理権の範囲内であっても、居住用不動産の処分については、家庭裁判所の許可がなければ行うことができません（民876の5 II→859の3）。

**＜保佐人の代理権の原則と例外＞**

| 原則 | 例外 |
|---|---|
| 家庭裁判所が認めた行為につき、代理権を有する | 本人の居住用不動産を処分するために家庭裁判所の許可が必要 |

### ウ　その他の権限

　保佐人は、成年後見人と同じく、後見事務を行うために必要な費用を本人の財産の中から支弁することができ、また、裁判所が認めた報酬を本人の財産から受け取ることができます（民876の5 II→861 II・862）。

## 5　保佐の終了

　保佐の終了事由は、概ね、成年後見の場合と同様です（民14 I、任意後見4 II）。本人について、成年後見又は補助開始の審判をするときは、保佐開始の審判は取り消されます（民19）。

　保佐の任務が終了した場合、収支の計算をし、家庭裁判所に報告すべきこと（民876の5 III・870）、任務終了時に急迫の事情がある場合、必要な範囲で保佐の事務を処理する義務があることも、成年後見の場合と同様です（民876の5 III→654）。

　本編第7章第2 5「成年後見の終了」を参照してください。

## 6　保佐監督人

　保佐人についても、必要に応じて保佐監督人を選任し、この監督人をして保佐人を監督させる制度が設けられています。家庭裁判所は、被保佐人、その親族若しくは保

佐人の請求により、又は職権で保佐監督人を選任することができます（民876の3Ⅰ）。

　保佐監督人の職務は、基本的には、保佐人の事務の監督です（民876の3Ⅱ→851①）。

**＜保佐監督人の職務＞**

| 内　容 | 根拠条文 |
|---|---|
| 保佐人の事務を監督すること。 | 民876の3<br>→851① |
| 保佐人が欠けた場合に、遅滞なくその選任を家庭裁判所に請求すること。 | 民876の3<br>→851② |
| 急迫の事情がある場合に必要な処分をすること。 | 民876の3<br>→851③ |
| 保佐人と本人との利益が相反する行為について、本人を代表し、又は本人がこれをすることに同意すること。 | 民876の3<br>→851④ |

# 第 4　補　助

## 1　補助の概要

　精神上の障害により事理を弁識する能力が不十分な者について、家庭裁判所は、申立てに基づき補助開始の審判をすることができます（民15Ⅰ）。補助開始の審判を受けた本人を「被補助人」といい、これを支援する者として「補助人」が選任されます（民16、876の7Ⅰ）。

　重要な財産行為を自分でできるかもしれないものの、できるかどうか危惧があるため、本人の利益のためには誰かに代わってしてもらった方がよい程度の判断能力がある場合、補助相当となります。

## 2　補助開始の審判

　補助開始の審判の手続は、概ね成年後見人、保佐人と同様ですが、補助相当の場合、本人に相応の判断能力が残っていることから、本人以外の申立てに基づき補助開始の審判をする場合、本人の同意が必要とされています（民15Ⅱ）。

**＜本人の同意の要否＞**

| 審判の種類 | 本人の同意の要否 |
| --- | --- |
| 成年後見開始の審判 | 不要 |
| 保佐開始の審判 | 不要 |
| 補助開始の審判 | 必要 |

　なお、成年後見人や保佐人と異なり、補助人には当然に認められる権限がないため、家庭裁判所は、補助開始の審判と同時に、同意権と代理権のいずれか、若しくは、両方を付与する審判をしなければなりません（民15Ⅲ）。

　また、補助開始の審判手続では、医師の鑑定は必要とされず、医師の診断の結果その他適当な者の意見を聴くことで足るとされています（家事138）。

## 3 補助人の選任と辞任・解任

### (1) 補助人の資格

　成年後見人や保佐人と同じく、一定の欠格事由がある場合には補助人になることができません（民876の7Ⅱ・847）。補助人の欠格事由は、成年後見人のそれと同様です。

　本編第7章第2 3(1)「成年後見人の資格（欠格事由）」を参照してください。

### (2) 選任の基準

　補助人の選任基準は、成年後見人の選任基準と同様です（民876の7Ⅱ・843Ⅳ）。被補助人の親族あるいは弁護士等の専門職が補助人に選任されることが一般的です。

　本編第7章第2 3(2)「選任の基準」を参照してください。

### (3) 複数選任

　必要に応じて複数の補助人が選任される場合があること、その場合の各補助人の権限等は成年後見や保佐の場合と同様です（民876の7Ⅱ→843Ⅲ・876の10Ⅰ→859の2Ⅰ・859の2Ⅲ）。

　本編第7章第2 3(3)「複数選任」を参照してください。

### (4) 辞任・解任

#### ア 辞任

　成年後見人や保佐人と同様、補助人も、正当な事由があるとして家庭裁判所が許可した場合でなければ、辞任することができません（民876の7Ⅱ→844）。

#### イ 解任

　不正な行為、著しい不行跡その他後見の任務に適しない事由があるときは、家庭裁判所は、本人や親族等の申立て又は職権により、補助人を解任することができます（民876の7Ⅱ→846）。

#### ウ 補助人が欠けたときの処理

　補助人の死亡や辞任・解任等により、補助人が欠けた場合には、家庭裁判所により、新たな補助人が選任されます（民876の7Ⅱ→843Ⅱ）。

## 4　補助人の職務・権限

### ⑴　職務

　補助人の職務も、財産管理（本人の財産の管理に関する事務）と身上保護（本人の生活、療養看護に関する事務）であると解されています。保佐人と同様、補助人に付与された権限の範囲内で、善良な管理者の注意をもって、その職務を果たせば足ります（民876の10Ⅰ→644）。

### ⑵　権限

**＜補助人の権限＞**

```
┌─────────────────┐    ┌─────────────────┐
│   同意権・取消権   │    │     代理権       │
│                 │    │                 │
│ ・家庭裁判所が認め  │    │ 家庭裁判所が認めた │
│  た範囲内で、本人  │    │ 特定の法律行為に  │
│  がした重要行為に  │    │ ついて、本人に代  │
│  同意する権限     │    │ わって法律行為をす │
│ ・同意なく行われた  │    │ る権限           │
│  行為を取り消す権限 │    │                 │
└─────────────────┘    └─────────────────┘
```

#### ア　同意権・取消権

##### ㈠　同意権

　補助人は、保佐人と異なり、当然に同意権が与えられません。当事者の申立てにより、家庭裁判所が一定の行為について同意権を補助人に付与します（民17Ⅰ）。同意権の対象は、民法13条1項に規定される重要な財産行為（225ページの表①〜⑩参照）の一部に限定されます。

　本人以外が請求する場合、補助人に同意権を付与するためには本人の同意が必要です（民17Ⅱ）。

##### ㈡　取消権

　同意権の対象となる法律行為を本人が同意を得ずに行った場合、補助人がそれを取り消すことができること（民17Ⅳ、120Ⅰ）、例外として、本人が詐術を用いた場合は取り消すことができないこと（民21）は、保佐の場合と同様です。

　また、取消権の対象となる取引の相手方による本人や補助人に対する取消権行使等の催告や効果は、保佐の場合と同様です（民20ⅠⅡ、20Ⅳ）。

本編第7章第3　4⑵ア⒤「取消権」を参照してください。

### イ　代理権

　本人保護の必要に応じ、家庭裁判所が一定の行為の代理権を補助人に与えることができることは保佐の場合と同様です（民876の9）。本人以外の請求の場合に、本人の同意が必要となることも保佐の場合と同様です。

　本編第7章第3　4⑵イ「代理権」を参照してください。

### ウ　権限の追加

　同意権・取消権だけ、又は、代理権だけを補助人に付与することができるほか、同意権・取消権と代理権の両方を付与することも可能です。

　審判時に同意権だけを付与し、後で申立てにより代理権を追加することも可能ですが、代理権を追加する際に、本人の同意が必要となります（民876の9Ⅱ→876の4Ⅱ）。なお、代理権の範囲を縮減する場合には、本人の同意は不要です。

## 5　補助の終了

　補助の終了事由は、概ね、保佐の場合と同様です（民18Ⅰ、19、任意後見4Ⅱ）。補助特有の事情として、家庭裁判所は、補助人への同意権付与の審判と代理権付与の審判をすべて取り消す場合、補助開始の審判を取り消さなければなりません（民18Ⅲ）。

　本編第7章第3　5「保佐の終了」を参照してください。

　補助の任務が終了した場合、収支の計算をし、家庭裁判所に報告すべきこと、任務終了時に急迫の事情がある場合、必要な範囲で補助の事務を処理する義務があることは、成年後見人や保佐人と同様です（民876の10Ⅱ→870・654）。

　本編第7章第2　5⑵「終了時の事務」を参照してください。

## 6　補助監督人

　補助人についても、成年後見人や保佐人と同様に、必要に応じて補助監督人を選任し、補助人を監督させる制度が設けられています。家庭裁判所は、被補助人、その親族若しくは補助人の請求により、又は職権で、補助監督人を選任することができます（民876の8Ⅰ）。

　補助監督人の職務は、基本的に、保佐監督人と同様です（民876の8Ⅱ→851）。

　本編第7章第3　6「保佐監督人」を参照してください。

## ＜成年後見・保佐・補助の比較＞

| 項目 | | 成年後見 | 保佐 | 補助 |
|---|---|---|---|---|
| 関係者 | 本人 | 成年被後見人 | 被保佐人 | 被補助人 |
| | 対象となる者 | 精神上の障害により事理を弁識する能力を欠く常況にある者 | 精神上の障害により事理を弁識する能力が著しく不十分である者 | 精神上の障害により事理を弁識する能力が不十分な者 |
| | 支援者 | 成年後見人 | 保佐人 | 補助人 |
| | 監督者 | 成年後見監督人 | 保佐監督人 | 補助監督人 |
| 申立ての手続 | 申立権者 | 本人、配偶者、4親等内の親族、他類型（任意後見を含む）の支援者・監督者、検察官、市区町村等 | | |
| | 開始決定の際の本人の同意の要否 | 不要 | | 必要 |
| | 医師の鑑定の要否 | 原則必要 | | 不要 |
| 支援者の権限 | 同意権の範囲 | なし | 民法13条1項所定の行為のほかに、家庭裁判所が審判で認めたものについて、同意権が認められる。 | 民法13条1項所定の行為の範囲内で、家庭裁判所が審判で認めたものについて、同意権が認められる。 |
| | 同意権付与についての本人の同意の要否 | ‐ | 不要 | 必要 |
| | 取消権の範囲 | 原則、本人の財産的法律行為全般について、取消権が認められる | 同意権の対象となる行為について、取消権が認められる。 | |
| | 取消権の例外 | 日常生活に関する行為は取消権の対象にならない。 | | |
| | 代理権の範囲 | 財産に関する法律行為について包括的代理権が認められる。 | 家庭裁判所が審判で認めた範囲内で代理権が認められる。 | |
| | 代理権付与についての本人の同意の要否 | 不要 | 必要 | |
| 支援者の職務 | 職務の内容 | ①身上保護 ②財産管理 | 付与された権限（同意権・取消権、代理権）の範囲内で身上保護と財産管理の事務を行う。 | |
| | 職務遂行にあたっての責務 | 本人の意思を尊重し、その心身の状態及び生活の状況に配慮しながら職務を遂行する。 | | |
| | 財産調査・目録調整義務 | あり | 原則なし。ただし、付与された代理権の対象である財産について、財産調査・目録調整義務があると解される。 | |

| 項目 | | 成年後見 | 保佐 | 補助 |
|---|---|---|---|---|
| 支援の終了 | 審判の取消事由 | 以下の事由が生じたときは、後見・保佐開始の審判が取り消される。<br>①開始の原因が止んだ場合<br>②他の類型の開始審判が下された場合<br>③任意後見監督人が選任されたとき | | 左記①〜③に加えて、補助人への同意権付与と代理権付与の審判を全て取り消すときは、補助開始の審判が取り消される。 |
| | 本人の死亡 | 成年後見・保佐・補助は当然に終了し、支援者の権限は消滅する。 | | |
| | 死後事務の権限 | 成年後見人には民法第873条の2所定の死後事務を行う権限が認められる。 | なし | |

# 第5　任意後見制度

## 1　概要

### (1)　目的

　　任意後見制度は、本人の自己決定権を尊重しつつ、かつ、受任者に対する公的な監督制度を設けて本人の保護を図るための制度です。

　　通常の委任契約では、本人が、自己の判断能力が不十分になった場合に備え、あらかじめ自己の財産管理等を他者に委託した場合、受任者を公的に監督することができず、判断能力の衰えた本人の保護が不十分です。

　　また、法定後見制度は、本人の保護・援助の内容が法律及び家庭裁判所の判断に委ねられ、また、法定後見制度自体、本人の判断能力が不十分となってはじめて開始されるものですから、保護・援助の内容について、本人の意思を反映させることができません。

　　任意後見制度は、このような委任契約、成年後見制度の不足を補うことができます。

### (2)　仕組み、手続の概要

　　任意後見制度の仕組み、手続の概要は、以下のとおりです。

**＜仕組み＞**

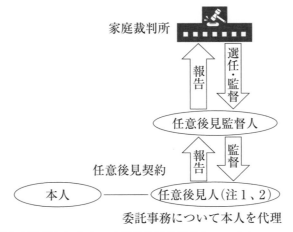

（注）1　任意後見監督人が選任されるまでは任意後見受任者といいます。
　　　2　任意後見人は任意後見契約において定めた事項について、本人を代理して法律行為を行います。なお、成年後見人のような取消権はありません。

＜手続の概要＞

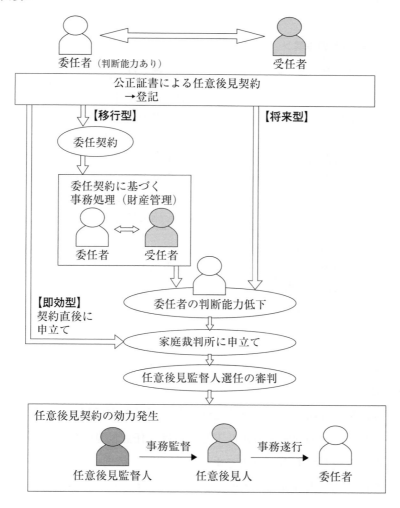

## 2　任意後見契約

### ⑴　意義

　任意後見契約とは、本人（委任者）が任意後見受任者に対し、精神上の障害により判断能力が不十分な状況における自己の生活、療養看護及び財産の管理に関する事務の全部又は一部を委託し、その委託に係る事務について代理権を付与する委任契約であって、任意後見監督人が選任されたときからその効力が生ずる旨の定めのあるものをいいます（任意後見2①）。

### ⑵　民法上の委任契約との差異

　任意後見契約の法的性質は委任契約ですが、任意後見監督人が選任されたときからその効力が生じる旨の定めを設けなければならないことのほか、民法上の委任契約

（民643）とは異なる以下のような特徴があります。

**＜民法上の委任契約との差異＞**

| 相　違　点 | 趣　旨 | 根拠条文 |
|---|---|---|
| 任意後見契約は委任者と受任者の合意だけでは成立せず、法務省令で定める様式に従った公正証書によって契約を締結しなければなりません。 | 契約時における委任者の意思能力の有無や委任者の真意に基づいて真正に成立したことの確認・立証を容易にします。<br>契約締結から効力発生までの間の滅失・改ざんを防止します。<br>後見の登記を確実に行います。 | 任意後見3 |
| 任意後見契約で決められる任意後見人（受任者）の事務の内容は、本人の生活、療養看護及び財産の管理に関する事務に限られます。 | 受任者の権限拡大を防止し、本人を保護します。 | 任意後見2① |

**(3)　利用形態**

**ア　移行型**

　移行型は、契約締結時から任意後見受任者に通常の委任契約として財産管理等の事務を委託し、自己の判断能力が低下した後は、任意後見受任者に任意後見人として事務処理を継続してもらう方法です。

　通常の委任契約（事理弁識能力が不十分になるまで）と任意後見契約（事理弁識能力が不十分となった後）を締結することとなります。

**イ　即効型**

　即効型は、契約締結直後から任意後見契約の効力を発生させる方法です。

　事理弁識能力が不十分であっても（例：補助制度対象者）、完全に失われていない限り、本人は有効に任意後見契約を締結することができます。ただし、契約後即時に任意後見契約の効力を生じさせるものですから、契約時において事理弁識能力が不十分という、任意後見監督人選任申立ての要件を満たす必要があります。

　この方法の場合、契約締結直後、本人又は任意後見受任者によって、任意後見監督人選任の申立てを行うこととなります。

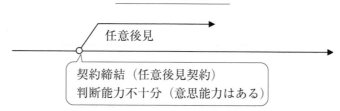

## ウ　将来型

　将来型は、契約締結時点では任意後見受任者に財産管理等の事務を委託せず、事理弁識能力が不十分となった時点で任意後見人の保護を受けようとする方法です。任意後見契約に関する法律の予定する原則形態であるともいえます。

　契約締結時点では任意後見契約の効力が生じていませんから、本人が自己の財産管理等をすることとなり、本人の精神の障害により事理弁識能力が不十分となり、任意後見監督人が選任されてはじめて、契約の効力が生ずることとなります。

## ⑷　任意後見契約の締結方法

　任意後見契約を締結するには、本人と任意後見受任者との合意だけでなく、公正証書を作成しなければなりません（任意後見3）。

### ＜契約締結方法＞

| ①　本人と任意後見受任者との合意 |
|---|
| 一般の契約と同様、本人と任意後見受任者の合意が必要です。 |

| ②　公正証書の作成 |
|---|
| 任意後見契約は、法務省令で定める様式(注)の公正証書によってしなければなりません（任意後見3）。<br>公正証書には、公証人法第35条、第36条に規定する事項のほか、証書の様式に関する法務省令附録第1号様式又は第2号様式による用紙に、任意後見人が代理権を行うべき事務の範囲を特定して記載しなければなりません（任意後見契約に関する法律第3条の規定による証書の様式に関する省令1、2）。 |

**＜任意後見契約公正証書（基本1：「将来型」の文例）＞**

令和○○年第　　号

# 任意後見契約公正証書

本公証人は、委任者○○○○（以下甲という。）及び受任者○○○○（以下、乙という。）の嘱託により、左の法律行為に関する陳述の趣旨を録取し、この証書を作成する。

第1条（契約の趣旨）甲は、乙に対し、令和○○年○○月○○日、任意後見契約に関する法律に基づき、同法第4条第1項所定の要件に該当する状況における甲の生活、療養看護及び財産の管理に関する事務（以下後見事務という。）を委任し、乙はこれを受任する。

第2条（契約の発効）前条の契約（以下本契約という。）は、任意後見監督人が選任された時からその効力を生ずる。

2　本契約締結後、甲が任意後見契約に関する法律第4条第1項所定の要件に該当する状況になり、乙が本契約による後見事務を行うことを相当と認めたときは、乙は、家庭裁判所に対し任意後見監督人の選任の請求をする。

3　本契約の効力発生後における甲と乙との間の法律関係については、任意後見契約に関する法律及び本契約に定めるもののほか、民法の規定に従う。

第3条（委任事務の範囲）甲は、乙に対し、別紙代理権目録記載の後見事務（以下本件後見事務という。）を委任し、その事務処理のための代理権を付与する。

第4条（身上配慮の責務）乙は、本件後見事務を処理するに当たっては、甲の意思を尊重し、かつ、甲の身上に配慮するものとし、その事務処理のため、適宜甲と面接し、ヘルパーその他日常生活援助者から甲の生活状況につき報告を求め、主治医その他医療関係者から甲の心身の状態につき説明を受けることなどにより、甲の生活状況及び健康状態の把握に努めるものとする。

第5条（証書等の保管等）乙は、甲から本件後見事務処理のために別紙代理権目録○○記載の証書等の引渡しを受けたときは、甲に対し、その明細及び保管方法を記載した預り証を交付する。

2　乙は、本契約の効力発生後、甲以外の者が前項記載の証書等を占有所持しているときは、その者からこれらの証書等の引渡しを受けて、自らこれを保管することができる。

第6条（費用の負担）乙が本件後見事務を処理するために必要な費用は、甲の負担とし、乙は、その管理する甲の財産からこれを支出することができる。

第7条（報酬）甲は、本契約の効力発生後、乙に対し、本件後見事務処理に対する報酬として毎月末日限り金○○○円を支払うものとし、乙は、その管理する甲の財産からその支払を受けることができる。

2　前項の報酬額が次の事由により不相当となった場合には、甲及び乙は、任意後見監督人と協議のうえ、これを変更することができる。

（1）　甲の生活状況又は健康状態の変化

（2）　経済情勢の変動

（3）　その他現行報酬額を不相当とする特段の事情の発生

3　前項の場合において、甲がその意思を表示することができない状況にあるときは、乙は、任意後見監督人の書面による同意を得てこれを変更することができる。

4　第2項の変更契約は、公正証書によってしなければならない。

第8条（報告）乙は、任意後見監督人に対し、3か月毎に、本件後見事務に関する次の事項について書面で報告する。

  (1)　乙の管理する甲の財産の管理状況

  (2)　甲の身上監護につき行った措置

  (3)　費用の支出及び使用状況

  (4)　報酬の収受

2　乙は、任意後見監督人の請求があるときは、いつでも速やかにその求められた事項につき報告する。

第9条（契約の解除）任意後見監督人が選任される前においては、甲又は乙は、いつでも公証人の認証を受けた書面によって、本契約を解除することができる。

2　任意後見監督人が選任された後においては、甲又は乙は、正当な事由がある場合に限り、家庭裁判所の許可を得て、本契約を解除することができる。

第10条（契約の終了）本契約は、次の場合に終了する。

  (1)　甲又は乙が死亡又は破産したとき

  (2)　乙が後見開始の審判を受けたとき

  (3)　甲が後見開始、保佐開始又は補助開始の審判を受けたとき

（注＝代理権目録を別紙として添付する。）

本 旨 外 要 件

住　　所

職　　業

　　　委任者（甲）

昭和○年○月○日生

上は、印鑑登録証明書の提出により人違いのないことを証明させた。

住　　所

職　　業

　　　受任者（乙）

平成○年○月○日生

上は、印鑑登録証明書の提出により人違いのないことを証明させた。

この証書は、令和○○年○○月○○日、本職役場において、法律の規定に従い作成し、列席者に閲覧させたところ、各自これを承認し、本職と共に左に署名押印する。

　委任者（甲）

　受任者（乙）

東京都○○区○町○丁目○番○○号

　東 京 法 務 局 所 属

　　　公 証 人

＜代理権目録（附録第1号様式）＞

# 代 理 権 目 録

A　財産の管理・保存・処分等に関する事項
　　A1□甲に帰属する別紙「財産目録」記載の財産及び本契約締結後に甲に帰
　　　　属する財産（預貯金〔B1・B2〕を除く。）並びにその果実の管理・
　　　　保存
　　A2□上記の財産（増加財産を含む。）及びその果実の処分・変更
　　　　□売却
　　　　□賃貸借契約の締結・変更・解除
　　　　□担保権の設定契約の締結・変更・解除
　　　　□その他（別紙「財産の管理・保存・処分等目録」記載のとおり）

B　金融機関との取引に関する事項
　　B1□甲に帰属する別紙「預貯金等目録」記載の預貯金に関する取引（預貯
　　　　金の管理、振込依頼・払戻し、口座の変更・解約等。以下同じ。）
　　B2□預貯金口座の開設及び当該預貯金に関する取引
　　B3□貸金庫取引
　　B4□保護預り取引
　　B5□金融機関とのその他の取引
　　　　□当座勘定取引
　　　　□融資取引
　　　　□保証取引
　　　　□担保提供取引
　　　　□証券取引〔国債、公共債、金融債、社債、投資信託等〕
　　　　□為替取引
　　　　□信託取引（予定（予想）配当率を付した金銭信託（貸付信託）を含む。）
　　　　□その他（別紙「金融機関との取引目録」記載のとおり）
　　B6□金融機関との全ての取引

C　定期的な収入の受領及び費用の支払に関する事項
　　C1□定期的な収入の受領及びこれに関する諸手続
　　　　□家賃・地代
　　　　□年金・障害手当金その他の社会保障給付
　　　　□その他（別紙「定期的な収入の受領等目録」記載のとおり）
　　C2□定期的な支出を要する費用の支払及びこれに関する諸手続
　　　　□家賃・地代
　　　　□公共料金
　　　　□保険料
　　　　□ローンの返済金
　　　　□その他（別紙「定期的な支出を要する費用の支払等目録」記載のとお
　　　　り）

D　生活に必要な送金及び物品の購入等に関する事項
　　D1□生活費の送金
　　D2□日用品の購入その他日常生活に関する取引
　　D3□日用品以外の生活に必要な機器・物品の購入

E　相続に関する事項
　　E1□遺産分割又は相続の承認・放棄
　　E2□贈与若しくは遺贈の拒絶又は負担付の贈与若しくは遺贈の受諾
　　E3□寄与分を定める申立て
　　E4□遺留分侵害額の請求

F　保険に関する事項
　　F1□保険契約の締結・変更・解除
　　F2□保険金の受領

G　証書等の保管及び各種の手続に関する事項
　　G1□次に掲げるものその他これらに準ずるものの保管及び事項処理に必要
　　　　な範囲内の使用
　　　　□登記済権利証
　　　　□実印・銀行印・印鑑登録カード
　　　　□その他（別紙「証書等の保管等目録」記載のとおり）
　　G2□株券等の保護預り取引に関する事項
　　G3□登記の申請
　　G4□供託の申請
　　G5□住民票、戸籍謄抄本、登記事項証明書その他の行政機関の発行する証
　　　　明書の請求
　　G6□税金の申告・納付

H　介護契約その他の福祉サービス利用契約等に関する事項
　　H1□介護契約（介護保険制度における介護サービスの利用契約、ヘルパー・
　　　　家事援助者等の派遣契約等を含む。）の締結・変更・解除及び費用の支
　　　　払
　　H2□要介護認定の申請及び認定に関する承認又は審査請求
　　H3□介護契約以外の福祉サービスの利用契約の締結・変更・解除及び費用
　　　　の支払
　　H4□福祉関係施設への入所に関する契約（有料老人ホームの入居契約等を
　　　　含む。）の締結・変更・解除及び費用の支払
　　H5□福祉関係の措置（施設入所措置等を含む。）の申請及び決定に関する審
　　　　査請求

I　住居に関する事項
　　I1□居住用不動産の購入
　　I2□居住用不動産の処分
　　I3□借地契約の締結・変更・解除
　　I4□借家契約の締結・変更・解除
　　I5□住居等の新築・増改築・修繕に関する請負契約の締結・変更・解除

J　医療に関する事項
　　J1□医療契約の締結・変更・解除及び費用の支払
　　J2□病院への入院に関する契約の締結・変更・解除及び費用の支払

K□A～J以外のその他の事項（別紙「その他の委任事項目録」記載のとおり）

L　以上の各事項に関して生ずる紛争の処理に関する事項
　　L1□裁判外の和解（示談）
　　L2□仲裁契約
　　L3□行政機関等に対する不服申立て及びその手続の追行
　　L4・1　任意後見受任者が弁護士である場合における次の事項
　　L4・1・1□訴訟行為（訴訟の提起、調停若しくは保全処分の申立て又は
　　　　　　　これらの手続の追行、応訴等）
　　L4・1・2□民事訴訟法第55条第2項の特別授権事項（反訴の提起、訴え
　　　　　　　の取下げ・裁判上の和解・請求の放棄・認諾、控訴・上告、
　　　　　　　復代理人の選任等）
　　L4・2□任意後見受任者が弁護士に対して訴訟行為及び民事訴訟法第55条
　　　　　　第2項の特別授権事項について授権をすること
　　L5□紛争の処理に関するその他の事項（別紙「紛争の処理等目録」記載の
　　　　とおり）

**M　復代理人・事務代行者に関する事項**
　　Ｍ１□復代理人の選任
　　Ｍ２□事務代行者の指定

**N　以上の各事務に関連する事項**
　　Ｎ１□以上の各事項の処理に必要な費用の支払
　　Ｎ２□以上の各事項に関連する一切の事項

（注）　1　本号様式を用いない場合には、すべて附録第2号様式によること。
　　　　2　任意後見人が代理権を行うべき事務の事項の□にレ点を付すること。
　　　　3　上記の各事項（訴訟行為に関する事項〔L4・1〕を除く。）の全部又は一部について、数人の任意後見人が共同して代理権を行使すべき旨の特約が付されているときは、その旨を別紙「代理権の共同行使の特約目録」に記載して添付すること。
　　　　4　上記の各事項（訴訟行為に関する事項〔L4・1〕を除く。）の全部又は一部について、本人又は第三者の同意（承認）を要する旨の特約が付されているときは、その旨を別紙「同意（承認）を要する旨の特約目録」に記載して添付すること（第三者の同意（承認）を要する旨の特約の場合には、当該第三者の氏名及び住所（法人の場合には、名称又は商号及び主たる事務所又は本店）を明記すること。）。
　　　　5　別紙に委任事項・特約事項を記載するときは、本目録の記号で特定せずに、全文を表記すること。

**＜代理権目録（附録第2号様式）＞**

<h1 style="text-align:center">代 理 権 目 録</h1>

一、　　　何　　何
一、　　　何　　何
一、　　　何　　何
一、　　　何　　何
一、　　　何　　何

注1　附録第1号様式を用いない場合には、全て本号様式によること。

2　各事項（訴訟行為に関する事項を除く。）の全部又は一部について、数人の任意後見人が共同して代理権を行使すべき旨の特約が付されているときは、その旨を別紙「代理権の共同行使の特約目録」に記載して添付すること。

3　各事項（任意後見受任者が弁護士である場合には、訴訟行為に関する事項を除く。）の全部又は一部について、本人又は第三者の同意（承認）を要する旨の特約が付されているときは、その旨を別紙「同意（承認）を要する特約目録」に記載して添付すること（第三者の同意（承認）を要する旨の特約の場合には、当該第三者の氏名及び住所（法人の場合には、名称又は商号及び主たる事務所又は本店）を明記すること。）。

4　別紙に委任事項・特約事項を記載するときは、本目録の記号で特定せずに、全文を表記すること。

＊　代理権目録は、任意後見契約に関する法律第3条の規定による証書の様式に関する省令附録第1号様式及び第2号様式より抜粋したものです。

第1号様式は、代理権を付与する事項をチェックする方式の代理権目録で、財産管理に関して記載事項が多岐にわたるため、財産管理中心の任意後見契約に適していますが、詳細すぎて本人の意思確認の手続が煩雑になってしまうため、かえって使いづらいという欠点があります。

第2号様式は、第1号様式のように定型化されておらず、自由に代理権を付与する事項を設定できるため、身上監護中心の任意後見契約に適していますが、付与する代理権の範囲が不明確になりやすいという欠点があります。

第1号様式又は第2号様式いずれかの様式の代理権目録を使用して、任意後見契約公正証書第3条によって付与する代理権の範囲を特定します。

### ⑸　任意後見契約の内容

　任意後見契約として任意後見契約に関する法律が要求している内容は以下のとおりで、これらに抵触しなければ、そのほかは自由に契約の内容を定めることができます。

**＜任意後見第2条第1号が要求している内容＞**

| |
|---|
| 本人が、精神上の障害により事理を弁識する能力が不十分になったときにおける事務の委託であること |
| 委託する事務が、本人の生活、療養看護（両者を併せて身上監護といいます。）及び財産の管理に関する事務であること |
| 委託に係る事務について代理権を付与すること |
| 任意後見監督人が選任されたときから契約の効力が生ずる旨の定めがあること |

　ただし、任意後見契約は、任意後見受任者に代理権を付与することを目的とするものですから、およそ代理権を考えることのできない介護行為などの事実行為は任意後見契約によって委託できる事務に含まれないと考えられています。

**＜委託できる事務の具体例＞**

| 委託事務 | 具　体　例 |
|---|---|
| 生　活 | 日用品を購入すること<br>生活費を送金すること |
| 療養看護 | 介護契約を締結すること<br>要介護認定の申請を行うこと<br>医療契約を締結すること |
| 財産管理 | 定期的な収入を受領すること<br>金融機関との間で預金に関する取引を行うこと<br>本人所有の不動産を処分すること |

（注）　なお、上記以外の任意後見契約において委託する事務の具体例については、法務省令附録第1号様式（240頁に登載）の記載事項を参照してください。

### ⑹　登記

　任意後見契約は、締結後、登記をすることが必要となります。

　登記は、後述するように、任意後見契約の効力を生じさせるための任意後見監督人選任の申立てにおいて、選任のための要件とされています（任意後見4Ⅰ本文）。

　なお、この登記は、任意後見契約締結後、公証人が登記所へ嘱託して行います（後見登記等に関する法律5、公証人法57の3）。

(7)　**任意後見契約の解除**

　任意後見監督人が選任される前においては、本人又は任意後見受任者は、いつでも、公証人の認証を受けた書面（公正証書でなくとも可）によって、任意後見契約を解除することができます（任意後見9Ⅰ）。

　任意後見監督人が選任された後においては、本人又は任意後見人は正当な事由がある場合に限り、家庭裁判所の許可を得て、任意後見契約を解除できるにとどまります（任意後見9Ⅱ、家事39別1⑫）。任意後見人による自由な解除を認めると、判断能力が衰えた本人の保護に欠けることになるからです。このほか、任意後見を終わらせる制度として任意後見人の解任があります（任意後見8）。

**＜任意後見契約の解除・任意後見人の解任＞**

| 時期 | 誰が | 方法 | 制限 | 根拠条文 |
|---|---|---|---|---|
| 任意後見監督人選任**前** | 本人又は任意後見受任者 | 公証人の認証を受けた書面により任意後見契約を解除できます。 | ― | 任意後見9Ⅰ |
| 任意後見監督人選任**後** | 本人又は任意後見人 | 家庭裁判所の許可を得て任意後見契約を解除できます。 | 正当な事由が必要 | 任意後見9Ⅱ家事39別1⑫ |
| | 家庭裁判所 | 任意後見監督人、本人、その親族又は検察官の請求により任意後見人を解任できます。 | 任意後見人に不正な行為、著しい不行跡その他その任務に適しない事由があるとき | 任意後見8家事39別1⑫ |

## 3　任意後見の開始（任意後見監督人選任の申立て）

　任意後見契約は、家庭裁判所で任意後見監督人が選任されることにより（家事39別1⑪）その効力が生じ、任意後見が開始されることとなります。

(1)　**任意後見監督人選任の手続**

　ア　**家庭裁判所への申立て**

　任意後見監督人の選任は家庭裁判所に申し立てることによって行いますが、その管轄裁判所及び申立権者は以下のとおりです。

**＜管轄裁判所及び申立権者＞**

| | 内　容 | 根拠条文 |
|---|---|---|
| 管轄裁判所 | 本人の住所地を管轄する家庭裁判所 | 家事217 I |
| 申立権者 | 本人、配偶者、4親等内の親族又は任意後見人受任者 | 任意後見4 I本文 |

## イ　任意後見監督人選任手続

任意後見監督人の選任手続の流れは、以下のとおりです。

**＜任意後見監督人選任手続の流れ＞**

| | 内　容 | 根拠条文 |
|---|---|---|
| 家庭裁判所への申立て | 家庭裁判所に申立書を提出して申立てます。任意後見契約公正証書の写し、申立人の戸籍謄本、本人の戸籍謄本、戸籍附票、成年後見登記事項証明書、登記されていないことの証明書、診断書、任意後見監督人候補者の戸籍謄本、住民票、成年後見登記事項証明書などの書類が必要となります。その他事情説明書、財産目録等の書類を作成して提出します。 | 家事49Ⅰ |
| 申立人からの事情聴取 | 家庭裁判所は、申立書類をもとに、申立人から事情聴取を行います。 | |
| 本人調査 | 本人の陳述を聴取します。任意後見監督人選任の要件である、本人が精神上の障害により事理弁識能力が不十分な状況にあることと、本人の同意があることを確認します。 | 家事220Ⅰ① |
| 任意後見監督人候補者との面接 | 任意後見監督人候補者からの意見聴取を行います。 | 家事220Ⅱ |
| 任意後見受任者との面接 | 任意後見契約の効力が生ずることについて、任意後見受任者からの意見聴取を行います。 | 家事220Ⅲ |
| 医師等の意見聴取 | 本人の精神の状況について、医師その他適当な者の意見を聴く必要があります（精神鑑定まで行う必要はありません。）。 | 家事219 |
| 審　判 | 家庭裁判所の家事審判官は、調査の結果等を踏まえ、任意後見監督人選任の審判をします（選任すべきでないと判断したときは却下の審判）。 | 家事73Ⅰ |
| 審判の告知 | 本人及び任意後見受任者に対し、任意後見監督人選任の審判が告知されます。 | 家事222① |
| 後見登記の嘱託 | 任意後見監督人選任の審判がなされると、家庭裁判所書記官が登記の嘱託をします。 | 家事116① |

### ウ　任意後見監督人選任の要件

　　任意後見監督人が選任されるためには、以下の要件が必要となります。

**＜選任されるための要件＞**

| 要　件 | 根拠条文 |
|---|---|
| 本人が、その精神上の障害により、事理弁識能力が不十分であること（補助開始の要件に該当する程度以上とされています。） | 任意後見4Ⅰ本文 |
| 任意後見契約が登記されていること | 任意後見4Ⅰ本文 |
| 本人以外の申立ての場合、本人の同意があること（ただし、本人が意思能力を喪失しているため、その意思を表示することができないときは同意を得る必要はありません。） | 任意後見4Ⅲ |

　　ただし、以下の事情があるときは、任意後見監督人を選任することができません。

**＜選任を妨げる事情＞**

| 選任を妨げる事情 | 根拠条文 |
|---|---|
| 本人が未成年者であるとき | 任意後見4Ⅰ① |
| 本人が成年被後見人、被保佐人又は被補助人である場合において、法定後見制度を継続することが本人の利益のために特に必要であると認められるとき | 任意後見4Ⅰ② |
| 任意後見受任者が未成年者であるとき | 任意後見4Ⅰ③イ、民847① |
| 任意後見受任者が、家庭裁判所で免ぜられた法定代理人、保佐人又は補助人であるとき | 任意後見4Ⅰ③イ、民847② |
| 任意後見受任者が破産者であるとき | 任意後見4Ⅰ③イ、民847③ |
| 任意後見受任者が行方の知れない者であるとき | 任意後見4Ⅰ③イ、民847⑤ |
| 任意後見受任者が、本人に対して訴訟をし、又はした者及びその配偶者並びに直系血族であるとき | 任意後見4Ⅰ③ロ |
| 任意後見受任者に、不正な行為、著しい不行跡その他任意後見人の任務に適さない事由があるとき | 任意後見4Ⅰ③ハ |

### エ　任意後見監督人選任の基準

　　任意後見監督人を選任するに当たって家庭裁判所が考慮すべき事項は、成年後見人を選任するに当たって家庭裁判所が考慮すべき事項と同様です（任意後見7Ⅳ、

民843Ⅳ）（本編第7章　第2　3⑵「選任の基準」210頁を参照してください。）。

## ⑵　任意後見監督人選任の効果

　任意後見監督人選任の審判がなされると、以下のような効果が生じます。

＜審判の効果＞

| 内　　容 | 根拠条文 |
|---|---|
| 任意後見契約の効力が発生し、任意後見人は、任意後見契約に定められた委託事務について、本人を代理して法律行為をすることができるようになります。 | 任意後見2① |
| 本人が成年被後見人、被保佐人又は被補助人であるときは、その開始の審判を取り消さなければなりません。 | 任意後見4Ⅱ、家事別1⑭ |

　なお、任意後見監督人が欠けたとしても、任意後見人の権限に影響はなく、家庭裁判所は、本人、その親族若しくは任意後見人の請求により、又は職権で再び任意後見監督人を選任することになります（任意後見4Ⅳ、家事別1⑫）。

　また、任意後見監督人が選任されている場合でも、家庭裁判所は、必要があると認めるときは、本人、その親族若しくは任意後見人の請求により、又は職権で、更に任意後見監督人を選任することができます（任意後見4Ⅴ、家事別1⑬）。

## 4　任意後見人

## ⑴　任意後見人となることができない者

　任意後見受任者が以下の者であるときは、任意後見監督人が選任されない結果、任意後見人となることができません（任意後見4Ⅰ③、民847）。

**＜任意後見人となることができない者＞**

| 任意後見人となることができない者 | 根拠条文 |
|---|---|
| 未成年者 | 任意後見4Ⅰ③イ、民847① |
| 家庭裁判所で免ぜられた法定代理人、保佐人又は補助人 | 任意後見4Ⅰ③イ、民847② |
| 破産者 | 任意後見4Ⅰ③イ、民847③ |
| 本人に対して訴訟をし、又はした者及びその配偶者並びに直系血族 | 任意後見4Ⅰ③ロ |
| 行方の知れない者 | 任意後見4Ⅰ③イ、民847⑤ |
| 不正な行為、著しい不行跡その他任意後見人の任務に適しない事由がある者 | 任意後見4Ⅰ③ハ |

## ⑵　任意後見人の職務

　　任意後見人は、任意後見契約に定めた委任事務を遂行し、本人を代理して法律行為を行います。

　　ただし、任意後見人には、成年後見人のような取消権はありません。

## ⑶　任意後見人の義務

　　任意後見人には、その職務を行うにつき、以下の義務があります。

**＜任意後見人の義務＞**

| 義務・種類 | 内　容 | 根拠条文 |
|---|---|---|
| 善管注意義務 | 任意後見契約は委任契約ですので、当然に受任者として善良な管理者たる注意義務を負います。 | 民644 |
| 身上配慮義務 | 任意後見人は、委託事務を処理するに当たっては、本人の意思を尊重し、かつ、その心身の状態及び生活の状況に配慮しなければなりません。 | 任意後見6 |
| 報告義務 | 任意後見監督人はいつでも任意後見人に対し事務の報告を求めることができると規定されていることから、任意後見人に任意後見監督人に対する報告義務が課されているものと考えられます。<br>また、委任契約の受任者として、本人に対する報告義務もあると考えられます。 | 任意後見7Ⅱ、民645 |
| その他民法上の受任者としての義務 | その他、任意後見人には、民法上の受任者として、事務処理に当たって受け取った金銭その他の物の引渡義務や、消費した金銭について、消費した日以後の利息支払義務などがあります。 | 民646、647 |

## (4)　任意後見人の権利

### ア　費用償還請求権・損害賠償請求権

　任意後見契約の法的性質は民法上の委任契約ですから、任意後見契約に別段の定めがなければ、民法上の委任の規定に従い、事務処理に要する費用や損害の賠償を求めることができます（民649、650）。

**＜費用償還請求の内容＞**

| 内　容 | 根拠条文 |
|---|---|
| 任意後見人は、事務処理に要する費用の前払請求をすることができます。 | 民649 |
| 任意後見人が事務処理に要する費用を支出したときは、その費用及び支出した日以後の利息を請求することができます。 | 民650Ⅰ |
| 任意後見人が、事務処理に必要な債務を負担したときは、本人に当該債務の弁済又は担保の提供を求めることができます。 | 民650Ⅱ |

### イ　報酬請求権

　民法上の委任契約は、特約がなければ報酬請求権はありません（民648Ⅰ）。したがって、任意後見人が報酬を求めるためには、任意後見契約において、報酬に関する定めを設ける必要があります。

## (5)　任意後見人の辞任・解任

### ア　辞任

　任意後見人は正当な事由がある場合に限り家庭裁判所の許可を得て任意後見契約を解除することにより辞任できます（任意後見9Ⅱ、家事39別1⑫）。任意後見監督人が選任される前は、いつでも公証人の認証を受けた書面（公正証書でなくとも可）によって解除できたことと異なりますので注意が必要です。

### イ　解任

　任意後見人に不正な行為、著しい不行跡その他その任務に適しない事由があるときは、家庭裁判所は、任意後見監督人、本人、その親族又は検察官の請求により、任意後見人を解任することができます（任意後見8、家事39別1⑫）。

＜任意後見人の解任＞

| 解任請求権者 | 任意後見監督人 |
| --- | --- |
| | 本人 |
| | 本人の親族 |
| | 検察官 |
| 解任事由 | 不正な行為 |
| | 著しい不行跡 |
| | その他その任務に適しない事由 |

## ⑹　任意後見開始後に任意後見人が欠けたとき

　任意後見開始後、任意後見人の死亡、辞任、解任などにより任意後見人が欠けたときは、法定後見制度のような新たな任意後見人選任の制度はなく、任意後見契約は当然に終了します。

## 5　任意後見監督人

### ⑴　欠格者・欠格事由

　任意後見受任者又は任意後見人の配偶者、直系血族及び兄弟姉妹は、任意後見監督人となることができません（任意後見5）。

＜欠格事由の範囲＞

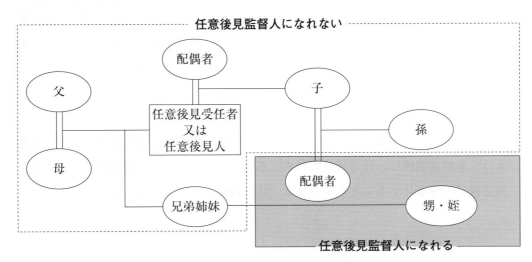

　また、成年後見人と同様の欠格事由がある者についても、任意後見監督人となるこ

とができません（任意後見7Ⅳ、民847）。

### (2)　任意後見監督人の職務

　任意後見監督人は、以下の職務を行います。

**＜任意後見監督人の職務＞**

| 職務の内容 | 根拠条文 |
|---|---|
| 任意後見人の事務を監督すること | 任意後見7Ⅰ① |
| 任意後見人の事務に関し、家庭裁判所に定期的に報告すること | 任意後見7Ⅰ② |
| 急迫の事情（注1）がある場合に、任意後見人の代理権の範囲内において、必要な処分（注2）をすること | 任意後見7Ⅰ③ |
| 任意後見人又はその代表する者と本人との利益が相反する行為について本人を代表すること | 任意後見7Ⅰ④ |
| 任意後見人に対し後見事務の報告を求めること、事務の遂行状況や本人の財産状況を調査すること | 任意後見7Ⅱ |
| 家庭裁判所の命令に応じて、後見事務に関する報告を行い、任意後見人に対する調査を実施すること | 任意後見7Ⅲ |
| 任意後見人に不正な行為、著しい不行跡その他その任務に適しない事由があるときに任意後見人の解任を請求すること | 任意後見8 |
| 任意後見契約が任意後見人の解任以外の事由で終了した場合に登記申請を行うこと | 後見登記等に関する法律5⑥、8Ⅱ |

注1　「急迫の事情」とは、任意後見人が欠けたときだけでなく、任意後見人が怠慢により代理権を行使しないときなど、およそ本人が無保護状態となった場合も含まれると考えられています。
　　2　「必要な処分」とは、任意後見人に代わって本人のために代理権を行使することです。

### (3)　任意後見監督人の義務

　任意後見人と同様、職務を行うについて、善良な管理者としての注意義務（善管注意義務）があります（任意後見7Ⅳ→民644）。

### (4)　任意後見監督人の権利

　任意後見監督人が事務を処理するために必要な費用は、本人の財産の中から支弁することになり、また、家庭裁判所の審判によって認められれば、本人の財産から妥当な報酬を受けることができます（任意後見7Ⅳ→民861Ⅱ、862、家事39別1⑲）。

⑸　**任意後見監督人の辞任・解任**

　ア　辞任

　　任意後見監督人は、正当な事由があるときに限り、家庭裁判所の許可を得て、辞任することができます（任意後見7Ⅳ→民844、家事39別1⑯）。

　イ　解任

　　任意後見監督人の解任事由や、家庭裁判所がその職務の執行を停止し、又はその職務代行者を選任することができることは、成年後見人の場合と同様です（任意後見7Ⅳ→民846、家事39別1⑰）。

　　なお、解任請求権者は、本人、その親族若しくは検察官であり、任意後見人は解任請求権者ではありません。

⑹　**任意後見監督人が欠けたとき**

　　任意後見監督人が死亡、辞任、解任により欠けた場合には、家庭裁判所は、本人、その親族若しくは任意後見人の請求により、又は職権で、新たに任意後見監督人を選任します（任意後見4Ⅳ）。

　　なお、任意後見監督人が選任されている場合でも、家庭裁判所は、必要があると認めるときは、本人、その親族若しくは任意後見人の請求により、又は職権で、更に任意後見監督人を選任することができます（任意後見4Ⅴ）。

## 6　任意後見開始後の家庭裁判所の役割

　　家庭裁判所には、任意後見人に対して直接的な監督権限を持っておらず、以下に挙げる任意後見監督人への監督を通じて、間接的に任意後見人の事務処理を監督するに留まります。

## ＜家庭裁判所の任意後見監督人に対する監督権限＞

| 内　容 | 根拠条文 |
|---|---|
| 必要があると認めるとき、任意後見監督人に対し、任意後見人の事務に関する報告を求め、任意後見人の事務若しくは本人の財産状況の調査を命じ、その他任意後見監督人の職務について必要な処分を命じます。 | 任意後見7Ⅲ、家事39別1⑮ |
| 職権で任意後見監督人を解任します。 | 任意後見7Ⅳ→民846、家事39別1⑰ |
| 任意後見監督人が欠けたとき、職権で任意後見監督人を選任します。 | 任意後見4Ⅳ、家事39別1⑫ |
| 任意後見監督人が選任されている場合でも、職権で更に任意後見監督人を選任できます。 | 任意後見4Ⅴ、家事39別1⑬ |

## 7　任意後見契約の終了

任意後見契約は、以下の事由が生じたとき終了します。

## ＜任意後見契約終了事由＞

| 終了事由 | 内　容 |
|---|---|
| 任意後見契約の解除 | 任意後見契約が解除されたとき（2(7)参照）。 |
| 任意後見人の解任 | 任意後見人が解任されたとき（4(5)参照）。 |
| 成年後見、保佐、補助開始の審判 | 任意後見監督人が選任された後に、本人が後見、保佐、補助開始の審判を受けたとき（任意後見10Ⅲ）。<br>なお、同条項の反対解釈から、任意後見監督人が選任される前に、本人が後見、保佐、補助開始の審判を受けたときは、任意後見契約は終了しないと解されています。 |
| 委任契約終了事由 | 委任契約が終了したとき。<br>①　本人又は任意後見人の死亡（民653①）<br>②　本人又は任意後見人が破産手続開始決定を受けたとき（民653②）。<br>③　任意後見人が成年後見開始の審判を受けたとき（民653③）。 |

なお、任意後見契約が終了し、任意後見人の代理権が消滅したときは、登記をしなければ、善意の第三者（過失の有無は問いません。）に対抗することができません（任意後見11）。

これは、登記を信頼して取引をした善意の第三者を保護する趣旨です。

## 8　任意後見制度と法定後見制度（後見・保佐・補助）との関係

　任意後見契約が登記されているときには、原則として、法定後見開始の審判をすることはできず、本人の利益のため特に必要があると認めるとき㊟に限って、法定後見開始の審判をすることができます（任意後見10Ⅰ）。

　また、本人が法定後見開始の審判を受けた後に任意後見監督人選任が申し立てられたときも、法定後見を継続することが本人のために特に必要であると認められる場合を除き、任意後見監督人が選任され、任意後見が開始されます（任意後見4Ⅰ②）。

　このように、任意後見制度は法定後見制度に優先しますが、これは、任意後見制度を選択した本人の意思決定を尊重するためです。

㊟　「本人の利益のため特に必要があると認めるとき」とは、例えば、任意後見契約で委任した事務以外にも代理権を行使する必要があるにもかかわらず、本人が任意に授権する事が困難な状況となったときや、代理権のみでは本人の保護に足りず、同意権や取消権が必要な場合などが挙げられます。

## 9　任意後見制度と成年後見制度との比較

| 比較項目 | 任意後見 | 成年後見 |
|---|---|---|
| 対象者 | 任意後見契約締結時に判断能力に問題がない者や不十分な者 | 判断能力を欠く常況にある者 |
| 後見人の選任 | 本人 | 家庭裁判所 |
| 後見人の監督者 | 任意後見監督人 | 家庭裁判所（後見監督人が選任された場合には後見監督人） |
| 後見監督人 | 必ず選任されます。 | 家庭裁判所が必要があると認めるときに選任されます。 |
| 後見人の職務内容 | 任意後見契約によって定められます。 | 法律によって定められます。 |
| 後見人の取消権 | ありません。 | あります。 |
| 後見人の報酬 | 任意後見契約によって定めた場合に報酬を受けることができます。 | 家庭裁判所の審判によって妥当な報酬を受けることができます。 |
| 後見人が欠けたとき | 任意後見契約が当然に終了します。 | 新たな後見人が選任されます。 |

# 第8章　扶　養

## 第1　意　義

　扶養とは、一定の親族間で互いに生活を維持するためになされる経済的援助のことをいいます。

　個人の生活は自助を原則としますが、自活できない者を救う手段として、民法は一定の親族に扶養義務を課しました。

**＜扶養義務＞**

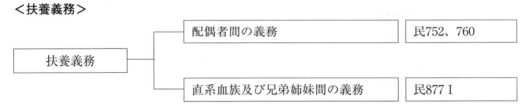

（注）　配偶者間の義務や未成熟の子に対する親の義務など、扶養することがその身分関係の本質的要素をなしているものを特に生活保持義務といい、その他のものを生活扶助義務といって、両者を区別する見解もあります。この見解によると、生活保持義務は、自己の生活を犠牲にしてでも要扶養者を自己と同程度の生活をさせる義務と捉えるのに対し、生活扶助義務は、自己の生活を犠牲にしない限度で要扶養者に最低限の生活をさせる義務と捉えることになります。

# 第2 扶養当事者

　直系血族及び兄弟姉妹は、当然に互いに扶養する義務があります（民877Ⅰ）。

　もっとも、家庭裁判所は、特別の事情(注)があるときは、直系血族及び兄弟姉妹のほか、3親等内の親族間においても扶養の義務を負わせることができます（民877Ⅱ、家事39別1⑭）。

(注)　民法第877条第2項にいう「特別の事情」とは、第一次的扶養義務者が存しないか扶養能力が乏しいなどのため、要扶養者を扶養できない場合あるいはこれらのものに扶養させるのが不相当であるなどの事情がある場合で、しかも他方で3親等内の親族に扶養能力があり、これに扶養させるのを相当とする事情がある場合などを指すものと解されています（東京家審Ｓ51.2.2家月28・10・76）。

**＜扶養当事者＞**

| 当事者 | 内　容 | 根拠条文 |
|---|---|---|
| **直系血族及び兄弟姉妹**<br>（第一次的扶養義務者） | 当然に相互に扶養義務を負います。 | 民877Ⅰ |
| **3親等内の親族**<br>（第二次的扶養義務者） | 家庭裁判所の審判により扶養義務を負います。 | 民877Ⅱ |

# 第3　扶養の順位

　扶養義務者が数人いる場合、まず、扶養当事者間の協議によって扶養すべき者の順序を決定し、扶養当事者間の協議が調わないとき、又は協議をすることができないときは、家庭裁判所の審判により決定します（民878前段、家事39別2⑨）。

　また、扶養権利者が数人いて、扶養義務者の資力がその全員を扶養するに足りない場合も同様です（民878後段）。

＜扶養の順位（民878）＞

| 原　則 | 扶養当事者の協議によって決定 |
|---|---|
| 例　外 | 家庭裁判所の審判によって決定 |

　審判で決定される扶養の順位については、親等が近い者や、傍系よりは直系が先順位となる傾向があります。また、養子に関しては養親を先順位、実親を後順位とする審判例もあります。

　ただし、これらはあくまで目安であって、具体的には扶養義務者の資力、生活状態や過去の生活歴等諸般の事情を総合的に考慮して順位が決められることとなります。

＜扶養の順位に関する審判例＞

| 関　係 | 判　旨 | 判　例 |
|---|---|---|
| 父母と祖父母 | 祖父母は孫に対し父母に次いで二次的な扶養義務を負担するとしています。 | 新潟家審S53.2.3 家月30・12・61 |
| 直系と傍系 | 申立人（要扶養者）の実兄について、申立人に対する法律上の義務を認めるにしても、直系血統としての申立人の子の後順位にあると解するのが相当であるとしています。 | 盛岡家一関支部審 S43.11.20 家月21・4・161 |
| 養子に対する養親と実親 | 養子については、養親が一次的な扶養義務を負い、養親が、資力がない等の理由によって十分に扶養義務を履行できないときに限って、実親が二次的に扶養義務を負うとしています。 | 長崎家審S51.9.30 家月29・4・141 |

# 第4 扶養の程度・方法

扶養の程度・方法についても、まず扶養当事者間の協議により決定し、協議が調わないとき、又は協議をすることができないときは、扶養権利者の需要、扶養義務者の資力その他一切の事情を考慮して、家庭裁判所が決めます（民879、家事39別2⑩）。

**＜扶養の程度・方法（民879）＞**

| 原 則 | 扶養当事者の協議によって決定 |
|---|---|
| 例 外 | 家庭裁判所の審判によって決定 |

## 1 審判例に見る扶養の程度

実際の審判例を見ると、夫婦間及び親の未成熟子に対する義務とその他の場合とで、扶養の程度については前者により重い扶養義務を課す傾向がありますが、あらゆる事情を総合して、扶養の程度を決しています。

**＜扶養の程度＞**

| 判 旨 | 判 例 |
|---|---|
| 子が両親に対し要求できる生活保障の程度は、特段の事情のない限り、子が両親と同居している場合と同程度の高さの生活程度であるとしています。 | 東京高決S52.9.30<br>判時873・35 |
| 親に対する扶養義務（扶助義務）と夫婦、未成熟子間の生活保持義務とは、本来区別されますが、扶養権利者と生活保持権利者とが同居し、事実上世帯を形成し相互に助け合って共同生活を営んでいる関係上その費用が婚姻費用に含まれると解するときは、その両権利者の扶養の程度方法については扶養額算出において区別することなく同等に扱うのが相当であるとしています。 | 大津家審S46.8.4<br>判タ285・330 |
| 自己の配偶者及び未成熟の子に対しては、自己と同程度の生活を保持させるべき扶養義務があるが、自己の親に対しては、親が生活困難な場合に、自己・配偶者及び未成熟子につき自己の地位・職業にほぼ相応した生活程度を維持しうる限度で親の生活の扶助として扶養をなすべきことを原則とし、これに諸般の事情を斟酌して扶養の程度を決すべきであるとしています。 | 鳥取家米子支部審<br>S44.4.11<br>家月22・2・52 |

## 2　扶養の方法

扶養の方法には、金銭扶養、現物扶養（両者を併せて給与扶養といいます。）、引取扶養などがあります。もっとも、審判において引取扶養が認められる場合は限定的で、容易には認められない傾向にあります（広島高松江支部決S55.7.21家月34・5・57、静岡家富士支部審S56.2.21判時1023・111等）。

なお、家事事件手続法では、家庭裁判所は審判において、当事者に対し、金銭の支払、物の引渡し、登記義務の履行その他の給付を命ずること（給付命令）ができるとされています（家事185）。

＜扶養の方法＞

| 方　法 | 具　体　例 |
|---|---|
| 金銭扶養 | 毎月一定額の金銭を要扶養者に支払います。 |
| 現物扶養 | 自己所有の建物に要扶養者を居住させます。 |
| 引取扶養 | ①　要扶養者を引き取って要扶養者とともに生活します。<br>②　要扶養者の居住場所で同居します。 |

# 第5　扶養請求権の一身専属性

　扶養を受ける権利は処分することができないとされています（民881）。このような扶養請求権の性質を一身専属性（権利者だけに専属する性質）といいます。

　扶養請求権を一身専属権としたのは、扶養請求権が要扶養者の生存を維持するための権利ですから、これを処分してしまうと、要扶養者の生存が維持できなくなってしまうおそれがあるからです。

**＜扶養請求権の一身専属性＞**

| 内　容 | 根拠条文 |
|---|---|
| 譲渡、放棄などの処分をすることができません。 | 民881 |
| 扶養権利者の債権者は、扶養請求権を代位行使することができません。 | 民423 I ただし書 |
| 扶養請求権を受動債権として相殺することができません。 | 民510、民執152 I ① |
| 支給期に受けるべき給付の4分の3に相当する部分は差し押さえることができません。 | 民執152 I ① |
| 扶養請求権は相続の対象とはなりません。 | 民896ただし書 |

# 第6　扶養に関する処分の審判

　扶養に関して、当事者間の協議が調わないか、協議をすることができないときは、家庭裁判所が定めることとなります（民878、879、家事39別2⑨⑩）。

**＜審判までの流れ＞**

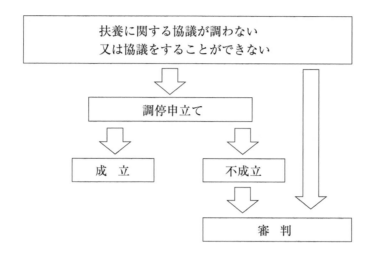

　また、扶養義務者若しくは扶養権利者の順序、又は扶養の程度若しくは方法について、当事者間の協議や家庭裁判所の審判があった後に事情の変更（注）が生じたときは、家庭裁判所はその協議又は審判を変更又は取り消すことができます（民880、家事39別2⑨⑩）。

（注）　家庭裁判所が、民法第880条により、扶養関係に関する協議又は審判があった後に、事情の変更があったものとして、その変更又は取消しをすることができる場合の「事情」とは、前審判又は協議の際、考慮され、その前提ないし基準とされていた事情を指し、しかも右事情の中には、前審判又は協議の際、既に判明していた事情のみならず、当事者において当然予見し得た事情も含まれるものと解するのが合理的ですから、右予見し得た事情が、その後現実化したとしても、原則として、これは事情の変更があったものと解することはできません。
　　民法第880条のいわゆる事情の変更とは、前審判又は協議により定められた現在の扶養関係をそのまま維持することが当事者のいずれかに対してもはや相当でないと認められる程度に重要性を有すること、すなわち重要な事情の変更でなければなりません（福岡高宮崎支部決Ｓ56.3.10家月34・7・25）。

# 第7　過去の扶養料

## 1　扶養権利者が扶養義務者に対して過去の扶養料を請求する場合

　扶養権利者が扶養義務者に対してした請求時を基準として、それ以降の扶養料についてのみ請求できるとする考え方が一般的ですが（大阪高決 S 37.1.31家月14・5・150、高松高決 S 39.10.24家月17・1・84）、親の未成熟の子に対する扶養については、請求時以前の扶養料について支払義務を認めた裁判例もあります（神戸家審 S 37.11.5家月15・6・69、東京高決 S 58. 4 .28家月36・6・42）。

## 2　扶養義務者の1人若しくは第三者が他の扶養義務者に対して過去に立て替えた扶養料を請求する場合

　扶養義務者の1人から他の扶養義務者に対してその負担部分を求償することは認められています（最判 S 26.2.13民集5・3・47）。その場合、通常の訴訟手続ではなく、家庭裁判所の審判手続により分与額を定めることになります（最判 S 42.2.17民集21・1・133）。

　また、扶養義務のない第三者が扶養義務者に対して過去に立て替えた扶養料を請求することも、事務管理ないし不当利得として認められます（民702、703、704）。

# 第二編

# 相　続　法

# 第1章　相続の開始等

## 第1　開始の原因・場所

### 1　相続開始の原因

#### (1)　死亡

　人は、生まれると財産上の地位（権利義務）を有することができます（民3）。その人が死亡したときに、その財産上の地位を誰がどのような形で承継するのかが問題となり、死亡を原因として財産上の地位を承継させることを相続といいます。この場合、死亡した財産上の地位が相続される人を被相続人といい、財産を相続する（承継する）人を相続人といいます。

　このように、相続は、死亡によって開始します（民882）。

　死亡には、自然の死亡と法律によって死亡とみなされる死亡があります。後者は失踪宣告に基づいて死亡とみなされる場合です。

#### (2)　失踪宣告

　失踪宣告とは、不在者の生死不明の状態が続いた場合に、一応、その者が死亡したとみなすことによって、従来の住所を中心とする法律関係を確定させるための制度です。

　失踪宣告がなされた場合、死亡の効果が生じますので（民31）、相続が開始します。

　失踪宣告は、不在者の利害関係人から請求を受けた家庭裁判所が、要件が備わっていると判断したときに、審判によって行います（民30、家事39別1㊋、148以下）。

　失踪宣告には、普通失踪と特別失踪の2種類があり、それぞれ、要件と、死亡の効果が発生する時期が異なります。

＜失踪宣告の種類＞

| 失踪の種類 | 要　件 | 死亡効果発生時期 | 根拠条文 |
|---|---|---|---|
| 普通失踪 | 失踪者の生存を証明できる最後の時から、7年間が経過したこと | 7年間の期間満了時 | 民30Ⅰ、31前段 |
| 特別失踪 | 戦争・船の沈没その他の危難が去った時から、1年間が経過したこと | 危難の去った時 | 民30Ⅱ、31後段 |

＜死亡（相続開始）の時期＞

| 相続開始の原因 | | 相続開始時期 | 根拠条文 |
|---|---|---|---|
| 自然的死亡 | | 医学的に死亡と判定された時点 | 戸籍86Ⅱ参照 |
| | | 認定死亡（戸籍89）に基づく戸籍記載の死亡時点 | 戸籍89 |
| 失踪宣告による擬制死亡 | 普通失踪 | 7年間の失踪期間満了の時 | 民31前段 |
| | 特別失踪 | 危難の去った時 | 民31後段 |

㊟　認定死亡とは、水難、火災その他の事変によって、死亡したことが確実視される場合に、死体の確認に至らなくても、その取調べをした官公署が死亡地の市町村長に死亡の報告をし、それに基づいて戸籍に死亡の記載をする制度です（戸籍89）。

### (3)　同時存在の原則

　相続によって、被相続人の財産が相続人に移転するには、相続開始の時点において、相続人が存在していなければなりません。このように相続人と被相続人は、（わずかな時間でも）あい並んで存在していたことがなければならない、という原則を「同時存在の原則」といいます。

　まだ生まれていないため「人」として存在していないはずの胎児を、「生まれたものとみなす」ことによって相続人として存在していたものとみなす定め（民886Ⅰ）は、この原則の例外に当たります。

＜同時存在の原則と例外＞

| 同時存在の原則 | 相続開始の時点で相続人が存在しなければなりません。 |
|---|---|
| 胎児の例外 | 相続開始の時点でまだ「人」になっていない胎児を、「相続人」として存在していたものとみなします（民886Ⅰ）。285頁を参照してください。 |

　同時存在の原則によれば、相続人と被相続人が同時に死亡した場合には、その相互間では相続は開始しないことになります。

　ただし、同時死亡の場合（民32の2）は、代襲相続の原因である、相続開始「以前」の死亡（民887Ⅱ）に含まれるため、代襲相続が発生することになります（代襲相続については283頁を参照してください。）。

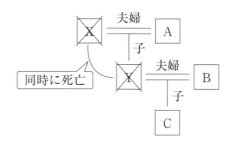

　上図で、X・Yが同時に死亡した場合（例えば、X・Yが同じ事故に遭って、2人とも即死した場合）、X・Y相互間での相続は開始しません。

　ただし、この場合は、Xの死亡「以前」にYが死亡したということですから、代襲相続は発生します。その結果、Xの財産は、AとCが相続することになります。

　これに対して、もし、XがYよりも先に死亡した場合（例えば、X・Yが同じ事故に遭って、Xは即死したけれども、Yは病院に運ばれてから死亡した場合）には、Xの財産は、AとYが相続し、Yが相続したXの財産は、BとCが相続することになります。その結果、Xの財産は、AとBとCが相続することになり、同時死亡の場合と結論が異なります。

＜死亡時の違いと相続の影響の例＞

| | Xの財産についての相続分 | | |
|---|---|---|---|
| | A | B | C |
| X・Y同時死亡の場合（代襲相続） | あり | なし | あり |
| Xが死亡した後にYが死亡した場合 | あり | ※ | ※ |

※　Xの相続について直接の相続分はありませんが、Yが相続したXの財産を相続する、という形でXの財産を取得することになります。

## 2　相続開始地

　相続は、被相続人の住所において開始します（民883）。

　これは、相続に関する事件の裁判所の管轄を定めることを目的とした規定だといわれており、家事審判事件の管轄や、相続財産破産事件の管轄について定められた「相続開始地」（家事191等、破222）が「被相続人の住所」を指すことを示すものです。

# 第2 相続回復請求権

## 1 相続回復請求権とは

　相続回復請求権とは、法的には相続人でない者（不真正相続人）が、「相続した」として相続財産を占有して、真正な相続人の相続財産を侵害している場合に、その侵害を排除して、相続財産の回復を請求する権利です。

　民法には、相続回復請求権の意味や内容を明らかにする規定が存在しないことから、この制度の意義については、大きく分けて2つの立場があります。

**＜相続回復請求制度の意義＞**

| 独立権利説 | 相続回復請求権は、個々の財産の返還請求権とは別に、相続人としての地位を争う必要がある場合に行使される特別の権利であるとする説 |
|---|---|
| 集合権利説 | 相続回復請求権は、個々の財産の返還請求権が集まったものをいい、それが短期消滅時効にかかることを定めた制度であるとする説 |

## 2 行使方法

　相続回復請求権行使の方法については、特に制限が設けられていませんので、相続回復請求の訴えを提起する方法で行使するほか、裁判外での請求の方法で行使することもできます。裁判外の請求でも、催告として回復請求権の消滅時効は中断します（大判S7.9.22法律新聞3463・13）。

## 3 消滅期間

### (1) 相続回復請求権の消滅時効

　相続人又はその法定代理人が、相続権を侵害された事実を知った時から5年間相続回復請求権を行使しないときは、相続回復請求権は時効によって消滅します（民884前段）。

　「相続権を侵害された事実を知った時」とは、相続開始の事実を知っただけではなく、自身が真正相続人であることを知り、かつ自身の相続権が侵害された事実を知った時をいいます。

　5年の短期消滅時効の適用がある場合には、真正相続人は大きな不利益を被ること

になります。そのため、５年の短期消滅時効の適用があるか否かという問題が、相続回復請求権がどのような場面に適用される制度なのかという形で、争われることがあります。

　また、相続回復請求権は、相続開始の時から20年を経過すると、消滅します（民884後段）。学説の多数はこれを除斥期間であるとしていますが、判例は時効期間だとしています（最判Ｓ23.11.6民集２・397、最判Ｓ39.2.27民集18・383）。

**＜取得時効との関係＞**

| 判　例 | 相続財産が不動産であった事案において、真正相続人の有する相続回復請求権の消滅時効が完成する前に、相続回復請求権の相手方に、当該不動産についての取得時効が完成した場合には、相手方は、当該不動産の所有権を時効により取得することができ、真正相続人は、相続回復請求権を行使できない。 | 最判Ｒ6.3.19 |
| --- | --- | --- |

### (2)　共同相続人間の適用

　例えば、相続人のうち１人だけを除外して遺産分割が行われた10年後に、自らが相続から除外されていることを知った共同相続人が、遺産分割の無効を主張して改めて遺産分割を行うよう請求した場合、その請求は、相続回復請求権に当たるといえるでしょうか。

　もし、共同相続人間にも相続回復請求権の適用があるとすれば、その請求権利は、５年の短期消滅時効によって消滅しているため、主張は認められないということになります。

　判例は、極めて限定的な場合に限ってのことですが、共同相続人間にも相続回復請求権の適用があるとしています。

**＜共同相続人間における相続回復請求権＞**

| 判　例 | 共同相続人間にも相続回復請求制度の適用はありますが、相続回復請求制度が対象としているのは、自らが相続人であると信じ、かつ、そのことに合理的な事由がある者に限られます（相続人でないことを知りながら、又は合理的理由なく自らが相続人であると信じて相続財産を管理占有する者は、一般の財産の侵害として扱われます。）。<br>そうしますと、一般に、共同相続人は、相続人の範囲を知っているのが通常であるから、共同相続人相互間における相続財産に関する争いが相続回復請求制度の対象となるのは、特殊な場合に限られます。 | 最大判Ｓ53.12.20<br>民集32・9・1674 |
|---|---|---|

# 第2章　相続人

## 第1　相続人の範囲・順位

### 1　相続人となり得る者

　誰が相続人となるかは民法で決められています（法定相続人）。

　民法により相続人となり得る者は、血族相続人と配偶者です。

　血族相続人とは、被相続人の子、子が先に死亡していた場合の代襲者（孫以下の直系卑属）、直系尊属（父母、祖父母等）、兄弟姉妹、兄弟姉妹が先に死亡していた場合の代襲者（甥、姪）のことをいいます。

　配偶者と子及びその代襲者は常に相続人となりますが（民890）、それ以外の血族相続人については被相続人との関係に応じて定められた先順位の血族相続人がいない場合のみ相続人となります（民889Ⅰ）。

　このように民法によって一般的に相続人となり得る者について、具体的な場合において、①相続欠格、廃除事由はないか、②相続放棄をしていないかが問題となり、それによって、誰が相続人となるかが決まります。

**＜相続人の種類と順位＞**

<table>
<tr><td rowspan="4">相続人となり得る者</td><td colspan="3">配偶者</td><td rowspan="2">常に相続人となります。</td><td>民890</td></tr>
<tr><td rowspan="3">血族相続人</td><td>第1順位</td><td>子及びその代襲者</td><td>民887</td></tr>
<tr><td>第2順位</td><td>直系尊属</td><td rowspan="2">先順位の血族相続人がいない場合のみ相続人となります。</td><td>民889Ⅰ①</td></tr>
<tr><td>第3順位</td><td>兄弟姉妹及びその代襲者</td><td>民889Ⅰ②、Ⅱ</td></tr>
</table>

## 2　配偶者

　配偶者は、常に相続人となり、血族相続人があるときは血族相続人と共同相続します（民890）。

　相続人となる配偶者は法律上の配偶者のみで、内縁関係にある者は含まれません。

**＜内縁関係と相続＞**

　内縁関係にある者は相続人となりません。

　㊟　　　　は相続人となる者を示しています。

## 3　血族相続人

### ⑴　子

　子には、実子のほか、養子も含まれます。また、嫡出子のほか、非嫡出子も含まれます。子が数人あるときは、みな同順位の相続人となります。

**＜子による相続の例＞**

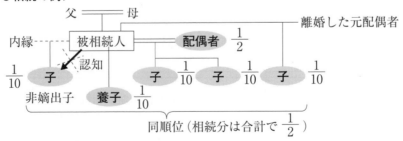

　　㊟　　　　は相続人となる者を示しています。

　非嫡出子の相続分については、従前は嫡出子の2分の1でしたが、民法の改正により平成25年9月5日以降に相続が開始したものについては嫡出子と同等となります（民900④ただし書）。平成25年9月5日より前に相続開始した場合でも、平成13年7月以降に相続が開始し、かつ遺産分割の審判等で法律関係が確定的となっていない場合は、嫡出子と同等の相続分が認められる可能性があります（詳しくは110頁を参照してください。）。

## (2)　直系尊属

　実父母か養父母か、また親子関係が嫡出かどうかにより区別されません。

**＜直系尊属による相続の例＞**

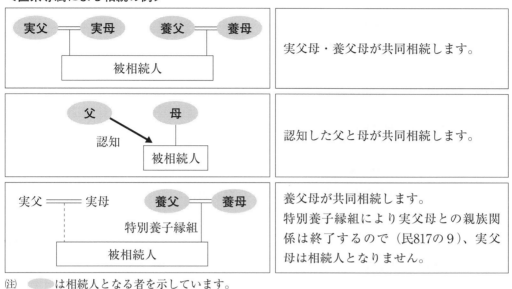

| | |
|---|---|
| 実父 ━━ 実母　養父 ━━ 養母<br>被相続人 | 実父母・養父母が共同相続します。 |
| 父　認知 →　母<br>被相続人 | 認知した父と母が共同相続します。 |
| 実父 ══ 実母　養父 ━━ 養母<br>特別養子縁組<br>被相続人 | 養父母が共同相続します。<br>特別養子縁組により実父母との親族関係は終了するので（民817の9）、実父母は相続人となりません。 |

㊟　　は相続人となる者を示しています。

　直系尊属の中では、親等の近い者が優先的に相続人となります（民889Ⅰ①ただし書）。

**＜直系尊属中の優先関係の例＞**

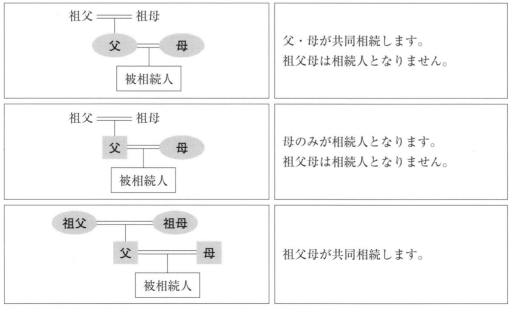

| | |
|---|---|
| 祖父 ══ 祖母<br>父 ══ 母<br>被相続人 | 父・母が共同相続します。<br>祖父母は相続人となりません。 |
| 祖父 ══ 祖母<br>父 ══ 母<br>被相続人 | 母のみが相続人となります。<br>祖父母は相続人となりません。 |
| 祖父 ━━ 祖母<br>父 ══ 母<br>被相続人 | 祖父母が共同相続します。 |

㊟　　は相続開始時に既に死亡していた者、　　は相続人となる者を示しています。

## (3)　兄弟姉妹

　父母を同じくする兄弟姉妹、父母の一方だけを同じくする兄弟姉妹のいずれも相続人となります。

**＜兄弟姉妹による相続の例＞**

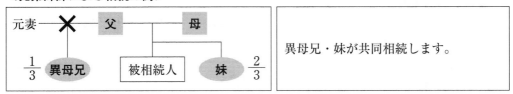

（注）　■は相続開始時に既に死亡していた者、●は相続人となる者を示しています。

　ただし、父母の一方のみを同じくする兄弟姉妹は、相続分が父母の双方を同じくする兄弟姉妹の2分の1になります（民900④ただし書）。

**＜相続人となる者＞**

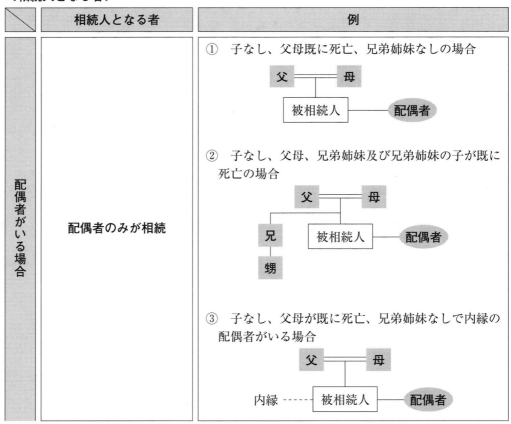

| | 相続人となる者 | 例 |
|---|---|---|
| 配偶者がいる場合 | 配偶者のみが相続 | ①　子なし、父母既に死亡、兄弟姉妹なしの場合<br>②　子なし、父母、兄弟姉妹及び兄弟姉妹の子が既に死亡の場合<br>③　子なし、父母が既に死亡、兄弟姉妹なしで内縁の配偶者がいる場合 |

（注）　■は相続開始時に既に死亡していた者、●は相続人となる者を示しています。

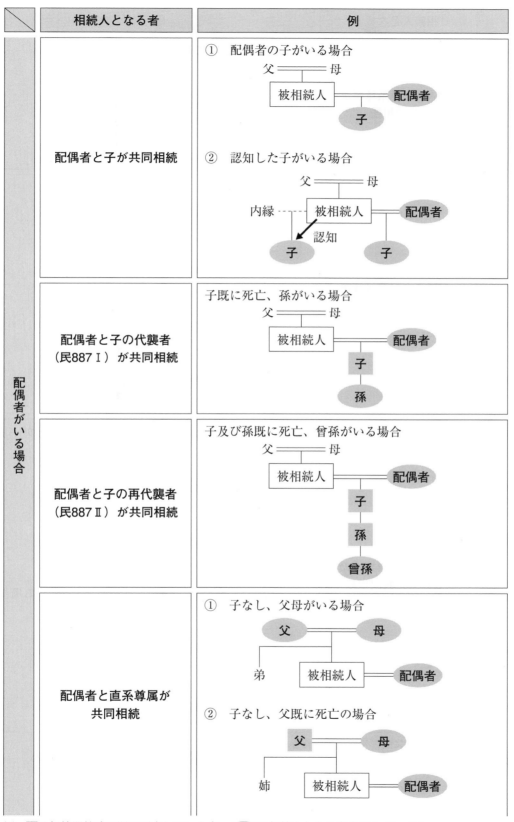

| 相続人となる者 | 例 |
|---|---|
| 配偶者と子が共同相続 | ①　配偶者の子がいる場合<br>②　認知した子がいる場合 |
| 配偶者と子の代襲者<br>（民887Ⅰ）が共同相続 | 子既に死亡、孫がいる場合 |
| 配偶者と子の再代襲者<br>（民887Ⅱ）が共同相続 | 子及び孫既に死亡、曾孫がいる場合 |
| 配偶者と直系尊属が<br>共同相続 | ①　子なし、父母がいる場合<br>②　子なし、父既に死亡の場合 |

配偶者がいる場合

㊟　▨は相続開始時に既に死亡していた者、▨は相続人となる者を示しています。

| | 相続人となる者 | 例 |
|---|---|---|
| 配偶者がいる場合 | 配偶者と直系尊属が共同相続 | ③　子既に死亡、父母がいる場合 |
| | 配偶者と兄弟姉妹が共同相続 | ①　子なし、父母既に死亡、兄弟姉妹がいる場合<br><br>②　子及び父母既に死亡、兄弟姉妹がいる場合 |
| | 配偶者と兄弟姉妹の代襲者が共同相続 | ①　子なし、父母及び兄弟姉妹既に死亡、甥・姪がいる場合<br><br>②　子、父母及び兄弟姉妹既に死亡、甥・姪がいる場合 |

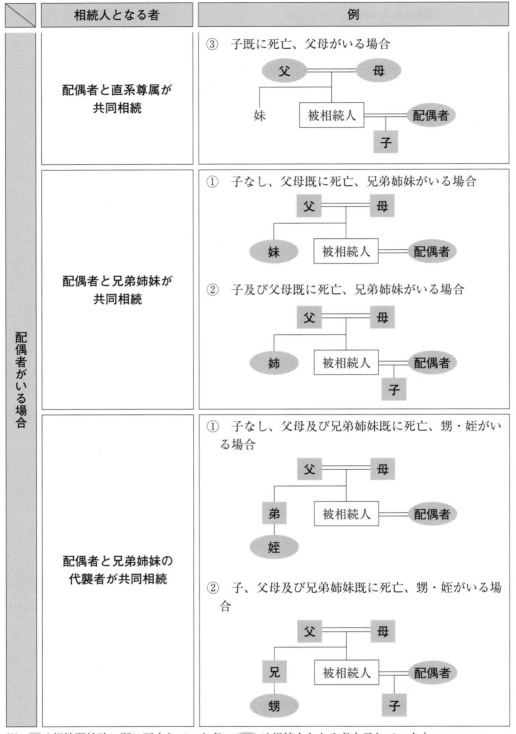

（注）　▨は相続開始時に既に死亡していた者、⬭は相続人となる者を示しています。

| | 相続人となる者 | 例 |
|---|---|---|
| 配偶者がいない場合 | 子のみが相続 | 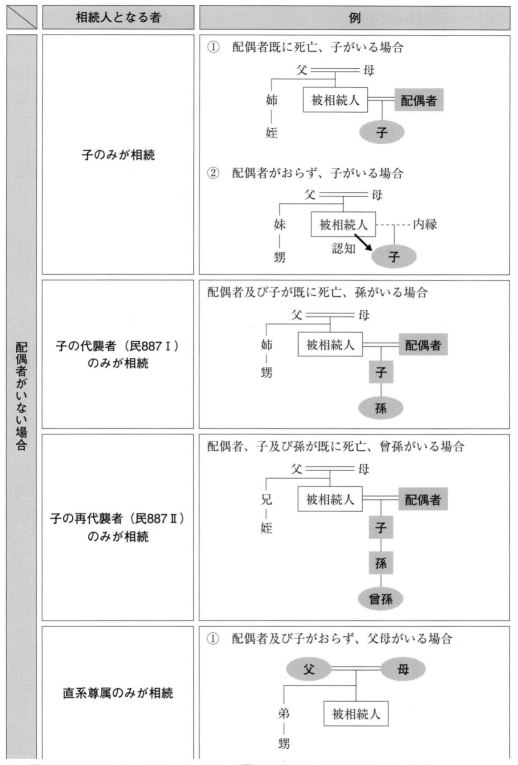 |
| | 子の代襲者（民887Ⅰ）のみが相続 | |
| | 子の再代襲者（民887Ⅱ）のみが相続 | |
| | 直系尊属のみが相続 | |

㊟　▨は相続開始時に既に死亡していた者、▨は相続人となる者を示しています。

| | 相続人となる者 | 例 |
|---|---|---|
| 配偶者がいない場合 | 直系尊属のみが相続 | 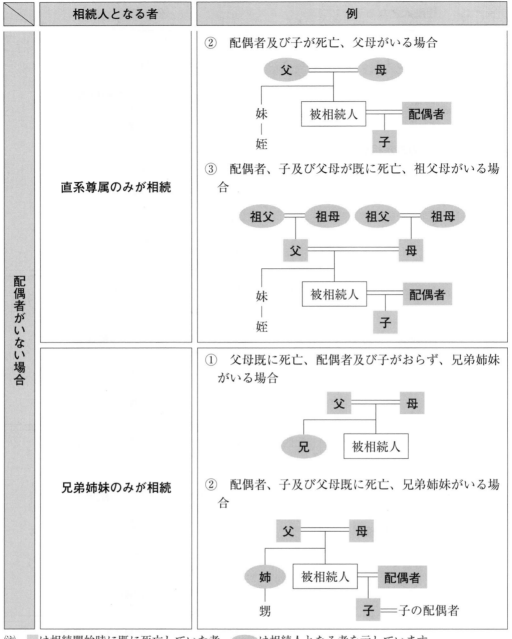 ②　配偶者及び子が死亡、父母がいる場合<br><br>③　配偶者、子及び父母が既に死亡、祖父母がいる場合 |
| | 兄弟姉妹のみが相続 | ①　父母既に死亡、配偶者及び子がおらず、兄弟姉妹がいる場合<br><br>②　配偶者、子及び父母既に死亡、兄弟姉妹がいる場合 |

㊟　▨は相続開始時に既に死亡していた者、⬬は相続人となる者を示しています。

## ⑷ 代襲相続

　相続開始（被相続人の死亡）以前に、相続人となるべき者（被代襲者）が死亡その他の事由（相続欠格・廃除）で相続権を失っている場合、被代襲者の直系卑属が、被代襲者に代わって同順位の相続人となります。これを代襲相続といいます。

### ＜代襲相続の例＞

相続人となるべき子が死亡により相続権を失っているので、孫が、子に代わって第1順位の相続人となります。

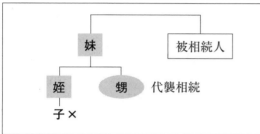

相続人となるべき妹が死亡により相続権を失っているので、甥が、妹に代わって第1順位の相続人となります。

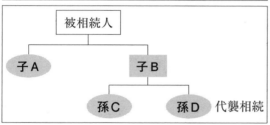

相続人となるべき子Bが死亡により相続権を失っているので、孫Cと孫Dが子Aと同順位の相続人となります。

㊟　■は相続開始時に既に死亡していた者（被代襲者）、■は相続人となる者を示しています。

　代襲者である子が相続開始時点（被相続人の死亡時）に亡くなっている場合に、その子（代襲者）に直系卑属がいるときには、再代襲相続（更に、再々代襲相続・再々々代襲相続も）ができます（民887Ⅲ）。

　兄弟姉妹についての代襲相続の場合には、再代襲相続はできません。

**＜代襲相続の要件＞**

| | | |
|---|---|---|
| 被代襲者 | 被相続人の子（民887Ⅱ） | 再代襲が認められます（民887Ⅲ）。<br>※被相続人の子が相続以前に相続権を失っているときは、その子（被相続人の孫）が相続人となります。 |
| | 被相続人の兄弟姉妹（民889Ⅱ） | 再代襲が認められません。 |
| 代襲相続人 | ①　被代襲者の直系卑属<br>かつ<br>②　被代襲者に対する関係でも相続権を失った者でない<br>かつ<br>③　相続開始時に存在 | 【例1】<br>被相続人<br>子＝＝＝子の配偶者<br><br>子の配偶者は代襲相続人となりません。<br>【例2】<br>被相続人　　　養親<br>子<br>直系尊属は代襲相続人となりません。<br>【例3】<br>被相続人<br>子<br>孫　故意に殺害<br>子を故意に殺害した孫は子に対する関係で相続欠格となり相続権を失うので、被相続人との関係でも代襲相続人となりません。 |
| | 被相続人の子が被代襲者である場合は、上記①②③に加えて<br>④　被相続人の直系卑属であることを要します。 | 【例】<br>被相続人<br>養子<br>養子縁組前の連れ子　　孫<br><br>養子縁組前の連れ子は被相続人の直系卑属ではないので、代襲相続人となりません。 |
| 代襲原因 | 相続開始以前の死亡<br>（同時死亡を含みます。） | 相続放棄は代襲原因となりません。<br>【例】<br>父<br>被相続人<br>子…相続放棄<br>孫<br>子が相続放棄したときは、孫は代襲相続人となりません。上記の場合、第2順位の父が相続人となります。 |
| | 相続欠格 | |
| | 推定相続人の廃除<br>（被相続人の子についてのみ代襲原因となります。） | |

(注)　▨は相続開始時に既に死亡していた者、⬭は相続人となる者を示しています。

## 4　胎児は相続人となるか

　相続開始の時において、懐胎せられてはいるが、まだ出生していない者を胎児といいます。相続開始時に胎児であった者の相続との関係は、次の図表のとおりです。

**＜同時存在の原則と胎児の出生擬制＞**

| 原　則 | 相続人は相続開始時に権利能力者として生存していなければなりません（同時存在の原則）。 |
|---|---|
| 例　外 | 相続開始時に胎児であった者については、相続との関係では、既に生まれたものとみなされます（民886Ⅰ）。<br>ただし、その後胎児が死んで生まれたときは、民法第886条第1項は適用されません。<br>【例】<br>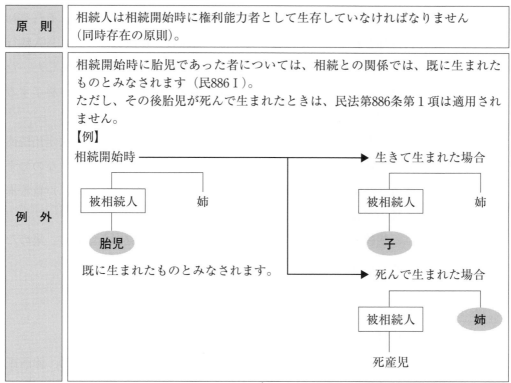 |

(注)　　　は相続人となる者を示しています。

　胎児に権利能力（相続能力）を認めるかどうかについては、学説では争いがあります。胎児の間に相続権を行使できるかについて問題となります。

**＜胎児の出生擬制についての解釈の対立＞**

| 考え方 | 内　容 | 胎児の法定代理 |
|---|---|---|
| 停止条件説<br>（人格遡及説）<br>従来の判例・通説 | 胎児には相続能力がなく、生きて生まれたときに相続開始時に遡及して相続能力が認められると解する説 | 否定 |
| 解除条件説<br>（制限人格説）<br>近時の有力説 | 胎児に相続能力を認めるが、死体で生まれたときは遡及的に相続能力が失われると解する説 | 肯定<br>（母を法定代理人として遺産の管理・分割を行わせます。） |

### 法定相続情報証明制度

　平成29年5月29日から、全国の登記所で「法定相続情報証明制度」の運用が開始されました。

　不動産の相続登記や被相続人の預金の払戻しなどの相続手続には、被相続人の出生から亡くなるまでの連続した戸除籍謄本、住民票の除票、相続人の戸籍謄本などの法定相続関係を明らかにする資料が必要になります。これらの資料は、それぞれの手続完了後に返却されますので、これまでは、A銀行に提出して手続し、A銀行から返却を受けたら次にB銀行に提出し、というように順次使用していました。ただ、この方法では、多数の預金口座があるような事案ではすべての手続が終了するまでにかなりの時間を要します。

　そこで、このような場合に手続が同時に進められるよう、登記所が「法定相続情報一覧図」を必要な通数交付してくれる制度が「法定相続情報証明制度」なのです。登記所が交付する「法定相続情報一覧図」には認証文が付けられており、戸籍謄本等の代わりに各種の相続手続に利用することができます。

　手続としては、相続人が、所定の申出書と法定相続情報一覧図を作成し、集めた資料とともに登記所に提出します。手数料は無料です。

### 戸籍謄本等の広域交付

　令和6年3月1日から、本籍地以外の市区町村の窓口でも、戸籍証明書・除籍証明書を請求できるようになりました（広域交付）。これにより、本籍地が遠くにあっても、住所地や勤務先の最寄りの市区町村の窓口で請求できることになります。また、欲しい戸籍の本籍地が全国各地にあっても、1か所の市区町村の窓口でまとめて請求できるようになり、相続の際の戸籍の取寄せが便利になりました（なお、コンピュータ化されていない一部の戸籍・除籍や一部事項証明書、個人事項証明書は請求できないため、窓口にお問い合わせください）。

　なお、この制度を利用する際には、本人が窓口において手続きする必要があり、郵送や代理人による手続きはできませんので注意してください。

　また、本籍地ではない市区町村の窓口に戸籍の届出を行う場合でも、提出先の市区町村の職員が本籍地の戸籍を確認することができるようになりますので、戸籍届出時の戸籍証明書等の添付が原則不要となります。

# 第2　相続欠格・推定相続人の廃除

　本来相続人となるべき者に一定の非行の事由がある場合に、その者が被相続人を相続することを法律で禁止することを、相続欠格といいます。

　相続欠格に至らない程度の非行の事由がある場合には、被相続人の主張に基づき家庭裁判所が、審判により、相続人から廃除する制度が設けられています。

　相続欠格と廃除の違いは図表のとおりです。

## ＜相続欠格と推定相続人の廃除＞

| | 相続欠格（民891） | 推定相続人の廃除（民892、893） |
|---|---|---|
| 効　果 | 特定の被相続人との関係で、相続資格を失います。 | |
| 意　義 | 本来相続人となるべき者に一定の不正事由があった場合に、法律上当然に相続権が剥奪される制度です。 | 遺留分を有する推定相続人に被相続人に対する一定の非行行為があった場合に、被相続人の請求に基づいて家庭裁判所が審判で相続権を剥奪する制度です。 |
| 手続の要否 | 不要<br>（法律上当然に欠格となります。意思表示や裁判手続を要しません。） | 必要<br>（被相続人の請求と、廃除審判の確定を要します。） |
| 対象となる者 | 相続人となるべき者 | 遺留分を有する推定相続人<br>（被相続人の兄弟姉妹は、遺留分を有しないので、廃除の対象とはなりません。） |
| 受遺者になることの可否 | 不可（民965） | 可 |
| 戸籍の届出の要否 | 不要 | 必要<br>（廃除の裁判確定日から10日以内に届出をすることを要します。戸籍97） |
| 回復の余地 | なし | あり<br>（廃除の取消しができます。民894） |

## 1　相続欠格

欠格事由は、次の5つです（民891）。

### (1)　欠格事由

| 欠格事由 | 内　容 | 判　例 |
|---|---|---|
| 故意に被相続人又は先順位若しくは同順位にある者を死亡するに至らせ、又は至らせようとしたために刑に処せられた者（民891①） | 殺人の故意を要します。<br>→傷害致死や過失致死を含みません。 | 大判 T11.9.25<br>民集1・534 |
| | 殺人未遂や殺人予備を含みます。 | ― |
| | 刑に処せられたことを要します。<br>→正当防衛や責任無能力のため刑に処せられなかった者や、執行猶予判決を受け猶予期間が経過した者（執行猶予期間の経過により刑の言渡しが失効します。）を含みません。 | 東京地判 S5.11.28<br>法律新聞3205・13 |
| | 相続開始の原因と関係がない場合でも欠格事由となります。<br>【例】<br>・被相続人の子が他の子を殺害した場合でも、被相続人との関係で欠格事由となります。<br>・被相続人を殺害しようとピストルを入手したところ、偶然に被相続人が病死したという場合でも、欠格事由となります。 | ― |
| 被相続人が殺害されたことを知って、これを告発せず、又は告訴しなかった者（民891②） | 例外（民891②ただし書）<br>・その者に是非の弁別がないとき<br>　　　　　又は<br>・殺害者が自己の配偶者若しくは直系血族であったとき<br>【例】<br><br>子は、被相続人が殺害されたことを知りつつ告訴等しなくても、欠格事由となりません。 | ― |
| | 捜査が始まった後に殺害を知ったときは、欠格事由となりません。 | 大判 S7.11.4<br>法学2・829 |

(注)　███は相続人となる者を示しています。

| 欠格事由 | 内　容 | 判　例 |
|---|---|---|
| 詐欺又は強迫によって、被相続人が相続に関する遺言をし、撤回し、取り消し、又は変更することを妨げた者（民891③） | 被相続人の遺言行為を妨げて自己に利益をもたらす意思を要するとされています（通説。二重の故意必要説）。<br>【例１】<br>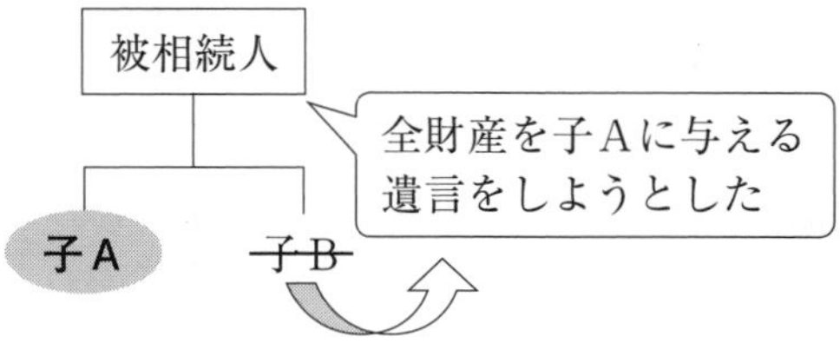被相続人<br>全財産を子Ａに与える遺言をしようとした<br>子Ａ<br>子Ｂ<br>子Ｂが強迫して遺言を妨害→**欠格**<br>【例２】<br>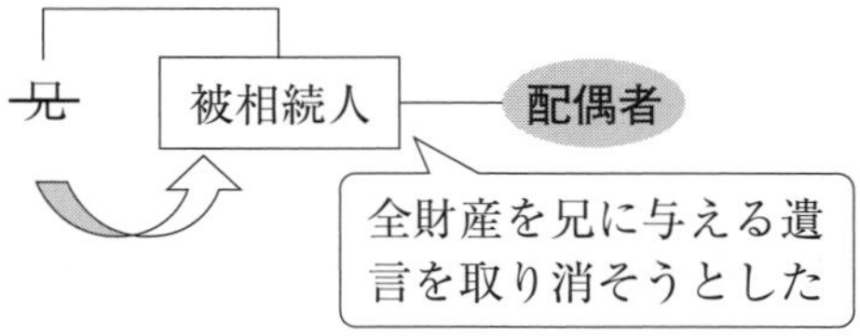兄<br>被相続人<br>配偶者<br>全財産を兄に与える遺言を取り消そうとした<br>兄が詐欺により遺言取消しを妨害→**欠格** | ― |
| 詐欺又は強迫によって、被相続人に相続に関する遺言をさせ、撤回させ、取り消させ、又は変更させた者（民891④） | 【例１】<br>被相続人<br>全財産を子Ｂに与える遺言<br>子Ａ<br>子Ｂ<br>子Ｂが強迫して遺言をさせた→**欠格**<br>【例２】<br>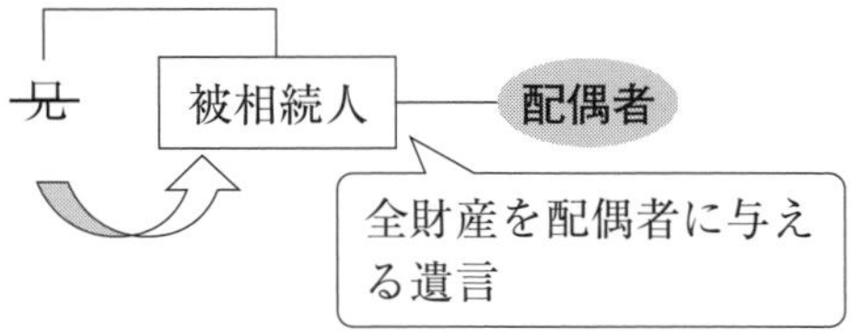兄<br>被相続人<br>配偶者<br>全財産を配偶者に与える遺言<br>兄が詐欺により遺言を取り消させた→**欠格** | ― |
| 相続に関する被相続人の遺言書を偽造し、変造し、破棄し、又は隠匿した者（民891⑤） | **偽造**：勝手に被相続人名義の遺言書を作成すること | ― |
| | **変造**：正当に作成された遺言書について、勝手に書き加えたり削除したりして内容を変更すること | ― |
| | **隠匿**：遺言書の発見を困難にすること | ― |

(注)　は相続人となる者を示しています。

| 欠格事由 | 内　容 | 判　例 |
|---|---|---|
| 相続に関する被相続人の遺言書を偽造し、変造し、破棄し、又は隠匿した者（民891⑤） | 方式不備のため無効な遺言について、方式を備えさせる行為は、偽造又は変造に当たります。<br>ただし、被相続人の意思を実現させるためのものに過ぎないときは、欠格事由となりません。 | 最判S56.4.3<br>民集35・3・431 |
| | 相続に関して不当な利益を目的とするものでないときは、欠格事由に当たりません。 | 破棄又は隠匿について、最判H9.1.28<br>民集51・1・184 |
| | 遺言書の発見を遅らせる故意がなければ隠匿に当たらないとする裁判例があります。 | 大阪高判S61.1.14<br>判時1218・81 |

⑵　**手続**

　何らの手続を要せず、欠格事由があれば、当然に相続資格を失います。関係者の意思表示も不要です。

　また、欠格事由が生じたことを戸籍上届け出る必要もありません。

⑶　**効果**

　欠格事由に該当した者は、当然に相続資格を失います。

　一旦欠格事由に該当すると、回復の余地はないと解されています（民894参照）。

　欠格事由が相続開始前に生じたときはその時点から、相続開始後に生じたときは相続開始時に遡って、相続資格を失う効力が生じます。

**＜相続欠格の時期の例＞**

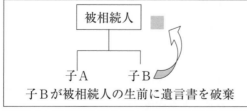

遺言書を破棄した時点から、子Bは相続資格を失います。

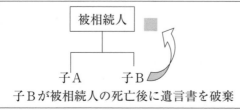

被相続人の死亡時に遡って、子Bは相続資格を失います。

㊟　■は相続資格の喪失を示しています。

　欠格の効果は相対的なものであり、欠格事由と関係のある特定の被相続人に対する相続資格のみ失います。

**＜相続欠格の範囲の例＞**

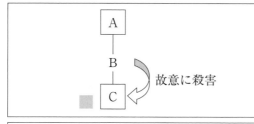

| | |
|---|---|
| | Cを殺害したBは、Cに対する相続資格を失いますが、Aとの関係では相続資格を失いません。<br>→BはAを相続できます。 |

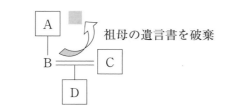

| | |
|---|---|
| | Aの遺言書を破棄したBは、Aに対する相続資格を失いますが、CやDとの関係では相続資格を失いません。<br>→BはCやDを相続できます。 |

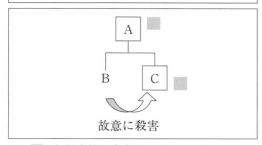

| | |
|---|---|
| | Cを殺害したBは、Cに対する相続資格を失います（被相続人の殺害）。<br>同時に、Aに対する関係でも、同順位の相続人を殺害したことになるので、相続資格を失います。<br>→BはCもAも相続できません。 |

㊟　■は相続資格の喪失を示しています。

　欠格事由に該当した者は、受遺者となることもできません（民965→891）。したがって、遺贈（民964）を受けることができません。ただし、生前贈与は可能です。

**＜相続欠格と受遺者の資格の例＞**

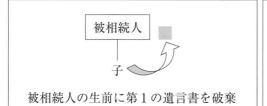

| | |
|---|---|
| | 子は、遺言書の破棄により欠格事由に該当するので、被相続人がその後新たな遺言をしてもその受遺者となることができません。 |

㊟　■は相続資格の喪失を示しています。

**＜遺産分割後に欠格事由が明らかになった場合＞**

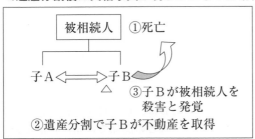

子Bは相続資格がないので、無権利の表見相続人
→子Aは子Bに対し不動産の返還を請求できます。ただし、相続回復請求となるので短期消滅時効にかかります（民884）。

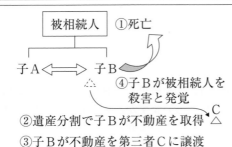

子Bは相続資格がないので、無権利の表見相続人
→Cは不動産を取得できません（第三者保護規定はありません。）。

（注）　△は無権利の表見相続人を示しています。

## 2　推定相続人の廃除

### (1)　要件

　廃除は、①遺留分を有する推定相続人が、②廃除事由のいずれかに該当する場合に、③被相続人の生前行為又は遺言による意思表示があることが要件となります。

**＜廃除の要件＞**

| ①　遺留分を有する推定相続人であること | |
| --- | --- |

| 内　容 | 判　例 |
| --- | --- |
| 遺留分を有しない兄弟姉妹は廃除の対象となりません。<br>∵兄弟姉妹に相続財産を与えたくないのであれば、相続分の指定をゼロにするか、全財産を他の者に遺贈等すれば目的を達成できます。 | — |
| 適法に遺留分を放棄した相続人も廃除の対象となりません。 | 東京高決<br>S38.9.3<br>家月16・1・98 |

| | |
|---|---|
| 推定相続人：最先順位にある相続人<br>→他に先順位者がいる場合、後順位の相続人は廃除の対象となりません。<br>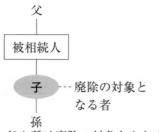<br>被相続人に子がある場合、父や孫は廃除の対象となりません。 | ― |
| 推定相続人の配偶者に廃除事由があるとしても、廃除は問題となりません。<br>【例】<br><br>子の配偶者は廃除の対象となりません（そもそも相続人ではありません。）。<br>子も廃除の対象となりません（廃除事由に該当しません。）。 | 東京家審<br>Ｓ50．3．13<br>家月 28・2・99<br>参照 |

| | |
|---|---|
| ② | **廃除事由（民892）のいずれかに該当すること** |

| | |
|---|---|
| ③ | **被相続人の生前行為又は遺言による廃除の意思表示があること** |

**(2)　廃除事由**

廃除事由は、①被相続人に対する虐待・侮辱、②推定相続人の著しい非行の2つです（民892）。

| 廃除事由<br>（民892） | 内　容 | | 判　例 |
|---|---|---|---|
| 被相続人に対し虐待をしたこと | 【例】<br>被相続人に魔法瓶や醤油瓶を投げつけ、また、玄関のガラスを割り、灯油をまいて放火すると脅すなどして、被相続人を他所に避難させざるを得なくなった。 | 具体的に諸般の事情を考慮し、相続資格を奪うに値するとみられる程度のものであることを要します。<br>⇩<br>一時的な言動や、被相続人にも原因がある場合などは、廃除事由にならないことがあります。 | 東京家八王子支部審<br>S 63.10.25<br>家月41・2・145 |
| 被相続人に重大な侮辱を加えたこと | 【例】<br>被相続人に日頃から非協調的、敵対的な態度をとっており、近所に住みながら一人暮らしの被相続人の面倒を見ようともせず、被相続人の再婚相手の遺産分割をめぐって対立し、「早く死ね。八十まで生きれば十分だ」などと罵倒し、被相続人が家政婦にまで怯えた声で「今からA（推定相続人）が来る。Aに叩き殺されてしまう」と電話したこともあった。 | | 東京高決<br>H 4 .10.14<br>家月45・5・74 |
| その他の著しい非行があったこと | 【例】<br>① 被相続人に対する暴行、暴言<br>② 被相続人の財産の不当処分<br>③ 浪費、遊興、犯罪行為、女性問題を繰り返す。<br>④ 被相続人夫婦と養子縁組するとともにその娘と婚姻した者が、被相続人から居宅等の贈与を受けるなど配慮を受けながら、重篤な病状に陥った被相続人の療養看護に努めず、愛人と出奔して所在不明となり妻子を遺棄した。<br>⑤ 不貞行為 | | ②東京家八王子支部審<br>S 63.10.25<br>家月41・2・145<br>③徳島家審<br>S 43. 8 .15<br>家月20・12・98<br>④横浜家審<br>S 55.10.14<br>家月33・10・98<br>⑤名古屋家審<br>S 61.11.19<br>家月39・5・56 |

⑶　**手続**

　廃除は、被相続人が、生前に廃除の請求を家庭裁判所にする方法（民892）と、被相続人が遺言によって廃除の意思を表示する方法（民893）によってなされます（家事39別1⑧⑥）。

**＜廃除の方法＞**

| 生前廃除<br>（民892） | 被相続人が家庭裁判所（家事188Ⅰ）に審判を申し立てます。 |
| --- | --- |
| 遺言廃除<br>（民893） | 被相続人が遺言で廃除の意思を表示します。<br>→相続開始後、遺言執行者が、家庭裁判所に廃除の審判を申し立てます。 |

　**ア　生前廃除**

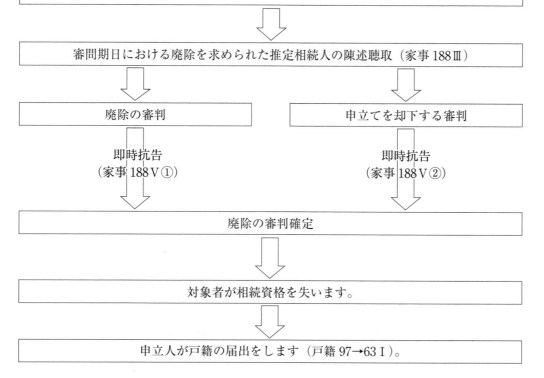

被相続人が家庭裁判所に審判を申し立てます（家事39別1⑧⑥）。
・被相続人は行為能力がなくとも意思能力があれば足ります。
・相手方(廃除の対象者)が制限行為能力者であるときは、その法定代理人が代理します。被相続人が相手方の法定代理人であるときは、特別代理人を選任しなければなりません（民826Ⅰ）。

家庭裁判所は、親族、利害関係人又は検察官の請求により、遺産の管理について必要な処分（管理人の選任等）を命ずることができます（民895Ⅰ、家事39別1⑧⑧）。

審問期日における廃除を求められた推定相続人の陳述聴取（家事188Ⅲ）

廃除の審判　　　　　　　　　　　　申立てを却下する審判

即時抗告　　　　　　　　　　　　　即時抗告
（家事188Ⅴ①）　　　　　　　　　（家事188Ⅴ②）

廃除の審判確定

対象者が相続資格を失います。

申立人が戸籍の届出をします（戸籍97→63Ⅰ）。

### イ　遺言廃除

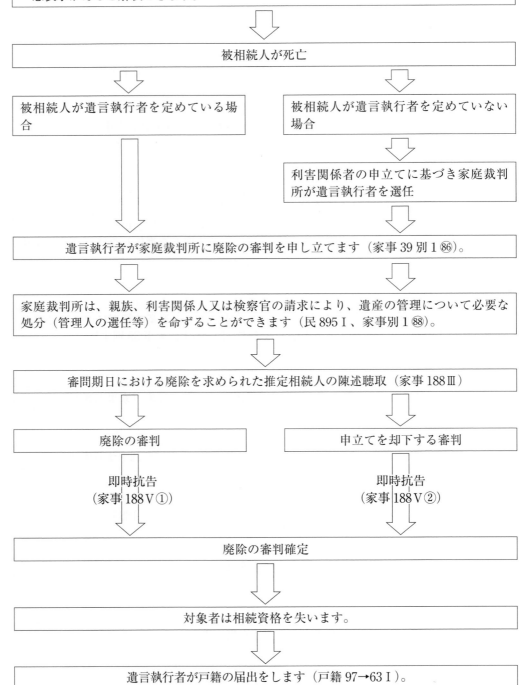

被相続人が遺言で廃除の意思表示をします。
・被相続人は行為能力がなくとも遺言能力（民961）があれば足ります。
・遺言から推定相続人から遺留分を奪う趣旨を読み取ることができる場合は、廃除の意思表示があると解釈できます。

被相続人が死亡

被相続人が遺言執行者を定めている場合

被相続人が遺言執行者を定めていない場合

利害関係者の申立てに基づき家庭裁判所が遺言執行者を選任

遺言執行者が家庭裁判所に廃除の審判を申し立てます（家事39別1⑯）。

家庭裁判所は、親族、利害関係人又は検察官の請求により、遺産の管理について必要な処分（管理人の選任等）を命ずることができます（民895Ⅰ、家事別1⑱）。

審問期日における廃除を求められた推定相続人の陳述聴取（家事188Ⅲ）

廃除の審判

申立てを却下する審判

即時抗告
（家事188Ⅴ①）

即時抗告
（家事188Ⅴ②）

廃除の審判確定

対象者は相続資格を失います。

遺言執行者が戸籍の届出をします（戸籍97→63Ⅰ）。

## ⑷　効果

| 生前廃除 | 審判確定のときから、対象者が相続資格を失います。<br>それ以前に相続が開始したときは、相続開始時に遡って相続資格剥奪の効果が生じます。 |
|---|---|
| 遺言廃除 | 相続開始時に遡って、対象者は相続資格を失います（民893後段）。 |

　廃除の効果は相対的なものであり、廃除を請求した特定の被相続人に対する相続資格のみを失います。

　相続欠格の場合と異なり、廃除された者であっても、受遺者となること（被相続人から遺言によって贈与を受けること）はできます。

　また、廃除された者が被相続人との間にその後生じた身分関係に基づいて新たな相続資格を取得することは妨げられません。

**＜廃除の範囲の例＞**

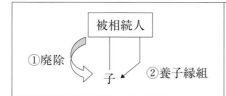

①子は廃除により相続資格を失いますが、②その後の養子縁組によって再び相続資格を取得できます。

## ⑸　取消し

　被相続人は、いつでも廃除の取消しを家庭裁判所に請求できます（民894、家事39別1⑧⑦）。

　遺言による取消しも可能です（民894Ⅱ）。

# 第3章　相続の効力

## 第1　相続財産

### 1　包括承継の原則とその例外

　被相続人の死亡によって相続が開始（民882）すると、原則として被相続人に属していた財産は一括して相続人に承継されます（民896本文）。相続人が具体的な財産の内容や所在について知っているか否かは関係ありません。これを、包括承継の原則といいます。

＜相続の一般的効力＞

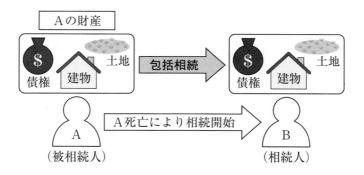

　ここで承継される財産には、積極財産（資産）だけでなく消極財産（負債）も含まれます。また、契約上の地位や、未だ権利義務として具体的に発生していない財産法上の地位も承継されます。

　以上のように相続の対象となる財産のことを、相続財産といいます。一般的には、遺産と同義で用いられています。

＜包括承継の原則の内容（相続財産）＞

| 積極財産 | ・所有権、抵当権などの物権<br>・預貯金、代金請求権、貸金返還請求権などの債権<br>・特許権、実用新案権、著作権、鉱業権などの無体財産権 |
|---|---|
| 消極財産 | ・引渡債務、代金債務などの債務 |
| その他の権利義務 | ・取消権、解除権、登記移転義務など |
| 契約上の地位等 | ・売主や貸主としての地位<br>・善意・悪意、故意・過失などの主観的態様 |

　もっとも、例外的に、被相続人の一身に専属したもの（これを一身専属権といいます。）は相続の対象外とされています（民896ただし書）。しかし、具体的にいかなるものが一身専属権に含まれるのかは、明確に規定されておらず、解釈に委ねられています。

　また、一身専属権以外にも、相続財産に含まれるかどうかが問題となるものもあります（生命保険金、死亡退職金など）。

　そこで、以下においては、相続財産に含まれるか否かが問題となるものについて、具体的に説明します。

## 2　相続財産に含まれるかが問題となるもの

### (1)　積極財産

#### ア　知的財産権

　特許権や著作権をはじめとする知的財産権は、相続財産の範囲に含まれます。ただし、著作権の内容をなす公表権や氏名表示権（著作者人格権といわれています。）は、本来の著作者のみに帰属することが予定されている一身専属権であり、著作者の死亡によって消滅するものと解されているため、相続財産の範囲には含まれません。

＜知的財産権＞

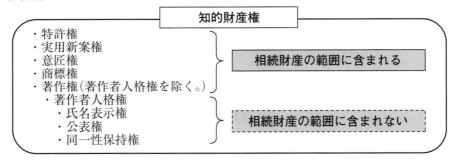

#### イ　占有権

　占有ないし占有権は目的物の現実的支配を基礎として成り立つものであると考えると、被相続人が死亡した時点で被相続人が住居や家財について有していた占有権は消滅することになり、相続財産として被相続人に承継されることはなさそうです。

　しかし、相続はもともと被相続人の法的地位を承継するのであるから、相続人が被相続人の占有していた物を現実に支配するに至ったか否かを問わず、相続人は被相続人の占有権を承継するとされています（最判 S44.10.30民集23・10・1881）。

### ウ 損害賠償請求権

　不法行為や債務不履行等により損害を受けた者は、加害者や債務者に対して、損害賠償請求をすることができます。この損害賠償請求権は、単純な金銭債権であり、原則として相続の対象となります。

　もっとも、交通事故などで被相続人である被害者が即死した場合の損害賠償請求権や慰謝料請求権（精神的苦痛に対する損害賠償請求権）については、議論があるところですが、一般的には、相続の対象となると考えられています。

＜損害賠償請求権＞

| | 問題の所在 | 相続財産に含まれるか否か | 判 例 |
|---|---|---|---|
| 生命侵害の場合の損害賠償請求権 | 被相続人が加害者の加害行為により即死した場合、被相続人のもとで生じた財産上の損害（例えば、被相続人が今後得られたであろう将来の収入の喪失分）については、権利主体である被相続人が死亡しているので、被相続人が損害賠償請求権を取得することはできず、したがって、相続人がそれを承継することもないと考えられることから、生命侵害の場合の損害賠償請求権が相続の対象となるかどうかが問題とされます。 | 生命侵害の場合も被害者自身に賠償請求権が帰属し、それが相続人に承継されると解釈されています。<br><br>【理由】<br>仮に、相続を否定すると、被相続人が重傷を負ってまもなく死亡した場合には、被相続人が一旦損害賠償請求権を取得し、死亡により相続人に承継されるのに対し、被相続人が即死した場合にはそうならないことになってしまい、不均衡な結論が導かれてしまいます。 | 大判 T15.2.16 民集5・150 |
| 慰謝料請求権 | 慰謝料請求権については、被害者個人の心情に基づく損害賠償請求権であるため、被相続人である被害者本人がそれを請求するという意思表示をしない限り、一身専属権として相続の対象にならないのではないかという問題が生じます。 | 被相続人の何らの意思表示がなくとも、慰謝料請求権が相続人に承継されると解釈されています。<br><br>【理由】<br>仮に、被相続人による請求の意思表示が必要であるとすると、「残念、残念」といいながら死んだときは慰謝料請求権は相続されるが、「助けてくれ」といっただけのときは相続されないという奇妙な結論が導かれてしまいます。 | 最判 S42.11.1 民集21・9・2249 |

### エ 生活保護受給権

　生活保護受給権は、被保護者自身の最低限度の生活を維持するために与えられた一身専属権であって、相続の対象とはならないとされています（最判 S42.5.24民

集21・5・1043)。

**オ　本来的に被相続人に属さない財産**

　被相続人の死亡を原因として相続人に支払われる金銭は、もともと相続人に支払われることが予定されており、基本的には被相続人の財産として相続人に承継されるものではないと考えられています。

＜本来的に被相続人に属さない財産＞

| | | 相続財産に含まれるか否か | 判　例 | 備　考 |
|---|---|---|---|---|
| 保険金受取人を相続人と指定した場合の生命保険金 | | 保険契約の成立により、相続人がその固有の停止条件付保険金請求権を取得したものとして、相続財産には含まれないと解釈されています。 | 最判 S 40.2.2 民集19・1・1 | ① 一部の相続人のみが多額の生命保険金を取得したような場合、特別受益として遺産分割上考慮される余地があります。<br><br>② 税法上は、「みなし相続財産」として、生命保険金を受け取った相続人に相続税が課せられます（相税３Ⅰ①～④）。 |
| 死亡退職金 | 勤務先の規程等で相続人中のある者にだけ支払われる場合 | 当該相続人が固有の受給権を取得するものであり、相続財産には含まれないと解釈されています。 | 最判 S 55.11.27 民 集 34・6・815 | |
| | 上記のような支給規程が存在しない場合 | 確立した見解はありません。支給額や慣行を勘案して、個別具体的に検討する必要があります。 | 最判 S 62.3.3 判時1232・103参照 | |
| 遺族年金 | | 遺族年金の受給権は、遺族の最低限度の生活を維持するために与えられた一身専属権であって、相続財産には含まれません。 | ― | ① 遺族の生活保障という趣旨であること、その金額も少額にとどまることから、特別受益として遺産分割上考慮される余地は少ないと考えられています。<br><br>② 税法上は、「みなし相続財産」として、遺族年金を受け取った相続人に相続税が課せられます（相税３Ⅰ⑤⑥）。 |

**(2)　消極財産**

**ア　一身専属債務**

　性質上、被相続人本人しか履行することができない債務や、個人的な信頼に基づ

き被相続人自身が履行することが予定されている債務は、一身専属債務であり、相続財産の対象外とされています。

**＜一身専属債務＞**

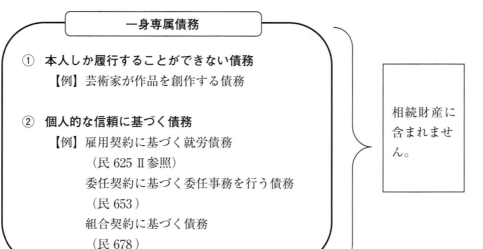

**イ　保証債務**

保証債務は、通常の金銭債務と同様、相続の対象となります。

もっとも、身元保証債務については、債務の内容が不確定であり、相続人が予想外の負担を負う可能性があるため、相続の対象にはならないと考えられています。また、極度額（限度額）及び期間の定めのない根保証（信用保証）の保証人たる地位（ただし、2005年以降は、貸金や手形の割引に対するこのような根保証は禁じられています。）も同様に相続の対象になりません。しかし、相続開始時に上記根保証の主債務が存在し、現実に保証債務が生じていた場合には当該保証債務は相続財産に含まれます。

**＜保証債務＞**

| 保証と相続 | | 内　容 | 相続財産に含まれるか否か |
|---|---|---|---|
| 通常の保証債務 | | 本来の債務者（主債務者）が債務を弁済しない場合に、第三者（保証人）が債権者に対し、主債務と同一内容の履行を行う債務をいいます。<br>【例】<br>友人が金融機関から300万円を借りる際に、連帯保証人になる場合。 | 相続財産に含まれます。 |
| 特殊な保証債務 | 身元保証債務 | 従業員の行為によって雇い主が損害を受けた場合に、その損害賠償を保証する債務をいいます。<br>【例】<br>友人が会社に就職する際に、身元保証人になる場合。通常、就業先との身元保証契約書には「本人の行為により生じた全ての責任を負う」と記載されており、また、身元保証の期間についての記載もありません。 | 身元保証債務そのものは相続財産に含まれないと考えられています。ただし、相続開始時に現実化していた保証債務については相続財産に含まれます。 |
| | 信用保証（根保証）債務 | 継続的な取引から発生する債務をまとめて保証する債務をいいます。<br>【例】<br>友人が事業を始めるに当たり、取引先に支払うべき金銭について限度額及び期間の定めなく連帯保証人になる場合（限度額又は保証期間を定める場合もあります。）。 | ①　限度額及び期間の定めのない信用保証債務は、相続財産に含まれないと考えられています。ただし、相続開始時に現実化していた保証債務については相続財産に含まれます。<br><br>②　限度又は期間の定めがある信用保証債務は、相続財産に含まれると考えられています。 |

⑶　**身分関係に基づく権利義務**

　親族関係、相続関係などの身分関係に基づく権利義務は、被相続人本人の親族上・相続上の地位に由来する権利義務であるため、一身専属権（義務）であり、相続の対象になりません。

　もっとも、具体的な財産請求権として具体化したものや、もともと財産請求権とし

ての性質が強いものについては、相続の対象になると解釈されています。

**＜身分関係に基づく権利義務＞**

| 問題となる権利 | 相続財産に含まれるか否か |
|---|---|
| 扶養請求権（義務） | 相続財産に含まれません。<br>ただし、協議や審判によって具体的に内容が確定した扶養料については、通常の金銭債権として相続財産に含まれると考えられています。 |
| 財産分与請求権（義務） | 扶養請求権（義務）と同様、協議や審判によって具体的に財産分与の額や方法が確定した場合には、通常の債権として相続財産に含まれると考える見解が有力です。<br>もっとも、財産分与の中には離婚後の扶養料（将来の扶養料）としての性質も含まれており、離婚した本人の死亡によりその分も消滅すると考えるべきですので、金額を見直す余地はあります。 |
| ①　相続回復請求権<br>②　相続の承認・放棄をする権利<br>③　遺留分減殺請求権 | 財産的性質が強いので、相続財産に含まれると考えられています。 |

**(4)　香典等**

　香典や弔慰金は、喪主あるいは遺族への贈与されるものと考えられており、相続財産の範囲には含まれません。

**(5)　祭祀財産**

　系譜（系図）、祭具（位牌・仏壇など）、墳墓（墓石・墓地など）の祭祀財産については、相続財産に含まれません。慣習に従って祖先の祭祀を主宰すべき者が承継します（民897Ⅰ本文）。遺骨も同様であると解釈されています（最判Ｈ元.7.18家月41・10・128）。

　祭祀承継者は、第1には被相続人の指定により、第2にはその地方の慣行により定まりますが、指定がなく慣行も明白でなければ、家庭裁判所がこれを定めます（民897Ⅱ、家事39別2⑪）。

＜祭祀財産＞

| 祭祀承継 | 相続財産の範囲に含まれるか否か | 備　考 |
|---|---|---|
| 祭祀財産 | 相続財産の範囲には含まれません。 | ①　金銭的価値がある場合でも、特別受益として遺産分割上考慮されません。<br><br>②　相続税法上は、非課税財産とされています（相税12②）。 |
| 遺　骨 | | |

## 3　無権代理と相続

　無権代理行為がなされた場合、本人は無権代理行為を追認することも追認拒絶することもできる一方、代理人の地位や本人の地位も相続財産に含まれ、相続の対象になります。そこで、無権代理行為が行われた後に、無権代理人と本人との間に相続が生じて無権代理人と本人それぞれの地位が同一人に帰属するようになった場合、その人は追認を拒絶することができるのかが問題となることがあります。

　この場合、相続という偶然の事情によって特定の人物に利益あるいは不利益が生じることがないよう、事例に応じた解決方法が考えられています。

＜無権代理と相続の問題＞

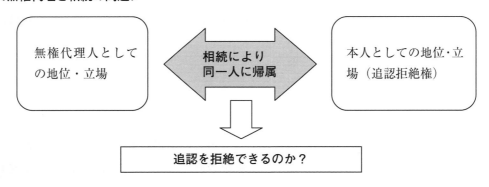

## ⑴　無権代理人死亡の場合

　本人が無権代理人を相続し、本人と無権代理人の資格が同一人に帰属した場合、相続により追認拒絶できなくなるのでは本人に酷であることから、相続人たる本人が被相続人の無権代理行為の追認を拒絶することも可能であり、無権代理行為は相続により当然に有効となるものではないと解釈されています（最判 S37.4 .20民集16・4・955、最判Ｓ48.7 .3民集27・7・751）。

### (2) 本人死亡の場合

無権代理人が本人を相続し、本人と無権代理人の資格が同一人に帰属した場合、自ら無権代理行為について、本人の資格で追認拒絶することは、信義誠実の原則に反することから、追認拒絶することはできず、無権代理行為は相続とともに当然有効になると解釈されています（最判Ｓ40．６．18民集19・４・986）。

他方、無権代理人が本人を共同相続した場合には、共同相続人全員で追認をしない限り、無権代理行為は有効とならず、無権代理人の相続分に相当する部分のみ有効となるものでもないと解釈されています（最判Ｓ49．９．４民集28・６・1169）。

**＜無権代理と相続の判例の帰結＞**

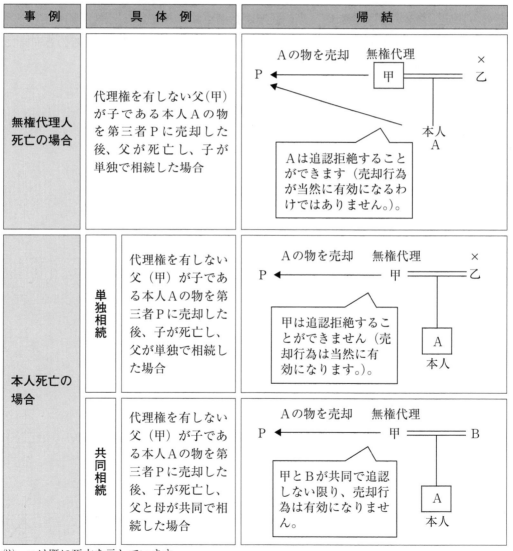

<table>
<tr><th>事　例</th><th colspan="2">具　体　例</th><th>帰　結</th></tr>
<tr><td>無権代理人死亡の場合</td><td colspan="2">代理権を有しない父(甲)が子である本人Ａの物を第三者Ｐに売却した後、父が死亡し、子が単独で相続した場合</td><td>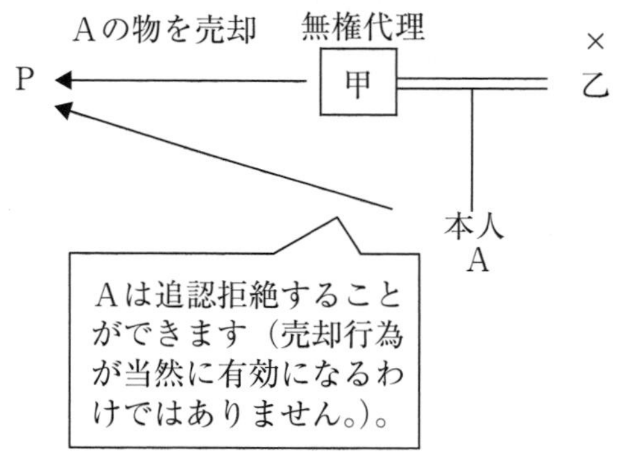
Ａの物を売却
無権代理
×
Ｐ
甲
乙
本人
Ａ
Ａは追認拒絶することができます（売却行為が当然に有効になるわけではありません。）。</td></tr>
<tr><td rowspan="2">本人死亡の場合</td><td>単独相続</td><td>代理権を有しない父（甲）が子である本人Ａの物を第三者Ｐに売却した後、子が死亡し、父が単独で相続した場合</td><td>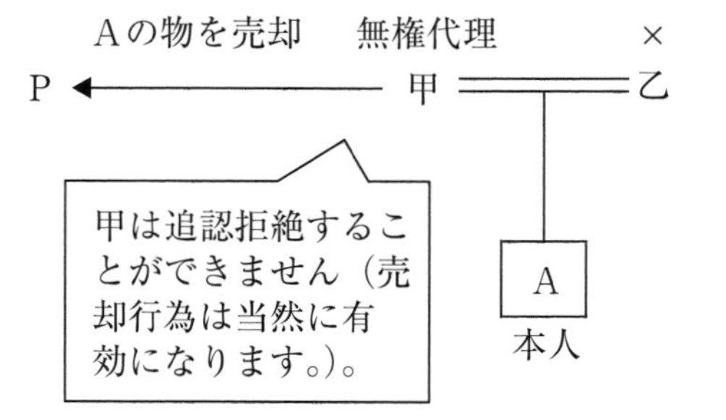
Ａの物を売却
無権代理
×
Ｐ
甲
乙
甲は追認拒絶することができません（売却行為は当然に有効になります。）。
Ａ
本人</td></tr>
<tr><td>共同相続</td><td>代理権を有しない父（甲）が子である本人Ａの物を第三者Ｐに売却した後、子が死亡し、父と母が共同で相続した場合</td><td>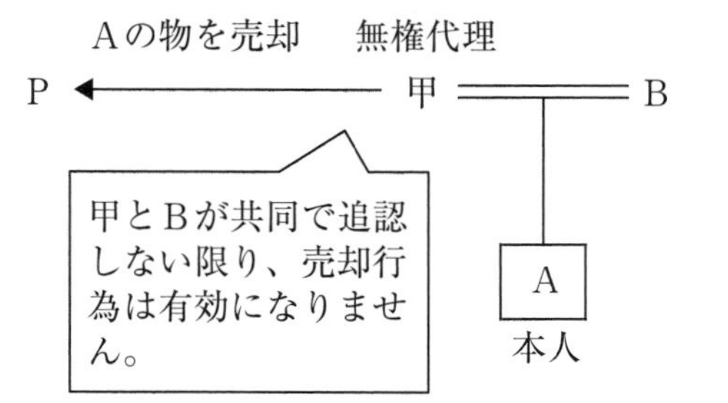
Ａの物を売却
無権代理
Ｐ
甲
Ｂ
甲とＢが共同で追認しない限り、売却行為は有効になりません。
Ａ
本人</td></tr>
</table>

(注)　×は既に死亡を示しています。

## 4　相続財産の管理

　相続財産が相続人に確定的に帰属するまでの間に散逸したり劣化したりすることを防ぐため、従前は、相続財産を管理する制度として、熟慮期間中の相続財産の管理（令和3年改正前の民918Ⅱ）、相続人が複数で限定承認した場合の相続財産の管理（令和3年改正前の民936Ⅰ）、相続放棄後の相続財産の管理（令和3年改正前の民940Ⅱ、同民918Ⅱ）、財産分離請求後の相続財産の管理（民944Ⅰただし書）、相続人不明の場合の相続財産管理人（民952Ⅰ）など、様々な制度が設けられていました。

　しかし、これらの制度では、熟慮期間経過後、遺産分割前の相続財産の管理ができない、また、相続人不明の場合は相続財産全部に対しての管理が必要であり特定の財産のみ限定した管理ができない、等の問題が指摘されてきました。

　そこで、令和3年に所有者不明土地の問題解決を図る制度が創設されるのと同時に、相続財産の管理制度についても整理することとなりました。

## ＜従前の相続財産管理制度＞

| 条文 | 対象となる場面 | 相続財産管理人の選任手続 | 相続財産管理人が可能な行為 |
|---|---|---|---|
| 民918Ⅱ | 熟慮期間中 | 利害関係人又は検察官の請求による | ・保存行為<br>・目的である物又は権利の性質を変えない範囲内において、その利用又は改良を目的とする行為<br>・裁判所の許可を得た処分行為（民918Ⅲ→民28、民103） |
| 民926Ⅱ→民918Ⅱ | 限定承認があった場合 | 利害関係人又は検察官の請求による | ・保存行為<br>・目的である物又は権利の性質を変えない範囲内において、その利用又は改良を目的とする行為<br>・裁判所の許可を得た処分行為（民926Ⅲ→民918Ⅲ→民28、民103） |
| 民936Ⅰ、Ⅱ | 複数相続人が限定承認した場合 | 家庭裁判所が職権で選任 | 相続財産の管理及び債務の弁済に必要な一切の行為（民936Ⅱ） |
| 民940Ⅱ→民918Ⅱ | 相続放棄があった場合に、放棄によって相続人となった者が相続財産の管理を始めるまでの間 | 家庭裁判所が職権で選任 | ・保存行為<br>・目的である物又は権利の性質を変えない範囲内において、その利用又は改良を目的とする行為<br>・裁判所の許可を得た処分行為（民940Ⅱ→民918Ⅲ→民28、民103） |
| 民952Ⅰ | 相続人があることが明らかでない場合 | 利害関係人又は検察官の請求による | ・保存行為<br>・目的である物又は権利の性質を変えない範囲内において、その利用又は改良を目的とする行為<br>・裁判所の許可を得た処分行為（民953→民28、民103） |

＊上記の条文はいずれも令和３年民法改正前のもの

| 問題点 |
|---|
| ・相続財産の管理ができる場面が限定的であり、熟慮期間経過後、限定承認も相続放棄もせず、遺産分割未了の場合に対応できない。<br>・相続放棄後、引き継ぐ相続人がいない場合に利用可能かが明らかでない。<br>・相続人があることが明らかでない場合には、相続財産の清算が目的となることから、対象を相続財産全てとせざるを得ないため、費用がかかるなど手続が重く、特定の財産の管理に利用しづらい。 |

従前の相続財産管理制度を整理し、かつ、柔軟な相続財産管理制度を創設（民897の2）

**＜新しい相続財産管理制度＞**

| 条文 | 対象となる場面 | 相続財産管理人等の選任手続 | 相続財産管理人等が可能な行為 |
|---|---|---|---|
| 民897の2 | 【原則】<br>相続開始後いつでも<br>【例外】<br>・相続人が1人でその相続人が単純承認したとき<br>・複数相続人間で遺産分割がなされたとき<br>・民952Ⅰの相続財産清算人が選任されたときはこの制度は利用できない | 利害関係人又は検察官の請求による | ・保存行為<br>・目的である物又は権利の性質を変えない範囲内において、その利用又は改良を目的とする行為<br>・裁判所の許可を得た処分行為（民897の2Ⅱ→民28、民103） |
| 民936Ⅰ、Ⅱ | 複数相続人が限定承認した場合<br>＊ただし、目的に沿うように「管理人」ではなく「清算人」となった | 家庭裁判所が職権で選任 | 相続財産の管理及び債務の弁済に必要な一切の行為（民936Ⅱ） |
| 民952Ⅰ | 相続人があることが明らかでない場合<br>＊ただし、目的に沿うように「管理人」ではなく「清算人」となった | 利害関係人又は検察官の請求による | ・保存行為<br>・目的である物又は権利の性質を変えない範囲内において、その利用又は改良を目的とする行為<br>・裁判所の許可を得た処分行為（民953→民28、民103） |

＊上記の条文はいずれも令和3年民法改正後のもの

## 5　相続登記の義務化

　以前から、相続登記がされないままに相続が繰り返された結果、所有者が不明な土地、また、所有者が多数となり管理や利用のための合意形成が困難な土地、などが発生することが問題とされてきました。

　そこで、所有者不明土地問題解決のため、令和3年4月21日，「民法等の一部を改

正する法律」及び「相続等により取得した土地所有権の国庫への帰属に関する法律」が成立しました。具体的には、相続登記や住所変更登記の申請の義務化、相続等により土地の所有権を取得した者が法務大臣の承認を受けて土地所有権を国庫に帰属させることができる制度の創設、所有者不明の土地の管理制度等の創設、などを内容としています。これらの法律は、令和5年4月27日に施行されました（ただし、相続登記義務化に関しては令和6年4月1日に施行）。また、住所変更登記義務化に関しては、令和8年4月28日までの政令で定める日に施行予定です。

　ここでは、相続登記の義務化について説明します。

## (1)　相続人の登記義務

　所有権の登記名義人に相続の開始があったときは、相続により所有権を取得した者及び遺贈により所有権を取得した者は、相続開始を知り、かつ、当該所有権を取得した日から3年以内に所有権移転登記を申請しなければなりません（不動産登記法76の2）。

　遺産分割があった場合で法定相続分を超えて所有権を取得した者は、遺産分割の日から3年以内に所有権移転登記を申請しなければなりません（不動産登記法76の2）。

　なお氏名や住所変更があった場合も変更登記をする義務が定められています（不動産登記法76の5）。

　正当な理由がないのに、相続による所有権移転登記の申請を怠った者は10万円以下の過料に、氏名・住所変更の登記の申請を怠った者は5万円以下の過料に処せられます（不動産登記法164）。

### ＜相続等による不動産登記義務＞

| 登記義務者 | 登記義務開始の要件 | 登記期間 | 根拠条文 | 罰則 |
|---|---|---|---|---|
| 相続により不動産の所有権を取得した者 | 自己のために相続の開始があったことを知りかつ当該不動産の所有権を取得したことを知った日 | 左記の日より3年以内 | 不動産登記法76の2Ⅰ | 10万円以下の過料 |
| 遺産分割により法定相続分を超えて不動産の所有権を取得した者 | 遺産分割の日 | 左記の日より3年以内 | 不動産登記法76の2Ⅱ | 10万円以下の過料 |
| 氏名や住所の変更をした者 | 変更があった日 | 左記の日より2年以内 | 不動産登記法76の5 | 5万円以下の過料 |

## (2)　登記手続の負担の軽減

　相続人に登記義務を負わせる代わりに、法は、登記手続について以下のとおり軽減する対応をしています。

　まず、相続登記が必要な不動産の把握を容易にするため、所有不動産記録証明制度を新設しました（不動産登記法119の2）。これは、自らが所有権の登記名義人として記録されている不動産の一覧を証明書として交付請求することができる制度で、相続があった場合は、相続人は、被相続人についての不動産記録証明書の交付を請求することができます。

　また、相続人は、法務省令で定めるところにより登記官に対し登記名義人の法定相続人である旨を申し出れば、相続による所有権移転登記義務を履行したものとみなされます（不動産登記法76の3）。

　それ以外にも、登録免許税の負担軽減策の導入などが検討されています。

# 第2 相続分

## 1 相続分とは

相続人が複数いる場合に、各共同相続人が相続財産を承継する割合のことを相続分といいます（民899参照）。

被相続人は遺言によって各共同相続人の相続分を指定することができ、これを指定相続分といいます（民902）。指定がない場合は、法律の規定に基づいて定められ、これを、法定相続分といいます（民900、901）。

**＜相続分＞**

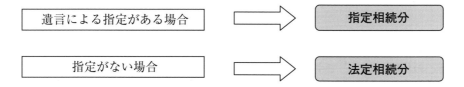

## 2 法定相続分

現在の相続制度は、配偶者相続と血族相続の2本立てとなっています。配偶者と配偶者以外の者が共同相続人となる場合は、まず、配偶者と配偶者以外の相続人との相続分を分けて考えます。

**＜配偶者と配偶者以外の相続人の相続分＞**

| 配偶者以外の相続人 | 子（第一順位） | | 直系尊属（第二順位） | | 兄弟姉妹（第三順位） | |
|---|---|---|---|---|---|---|
| 法定相続分 | 配偶者 $\dfrac{1}{2}$ | 子 $\dfrac{1}{2}$ | 配偶者 $\dfrac{2}{3}$ | 直系尊属 $\dfrac{1}{3}$ | 配偶者 $\dfrac{3}{4}$ | 兄弟姉妹 $\dfrac{1}{4}$ |
| 根拠条文 | 民900① | | 民900② | | 民900③ | |

その上で、配偶者以外の相続人の相続分を、基本的には人数に応じて均分します（民900④）。もっとも、後述するように、半血兄弟姉妹の場合、代襲相続の場合などは、特別の考慮が必要となります。以下、具体的に見てみましょう。

## (1)　配偶者と子が共同相続人である場合

**＜配偶者と子が共同相続人である場合のルール＞**

> ①　配偶者と子の相続分は、それぞれ2分の1です（民900①）。
> ②　子が数人あるときは、実子か養子か、婚姻しているかどうか、嫡出子か非嫡出子か、氏を同じくするか否かを問わず、全員で2分の1を均分します（民900④本文）。

## 【設例1】

> 被相続人甲の相続人は、妻乙、乙と甲との間の子A・Bです。
>
>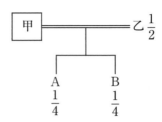
>
> ○　妻乙の相続分は、$\dfrac{1}{2}$です。
>
> ○　A・Bの各相続分は、$\dfrac{1}{2} \times \dfrac{1}{2} = \dfrac{1}{4}$です。

## 【設例2】

> 被相続人甲の相続人は、後妻乙、先妻丙と甲との間の子A・B及び後妻乙と甲との間の子C・Dです。
>
>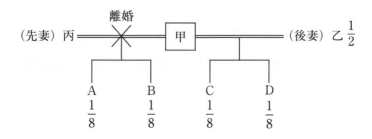
>
> ○　妻乙の相続分は、$\dfrac{1}{2}$です。
>
> ○　A・B・C・Dの各相続分は、$\dfrac{1}{2} \times \dfrac{1}{4} = \dfrac{1}{8}$です。

## (2) 配偶者と直系尊属が共同相続人である場合

**＜配偶者と直系尊属が共同相続人である場合のルール＞**

① 配偶者の相続分は３分の２、直系尊属の相続分は３分の１です（民900②）。

② 直系尊属が数人あるときは、実父母、養父母の区別なく、全員で３分の１を均分します（民900④本文）。

## 【設例１】

被相続人甲の相続人は、妻乙及び実母Ａです。

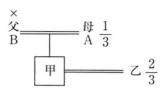

○ 妻乙の相続分は $\frac{2}{3}$ です。

○ 実母Ａの相続分は、$\frac{1}{3}$ です。

(注) ×は既に死亡を示しています。

## 【設例２】

被相続人甲の相続人は、妻乙、甲の養父母Ａ・Ｂ及び甲の実母Ｃです。

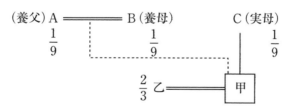

○ 妻乙の相続分は $\frac{2}{3}$ です。

○ 養父Ａ・養母Ｂ・実母Ｃの各相続分は、$\frac{1}{3} \times \frac{1}{3} = \frac{1}{9}$ です。

## 【設例3】

被相続人甲の相続人は、甲の養父方の祖父D、養母方の祖母E及び甲の実母方の祖父母F・Gです。

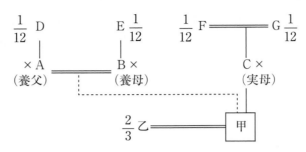

○　妻乙の相続分は$\dfrac{2}{3}$です。

○　D・E・F・Gの各相続分は、$\dfrac{1}{3} \times \dfrac{1}{4} = \dfrac{1}{12}$です。

(注)　×は既に死亡を示しています。

## (3)　配偶者と兄弟姉妹が共同相続人である場合

### ＜配偶者と兄弟姉妹が共同相続人である場合のルール＞

① 配偶者の相続分は4分の3、兄弟姉妹の相続分は4分の1です（民900③）。
② 兄弟姉妹が数人あるときは、
　ⅰ 全員で4分の1を均分します（民900④本文）。
　ⅱ ただし、全血の兄弟姉妹（被相続人と父母の双方を同じくする兄弟姉妹）と半血の兄弟姉妹（被相続人と父母の一方だけを同じくする兄弟姉妹）とがあるときは、半血の兄弟姉妹の相続分は、全血の兄弟姉妹の相続分の2分の1です（民900④ただし書）。

## 【設例1】

被相続人甲の相続人は、妻乙と、甲と父母を同じくする兄弟姉妹A・B・Cです。

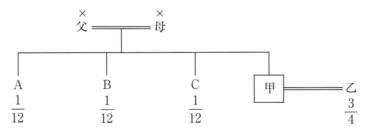

○　妻乙の相続分は、$\dfrac{3}{4}$です。

○　兄弟姉妹A・B・Cの各相続分は、$\dfrac{1}{4} \times \dfrac{1}{3} = \dfrac{1}{12}$です。

(注)　×は既に死亡を示しています。

【設例2】

被相続人甲の相続人は、妻乙と、甲と父母を同じくする兄弟姉妹A及び甲と父のみ同じくする（母を異にする）兄弟姉妹B・Cです。

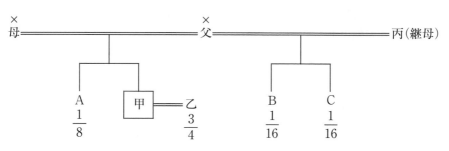

○　妻乙の相続分は、$\dfrac{3}{4}$です。

○　全血兄弟姉妹Aの相続分は、$\dfrac{1}{4} \times \underset{\text{(A)(B)(C)}}{\dfrac{2}{2+1+1}} = \dfrac{1}{8}$です。

○　半血兄弟姉妹B・Cの各相続分は、$\dfrac{1}{4} \times \underset{\text{(A)(B)(C)}}{\dfrac{2}{2+1+1}} \times \dfrac{1}{2} = \dfrac{1}{16}$です。

㊟　×は既に死亡を示しています。

【設例3】

被相続人甲の相続人は、妻乙、甲の兄弟姉妹A及び甲の養父母の実子Bです。

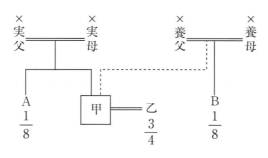

○　妻乙の相続分は、$\dfrac{3}{4}$です。

○　A及びBの各相続分は、$\dfrac{1}{4} \times \dfrac{1}{2} = \dfrac{1}{8}$です。

㊟　×は既に死亡を示しています。

## (4) 配偶者以外の者のみが共同相続人である場合

**＜配偶者以外の者のみが共同相続人である場合のルール＞**

① 数人の子だけが共同相続人であるときは、全員で相続財産全部を均分します（民900 ④本文）。子の中に嫡出子と非嫡出子があるときも同様です。
② 数人の直系尊属だけが共同相続人であるときは、全員で相続財産全部を均分します（民900④本文）。
③ 数人の兄弟姉妹だけが共同相続人であるときは、
　i　全員で相続財産全部を均分します（民900④本文）。
　ii　ただし、全血の兄弟姉妹（被相続人と父母の双方を同じくする兄弟姉妹）と半血の兄弟姉妹（被相続人と父母の一方だけを同じくする兄弟姉妹）とがあるときは、半血の兄弟姉妹の相続分は、全血の兄弟姉妹の相続分の2分の1です（民900④ただし書）。

## (5) 代襲相続人の相続分

**＜代襲相続人の相続分のルール＞**

① 代襲相続人の相続分は、被代襲者の受けるべきであった相続分と同じです（民901Ⅰ本文、Ⅱ）。
② 代襲相続人が数人あるときは、その各自の相続分は、被代襲者の受けるべきであった相続分について、上記(4)と同様のルールによって定められます（民901Ⅰただし書、Ⅱ）。

## 【設例1】

被相続人甲には、妻乙と、A・B・Cの3人の子があり、Aは甲より先に死亡しています。Aには、妻丙との間にD・Eの2人の子と、丁女との間に認知した子Fがいます。

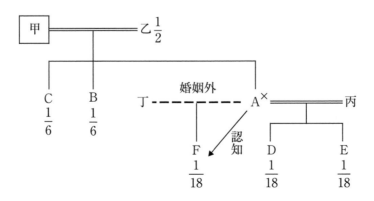

○　妻乙の相続分は、$\frac{1}{2}$です。

○　B・Cの各相続分は、$\dfrac{1}{2} \times \dfrac{1}{3} = \dfrac{1}{6}$ です。

○　D・E・Fの各相続分は、$\dfrac{1}{2} \times \dfrac{1}{3} \times \dfrac{1}{3} = \dfrac{1}{18}$ です。

㊟　×は既に死亡を示しています。

**【設例２】**

被相続人甲には子はなく、父母や祖父母も既に死亡しています。兄弟姉妹のうちＡ・Ｂは既に死亡していますが、Ｃは生存しています。Ａには妻との間の子Ｄ・Ｅがいます。Ｂには認知した子Ｆがいます。

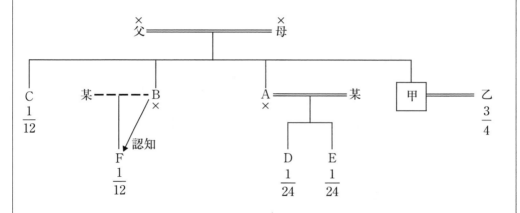

○　妻乙の相続分は、$\dfrac{3}{4}$ です。

○　Ｃの相続分は、$\dfrac{1}{4} \times \dfrac{1}{3} = \dfrac{1}{12}$ です。

○　Ｄ・Ｅの各相続分は、$\dfrac{1}{4} \times \dfrac{1}{3} \times \dfrac{1}{2} = \dfrac{1}{24}$ です。

○　Ｆの相続分は、$\dfrac{1}{4} \times \dfrac{1}{3} = \dfrac{1}{12}$ です。

㊟　×は既に死亡を示しています。

## 3　遺言による相続分の指定

### (1)　相続分の指定方法

　被相続人は、法定相続分の規定にかかわらず、遺言で共同相続人の相続分を定め、又は、遺言で第三者に委託して共同相続人の相続分を定めさせることができます（民902 I）。指定相続分は法定相続分より優先します。

　この相続分の指定は、親族間の紛争を招きやすいことから、必ず遺言でしなければならないとされています。

　遺言書作成後における事情の変化を考慮に入れるため、被相続人は自ら相続分を指定するだけでなく、第三者に相続分の指定を委託することもできます。相続人の意思に反した不公平な指定がなされることを防ぐべく、指定を委託できる「第三者」には、相続人・包括受遺者は含まれないと解釈されています。

　なお、指定の委託を受けた第三者は、指定を拒絶することも可能です。第三者が指定を拒絶したり、死亡その他の事由により指定ができなくなったときは、遺言による委託は効力を失い、法定相続分が適用されるものと解釈されています。

**＜相続分の指定＞**

| | |
|---|---|
| **必ず遺言で行う** | 被相続人自ら相続分を指定 |
| | 第三者（被相続人、相続人、包括受遺者以外の者）に相続分の指定を委託 |

　指定は、通常、各共同相続人が承継すべき相続財産の割合を定めます。これに対して、特定の遺産を特定の相続人に相続させる旨の遺言は、特段の事情がない限り、遺産分割方法の指定の遺言であると解すべきであり（最判Ｈ３.４.19民集45・477）、それによって遺産分割がなされることになります。

**＜相続分の指定と遺産分割方法の指定＞**

| 遺言の内容 | 法的性質 |
|---|---|
| 「Ａは３分の１、Ｂは３分の２」というように割合を定めているもの | 相続分の指定 |
| 「Ａには○○、Ｂには△△」というように特定の遺産の承継を定めているもの | 遺産分割方法の指定<br>（ただし、特定物の遺贈とみるべき場合もあります。） |

**(2)　効果**

　相続分の指定は、被相続人自身が指定したときは、遺言の効力が生じたときから（民985Ⅰ）、第三者に委託したときは、遺言が効力を生じた後第三者が指定することにより、相続開始のときに遡及してその効力を生じます。

　法文上は、相続分の指定は、遺留分に関する規定に反することができないとされていますが（民902Ⅰただし書）、ある相続人の遺留分権を侵害する相続分指定は、当然に無効となるわけではなく、遺留分減殺請求の対象となるにすぎないと考えられてい

ます。

⑶　**相続分の指定に関する問題**

　ア　**部分的な指定**

　　被相続人が共同相続人中の一部の者についてだけ相続分を定め、又は第三者に定
　めさせたときは、他の共同相続人の相続分は法定相続分に従うことになります。

　　なお、配偶者以外の相続人の相続分指定により配偶者の相続分が影響を受けるか
　否かについては解釈が分かれているところですが、敢えて当該相続人の相続分を指
　定した指定者の意思を合理的に解釈すれば、配偶者の相続分も相続分指定の影響を
　受けると解することが一般的といえるでしょう。

**【設例】**

被相続人甲の相続人は、妻乙と、子A・B・Cです。甲は、Aに4分の1の相続分指定
をしています。

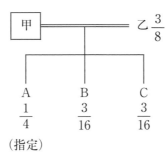

甲 ＝＝＝＝ 乙 $\dfrac{3}{8}$

A $\dfrac{1}{4}$　　B $\dfrac{3}{16}$　　C $\dfrac{3}{16}$

（指定）

○　妻乙の相続分は、$\left(1-\dfrac{1}{4}\right) \times \dfrac{1}{2} = \dfrac{3}{8}$です。

　　＊妻乙の相続分は相続分指定の影響を受けず、$\dfrac{1}{2}$であるという解釈もあり得ます。

○　B・Cの各相続分は、$\left(1-\dfrac{1}{4}\right) \times \dfrac{1}{2} \times \dfrac{1}{2} = \dfrac{3}{16}$です。

　イ　**債務の承継**

　　債務は、債務者が自由に処分できず、法定相続分に従った分割を期待していた債
　権者の期待を不当に害することになるので、たとえ法定相続分と異なる相続分の指
　定がなされても、債権者には対抗できないと考えられています。

　　すなわち、被相続人の負担していた金銭債務は、法律上当然に相続分に従って分
　割され、各相続人が負担します（最判 S34. 6 .19民集13・6 ・757）。相続分の指定が
　ある場合には、共同相続人の内部関係においては、指定相続分に従って分割承継さ
　れます。しかし、対外的な関係（債権者との関係）では、債権者の関与なくなされ

た相続分指定の効力は債権者に及びません（最判 H21．3．24民集63・3・427）。債権者の承諾がなければ、相続分の指定があっても債権者に対抗できません。

　平成30年民法改正では、上記判例法理を明文化することとし、債務について遺言による相続分の指定がある場合でも、債権者は、各共同相続人に対し、法定相続分に応じて権利行使できること及び債権者が共同相続人の1人に対し指定された相続分に応じた債務の承継を認めた場合はこの限りでないこと、を明記しました（民902の2）。

# 第3 特別受益・寄与分

## 1 特別受益・寄与分とは

　相続人の具体的相続分を決める際に、単純に被相続人の残した財産に各相続人の相続分を乗じただけでは不公平が生じることがあります。このような不公平を是正するはたらきがあるのが、特別受益や寄与分の制度です。

### (1) 特別受益とは

　共同相続人の中に、被相続人から遺贈や生前贈与などの特別の利益（特別受益）を受けた者（特別受益者）がいる場合は、贈与の価額を相続財産に加算して相続分を定め、そこから遺贈又は贈与の価額を控除し、その残額が特別受益者の具体的相続分とされています（民903 I）。

　例えば、被相続人に相続人として3人の子がいた場合、このうちの1人が被相続人の生前に多額の贈与を受けていたときに、あとの2人はこの贈与を無視して具体的相続分を算出するのは不公平です。このような不公平を是正するために、民法は特別の利益については、これを相続財産に含めて具体的な相続分を計算するという規定を設けているのです。特別受益は、被相続人から生前贈与を受けたり、遺言により贈与（遺贈）された経済的利益のことで、現金ばかりでなく、不動産や、美術品・自動車などの動産、債権などの権利も特別受益に当たります。また、時効や期間の限定などもないので、昔の贈与でも特別受益となります。ただし、古いものですと、それを裏付ける証拠が残っていない場合などもあり、実際の家庭裁判所の審判の場では特別受益とは認められないケースもあります。

　特別の利益を受けた人（特別受益者）は、具体的相続分の計算の際、その利益を一旦相続財産に戻したことにして（持戻し）、具体的相続分を計算します。

## (2)　寄与分とは

　共同相続人となる者の中に被相続人の財産の維持や増加に特別の貢献（寄与）をした者がいるときは、その寄与をした相続人（寄与者）は、遺産分割の際に、法定相続分により取得する額を超える額の遺産を取得する権利があると定められています（民904の2）。

　例えば、長男が、被相続人の家業を手伝って商売を繁盛させ、相続財産の増大に多大な寄与をした場合、相続財産が大きくなったのは長男のおかげなのに、相続財産を分割するときは兄弟で均等に分けるというのは不公平です。このような不公平を是正するのが寄与分の制度です。寄与分が認められると、被相続人が残した財産から寄与分を控除したものを相続財産とみなして、法定相続分（相続分の指定がある場合は指定相続分）に従って相続分を算定し、長男はこれに寄与分を加えたものを相続することができます。

**＜特別受益・寄与分＞**

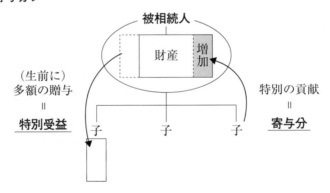

## 2　特別受益

　民法第903条第1項は、共同相続人中に、被相続人から、遺贈を受け、又は婚姻若しくは養子縁組のため若しくは生計の資本として贈与を受けた者があるときは、被相続人が相続開始の時において有した財産の価額にその贈与の価額を加えたものを相続財産とみなし、法定相続分（相続分の指定がある場合は指定相続分）の中からその遺贈又は贈与の価額を控除した残額をもってその者の相続分とすると定めています。

## (1)　特別受益の対象

　特別受益の対象として、民法は「遺贈を受け、又は婚姻若しくは養子縁組のため若しくは生計の資本として贈与を受けた者」と定めています。

### ア　遺贈

遺贈は、その目的にかかわらず、すべて特別受益として持戻しの対象となります。

### イ　贈与（生前贈与）について

贈与については、婚姻・養子縁組・生計の資本としての贈与が挙げられています。

「婚姻・養子縁組のための贈与」は、特別受益になりますが、挙式費用は含まれないとする見解が有力です。

「生計の資本」とは、典型的には、子に自宅となる不動産を与えたような場合、営業資金を贈与した場合、農家において農地を贈与した場合などがこれに当たります。しかし、実際には、かなり広い意味に解されており、ある程度以上の高額の贈与は全て対象になると考えられています。以下、表でどのような贈与が特別受益になるか検討してありますが、これは絶対的な基準ではなく、個々の事例について、贈与が行われた時の被相続人の収入や資産状況、家庭状況などを考慮して特別受益か否かが判断されます。

**＜特別受益の対象＞**

| 対　象 | | | 解　説 |
|---|---|---|---|
| 遺　贈 | | ○ | その目的を問わず、すべて特別受益となります。 |
| 生前贈与 | 婚姻・養子縁組のための贈与 | ○ | 持参金、嫁入道具、支度金などは特別受益と判断されます。<br>結納や挙式費用については争いがありますが、入らないと考えるのが一般的です。 |
| | 生計の資本としての贈与 | ○ | かなり広く認められています。 |
| | 学費等 | △ | 高校進学の学資は通常は特別受益に含まれません。<br>大学進学の学資は、家庭環境等にもよりますが、兄弟のうち1人だけ大学教育を受けるような場合は、特別受益となるでしょう。<br>審判では肯定例と否定例があります。 |
| 生命保険金請求権 | | △ | 生命保険金は、生前贈与にも遺贈にも当たらないので、特別受益にはなりません。しかし、実態としては生前贈与や遺贈と同様の機能があるので特別受益として考慮すべきかということが問題になります。<br>平成16年の最高裁判所判例は、死亡保険金請求権の特別受益性を原則として否定し、保険金受取人である相続人と他の相続人との不公平が到底是認できないほど著しい場合にのみ、民法第903条類推適用によって持戻しの対象になると判示しました（最決H16.10.29民集58・7・1979）。 |
| 死亡退職金の遺族給付 | | △ | 死亡退職金も、生前贈与にも遺贈にも当たりませんので、特別受益にはなりません。しかし、死亡退職金は賃金の後払的性質を有すること、また、相続人間の実質的公平を図る趣旨から、特別受益とするべきではないか問題となります。審判では肯定例と否定例があります。 |

## (2)　特別受益者の範囲

　特別受益者の範囲は共同相続人のうち贈与又は遺贈を受けたものとされていますが、次頁の図表のものについては、問題となります。

＜特別受益者の範囲＞

| 特別受益者となるか問題となるケース | 考え方 |
| --- | --- |
| 被代襲者が贈与（特別の利益）を受けたとき | 代襲者相続権は固有の相続権であることから被代襲者の受けた贈与は特別受益に当たらないとする見解と、持戻しは共同相続人間の不均衡を是正する趣旨であることから、実質的衡平を図るために特別受益に当たるとする見解があります。近時は後者の方が有力となっています。 |
| 代襲者が贈与を受けたとき | 代襲原因発生後に利益を受けた場合は持戻しの対象となることに争いはありません。代襲原因発生前の受益については持戻しの対象となるか否か争いがあります。代襲原因発生前に受けた贈与については、特別受益に該当しないとするのが通説とされていましたが、近時、相続人間の公平を図る趣旨から、時期を問わず、特別受益に当たるとする見解が有力となっています。 |
| 贈与後に推定相続人になったとき | 贈与を行った時には、推定相続人の地位を有していなかったが、その後贈与者の配偶者となったり養子となったような場合、その贈与が特別受益に当たるかについても争いがあります。近時は、実質的関係を考慮して特別受益と考える見解が有力となっています。 |
| 包括受遺者が贈与を受けたとき | 遺言者が、遺言で包括受遺者に対し遺産の全部又は割合で示されたその部分を贈与する意思表示をした場合、その割合の増減は予想していないと考えるのが妥当であるので、遺言者の意思を重視し、特別受益とは考えないとする考え方が有力となっています。 |
| 相続人の配偶者その他の親族が贈与を受けたとき | 特別受益は相続人に対する利益ですので、原則としては、相続人の配偶者、子に対する贈与は特別受益に当たりません。もっとも、このような贈与が相続人に対する贈与と同視できるような特別の事情がある場合は、特別受益と認められるケースもあります。 |

## (3)　特別受益者の相続分の期間制限

　特別受益者の相続分について主張できるのは、相続開始から10年間です（令和3年改正民904の3）。

　ただし、相続発生日が令和5年4月1日より前の場合は相続開始から10年経過時、または令和10年4月1日のいずれか遅い方になります。

## ⑷　持戻し免除の意思表示

　特別受益の制度は、共同相続人の間の公平を図る制度で、仮に、被相続人が相続人の一部に生前贈与や遺贈をしても、結局各相続人の取り分は同じになるように調整するという制度です。

　しかし、被相続人の中には、特定の相続人に贈与や遺贈の分だけ多く遺したいという場合もあります。この場合、被相続人が遺言でその旨を明確にしておけば、被相続人の意思が尊重され、生前贈与や遺贈を受けた相続人は持戻しの必要はありません。これを持戻し免除の意思表示といいます。

　これは、被相続人の意思を尊重するという趣旨ですが、遺留分（民1028以下）の制約は受けることになります。

　なお、平成30年民法改正において、婚姻期間20年以上の夫婦で、一方が他方に住居又はその敷地を遺贈又は生前贈与したときは、持戻し免除の意思表示がなくとも、この意思表示が推定されるとしました（民903Ⅳ）。配偶者は、その住居を遺産分割の対象とせずに確保できることになります。

## ⑸　特別受益の評価

　特別受益の価額は、贈与の目的である財産が、受贈者の行為によって滅失し、又はその価格の増減があった場合でも、その目的物が相続開始時においてなお原状のままであるものとみなして定めることとされています（民904）。

## ⑹　遺贈がある場合の各相続人の取り分の算出方法

　遺贈がある場合、それぞれの相続人が実際にどれだけの配分を受けるか（具体的相続分額といいます。）については、遺贈が法定相続分を超える場合と超えない場合とで法律の規定が分かれていますので、それぞれの場合に分けて考えてみます。なお、わかりにくいので、例を挙げてこれに沿って説明していきます。

### ア　法定相続分を超えない遺贈

　遺贈が法定相続分を超えない場合には次の手順で計算します。

【基本的な手順】
　①　相続財産の価額に各相続人の法定相続分を乗じ各相続人の法定相続分の額を出します。
　②　遺贈を受けた相続人については法定相続分の額から、遺贈の額を差し引きます。

【設例1】

被相続人Xの相続人は妻Aと3人の子B・C・Dです。Xの遺産は3,000万円で、Xは遺言でDに300万円の自動車を遺贈しました。

【考え方】

　民法第903条第1項には、共同相続人の中に遺贈を受けた人がいる場合は、法定（指定）相続分に従って「算定した相続分の中からその遺贈（略）の価額を控除した残額をもってその者の相続分とする」と規定されています。

　遺産の総額は3,000万円ですから、法定相続分に従って各相続人が相続する額を算定すると、次のようになります。

**＜3,000万円の相続財産を法定相続分に従って遺産分割する場合＞**

| | 妻A | 子B | 子C | 子D |
|---|---|---|---|---|
| 法定相続分 | $\frac{1}{2}$ | $\frac{1}{6}$ | $\frac{1}{6}$ | $\frac{1}{6}$ |
| 法定相続分に従って算定した額 | 1,500万円 | 500万円 | 500万円 | 500万円 |

　子Dについては、300万円の遺贈があるのでこれを控除して以下のようになります。

**＜設例1の算定方法＞**

| | 妻A | 子B | 子C | 子D |
|---|---|---|---|---|
| 遺　贈 | なし | なし | なし | 300万円 |
| 法定相続分 | $\frac{1}{2}$ | $\frac{1}{6}$ | $\frac{1}{6}$ | $\frac{1}{6}$ |
| 法定相続分に従って算定した額 遺贈の控除 | 1,500万円 | 500万円 | 500万円 | 500万円 ▲300万円 ⇩ |
| 具体的相続分額 | 1,500万円 | 500万円 | 500万円 | 200万円 |

> 遺贈300万円分があるので、遺贈と具体的相続分を加えた取り分は法定相続分と変わらないことになります。

　以上のように、子Dは遺産分割に当たって分割を受ける額は200万円となります。子Dは遺贈と加えて全部で500万円を相続に当たって受け取ることになり、法定相続分と同じ金額だけ受け取ることになります。すなわち、遺贈があっても、特別受益の規定のおかげで各相続人が取得する財産の価額は、遺贈がない場合と同じにな

りますので、相続人の間の公平が保たれることになります。

### イ　持戻し免除の意思表示がある場合

　設例1では、遺贈があっても、遺贈がない場合と比較して実際に相続する額は変わりませんでした。このようにして、特別受益制度により、共同相続人の間の公平を図られていることがわかります。しかし、被相続人としては、法定相続分のほかにその生前贈与や遺贈の分を余分に遺したいという場合もあります（持戻しの免除）。

　設例1のケースで持戻し免除の意思表示があった場合の計算方法は次の図表のようになります。持戻しの免除がある場合、相続人Dは、遺贈を受けた分は遺贈分として確保し、残った2,700万円分の遺産を法定相続分に従って、相続人A・B・C・Dの4人で分割することになります。

　持戻し免除の意思表示がない場合と比較して、子Dの取り分が多くなっていることがわかります。

**＜設例1の算定方法（持戻し免除の意思表示がある場合）＞**

| | 妻A | 子B | 子C | 子D |
|---|---|---|---|---|
| 遺贈 | なし | なし | なし | 300万円 |
| 分配可能な相続財産 | 2,700万円（3,000万円－300万円＝2,700万円） | | | |
| 法定相続分 | $\frac{1}{2}$ | $\frac{1}{6}$ | $\frac{1}{6}$ | $\frac{1}{6}$ |
| 相続財産を法定相続分に従って算定した額 | 1,350万円 | 450万円 | 450万円 | 450万円＋300万円 ⇩ |
| 各自の取り分 | 1,350万円 | 450万円 | 450万円 | 750万円 |

> 持戻し免除の意思表示がある場合、遺贈の分だけ受遺者の取り分が増えます。

### ウ　法定相続分を超える遺贈

【基本的な手順】

①　相続財産の価額から、遺贈の額を控除します。

②　①の額を、特別受益者を除く法定相続人の相続分に従って具体的相続分額を

算定します。

【設例2】

> 被相続人Ｘの相続人は妻Ａと3人の子Ｂ・Ｃ・Ｄです。Ｘの遺産は3,000万円で、Ｘは遺言でＤに1,000万円の不動産を遺贈しました。

【考え方】

　民法第903条第2項では、「遺贈（略）の価額が、相続分の価額に等しく、又はこれを超えるときは、受遺者（略）はその相続分を受けることができない」と規定されています。

　設例2の場合、子Ｄに対する遺贈（1,000万円）は相続分の価額（500万円）を超えています。子Ｄは差額の500万円を払う必要はなく、1,000万円の遺贈を確保して、残りの金額を妻Ａと子Ｂ・Ｃが分けることになります。

　分配する比率が問題となりますが、子Ｄを除いた遺産については、2,500万円（1,500＋500＋500）を1,500、500、500の割合で分けることになっていたので、妻Ａと子Ｂ・Ｃ3人の間での分け方は、次のようにそれぞれ、$\frac{3}{5}$、$\frac{1}{5}$、$\frac{1}{5}$となります（この計算は複雑に見えますが、もともとＡ・Ｂ・Ｃ・Ｄの法定相続分の比は3：1：1：1だったので、Ｄが特別受益者として分配から外れても、Ａ・Ｂ・Ｃの比率は3：1：1のままと考えた方がわかりやすいかもしれません。）。

**＜妻Ａと子Ｂ、Ｃ3人についての具体的相続分率の計算の仕方＞**

| | 妻Ａ | 子Ｂ | 子Ｃ | 子Ｄ |
|---|---|---|---|---|
| 法定相続分 | $\frac{1}{2}$ | $\frac{1}{6}$ | $\frac{1}{6}$ | $\frac{1}{6}$ |
| 法定相続分に従って算定した額 | 1,500万円 | 500万円 | 500万円 | 500万円 |
| 分配可能な相続財産 | 2,500万円（1,500万円 +500万円 +500万円） | | | |
| 具体的相続分率 | $\frac{1,500万円}{2,500万円}=\frac{3}{5}$ | $\frac{500万円}{2,500万円}=\frac{1}{5}$ | $\frac{500万円}{2,500万円}=\frac{1}{5}$ | なし |

　実際には、分配可能な相続財産は2,000万円（3,000－1,000＝2,000）となりますので、2,000万円を$\frac{3}{5}$、$\frac{1}{5}$、$\frac{1}{5}$の割合で分割したものが各相続人の具体的相続分額となります。

＜設例2の算定方法＞

| | 妻 A | 子 B | 子 C | 子 D |
|---|---|---|---|---|
| 遺贈 | なし | なし | なし | 1,000万円 |
| 分配可能な相続財産 | 2,000万円<br>（3,000万円－1,000万円＝2,000万円） | | | |
| 具体的相続分率 | $\dfrac{3}{5}$ | $\dfrac{1}{5}$ | $\dfrac{1}{5}$ | なし |
| 具体的相続分率に従って計算した額 | 1,200万円 | 400万円 | 400万円 | なし |
| 合計 | 1,200万円 | 400万円 | 400万円 | 1,000万円 |

### エ　遺留分との関係

遺贈が受遺者以外の相続人の遺留分を侵害する場合について考えてみます。

【設例3】

被相続人Xの相続人は妻Aと3人の子B・C・Dです。Xの遺産は3,000万円で、Xは遺言でDに2,000万円の不動産を遺贈しました。

【考え方】

この場合、遺留分の計算は下の図表のようになります。設例2と同様に計算すると、妻Aと子B・Cの受け取る額はそれぞれ、600万円、200万円、200万円となり、遺留分に達しません。この場合、妻Aや子B・Cが子Dに対して遺留分侵害額請求（平成30年改正民1046Ⅰ）をしたときは、子Dは、妻Aや子B・Cに対して、その差額を支払わなければならないことになります。

＜遺留分の計算＞

| | 妻 A | 子 B | 子 C | 子 D |
|---|---|---|---|---|
| 相続財産 | 3,000万円 | | | |
| 遺留分<br>（民1028） | $\dfrac{1}{4}$<br>3,000万円$\times\dfrac{1}{4}$<br>＝750万円 | $\dfrac{1}{12}$<br>3,000万円$\times\dfrac{1}{12}$<br>＝250万円 | $\dfrac{1}{12}$<br>3,000万円$\times\dfrac{1}{12}$<br>＝250万円 | $\dfrac{1}{12}$<br>3,000万円$\times\dfrac{1}{12}$<br>＝250万円 |

＜設例3の算定方法＞

|  | 妻 A | 子 B | 子 C | 子 D |
|---|---|---|---|---|
| 遺　贈 | なし | なし | なし | 2,000万円 |
| 分配可能な相続財産 | 1,000万円<br>（3,000万円－2,000万円＝1,000万円） | | | |
| 具体的相続分率 | $\dfrac{3}{5}$ | $\dfrac{1}{5}$ | $\dfrac{1}{5}$ | なし |
| 具体的相続分率に従って計算した額 | 600万円 | 200万円 | 200万円 | なし |
| 遺贈を加えた各自の取り分 | 600万円 | 200万円 | 200万円 | 2,000万円 |
| 遺留分侵害額 | 150万円 | 50万円 | 50万円 | － |

遺留分が侵害されているので、
Dに差額を請求することができます。

**⑺　生前贈与がある場合の具体的相続分額の算出方法**

　生前贈与による特別受益がある場合については、民法第903条第1項に、「被相続人が相続開始の時において有した財産の価額にその贈与の価額を加えたものを相続財産とみなす」と規定されています（これを「みなし相続財産」といいます。）。

　要するに、生前贈与を相続財産に計算上戻すということになります。これは、あくまでも具体的相続分額を算定するに当たっての計算上のことであり、実際に贈与を受けた財産を戻さなければいけないわけではありません。例えば、不動産の生前贈与を受けて登記した場合も、登記をもとに戻さなければならないわけではないのです（このように、贈与を受けた財産を相続財産に計算上戻すことを「持戻し」といいます。）。

　このみなし相続財産について、遺贈の場合と同様の計算を行っていきます。

【基本的な手順】

①　相続財産の価額に生前贈与の価額を加えて「みなし相続財産」を算出します。

②　「みなし相続財産」に各相続人の法定相続分を乗じ各相続人の法定相続分の額を出します。

③　生前贈与を受けた相続人については法定定相続分の額から、生前贈与の額を差し引きます。

【設例4】

> 被相続人Ｘの相続人は妻Ａと3人の子Ｂ・Ｃ・Ｄです。Ｘの遺産は3,000万円で、Ｘは生前、子Ｄに300万円の自動車を贈与していました。

【考え方】

　この場合、Ｘの遺産3,000万円に生前贈与の300万円を加えて、3,300万円が「みなし相続財産」になります。

**＜3,300万円のみなし相続財産を法定相続分に従って算定＞**

| | 妻Ａ | 子Ｂ | 子Ｃ | 子Ｄ |
|---|---|---|---|---|
| みなし相続財産 | 3,300万円 （3,000万円＋300万円＝3,300万円） | | | |
| 法定相続分 | $\frac{1}{2}$ | $\frac{1}{6}$ | $\frac{1}{6}$ | $\frac{1}{6}$ |
| 法定相続分に従って算定した額 | 1,650万円 | 550万円 | 550万円 | 550万円 |

　子Ｄについては、300万円分の生前贈与があるのでこれを控除して以下のようになります。

**＜設例4の算定方法＞**

| | 妻Ａ | 子Ｂ | 子Ｃ | 子Ｄ |
|---|---|---|---|---|
| 生前贈与 | なし | なし | なし | 300万円 |
| みなし相続財産 | 3,300万円 （3,000万円＋300万円＝3,300万円） | | | |
| 法定相続分 | $\frac{1}{2}$ | $\frac{1}{6}$ | $\frac{1}{6}$ | $\frac{1}{6}$ |
| 法定相続分に従って算定した額から特別受益を控除 | 1,650万円 | 550万円 | 550万円 | 550万円 ▲300万円 ⇩ 250万円 |

> 生前贈与として、300万円分の贈与を受けているので、遺産分割における具体的相続分額は250万円となります。結局の取り分は生前贈与がなかった場合と同じになります。

## 3　寄与分

### (1)　寄与分を主張できる者

　民法第904条の2第1項に「共同相続人中に」と規定されていることから、寄与分を主張することができるのは、共同相続人に限られます。

　被相続人の父母、兄弟などは第2順位以下の相続人となりますが、被相続人に第1順位の相続人（子）がいる場合は、共同相続人になりませんので、寄与分の請求はできないことになります。寄与者については、以下のようなものが問題となります。

### ア　代襲相続人の寄与の場合

　代襲相続の場合、被代襲者の寄与分が考慮されます（東京高決H元.12.28家月42・8・45）。

　代襲者の寄与についても、代襲原因発生の前後を問わず、自分の寄与を寄与分として主張することができます。これは、代襲相続人も民法第904条の2第1項の「共同相続人」の1人であること、同条が寄与行為をした時点で相続人であることを必要とせず、むしろ、相続開始時に相続人である者の寄与を問題としているからです。

### イ　内縁の配偶者、事実上の養子、相続人の配偶者

　法律の規定によると、内縁の配偶者や事実上の養子、相続人の配偶者（嫁・婿など）は相続人に当たりませんから、被相続人の事業や介護などに貢献したとしても、寄与分の請求をすることができないことになります。

　ただし、相続人の1人が、これらの者の行為を自分の補助者の行為として主張した場合は、認められるケースがあります。典型的には、被相続人の息子とその妻が、被相続人の療養看護を担った場合、その息子が自分の妻の貢献を自分の寄与分と併せて主張する場合などです。

＜寄与者の範囲＞

| 対象者 | 寄与分主張の可否 | |
|---|---|---|
| 共同相続人 | 可 | |
| 代襲相続人 | 可 | |
| 内縁の配偶者 | 不可 | 相続人の補助者と捉えることにより考慮可 |
| 事実上の養子 | 不可 | |
| 相続人の配偶者 | 不可※ | |

※　なお、特別寄与料が認められることがあります。

### ウ　特別寄与料の制度

平成30年民法改正によって、相続人でない被相続人の親族が、相続人に対して特別寄与料を請求できる制度が新設されました（民1050）。例えば被相続人の子の配偶者（いわゆる長男の嫁）や第1順位第2順位の相続人がいる場合の兄弟姉妹などがこの制度を利用できます。

詳細は第二編、第10章をご覧ください。

### (2)　寄与分の対象

民法第904条の2第1項には、「被相続人の事業に関する労務の提供又は財産上の給付、被相続人の療養看護その他の方法により被相続人の財産の維持又は増加につき特別の寄与をした者」と規定されています。

寄与分が認められるためには①「特別の寄与」であること、②相続財産の維持・増加と相当因果関係があること、③貢献が無償であることが必要とされています。

**＜寄与分が認められる要件＞**

| ① | 「特別の寄与」であること |
|---|---|
| ② | 相続財産の維持・増加と相当因果関係があること |
| ③ | 貢献が無償であること |

### ア　寄与の程度

寄与分と認められるためには、通常の家族関係で一般的に期待される貢献を超えた特別な貢献でなければならないとされています。法律上、夫婦間では協力・扶助義務（民752）、直系血族及び兄弟姉妹は扶養義務（民877Ⅰ）があります。被相続人を療養看護しても、それが親族としての扶養義務の範囲内で行ったにすぎないものと認められる場合は、「特別の寄与」とはいえませんので、寄与分は認められないことになります。

### イ　相続財産の維持・増加と相当因果関係があること

寄与分が認められるためには、相続人の貢献により、被相続人の財産が維持・増加したことが必要です。逆にいえば、貢献があったとしても、それにより財産の維持・増加がなかった場合には寄与分は認められないことになります。被相続人の事業の手伝いや介護などにより、被相続人の心の支えとなったり、被相続人が喜んでいたとしても、その貢献により財産の維持や増加がなければ寄与分とは認められま

せん。

### ウ　無償であること

　相続人の貢献に対して、一定の対価や報酬などが支払われている場合は、相続人の貢献に対する精算が行われていると考えられるので、原則として寄与分の主張は認められません。貢献に対する報酬が明らかに過少で、寄与分を認めないと相続人間の公平を失するような場合は、若干の報酬があったとしても、寄与分が認められる可能性があります。

### (3)　寄与行為の類型

　寄与分が認められる寄与行為の類型は、次表のとおりです。

＜寄与行為の類型＞

| 寄与行為の類型 | 具体的な内容 |
|---|---|
| 被相続人の事業に関する労務の提供 | 相続人が、農業、商業、工業その他事業に従事した場合です。従業員として適正な報酬が支払われているときは認められません。過去の審判例では農業のケースが多くあります。 |
| 財産上の給付 | 被相続人の事業について資金、資産を提供した場合、被相続人の不動産の購入資金を援助した場合、被相続人の借金を代わりに弁済した場合などが典型例です。 |
| 被相続人の療養看護 | 病気になった被相続人を看病したり、身の回りの世話をした場合です。自分で看病する場合だけでなく、自らの出費で付添などを手配し被相続人が費用の支出を免れた場合も含まれます。相続人自身が看護した場合だけでなく、その配偶者など親密な身分関係がある人が看護した場合も、相続人補助者の寄与として評価されます。<br>家族関係にある者の間には、扶助や扶養義務（民752、877Ⅰ）があるので、身分関係から当然の範囲の扶助や扶養は寄与とは認められないと一般的に考えられていますが、実際にはその区別は困難であり、しばしば争いになります。 |
| 被相続人の扶養 | 被相続人の扶養が寄与分の対象となるかは問題となります。扶養は法律上の義務であり、対価を期待すべきではない等を理由としてこれを否定する見解もあります。しかし、実際に何らかの給付をした者としない者を異なって扱ったとしても不合理ではなく、相続人の間の公平性の観点から認めるべきとの考えも有力です。審判例でも、長期にわたる扶養について寄与分を認めたものがあります（大阪家審S61.1.30家月38・6・28）。 |

⑷　**寄与分を定める手続**

ア　協議

寄与分は、共同相続人の協議で定めることとされています（民904の2Ⅰ）。

イ　家庭裁判所による方法

共同相続人間で協議が調わない場合や、協議をすることができない場合は、家庭裁判所は、寄与者の請求により、寄与の時期、方法及び程度、相続財産の額その他一切の事情を考慮して審判により、寄与分を定めることとされています（民904の2Ⅱ、家事39別2⑭）。

手続としては、寄与分を定める家事調停を申し立てる方法（家事244、245ⅠⅢ）

と、寄与分を定める審判を申し立てる方法（家事39別2⑭、191）があります。

　遺産分割調停又は審判事件が継続している家庭裁判所に寄与分を定める調停又は審判の申立てがあった場合には、これら2つの手続は併合されて進められ、また、数人からの寄与分を定める調停又は審判の申立てがある場合にも併合されます（家事192、245Ⅲ）。

　遺産分割の審判がなされた後に、寄与分を定める審判の申立てがあった場合には、その寄与分の申立ては、不適法として却下されるとされています。したがって、寄与分を定める申立ては、遺産分割の終了までに行わなければなりません。もっとも、手続が遅延する場合があるので、家庭裁判所は、遺産分割の審判手続において、寄与分を定める審判を申立てすべき期間を定めることがあります。この場合、定められた期間後に申立てがあった場合、申立てを却下することができます（家事193Ⅰ Ⅱ）。また、申立期間が定められなかったとしても、当事者が時機に後れて寄与分を定める処分の申立てをしたことについて、申立人の責に帰すべき事由があり、かつ、申立てに係る寄与分を定める処分の審判を併合することにより、遺産分割の審判の手続が著しく遅滞することとなるときは、申立てを却下することができるとされています（家事193Ⅲ）。

　このほか、認知された相続人の価額支払請求（民910）があった場合にも、寄与分を定める請求をすることができると定められています（民904の2Ⅳ）。

## (5)　寄与分の期間制限

　寄与分についての主張ができるのは、相続開始から10年間です（令和3年改正民904の3）（令和3年の改正民法の施行日は令和5年4月1日です。）。

## (6)　寄与分の算定

### ア　算定基準

　寄与分は、寄与の時期、方法及び程度、相続財産の額、その他一切の事情を考慮して定められることとされています（民904の2Ⅱ）。また、寄与分は被相続人が相続開始の時において有した財産の価額から、遺贈の額を控除した残額を超えることができないとされています（民904の2Ⅲ）。

　一方、遺留分については、これを侵してはならないとの規定がありませんので、遺留分を侵害するような寄与分を定めることも理論上は可能です。しかし、運用上は遺留分を一切の事情のうち重大な事情として尊重するのが妥当とされています（最高裁判所事務総局編「改訂家事執務資料集」中の三・134以下）。なお、審判例の中には、被相続人の妻に82.3％という大きな寄与分を認めたものもありますが、

これは、遺産のうちの不動産の購入代金の90.6％を妻が支出したというケースで、通常は、このような大きな寄与分を認めるケースは少ないといえます。

### イ　算定方法

　寄与分の算定基準については極めて抽象的な基準が定められているのみで、具体的な算定方法が定められている訳ではありません。次頁の表に記載するような計算方法が紹介されていますが、この方法によって計算した金額が直ちに寄与分額として認定されるわけではなく、寄与分算定に当たっての「基準額」として考えるべきです。この表によって計算した基準額をそのまま寄与分とすると、遺産額に比較して寄与分の額が高額になりすぎてしまうケースなどもあるからです。

　例えば、事業に対する労務提供のうち、従業員型の場合について、表の計算式により算定したものが一応の目安となりますが、遺産総額との兼ね合いで、遺産の維持にとどまる寄与分は遺産総額の10％から20％を上限として考えるべきとの意見もあります（深見玲子「家事従事型における寄与分の算定方法」判時1526・3）。逆に、遺産総額が多額で算出された基準額との乖離が大きい場合には、金銭出資型の場合と同様、家業従事行為による遺産形成への貢献度を加味して判断すべきとの意見もあります。この場合、基準額を上回る寄与分が認められる可能性があります（太田武雄ほか編「寄与分－その制度と課題－」153頁）。

　ただし、このような貢献度を加味するのは、家業従事型のように、財産的行為に関する寄与貢献が中心であり、扶養や療養看護の場合は、財産を増殖させるということはまず考えられないので、遺産総額が多額で寄与分の基準額がこれと比べて著しく小さいとしても、貢献を論ずる余地はないと考えられています（前掲「寄与分－その制度と課題－」155頁）。

　このように寄与分の算定が困難なのは、寄与分というものに対する考え方と関連しています。寄与分を財産権的にとらえる考え方では、具体的金額を積算しこれを寄与分とすることになりますが、共同相続人間の衡平を図るための制度であることを重視する考え方では、相続分を調整するという側面を重視することになります。この2つの考え方はどちらも有力ですが、実務上は、どちらか一方だけということではなく、できる限り客観的な基準で寄与分を具体的金額として積算した上で、これを基礎として相続人間の実質的公平に配慮して調整するという運用になっているとみてよいでしょう。

＜寄与分の算定＞

| 寄与の態様 | | 寄与分額の計算方法 |
|---|---|---|
| 家業従事型 | 従業員型 | （寄与相続人の本来受けるべき年間給付額）(注)×（1－生活費控除割合）×寄与年数 |
| | 共同経営型 | A　同種同規模の営業における経営者の報酬×（1－生活費控除割合）×寄与年数<br>B　遺産増加額×寄与者の貢献度<br>基本はAの額<br>遺産の増加と寄与行為との間に明確な因果関係が認められる場合は、AとBいずれか多い額 |
| 財産給付型 | 不動産取得のための金銭贈与 | 相続開始時の不動産額×$\dfrac{寄与相続人の出資金額}{取得時の不動産価額}$ |
| | 不動産の贈与 | 相続開始時の不動産額×裁量的割合 |
| | 不動産の使用貸借 | 相続開始時の賃料相当額×使用年数×裁量的割合 |
| | 金銭贈与 | 贈与当時の金額×貨幣価値変動率×裁量的割合 |
| 療養看護 | 相続人による現実の療養看護 | 付添者の日当額×療養看護日数×裁量割合 |
| | 第三者に療養看護をさせ費用負担した場合 | 負担費用額 |
| その他（扶養・財産管理） | 現実の引取り扶養 | 現実に負担した額又は生活保護基準額×期間×（1－寄与相続人の法定相続分割合） |
| | 扶養料の負担 | 負担扶養料×期間×（1－寄与相続人の法定相続分割合） |
| | 不動産の賃貸管理、占有者の排除、売買契約締結についての関与 | 第三者に委任した場合の報酬額×裁量的割合 |
| | 建物の火災保険料、修繕費、不動産の公租公課の負担 | 寄与分額＝現実に負担した額 |

(注)　若干の給付を受けていた場合は、その給付を控除した額とします。

### (7)　寄与分がある場合の具体的相続分の算定方法

　算定方法については、被相続人が相続開始の時において有していた財産の価額から共同相続人の協議で定めたその者の寄与分を控除したものを相続財産とみなし（「みなし相続財産」といいます。）、法定（指定）相続分に従って算定した相続分に寄与分

を加えた額をもって、寄与者の相続分とすると定められています。

【基本的な手順】

① 相続財産の価額から寄与分を控除して「みなし相続財産」を算出します。

② 「みなし相続財産」に各相続人の法定相続分を乗じ各相続人の法定相続分の額を出します。

③ 寄与者については、法定相続分に寄与分を加えた額を寄与者の相続分とします。

【設例5】

> 被相続人Xの相続人は妻Aと3人の子B・C・Dです。Xの遺産は3,000万円で、子Dの寄与分が600万円あります。この場合、遺産はどのように分けることになるのでしょうか。

【考え方】

まず、遺産の額3,000万円から寄与分600万円を差し引いて残りの2,400万円が「みなし相続財産」となります。これに法定相続分を適用すると、具体的相続分の額は以下のようになります。

**＜2,400万円のみなし相続財産を法定相続分に従って算定＞**

|  | 妻A | 子B | 子C | 子D |
|---|---|---|---|---|
| 寄与分 | なし | なし | なし | 600万円 |
| みなし相続財産 | 2,400万円<br>（3,000万円－600万円＝2,400万円） | | | |
| 法定相続分 | $\frac{1}{2}$ | $\frac{1}{6}$ | $\frac{1}{6}$ | $\frac{1}{6}$ |
| 法定相続分に従って算定した額 | 1,200万円 | 400万円 | 400万円 | 400万円 |

子Dについては、600万円の寄与分があるのでこれを加えて以下のようになります。

＜設例5の算定方法＞

| | 妻A | 子B | 子C | 子D |
|---|---|---|---|---|
| 寄与分 | なし | なし | なし | 600万円 |
| みなし相続財産 | 2,400万円<br>（3,000万円－600万円＝2,400万円） | | | |
| 法定相続分 | $\dfrac{1}{2}$ | $\dfrac{1}{6}$ | $\dfrac{1}{6}$ | $\dfrac{1}{6}$ |
| 法定相続分に従って算定した額に寄与分を加える | 1,200万円 | 400万円 | 400万円 | 400万円<br>＋600万円<br>⇓<br>1,000万円 |

> 寄与分600万円があるので、遺産分割における具体的相続分額は寄与分600万円を加えた1,000万円となります。

## ⑻　寄与分と特別受益

　寄与分は、遺産の価額から遺贈の価額を控除した額を超えることができないと規定されています（民904の2Ⅲ）。これは、寄与分よりも被相続人の意思を尊重しようという趣旨です。

### ア　特別受益者と寄与者が同一の場合

　被相続人に対して、相続人の1人（例えば長男）が、家業である農業や商売に協力してくれた場合、被相続人はその長男の苦労に報いるために、長男に対して生前贈与や遺贈をする場合があります。この長男の貢献が相続財産の維持・増加に寄与したと認められれば、長男は一定の寄与分を有するはずです。ですが、被相続人が行った生前贈与や遺贈が長男の寄与に対する報酬や対価であると認められる場合は、寄与分については精算があったものと考えられ、寄与分の請求は認められない場合があります。

　もっとも、寄与分と特別受益が、いつもバランスがとれているとは限りません。一方が他方より明らかに多額になるようなケースでは、実質的公平を図るために、その差額について、特別受益か寄与分のどちらかを認めるという実務的運用がなされることが多いようです。

### イ　特別受益者と寄与者が異なる場合

この場合、特別受益の規定（民903）と寄与分（民904の２）の規定を使って、各相続人の具体的相続分額を計算します。このとき、規定の適用の順序について、両方を同時に適用するか、特別受益あるいは寄与分を優先して適用するかによって、各自の受け取る額が異なることになります。民法第903条の規定を優先すると特別受益者が有利になり、民法第904条の２の規定を優先すると寄与者が有利になりますが、同時に適用する説が通説となっています。

【設例 6】

> 被相続人 X の相続人は妻 A と３人の子 B・C・D です。X の遺産は3,000万円で、子 C に対して300万円の生前贈与をしており、子 D の寄与分が600万円あります。この場合、遺産はどのように分けることになるのでしょうか。

【考え方】

まず、遺産から、子 C の特別受益300万円を加え、子 D の寄与分600万円を引いたものが「みなし相続財産」となります。

$$3,000万円＋300万円－600万円＝2,700万円$$

これを、各自の法定相続分で分けると以下のようになります。

**＜2,700万円のみなし相続財産を法定相続分に従って算定＞**

|  | 妻 A | 子 B | 子 C | 子 D |
|---|---|---|---|---|
| 生前贈与 | なし | なし | 300万円 | なし |
| みなし相続財産 | 2,700万円<br>（3,000万円－300万円＝2,700万円） | | | |
| 法定相続分 | $\dfrac{1}{2}$ | $\dfrac{1}{6}$ | $\dfrac{1}{6}$ | $\dfrac{1}{6}$ |
| 法定相続分に従って算定した額 | 1,350万円 | 450万円 | 450万円 | 450万円 |

　子Cについては300万円の生前贈与、子Dについては600万円の寄与分があるので、これらを考慮すると実際の分け方は以下のようになります。

**＜設例6の算定方法＞**

| | 妻A | 子B | 子C | 子D |
|---|---|---|---|---|
| みなし相続財産 | 2,700万円<br>（3,000万円－300万円＝2,700万円） | | | |
| 法定相続分 | $\frac{1}{2}$ | $\frac{1}{6}$ | $\frac{1}{6}$ | $\frac{1}{6}$ |
| 法定相続分に従って算定した額に寄与分を加える | 1,350万円 | 450万円 | 450万円<br><br>▲300万円<br>⇩<br>150万円 | 450万円<br><br>＋600万円<br>⇩<br>1,050万円 |

特別受益300万円があるので、遺産分割における具体的相続分額は特別受益300万円を引いた150万円となります。

寄与分600万円があるので、遺産分割における具体的相続分額は寄与分600万円を加えた1,050万円となります。

# 第4　遺産の分割

## 1　遺産分割とは

　相続は、被相続人の死亡によって開始します（民882）。相続人は、相続開始の時から被相続人の財産（遺産）を承継します（民896）。この際、相続人が数人いる場合（共同相続）、遺産は、各相続人の「共有」となります（民898）。

　しかし、この「共有」状態は過渡的な状態であり、各相続人に相続財産を分配する手続が必要になります。この手続が遺産分割です（民906以下）。

## 2　分割の実行

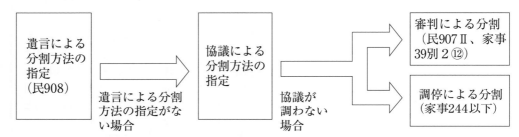

㊟　遺産分割は、調停前置主義が採られています（家事39別2⑫、257Ⅰ）。しかし、調停を経ずにいきなり審判を申し立てられた場合であっても、家庭裁判所は、職権で調停に付すことは可能です（家事274Ⅰ）。

## 3　分割の禁止

　事案によっては、遺産分割により農地が細分化され農業経営が困難となる場合や、相続人の中に幼少の者がいて遺産分割協議することが不適切である場合もあります。

　そのような場合の対処法として、

①　被相続人が事前に遺言によって分割の禁止を定める方法

②　相続人間の協議によって遺産分割を禁止する方法

③　家庭裁判所による審判によって遺産分割を禁止する方法（家事39別2⑬）

があります。

**＜各種遺産分割の禁止＞**

| | 遺言による分割の禁止（注1） | 協議による分割の禁止 | 審判による分割の禁止（注3） |
|---|---|---|---|
| 条　文 | 民908 | なし<br>しかし、私的自治の見地から認められます。 | 民907Ⅲ |
| 期　間 | 5年 | 5年<br>（民256Ⅰただし書準用） | 特に制限なし |
| 更　新 | なし（注2） | 5年に限って更新可能<br>（民256Ⅱ準用） | 5年程度可能 |
| 特定承継人への拘束力 | あり | あり | あり |

(注)1　遺言による分割の禁止がある場合に、相続人全員の合意によって遺産分割をすることができるか争いがありますが、遺産分割できると解するのが多数の考え方です。ただし、遺言執行者があるときは、遺言と矛盾する分割をすることはできません（民1013参照）。

2　5年以上の期間有効に遺産分割を禁止しようと思う場合は、遺言信託を利用することが考えられます。

3　家庭裁判所は、特別の事由があるときは、期間を定めて、遺産の全部又は一部について分割を禁止することができます（家事39別2⑬）。ここでいう「特別の事由」とは、①相続人の資格や遺産の範囲が争われている場合（例えば、共同相続人中の一部の者の相続資格の有無が未確定である場合）、②遺産の状態が即時の分割に適しないとき（例えば、遺産の状態が債務を整理した後でないと分割に適しない場合）、③家族構成員の状態が即時の分割に適さないとき（例えば、共同相続人が全員幼少で、未だ独立できないような状態にある場合）をいいます。

また、家庭裁判所は、事情の変更があると認めるときは、相続人の申立てによって、いつでも、遺産の分割禁止の審判を取り消し、又は変更する審判をすることができます（家事197）。

＜遺言による遺産分割の禁止の具体例＞

# 遺　言　書

　遺言者甲野太郎は、乙野花子を被告として、下記不動産の所有権の帰属について訴訟中であるので、上記訴訟が終了して相続の範囲が確定するまでの間、遺産全部について、その分割を禁止する。

記

　　　　　　所　在　　　　○○区○○
　　　　　　地　番　　　　○番○
　　　　　　地　目　　　　宅地
　　　　　　地　積　　　　200.22㎡

　　令和○年○月○日

　　　　遺言者　　甲　野　太　郎

## 4　遺言による分割方法の指定

　被相続人は、遺言で、遺産の分割の方法を定め、又はこれを定めることを第三者に委託することができます（民908）。委託される第三者は共同相続人以外の者であることが必要です。

**＜遺産分割の方法＞**

| | |
|---|---|
| **現物分割** | 個々の財産の形状や性質を変更することなく相続人等に遺産を配分し移転させる方法 |
| **価格分割** | 遺産を換価処分した後に価格を分配する方法 |
| **代償分割** | 一部の者が多額の財産を取得して他の者に対し債務を負担する方法 |

　なお、特定の財産を特定相続人に与えるという処分も「遺産分割の方法」として遺言で定めることができると解されています。

　また、分割方法ではなく、遺言によって単に相続分を指定することも可能です（民902）。ただし、遺留分（民1042以降）を侵害するような相続分の指定は、遺留分を侵害された相続人から遺留分侵害額の請求（民1046Ⅰ）がなされる可能性があります。

### ⑴　遺贈との区別

　相続人に対する遺言処分が、文言上、遺産分割方法の指定ないし相続分の指定なのか、遺贈なのかはっきりしない場合があります。

　特定の遺産を特定の相続人に相続させる旨の遺言の法的性質については、平成3年の最高裁判例により、遺贈とすべき特段の事情がなければ当該遺産を当該相続人に単独で相続させる遺産分割の方法が指定されたものと解すべきであり、この場合には、特段の事情のない限り、何らの行為を要せずに当該遺産は被相続人死亡時に直ちに相続により承継されるとされています（最判Ｈ3.4.19民集45・4・477）。

　この判例は「特定の遺産」を特定の相続人に相続させる旨の遺言が問題になった事案ですが、被相続人が「すべての遺産」を相続人のうちの1人に相続させる旨の遺言をした場合にもこの判例の趣旨が及び、遺産分割方法の指定と合わせて、当該相続人の相続分を全部とする相続分の指定の趣旨も含まれていると解することになります（最判Ｈ21.3.24民集63・3・427）。

## (2)　遺言と異なる協議分割

　遺言執行者が存在しない限り、共同相続人の全員の合意（協議分割）によって、指定と異なる分割をすることが可能です。

**＜遺言による遺産分割方法の指定（現物分割）＞**

# 遺　言　書

　遺言者甲野太郎は、この遺言書によって以下のとおり遺産分割の方法を指定する。

一　妻甲野花子は、以下の財産を相続する。

　　1　土地
　　　　所　　在　　○○区○○
　　　　地　　番　　○番○
　　　　地　　目　　宅地
　　　　地　　積　　200.22㎡

　　2　建物
　　　　所　　在　　○○区○○○番地○
　　　　家屋番号　　○番
　　　　種　　類　　居宅
　　　　構　　造　　木造瓦葺平家建
　　　　床面積　　100.00㎡

二　長女丙川梅子は、○○銀行○○支店の遺言者名義の普通預金（口座番号：○○…）全部を相続する。長女丙川梅子は他家に嫁し平穏に暮らしているのであるから、多くを望まずに上記預金を取得して満足すること。

三　長男甲野一郎及び次男甲野次郎は、残余の財産を平等の割合をもって相続する。

　　　令和○年○月○日

　　　　遺言者　　甲　　野　　太　　郎　

＜遺言により遺産分割方法を定めることを第三者に委託する場合＞

# 遺　言　書

遺言者甲野太郎は、この遺言書によって以下のとおり遺言する。

一　遺言者は、最も信頼する以下の者に遺言者の遺産分割の方法を指定することを委託する。

　　　　　○　　○　　○　　○

　　　　住　所　　　東京都○○区○○　○丁目○番○号

　　　　職　業　　　弁護士

　　　　生年月日　　昭和○年○月○日生

二　相続人らは、上記○○○○の指定に従って分割すること。

　　令和○年○月○日

　　　　　遺言者　　甲　野　太　郎

## 5　協議による分割方法の指定

　共同相続人は、被相続人が遺言で禁じた場合を除き、いつでも、その協議で、遺産の分割をすることができます（民907Ⅰ）。

### (1)　協議の方法
　協議の方法は以下のその1からその3のいずれの方法でも可能です。

〔共同相続人A・B・C・D〕

【その1】当事者全員が会する場合

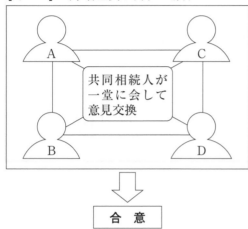

【その2】誰かが原案を作成し、他者が承認

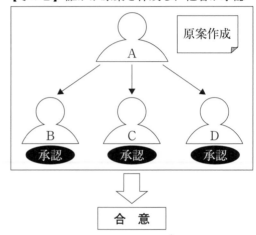

【その3】誰かが原案を作成し、持ち回りで承認

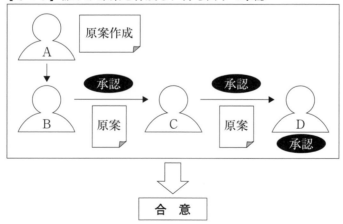

### (2)　分割の基準
　分割の方法や内容が著しく不当と認められない限り、共同相続人間の合意によって自由に分割することができると解されています。
　したがって、遺言による分割方法の指定（民906）に従わない協議による遺産分割も認められ、法定相続分（民903）に従わない協議分割も認められます。

　平成30年民法改正では、柔軟な遺産分割を可能とするため、以下の規定が設けられました。

### ア　遺産分割前に遺産が処分された場合の遺産の範囲

　遺産分割前の遺産は共同相続人の共有とされており（民898）、各相続人が単独で自らの共有持ち分を処分することが可能です。

　しかし、遺産分割前に遺産の一部が処分されてしまった場合、それを遺産分割にどのように反映させるべきかについては明文の規定がありませんでした。

　そこで、平成30年改正民法では、共同相続人全員の同意（ただし、遺産処分をしたのが共同相続人の１人である場合には、当該遺産を処分した共同相続人の同意は不要です。）により、当該処分された財産が遺産分割時に遺産として存在するものとみなすことができることとしました（民906の２）。

**＜遺産分割前に遺産が処分された場合の遺産の範囲＞**

| 要　件 | 効　果 | 根拠条文<br>（平成30年改正民法） |
|---|---|---|
| ①　遺産分割前に遺産が処分されたこと<br>②　共同相続人全員が同意していること<br>　＊　遺産処分した当事者である共同相続人の同意は不要です。 | 当該処分された遺産が、遺産分割時に遺産として存在するものとみなされます。 | 906の２ |

### イ　遺産の一部の分割

　遺産の一部分割については明文の規定はありませんでしたが、平成30年民法改正前においても、実務上、共同相続人全員の合意がある場合等、一定の要件の下で認められていました。

　そこで、平成30年民法改正では、遺産の一部分割について明文化することとしました。

　具体的には、共同相続人は、被相続人が遺言で禁じた場合を除き、いつでも、協議により、遺産の全部又は一部の分割をすることができます（民907Ⅰ）。また、協議が調わないとき又は協議ができないときは、遺産の全部又は一部について家庭裁判所に分割請求をすることもできますが、遺産の一部を分割することにより他の共同相続人の利益を害するおそれがある場合には、家庭裁判所に対し一部分割を請求することはできません（民907Ⅱ）。

　なお、上記の改正法は、令和元年7月1日に施行され、原則として施行日以降に開始した相続に適用されます（平成30改正民附則2）。

**＜遺産の一部の分割＞**

| 要　件 | 効　果 | 根拠条文<br>（平成30年改正民法） |
|---|---|---|
| ①　遺言で禁止されていないこと<br>②　共同相続人間で協議が調うこと | 協議による遺産の一部の分割ができます。 | 907 I |
| ①　遺言で禁止されていないこと<br>②　共同相続人間で協議が調わないこと又は協議ができないこと<br>③　一部分割により他の共同相続人の利益を害するおそれがないこと | 遺産の一部の分割を家庭裁判所に請求することができます。 | 907 II |

## ⑶　債権債務の分割

### ア　可分債権

　可分債権については、各共同相続人が相続開始と同時に相続分に応じて法律上当然に分割された権利義務を承継します（最判S29.4.8民集8・4・819等）。

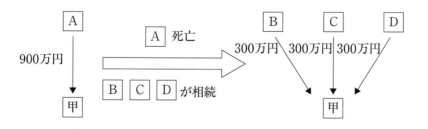

**＜可分債権についての考え方＞**

| | |
|---|---|
| 可分債権は、遺産分割の対象とすることは、その余地がないとして全面的に否定しています。 | 東京高判Ｓ54．2．6高民集32・1・13 |
| 事情に応じて遺産分割の対象となります。 | 大阪高判Ｓ31.10.9家月8・10・43 |
| 実務では、遺産分割協議の当事者全員の合意があれば、可分債権であっても遺産分割の対象とする運用がなされています。 | ― |

### イ　預貯金債権の特例

　預貯金債権については、可分債権であっても、その特殊性から、当然分割されることはなく、遺産分割の対象となるとの判断がなされました（最判Ｈ28.12.19民集70・8・2121）。

**＜判例における預貯金債権が当然分割とならない理由＞**

| 債権の種類 | 当然分割とならない理由 |
|---|---|
| 普通預金債権、通常貯金債権 | これらの債権は、いったん口座開設すると、以後預金者が自由に預け入れ、払戻しでき、口座に入金があった場合、これにより発生した預貯金債権は、口座の既存の預貯金債権と合算され一個の預貯金債権として扱われます。その特殊性からすると、普通預貯金債権が相続により数人の共同相続人に帰属する場合、各共同相続人に確定額の債権として分割されることはありません。 |
| 定期貯金債権 | 定期貯金債権は、契約上分割払戻しが制限されており、これは単なる特約ではなく定期貯金契約の要素となっています。その特殊性からすると、定期貯金債権についても、各共同相続人に確定額の債権として分割されることはありません。 |

　これに対して、平成30年民法改正では、遺産に属する預貯金債権について、相続開始時の債権額の3分の1、又は政令で定めた額を上限として、各共同相続人が、その法定相続分に応じて単独でその権利を行使することができるものとしました。

　この場合、この権利を行使した相続人は、権利行使をした預貯金債権について、遺産分割によりこれを取得したものとみなされます（民909の2）。

　同様の趣旨から、以前は、「事件の関係人の急迫の危険を防止するため必要があるとき」に限られていた遺産分割前の仮分割の仮処分手続について、「相続財産に属する債務の弁済、相続人の生活費の支弁その他の事情により遺産に属する預貯金

債権を当該申立てをした者又は相手方が行使する必要があると認めるとき」にも認めることとしました（家事200Ⅲ）。

　なお、上記については、令和元年7月1日より前に相続が生じた場合でも、預貯金債権の行使が令和元年7月1日以降であれば適用されます（平成30年改正民附則5）。

＜遺産分割前の預貯金債権の行使＞

| 要　件 | 行使できる権利の内容 | 根拠条文 |
|---|---|---|
| ①　対象が遺産に属する預貯金債権であること<br>②　以下の金額の範囲内であること<br>　ア　相続開始時の債権額の3分の1<br>　イ　政令で定めた額 | 各相続人が単独で権利行使できます。<br>なお、権利行使をした預貯金債権について、遺産分割によりこれを取得したものとみなされます。 | 民909の2 |
| ①　対象が遺産に属する預貯金債権であること<br>②　相続財産に属する債務の弁済、相続人の生活費の支弁その他の事情により必要があること | 遺産分割前の仮分割の仮処分を申し立てることができます。 | 家事200Ⅲ |

＊いずれも平成30年改正後のもの

### ウ　可分債務

　可分債務についても、各共同相続人が相続開始と同時に相続分に応じて法律上当然に分割された権利義務を承継します（最判S29.4.8民集8・4・819等）。

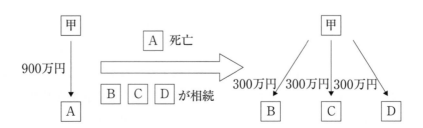

**＜可分債務についての考え方＞**

| | |
|---|---|
| 可分債務は、すべての裁判例が遺産分割の対象にならないと明言しています。 | 東京高判Ｓ30.9.5<br>家月7・11・57ほか |
| 協議による分割の対象とすることは可能です。もっとも、債権者は協議による分割方法には拘束されず、相続開始によって分割帰属した債務の履行を各共同相続人に対して請求できます。 | 民902の2 |

＜遺産分割協議書＞

# 遺産分割協議書

（被相続人の表示）
本　　　籍　　東京都○○区○○　○丁目○番地
最後の住所地　　東京都○○区○○　○丁目○番○号
　　　　　　　　　　　○○ハイツ101
氏　　　名　　甲　野　太　郎
生　年　月　日　　昭和○年　○月　○日
死　亡　年　月　日　　令和○年　○月　○日

　被相続人故甲野太郎の相続人である妻甲野花子（以下「甲」という。）、子丙川梅子
（以下「乙」という。）、子甲野一郎（以下「丙」という。）及び子甲野次郎（以下「丁」
という。）は、被相続人の遺産を次のとおり分割することに同意する。

　　1　甲は、別紙遺産目録第一1及び2記載の不動産を取得する。
　　2　乙は、別紙遺産目録第二記載の故甲野太郎名義の預金債権を取得する。（注1）
　　3　甲は、第1項の遺産の取得代償として、丙に対し、金100万円を令和○年○月
　　　○日までに丙が指定する下記銀行口座に振込み支払う。（注2）
　　　　　　　　　　　　　　　　記
　　　　　　　　　銀　行　名　　　　○○銀行○○支店
　　　　　　　　　口座の種類　　　　普通預金
　　　　　　　　　口　座　番　号　　　　1234567
　　　　　　　　　口　座　名　義　　　　甲野一郎
　　4　甲、乙及び丙は、別紙遺産目録第一3記載の不動産を売却し、売却代金から、
　　　不動産仲介手数料並びに所有権移転及び抵当権抹消登記手続費用その他の諸費用
　　　を控除した金員を、甲が2分の1、乙が4分の1、丙が4分の1の割合で各々取
　　　得する。（注3）
　　5　丁は、何らの遺産を取得しない。
　　6　本協議書に記載なき遺産及び後日判明した遺産は、甲が全てこれを取得する。

本協議の成立を証するため本書面4通を作成し、各自署名及び押印の上、それぞれが各
1通を保有する。

　　　　　　　令和○年○月○日


　　　　　　　　　　　　　　　　甲：故甲野太郎相続人（妻）
　　　　　　　　　　　　　　　　住　　所　　　○○○
　　　　　　　　　　　　　　　　氏　　名　　甲　野　花　子　

　　　　　　　　　　　　　　　　乙：故甲野太郎相続人（長女）
　　　　　　　　　　　　　　　　住　　所　　　○○○
　　　　　　　　　　　　　　　　氏　　名　　丙　川　梅　子　

　　　　　　　　　　　　　　　　丙：故甲野太郎相続人（長男）
　　　　　　　　　　　　　　　　住　　所　　　○○○
　　　　　　　　　　　　　　　　氏　　名　　甲　野　一　郎　

　　　　　　　　　　　　　　　　丁：故甲野太郎相続人（次男）
　　　　　　　　　　　　　　　　住　　所　　　○○○
　　　　　　　　　　　　　　　　氏　　名　　甲　野　次　郎

（別紙）

# 遺　産　目　録

第一　不動産
1　所　　　在　　　　　○○区○○　○丁目
　　地　　　番　　　　　○番○
　　地　　　目　　　　　宅地
　　地　　　積　　　　　200.22㎡
2　所　　　在　　　　　○○区○○　○番地○
　　家屋番号　　　　　　○番
　　種　　　類　　　　　居宅
　　構　　　造　　　　　木造瓦葺平家建
　　床 面 積　　　　　　100.00㎡
3　所　　　在　　　　　○○市○○町○丁目
　　地　　　番　　　　　○番
　　地　　　目　　　　　山林
　　地　　　積　　　　　1000㎡
第二　預金債権
1　○○銀行○○支店
　　定期預金　口座番号1234567
2　○○銀行○○支店
　　普通預金　口座番号1234567

（注）1　可分債権に関して当然分割説を前提とすると、当該合意は、債権譲渡の合意ということとな
　　　　り、債務者（銀行）に対抗するには、債権譲渡についての通知あるいは承諾が必要となります。
　　　　ただし、銀行によっては遺産分割協議書あるいは全相続人の承諾書を要求してくるところもあ
　　　　ります。
　　　2　代償分割に関する規定です。
　　　3　価格分割に関する規定です。

## 6　遺産分割をしない旨の契約

　共同相続人は、遺産の全部又は一部について、その分割をしない旨の契約をすることができます。契約期間は5年以内で、更新することもできます。ただし、その期間の終期は、相続開始の時から10年を超えることができません（令和3年改正民908の2ⅡⅢ）。

　家庭裁判所は、特別の事由があるとき、遺産分割を禁止することができます。禁止できる期間は5年以内で更新もできますが、相続開始の時から10年を超えることができません（令和3年改正民908の2ⅣⅤ）。

**＜遺産分割禁止契約＞**

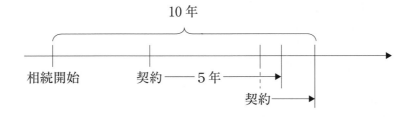

## 7　調停による遺産分割

　遺産分割について、共同相続人間に協議が調わないとき、又は協議をすることができないときは、各共同相続人は、遺産分割について家庭裁判所に調停を申し立てることができます。また、家庭裁判所に遺産分割の審判を申し立てたとしても、職権で調停に付されることとなります（家事274Ⅰ）。

### ＜調停による遺産分割の手続＞

| 手　続 | 内　容 | 根拠条文 |
|---|---|---|
| 土地管轄 | 相手方の住所地の家庭裁判所又は当事者が合意で定める家庭裁判所の管轄となります。 | 家事245Ⅰ（裁判所法31の3Ⅰ①参照） |
| 調停機関 | 原則：調停委員会<br>例外：裁判官（家庭裁判所が相当と認めるとき） | 家事247Ⅰ |
| | ※当事者の申立てがあるときは調停委員会 | 家事247Ⅱ |
| | ※調停委員会→裁判官及び家事調停委員2人以上で組織 | 家事248Ⅰ |
| 事実の調査 | 家庭裁判所は、職権で事実の調査をしなければなりません（職権主義）。 | 家事261Ⅰ |
| 出頭義務 | 事件の関係人は、出頭しなければなりません。<br>ただし、やむを得ない事由があるときは、代理人を出頭させ、又は補佐人とともに出頭することができます。<br>弁護人でない者が手続代理人となるには、家庭裁判所の許可が必要となります。 | 家事258Ⅰ→51Ⅱ<br>家事22Ⅰ |
| 期日 | 当事者が遠隔地に居住している場合やその他相当と認めるときは、電話会議システム又はテレビ会議システムを利用することができます。 | 家事258Ⅰ→54Ⅰ |
| 証拠調べ | 家庭裁判所は職権で必要があると認める証拠調べをしなければなりません（職権主義）。<br>もっとも、証拠調べは民事訴訟の例によります。<br>テレビ会議システムにより証拠調べをすることもできます。 | 家事261Ⅰ<br>証拠調べ：家事258Ⅰ→64Ⅰ<br>民訴204、210、215の3 |
| 非公開 | 調停の手続は非公開で行われます。<br>ただし、家庭裁判所は、相当と認める者の傍聴を許すことができます。 | 家事33 |

| 手　続 | | 内　容 | 根拠条文 |
|---|---|---|---|
| 終　了 | 調停成立 | 調停において当事者間に合意が成立し、これを調書に記載したときに調停が成立したものとされます。<br>【効果】<br>確定した審判と同一の効力があります。<br>金銭の支払、物の引渡し、登記義務の履行その他の給付を命ずる審判は、執行力ある債務名義と同一の効力があります。 | 家事268<br><br>家事268→75 |
| | 調停不成立 | 調停委員会は、当事者間に合意が成立する見込みがない場合又は成立した合意が相当でない場合において、調停が成立しないものとすることができます。<br>【効果】<br>調停の申立ての時に、審判の申立ても同時にあったものとみなされ、当然に審判手続に移行します。 | 家事272 I<br><br><br>家事272 IV |

## ＜遺産分割調停の申立書類等＞

| 費　用 | 収入印紙：被相続人１人につき1,200円<br>連絡用郵便切手（東京は3,100円分） |
|---|---|
| 提出書類 | 申立書（次頁参照）裁判所提出用１通＋相手方全員の人数分<br>事情説明書１通<br>連絡先等の届出書１通<br>進行に関する照会回答書１通　〕　裁判所のホームページなど<br>から入手してください。<br>被相続人との関係を証する除籍謄本、改製原戸籍謄本<br>（相続人の出生時（被相続人の親の除籍謄本又は改製原戸籍<br>謄本等）から死亡時までの連続した全戸籍謄本等）<br>相続人全員の戸籍全部事項証明書、戸籍附票（又は住民票）<br>（遺産に不動産があるとき）不動産登記事項証明書、固定資<br>産評価証明書<br>（作成されているとき）遺言書の写し、遺産分割協議書の写<br>し<br>※戸籍謄本等の証明書類は、３か月以内に発行されたものが必要<br>　です。 |
| 調停で必要になる書類 | 遺産に属する物又は権利に関する資料の写し（コピー）<br>→相続税申告書、預貯金の通帳・証書・残高証明書、有価証<br>券・投資信託に関する取引口座の残高報告書、不動産評価額<br>の査定書など、遺産の内容や評価額が分かるもの |

## ＜遺産分割調停申立書・当事者目録書式の記載例＞

### ○ 遺産分割審判・調停申立書 記入例

**この申立書の写しは，法律の定めるところにより，申立ての内容を知らせるため，相手方に送付されます。**

| 受付印 | 遺産分割 | ☑ 調停 / □ 審判 | 申立書 |
|---|---|---|---|

申立書を提出する裁判所

作成年月日

（この欄に申立て1件あたり収入印紙1,200円分を貼ってください。）

印紙

（貼った印紙に押印しないでください。）

| 収入印紙 | 円 |
|---|---|
| 予納郵便切手 | 円 |

| ○○ 家庭裁判所 御中 | 申立人（又は法定代理人など）の記名押印 | 乙 野 春 子　㊞ |
|---|---|---|
| 令和 ○ 年 ○ 月 ○ 日 | | |

準口頭

| 添付書類 | （審理のために必要な場合は，追加書類の提出をお願いすることがあります。）<br>☑ 戸籍（除籍・改製原戸籍）謄本（全部事項証明書）　合計 ○ 通<br>☑ 住民票又は戸籍附票　合計 ○ 通　　☑ 不動産登記事項証明書　合計 ○ 通<br>☑ 固定資産評価証明書　合計 ○ 通　　☑ 預貯金通帳写し又は残高証明書　合計 ○ 通<br>☑ 有価証券写し　合計 ○ 通　　□ |
|---|---|

| 当 事 者 | 別紙当事者目録記載のとおり | |
|---|---|---|
| 被相続人 | 最後の住所 | ○○ 都道府（県）○○市○○町○番○号 |
| | フリガナ<br>氏 名 | コウヤマ タロウ<br>甲 山 太 郎 |

平成・（令和）　○ 年 ○ 月 ○ 日死亡

### 申 立 て の 趣 旨

☑ 被相続人の遺産の全部の分割の（☑ 調停／□ 審判）を求める。

□ 被相続人の遺産のうち，別紙遺産目録記載の次の遺産の分割の（□ 調停／□ 審判）を求める。※1

【土地】＿＿＿＿＿＿＿＿＿＿【建物】＿＿＿＿＿＿＿＿＿＿

【現金，預・貯金，株式等】＿＿＿＿＿＿＿＿＿＿＿＿

### 申 立 て の 理 由

| 遺 産 の 種 類 及 び 内 容 | 別紙遺産目録記載のとおり | | |
|---|---|---|---|
| 特 別 受 益 ※2 | ☑ 有 / | □ 無 / | □不明 |
| 事前の遺産の一部分割 ※3 | ☑ 有 / | □ 無 / | □不明 |
| 事前の預貯金債権の行使 ※4 | ☑ 有 / | □ 無 / | □不明 |
| 申 立 て の 動 機 | ☑ 分割の方法が決まらない。<br>□ 相続人の資格に争いがある。<br>□ 遺産の範囲に争いがある。<br>□ その他（＿＿＿＿＿＿＿＿＿＿） | | |

（注）　太枠の中だけ記入してください。□の部分は該当するものにチェックしてください。
　　※1　一部の分割を求める場合は，分割の対象とする各遺産目録記載の遺産の番号を記入してください。
　　※2　被相続人から生前に贈与を受けている等特別な利益を受けている者の有無を選択してください。「有」を選択した場合には，遺産目録のほかに，特別受益目録を作成の上，別紙として添付してください。
　　※3　この申立てまでにした被相続人の遺産の一部の分割の有無を選択してください。「有」を選択した場合には，遺産目録のほかに，分割済遺産目録を作成の上，別紙として添付してください。
　　※4　相続開始時からこの申立てまでに各共同相続人が民法909条の2に基づいて単独でした預貯金債権の行使の有無を選択してください。「有」を選択した場合には，遺産目録【現金，預・貯金，株式等】に記載されている当該預貯金債権の欄の備考欄に権利行使の内容を記入してください。

遺産(1/　)

○　当事者目録　記入例

申立書の写しは相手方に送付されますので，あらかじめご了承ください。

**この申立書の写しは，法律の定めるところにより，申立ての内容を知らせるため，相手方に送付されます。**

当　事　者　目　録

申立人と相手方（申立人以外の共同相続人全員）の区別を明らかにした上，該当する者全員を記入してください。

裁判所から連絡をとれるように正確に記入してください。ご不明な点があれば，申立書を提出される裁判所にお問い合わせください。

遺産の全部（不明なもの及び分割済遺産目録に記載するものは除く。）を記入してください。

| | | | | |
|---|---|---|---|---|
| ☑申立人 □相手方 | 住所 | 〒○○○－○○○○　○○県○○市○○町○番○号 | ○○アパート○号（　　方） | |
| | フリガナ氏名 | オツノ　ハルコ　乙　野　春　子 | 大正・昭和・平成・令和　○年○月○日生（○○歳） | |
| | 被相続人との続柄 | 長女 | | |
| □申立人 ☑相手方 | 住所 | 〒○○○－○○○○　○○県○○市○○町○番○号 | （　　方） | |
| | フリガナ氏名 | コウヤマ　ハナコ　甲　山　花　子 | 大正・昭和・平成・令和　○年○月○日生（○○歳） | |
| | 被相続人との続柄 | 妻 | | |
| □申立人 ☑相手方 | 住所 | 〒○○○－○○○○　○○県○○市○○町○番○号 | （　　方） | |
| | フリガナ氏名 | コウヤマ　ナツオ　甲　山　夏　夫 | 大正・昭和・平成・令和　○年○月○日生（○○歳） | |
| | 被相続人との続柄 | 長男 | | |

○　土地遺産目録　記入例

不動産の登記事項証明書（不動産登記簿謄本）の記載のとおり記入してください。

遺産　目　録（□特別受益目録，□分割済遺産目録）

【土地】

| 番号 | 所在 | 地番 | 地目 | 地積 | 備考 |
|---|---|---|---|---|---|
| 1 | ○○県○○市○○町 | ○番○ | 宅地 | 平方メートル 200 00 | 建物1の敷地 |
| 2 | ○○県○○市○○町○丁目 | ○番○ | 宅地 | 平方メートル 650 00 | 建物2の敷地（持分）被相続人2分の1，相手方甲山夏夫2分の1 |

（東京家庭裁判所ホームページより）

＜遺産目録の記載例＞

○ 建物遺産目録 記入例

———————— 遺　産　目　録（□特別受益目録，□分割済遺産目録）

【建物】

| 番号 | 所　　　　在 | 家屋番号 | 種類 | 構　造 | 床　面　積 | 備　考 |
|---|---|---|---|---|---|---|
| 1 | ○○県○○市○○町○番○号 | ○○ | 居宅 | 木造瓦葺2階建 | 平方メートル<br>1階 50 00<br>2階 45 00 | |
| 2 | ○○県○○市○○町○丁目○番○号 | ○○ | 店舗兼居宅 | 木造スレート葺平家建 | 平方メートル<br>100 00 | 相手方甲山夏夫が居住（持分）<br>被相続人2分の1，相手方甲山夏夫2分の1 |

○ 現金，預・貯金，株式等遺産目録 記入例

遺　産　目　録（□特別受益目録，□分割済遺産目録）

【現金，預・貯金，株式等】

| 番号 | 品　　　目 | 単位 | 数量（金額） | 備　考 |
|---|---|---|---|---|
| 1 | ○○銀行○○支店普通預金（番号○○○○○○） | | 5,000,000円 | 通帳は相手方甲山花子が保管 |
| 2 | ○○銀行○○支店普通預金（番号○○○○○○） | | 3,000,000円（相続開始時） | 通帳は相手方甲山花子が保管<br>民法909条の2により相手方甲山花子が50万円取得 |
| 3 | ○○銀行○○支店普通預金（番号○○○○○○） | | 500,000円（相続開始時） | 相続開始後に相手方甲山花子が全額払戻し |
| 4 | ○○株式会社　株式 | 50円 | 8,000株 | 株券は相手方甲山花子が保管 |

不動産の登記事項証明（不動産登記簿謄本）の記載のとおり記入してください。未登記の場合には，固定資産評価証明書の記載を参考にして記入してください。

遺産の全部（不明なもの及び分割済遺産目録に記載するものは除く。）を記入してください。

## ○ 特別受益目録 記入例

被相続人から生前に贈与を受けている等，特別な利益を得ている者がいる場合には，
遺産目録のほかに，「特別受益目録」を作成してください。

遺　産　目　録（☑特別受益目録，□分割済遺産目録）

【現金，預・貯金，株式等】

| 番号 | 品　　　　　目 | 単位 | 数量（金額） | 備　　考 |
|---|---|---|---|---|
| 1 | 平成〇年〇月頃の自宅購入資金 | | 5,000,000円 | 相手方甲山夏夫 |

生前贈与等の内容を端的に記載してください。

生前贈与等を受けた相続人の氏名を記載してください。

## ○ 分割済遺産目録 記入例

この申立てまでに，被相続人の遺産の一部の分割をしている場合には，
遺産目録のほかに，「分割済遺産目録」を作成してください。

遺　産　目　録（□特別受益目録，☑分割済遺産目録）

【建　物】

| 番号 | 所　　　　　在 | 家屋番号 | 種類 | 構　　造 | 床　面　積 | | 備　考 |
|---|---|---|---|---|---|---|---|
| | | | | | 平方メートル 1階部分 | | |
| 1 | （区分所有建物）<br>〇〇県〇〇市〇〇町〇番〇号<br>〇〇ハイツ | 101 | 居宅 | 鉄筋コンクリート造1階建 | 65 | 00 | 相手方甲山花子が取得 |

遺産を取得した相続人の氏名を記載してください。

（東京家庭裁判所ホームページより）

## 8　審判による遺産分割

### ⑴　審判による分割ができる場合

　遺産について共同相続人間に協議が調わないとき、各共同相続人は、その分割を家庭裁判所に請求することができます（民907Ⅱ、家事39別2⑫）。

### ⑵　審判による分割の前提問題

　遺産分割の審判をするに当たり、当事者間で、①相続人の確定及び②相続財産の確定と評価、といった遺産分割の前提問題が争いとなっている場合に、家庭裁判所はどのように対処するべきか争いがあります。

**【前提問題①　相続人の確定】**

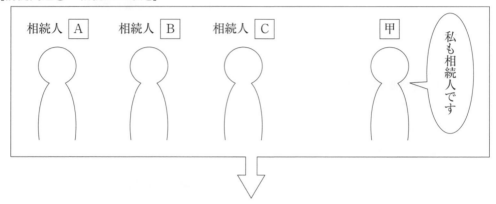

甲が相続人に該当するか否か？

**【前提問題②　相続財産の確定・評価】**

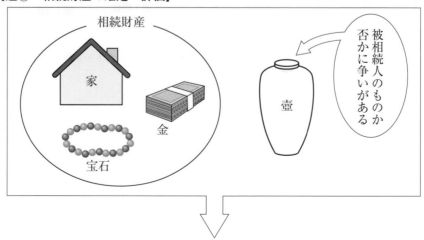

壺が相続財産に当たるか否か？

　この点、家庭裁判所は審判手続の中で、前提問題を審理し判断することができますが、審判には既判力がなく、後に訴訟で審判が前提とした権利の存在が否定された場合には、遺産分割審判もその限りで効力を失うと解されています（最判Ｓ41.3.2民集20・3・360）。

　なお、これらの前提問題を民事訴訟で解決し（この場合は既判力が生じます。）、その上で家庭裁判所の審理を受けることは当然可能です。

### (3) 分割審判の申立て

　遺産分割について、共同相続人間に協議が調わないとき、又は協議をすることができないときは、各共同相続人は、遺産分割について家庭裁判所に審判を申し立てることができます（家事39別2⑫）。

**＜審判による遺産分割の手続＞**

| 手続 | 内容 | 根拠条文・判例 |
|---|---|---|
| 土地管轄 | 相続開始地の家庭裁判所が管轄となります。 | 家事19Ⅰ（裁判所法31の3Ⅰ①参照） |
| 審判機関 | 審判は、特別な定めがある場合を除いては、家事審判官が、参与員を立ち会わせ、又はその意見を聴いて行います。<br>ただし、家庭裁判所が相当と認めるときは参与員の意見を聴かないで審判を行うことができます。 | 家事40Ⅰ（40Ⅱ） |
| 申立方法 | 遺産の分割の申立てをするには、①共同相続人及び利害関係人、②民法第903条第1項に規定する遺贈又は贈与の有無及びその内容を明らかにし、③遺産目録を提出する必要があります。 | 家事規102Ⅰ |
| 当事者 | 共同相続人です。<br>共同相続人でなくとも、当事者を代位して遺産分割審判の申立ては可能です。 | 名古屋高判Ｓ43.1.30家月20・8・47 |
| 事実の調査 | 家庭裁判所は職権で事実の調査をしなければなりません（職権主義）。 | 家事56Ⅰ |
| 出頭義務 | 事件の関係人は、出頭しなければなりません。<br>ただし、やむを得ない事由があるときは、代理人を出頭させることができます。<br>弁護人でない者が代理人となるには、家庭裁判所の許可が必要となります。 | 家事51、22 |

| 手　続 | 内　容 | | 根拠条文・判例 |
|---|---|---|---|
| 期日 | 当事者が遠隔地に居住している場合やその他相当と認めるときは、電話会議システム又はテレビ会議システムを利用することができます。 | | 家事54Ⅰ |
| 証拠調べ | 家庭裁判所は職権で必要があると認める証拠調べをしなければなりません（職権主義）。<br>もっとも、証拠調べは民事訴訟の例によります。 | | 家事56Ⅰ、64Ⅰ |
| 非公開 | 審判の手続は非公開です。<br>ただし、家庭裁判所は、相当と認める者の傍聴を許すことができます。 | | 家事33 |
| 裁　判 | 認容 | 【効果】<br>確定しても既判力はないと解されています。<br>ただし、金銭の支払、物の引渡し、登記義務の履行その他の給付を命ずる審判は、執行力ある債務名義と同一の効力を有します。 | 家事75 |
| | 却下 | | ― |
| 不　服<br>申立て | 方　法 | 即時抗告 | 家事198Ⅰ①、85 |
| | 即時抗告<br>期　間 | 審判の告知を受けた日の翌日から2週間内 | 家事86 |
| | 方　式 | 抗告状を原裁判所に提出 | 家事87Ⅰ |

㊟　申立ての書式等に関しては、調停による遺産分割と同じです。

#### (4)　審判による分割方法

　審判による遺産分割では、民法第900条以下の法定の相続分を変更する内容の遺産分割はできないと解されています（東京高決S42.1.11家月19・6・55）。

　そのため、審判による遺産分割では法定相続分に沿った判断がされることとなります。

#### (5)　審判前の手続

##### ア　審判前の保全処分

　審判の内容を実効性のあるものとするため、以下の保全処分が認められています。

＜審判前の保全処分＞

| 保全処分の種類 | 財産管理の保全処分 | 執行保全のための保全処分 | 預貯金債権行使の保全処分 |
|---|---|---|---|
| 申立裁判所 | 家庭裁判所 | 家庭裁判所 | 家庭裁判所 |
| 要　件 | ①　遺産分割の調停又は審判の申立てがあること<br>②　財産の管理のため必要があること | 強制執行を保全し、又は事件の関係人の急迫の危険を防止するため必要があるとき | ①　遺産分割の調停又は審判の申立てがあること<br>②　相続財産の属する債務の弁済、相続人の生活費の支弁その他の事情により遺産に属する預貯金債権を行使する必要があると認められること |
| 期　間 | 遺産分割の申立ての審判が効力を生ずるまでの間 | ― | ― |
| 内　容 | 財産管理者を選任し、又は財産の管理に関する事項の指示 | 仮差押え、仮処分その他の必要な保全処分 | 遺産に属する特定の預貯金債権の全部又は一部を申立人又は相手方に取得させることができます。 |
| 根拠条文 | 家事200Ⅰ | 家事200Ⅱ | 家事200Ⅲ |
| 具体例 | ― | 相続分を超える遺産を取得する代わり他の共同相続人に補償義務を負うことが予想される当事者に補償金の仮払を命ずること（仙台高決S57.3.31家月36・9・93） | ― |

### イ　審判前の換価処分

　家庭裁判所は、遺産分割の審判をするため必要があると認めるときは、相続人に対し、遺産の全部又は一部について競売し、その他最高裁判所の定めるところにより換価することを命ずることができます（家事194、195、家事規103）。

## 9　遺産分割の当事者

　遺産分割は、原則として相続人全員で行います。相続人の一部を欠いて遺産分割しても、その遺産分割は無効であり、全員揃ってやり直さなければなりません。

　ただし、相続放棄をした相続人には相続分がありませんから、遺産分割の当事者にはなりません。相続欠格者や廃除された者も同様です。

　他方、相続人以外の者であっても遺産分割の当事者になる場合があります。例えば、包括受遺者や相続分を譲り受けた者がいる場合です。これらの者を除外してなされた遺産分割はやはり無効となります。


＜遺産分割の当事者＞

| 当事者となる者 | 当事者とならない相続人 |
| --- | --- |
| ・推定相続人(右の場合を除きます。)<br>・相続分（全部又は一部）を譲り受けた者<br>・包括受遺者 | ・相続放棄をした者<br>・相続分を**全部**譲渡した者<br>・相続欠格者<br>・廃除の審判を受けた者 |


## 10　遺産分割の瑕疵

### (1)　当事者に関する瑕疵

#### ア　参加すべき当事者を欠いた遺産分割

　遺産分割に参加すべき当事者を除外してなされた遺産分割は無効となります。

　ただし、相続開始後の認知により新たに相続人となった者がいる場合には、特別の規定があります。既に遺産分割が終わっている場合、この者は遺産分割のやり直しを求めることはできず、相続分に応じた価額（金銭）の支払を請求できるにすぎません（民910）。

#### イ　当事者ではない者を含めた遺産分割

　以下のような場合は、結果的に、当事者ではない者を加えて遺産分割をしたという事態が生じます。

＜当事者ではない者が含まれるケース＞

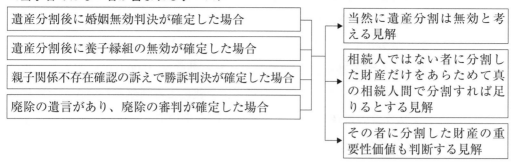

これらの場合、当然にその遺産分割を無効とする見解があるほか、相続人ではない者に分割した財産だけをあらためて真の相続人間で分割すれば足りるとする見解があります。相続人でない者に分割した財産が高価・重要なもので、単純にこれを分割するのは不当といえる場合には無効と思われます。

＜当事者に関する瑕疵＞

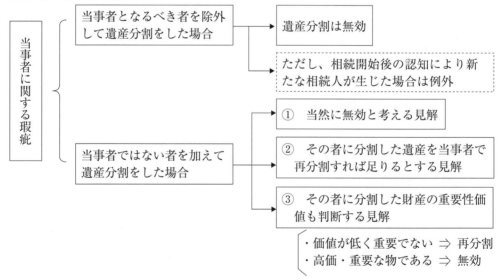

## (2)　財産に関する瑕疵

### ア　遺産分割後、新たに遺産が発見された場合

　遺産分割後に新たに遺産が発見されたとしても、当然に遺産分割が無効となるわけではありません。分割された遺産に比べてわずかの遺産が発見されたにすぎないときは、その遺産だけを分割すれば足ります。もっとも、発見された遺産が重要・貴重なもので、存在がわかっていれば、遺産分割の仕方が大きく変わっていたはずという場合には、その遺産分割は錯誤によるものとして無効となります。

### イ　遺産分割の対象としたが、実は遺産ではなかった場合

　遺産だと誤信して遺産分割したにもかかわらず、実は遺産ではなかったことが後に判明することがあります。この場合、どう処理すべきか見解が分かれています。

　例えば、遺産として不動産M（1,000万円）と不動産N（500万円）があり、相続人AがMを、相続人BがNをそれぞれ取得し、金銭による調整としてAがBに代償金250万円を支払う旨の遺産分割が成立したという事例で、実は不動産Mが遺産ではなかった場合などが考えられます。

　この場合、①遺産分割協議全体を無効とし遺産分割をやり直すべきとする見解と②BがNを取得することは認めた上で、後述する担保責任（民911）の問題として、BからAに250万円を支払わせることで処理する見解もありますが、この事例のような極端な場合には、遺産分割を無効とした上で再度分割するのが当事者の意思に合致するものと思われます。

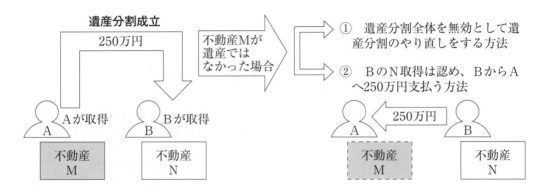

**＜財産に関する瑕疵＞**

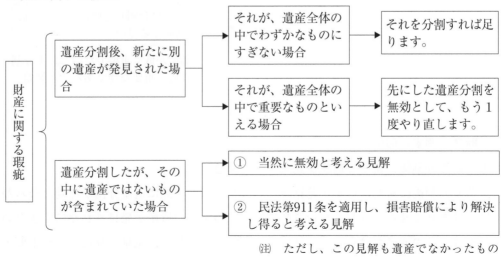

⑶　意思表示の瑕疵

　錯誤や詐欺、強迫等による意思表示の無効・取消しの規定（民93、96）は、遺産分割協議においても適用されます。例えば、誰かに脅されて遺産分割協議に応じた場合、その当事者は遺産分割協議を取り消すことができます。

## 11　遺産分割協議と債権者取消権

　遺産分割協議は債権者取消権（民424）の対象となります（最判 H11.6.11民集53・5・898）。例えば、債権者からの強制執行を免れる目的で、相続開始後何十年も経っているにもかかわらず、他の相続人に相続財産を取得させる遺産分割をしたような場合には、その遺産分割は取消しの対象となります。

　なお、似たようなケースであっても、相続放棄をした場合は債権者取消権の対象となりません。

＜債権者取消しの対象＞

| 遺産分割 | 相続放棄 |
|---|---|
| 債権者取消権の**対象となる** | 債権者取消権の**対象とならない** |

## 12　遺産分割協議の解除

　遺産分割協議において債務を負担することになった相続人がその債務を履行しなかったとしても、債務不履行を理由に遺産分割協議を解除することはできません（最判 H元.2.9民集43・2・1）。

　最高裁判所平成元年2月9日判決は、長男が母親を扶養することを約束し、その代わりに長男が亡くなった父親の遺産をほぼすべて取得するという内容の遺産分割協議が成立した事案でした。この事件では、長男が約束に反して母親の扶養を全くしないため、他の相続人が遺産分割協議の解除を主張しましたが認められませんでした。

　なお、債務不履行を理由とする解除は認められませんが、相続人全員が合意によって遺産分割協議を解除し、あらためて遺産分割することは可能です（最判 H2.9.27民集44・6・995）。ただし、税法上は、新たな財産処分とみなされ、既に支払った相続税のほかに、別途税金がかかる可能性が高いので注意が必要です。

＜遺産分割協議の解除＞

 債務不履行を理由とする
遺産分割協議の解除は認
められません。
（最判H元.2.9民集43・2・1）

 当事者全員の合意により
遺産分割協議を解除する
ことはできます。
（最判H2.9.27民集44・6・995）

遺産分割協議の中でした約束を守らないからといって一方的に協議を解除することはできません。

当事者全員が賛成すれば、別の方法で再度遺産分割をすることができます。

## 13　遺産分割の効力

### ⑴　遺産分割の遡及効

　遺産分割の効力は相続開始時に遡って生じると規定されています（遺産分割の遡及効、民909本文）。つまり、遺産分割によって特定の財産を取得した相続人は、相続開始時に、被相続人から直接その財産を取得したものとみなされます。この考え方を「宣言主義」といいます。

＜宣言主義（民909本文）の考え方＞

前提事実
①　被相続人甲を相続人A・B・Cの3人が相続した
②　相続開始後、遺産分割が行われ、ある財産についてAが単独で取得することになった

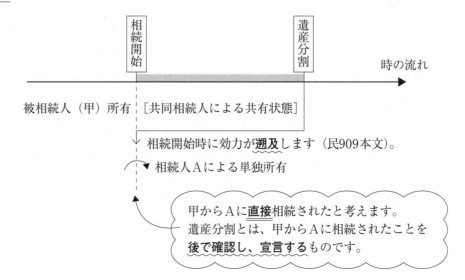

## (2)　第三者保護規定

　第三者が遺産分割前に相続人Aから遺産の共有持分を譲り受けた後、遺産分割によって、A以外の相続人Bがその財産を単独で取得することになった例を考えます。

　この場合、遺産分割の遡及効を徹底すると、当初からBがその財産を単独で相続したことになります。逆にAは、当初からその財産について何らの権利も有していなかったことになります。そうすると、第三者は無権利者から財産を譲り受けた者として、共有持分を取得できないことになります。

　しかしながら、現実には、遺産分割がなされるまで、Aは共有持分を有していたわけですから、第三者を無権利者としてしまうのはあまりに酷です。そこで、第三者を保護するため民法は遺産分割の遡及効を制限し、遡及効によって第三者の権利を害することはできないと規定しています（民909ただし書）。

　この例の場合、Bは自分が単独で相続したものとして、第三者が無権利者であると主張できなくなります（Bと第三者が共有することになります。）。

＜宣言主義の例外（民909ただし書）＞

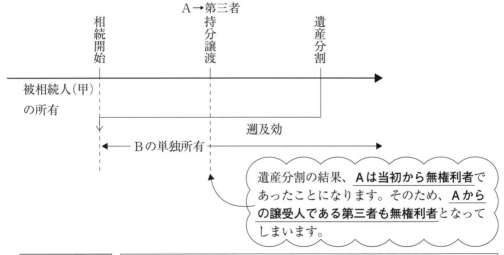

| 問題点 | Aから第三者への持分譲渡時、現実には未だ遺産分割がなされておらず、Aは持分権者であったこと。<br>そのAから譲り受けた第三者を無権利者とするのは酷であること。 |
|---|---|

| 民909ただし書 | 遺産分割の遡及効によっても第三者の権利は害されません（第三者は、Bに対し、Aから取得した持分を主張できることになります。）。 |
|---|---|

## (3)　遺産分割と登記

　売買等の取引により不動産を取得した者が、第三者に対して自らの権利を主張する

ためには、登記をする必要があります（民177、この登記のことを「対抗要件」といいます。）。この民法第177条の規定は、遺産分割によって法定相続分以上の不動産を取得した場合にも適用されます（最判 S46.1.26民集25・1・90）。すなわち、遺産分割により法定相続分以上の持分を取得した場合、その相続人は登記をしなければ、第三者に対し権利を主張できません。

　なお、第三者の側から権利を主張する場合にも登記が必要です。(2)の例で、第三者がBに対して持分を主張するためには、Aから持分を取得した旨の登記をしておく必要があります。

**＜遺産分割と登記＞**

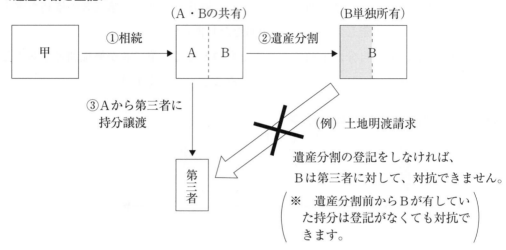

　法定相続分を超えて相続財産を取得した場合の対抗要件については、従前は明文規定はありませんでしたが、平成30年民法改正では、以下のとおり、取得方法にかかわらず、法定相続分を超えた財産を取得した場合には、第三者に対してそれを主張するためには対抗要件が必要、との規定が設けられました（民899の2Ⅰ）。結論が、従前の最高裁判例の判断と違っていますので、注意が必要です。

　相続財産が債権である場合には、法定相続分を超えて債権を取得した相続人の１人が、債務者に対して、遺産分割や遺言の内容を示して通知をすれば、共同相続人全員が債務者に通知をしたものとみなされます（民899の2Ⅱ）。

　なお、上記の改正法は2019年７月１日に施行されていますが、施行日より前に開始した相続につき遺産分割により債権を承継した場合で、施行日以降に承継通知がなされた場合にも適用があります（平成30年改正民附則３）。

**＜法定相続分を超えた相続財産取得における対抗要件の要否＞**

| 相続財産取得原因 | 対抗要件の要否 | | | | 根拠条文 |
|---|---|---|---|---|---|
| | 改正前 | 根拠判例 | 改正後 | | |
| 遺産分割 | 要 | 最判 S46.1.26 | 要 | | 899の2 I |
| 遺贈（遺言） | 要 | 最判 S39.3.6 | 要 | | |
| 相続分の指定（遺言） | 不要 | 最判 H14.6.10 | 要 | | |
| 遺産分割方法の指定（遺言） | 不要 | 最判 H14.6.10 | 要 | | |

## 14　被認知者による価額請求

　認知によって親子関係を認められた場合、被認知者（子）は、その親の相続人となります。しかし、認知が、親の死亡後だった場合、認知時点では、既に遺産分割が終了してしまっている場合もあります。そこで、民法第910条は、相続の開始後認知によって相続人となった者が遺産の分割を請求しようとする場合に、他の共同相続人が既にその分割その他の処分をしたときは、被認知者は、価額の支払請求権のみを有する、としています。

　ただ、その価額の算定に際して、遺産の価額が変動するような場合、どの時点の評価額を基準とするかで、価額請求の金額は大きく変わってきます。また、価額請求に対する遅延損害金は、いつから発生するか、という問題もあります。この点について、平成28年2月26日の最高裁判例では、以下のとおりの判断が示されました。

| 遺産の価額算定の基準時 | 被認知者が、価額の支払を請求した時点。<br>理由；価額請求時までの遺産の価額の変動による利益や損失を一方当事者のみに帰属させるのは相当ではないし、また、価額請求があった時点で、支払うべき金額を早期に算定できるものとすることが当事者の衡平に資するため。 |
|---|---|
| 遅延損害金の起算点 | 被認知者が、価額の支払を請求した時点。<br>理由；価額の支払債務は、期限の定めのない債務であり、履行の請求を受けた時から遅滞に陥るため。 |

　また、相続財産に債務などの消極財産があった場合に、価額請求により支払われる価額の算定に際し、積極財産の価額から消極財産の価額を控除すべきかという問題もありますが、この点について、令和元年8月27日の最高裁判例では、民法第910条により支払われるべき価額の算定の基礎となる遺産の価額は、遺産分割の対象とされた積極財産の価額とすべきであり、消極財産の価額を控除すべきではないと判示しまし

た。これは、そもそも消極財産である相続債務は、共同相続人に当然に承継されるものであって、遺産分割の対象とならないことが理由とされています。なお、この場合、他の共同相続人が相続債務の弁済を行っていた場合などは、被認知者に対する不当利得返還請求などで対応することが考えられます。

## 15　共同相続人の担保責任

### (1)　共同相続人間の担保責任

　共同相続人間では、その相続分に応じて売買契約の売主と同様の担保責任を負担します（民911）。ここにいう担保責任とは民法第560条ないし第572条に規定される追奪担保責任・瑕疵担保責任を指します（なお、これらの責任には損害賠償だけでなく解除権も定められていますが、共同相続人間では解除権を認めないとする見解もあります。）。

　例えば、遺産分割の目的物に隠れた瑕疵があった場合、その物を取得した相続人は、他の共同相続人に対し、各人の相続分に応じて、損害賠償を求めることができます（民570参照）。

　担保責任を負担する割合としての「その相続分」については、その意味するところは明らかではありませんが、分割によって取得した価額に特別受益の価額を加えた最終的な利益に比例すべきとする学説が多いです。

### (2)　債務者の資力の担保

　債権を遺産分割の対象とする場合、その債務者の資力につき、共同相続人間で担保責任を負担します（民912）。

　つまり、債務者に資力がないため、債権を遺産分割により取得した相続人が弁済を受けられない場合、その相続人は他の共同相続人に対し各人の相続分に応じて弁済を求めることができます。

**＜具体的な分割事例＞**

資力の担保（民912）

前提事実

① 某に対する400万円の貸金債権を、相続人A・B・Cが相続
② A・B・Cの相続分は、1：2：1である
③ Aが上記債権を単独で相続する遺産分割が成立した
④ 某が全くの無資力であることが判明した

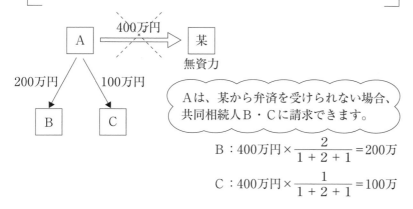

Aは、某から弁済を受けられない場合、共同相続人B・Cに請求できます。

$$B：400万円 \times \frac{2}{1＋2＋1}＝200万$$

$$C：400万円 \times \frac{1}{1＋2＋1}＝100万$$

**⑶ 無資力者の担保責任**

　以上のとおり、共同相続人はお互いに担保責任を負っていますが、ある共同相続人が無資力のためこの担保責任を果たせない場合、その部分は残りの相続人が相続分に応じて負担します（民913）。

**＜具体例＞**

無資力者の担保責任（民913）

前提条件
　上の事例で、さらにCも無資力であることが判明した

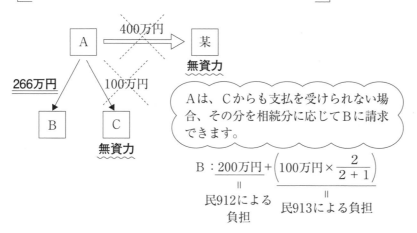

Aは、Cからも支払を受けられない場合、その分を相続分に応じてBに請求できます。

$$B：\underset{\substack{\Vert \\ 民912による \\ 負担}}{200万円}＋\underset{\substack{\Vert \\ 民913による負担}}{\left(100万円 \times \frac{2}{2＋1}\right)}$$

⑷　**遺言による定め**

　被相続人が、遺言において、民法第911条から第913条に定める責任と異なる責任の定め方をしている場合、遺言による定めが優先します（民914）。

# 第4章　相続の承認及び放棄

## 第1　相続人の選択肢

相続人は、被相続人の財産に属した一切の権利義務を承継するのが原則です（民896）。

ただし、被相続人に多額の負債がある等の事情があって、被相続人の権利義務を承継したくない場合には、一定の手続の下、承継しないことを選択できます。

相続人の選択肢は、「単純承認」「限定承認」「相続の放棄」の3つです。

**＜相続の単純承認・限定承認、相続の放棄＞**

| 選択肢 | 手続 | 効果 | 根拠条文 |
|---|---|---|---|
| 単純承認 | 不要(注) | 無限に被相続人の権利義務を承継します。 | 民920 |
| 限定承認 | 熟慮期間中に家庭裁判所に申述受理の申立てを行います。 | 相続によって得た財産の限度においてのみ被相続人の債務及び遺贈を弁済すべきことを留保してする相続の承認です。 | 民922 |
| 相続の放棄 | | その相続に関しては、初めから相続人とならなかったものとみなされます。 | 民939 |

(注)　意思表示又は一定の行為により単純承認となります。

### 1　熟慮期間

#### (1)　熟慮期間とは

熟慮期間は、相続人が相続を承認するか放棄するかを検討するための期間です。相続財産の帰属を長く未定の状態におくことは望ましくないという趣旨から、「自己のために相続の開始があったことを知った時から3か月以内」とされています（民915本）。

熟慮期間内に限定承認又は相続の放棄を行わなかった場合は、単純承認したものとみなされます（民921②）。

　相続人が複数いる場合の熟慮期間は、各相続人につき「自己のために相続の開始があったことを知った時」から、それぞれ進行します（最判Ｓ51.7.1家月29・2・91）。

　また、この３ヶ月の期間は、時効期間ではなく除斥期間です。

**＜相続人の状況による熟慮期間の起算点＞**

| 相続人の状況 | 熟慮期間の起算点 | 根拠条文 |
|---|---|---|
| （原則） | 自己のために相続の開始があったことを知った時 | 民915Ⅰ本 |
| 相続の承認又は放棄をしないで死亡したとき | その者の相続人が自己のために相続の開始があったことを知った時 | 民916 |
| 未成年者又は成年被後見人であるとき | その法定代理人が未成年者又は成年被後見人のために相続の開始があったことを知った時 | 民917 |

**⑵　熟慮期間の起算点**

　熟慮期間の起算点の「自己のために相続の開始があったことを知った時」（民915Ⅰ本）は、具体的には、下記①及び②です（大決Ｔ15.8.3民集5・979）。

**＜「自己のために相続の開始があったことを知った時」（原則）＞**

| ① | 相続開始の原因である事実の発生を知った時 |
|---|---|
| ② | 自己が相続人となったことを知った時 |

　熟慮期間の経過後に多額の相続債務がみつかった場合に相続の放棄が認められないか問題となります。

　最高裁判所は、「熟慮期間は、原則として相続人が前記の各事実（上記表①②）を知った時から起算すべきものであるが、相続人が右各事実を知った場合であっても、右各事実を知った時から３か月以内に限定承認又は相続放棄をしなかったのが、被相続人に相続財産が全く存在しないと信じたためであり、かつ、被相続人の生活歴、被相続人と相続人との間の交際状況その他諸般の状況から見て当該相続人に対し相続財産の有無の調査を期待することが著しく困難な事情があって、相続人において右のように信ずるについて相当な理由があると認められるときには、相続人が前記の各事実を知ったときから熟慮期間を起算すべきであるとすることは相当でないものというべきであり、熟慮期間は相続人が相続財産の全部又は一部の存在を認識した時又は通常これを認識しうべき時から起算すべきものと解するのが相当である。」とし、熟慮期

間の起算点の例外を認めました（最判Ｓ59.4.27民集38・6・698）。

**＜熟慮期間の起算点の例外＞**

| 起算点の例外 | 相続人が相続財産の全部又は一部の存在を認識した時<br>又は<br>通常これを認識しうべき時 |
|---|---|
| 例外の認められる条件 | ①　原則の起算点による熟慮期間を徒過したことが、被相続人に相続財産が全く存在しないと信じたためであること。<br>②　①を信じるにつき相当な理由があること。 |

⑶　**熟慮期間の伸長**

ア　**熟慮期間の伸長の審判**

　相続の判断をするにつき時間がかかり、熟慮期間が３か月では足りないと見込まれる場合は、家庭裁判所に熟慮期間の伸長の審判を求めることができます（民915Ⅰただし書、家事39別1⑨）。

　熟慮期間の伸長が認められる事情としては、相続財産が多額ないし複雑である、相続人が海外在住である、共同相続人間の調整の必要性などが考えられます。

**＜熟慮期間の伸長の手続＞**

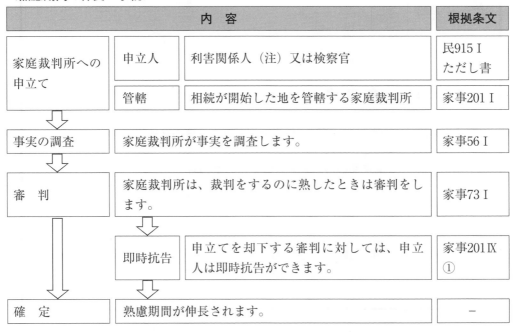

| | 内　容 | | 根拠条文 |
|---|---|---|---|
| 家庭裁判所への申立て | 申立人 | 利害関係人（注）又は検察官 | 民915Ⅰただし書 |
| | 管轄 | 相続が開始した地を管轄する家庭裁判所 | 家事201Ⅰ |
| 事実の調査 | | 家庭裁判所が事実を調査します。 | 家事56Ⅰ |
| 審　判 | | 家庭裁判所は、裁判をするのに熟したときは審判をします。 | 家事73Ⅰ |
| | 即時抗告 | 申立てを却下する審判に対しては、申立人は即時抗告ができます。 | 家事201Ⅸ① |
| 確　定 | | 熟慮期間が伸長されます。 | － |

㊟　相続人、被相続人の債権者、相続人の債権者などが該当します。

## ＜家事審判申立書（相続の承認又は放棄の期間の伸長）の記載例＞

| 受付印 | |
|---|---|
| | **家 事 審 判 申 立 書　事件名（相続の承認又は放棄の期間の伸長）** |
| | （この欄に申立手数料として1件について800円分の収入印紙を貼ってください。）<br><br><br>（貼った印紙に押印しないでください。） |
| 収 入 印 紙　　　　円<br>予納郵便切手　　　　円<br>予納収入印紙　　　　円 | |

| 準口頭 | | 関連事件番号　平成・令和　　　年（家　　　）第　　　　　　　　　　　　　　号 |
|---|---|---|

| 東 京 家 庭 裁 判 所　　御中<br>令和 〇〇 年 〇 月 〇〇 日 | 申　立　人<br>（又は法定代理人など）<br>の 記 名 押 印 | **甲 野 春 子**　㊞ |
|---|---|---|

| 添付書類 | （審理のために必要な場合は、追加書類の提出をお願いすることがあります。）<br>申立人の戸籍謄本（全部事項証明書）　　　　　通<br>被相続人の戸籍謄本（全部事項証明書）等　　通　住民票除票　　通 |
|---|---|

| 申<br><br>立<br><br>人 | 本　籍<br>（国　籍） | 都道<br>府県 〇〇　　　〇〇市××町〇丁目〇番地 | |
|---|---|---|---|
| | 住　所 | 〒 〇〇〇 － 〇〇〇〇　　　　　　電話 〇〇〇（〇〇〇）〇〇〇〇<br>**東京都〇〇区×××〇丁目〇番〇号**　　　（　　　　　方） | |
| | 連 絡 先 | 〒　　　－<br>（注：住所で確実に連絡できるときは記入しないでください。）　電話（　　　）<br>（　　　　　方） | |
| | フリガナ<br>氏　名 | コウ ノ　　　ハル コ<br>**甲 野　　春 子** | 昭和<br>平成 〇〇年 〇 月 〇 日生<br>令和 （　　〇〇　　歳） |
| | 職　業 | **会 社 員** | |

| ※<br><br>被<br><br>相<br><br>続<br><br>人 | 本　籍<br>（国　籍） | 都道<br>府県 〇〇　　　〇〇市××町〇丁目〇番地 | |
|---|---|---|---|
| | 最 後 の<br>住　所 | 〒 〇〇〇 － 〇〇〇〇　　　　　　電話（　　　）<br>**東京都〇〇区×××〇丁目〇番〇号**　　　（　　　　　方） | |
| | 連 絡 先 | 〒　　　－　　　　　　　　　　　電話（　　　）<br>（　　　　　方） | |
| | フリガナ<br>氏　名 | コウ ノ　　　タ ロウ<br>**甲 野　　太 郎** | 大正<br>昭和 〇〇年 〇 月 〇 日生<br>平成 （　　〇〇　歳） |
| | 職　業 | | |

（注）　太枠の中だけ記入してください。
　　　※の部分は、申立人、法定代理人、成年被後見人となるべき者、不在者、共同相続人、被相続人等の区別を記入してください。

別表第一（ 1/ ）　　　　　　　　　　　　　　　（令5．2　東京家）

| 申　立　て　の　趣　旨 |
| --- |
| 　申立人が、被相続人甲野太郎の相続の承認又は放棄をする期間を令和○○年○○月○○日まで伸長するとの審判を求めます。 |
| |
| |

| 申　立　て　の　理　由 |
| --- |
| 1　申立人は、被相続人の長女です。 |
| 2　被相続人は令和○○年○○月○○日死亡し、同日、申立人は、相続が開始したことを知りました。 |
| 3　申立人は、被相続人の相続財産を調査していますが、被相続人は幅広く事業を行っていたことから、相続財産が各地に分散しているほか、債務も相当額あるようです。 |
| 4　そのため、法定期間内に、相続を承認するか放棄するかの判断をすることが困難な状況にあります。 |
| 5　よって、この期間を○か月伸長していただきたく、申立ての趣旨とおりの審判を求めます。 |
| |
| |
| |
| |
| |

別表第一（　/　）　　　　　　　　（令5．2　東京家）

### イ　特定非常災害の被害者を対象とする特例

　熟慮期間は、相続人が、特定非常災害（注）発生日において対象地区に住所を有していた場合、政令で定める日（災害発生から1年を超えない範囲内）まで伸長されます（特定非常災害の被害者の権利利益の保全等を図るための特別措置に関する法律6）。

　(注)　著しく異常かつ激甚な非常災害で、政令で指定されたものをいいます。対象となる地区、特定非常災害発生日もこの政令で定められます。

**＜特定非常災害における熟慮期間の伸長＞**

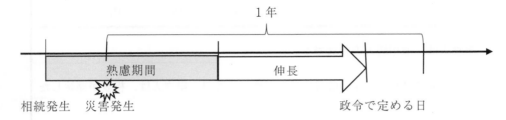

### (4)　再転相続における熟慮期間

　相続人が相続の承認又は放棄をしないで死亡したときの、相続人の相続人（下図のC）の熟慮期間の起算点は、「相続人の相続人が自己のために相続の開始があったことを知った時」となります（民916）。

**〈再転相続における熟慮期間のイメージ〉**

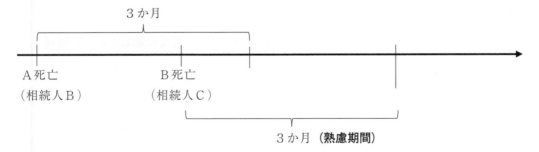

　上図のCは、第1次相続（上図Aの相続）と第2次相続（上図Bの相続）の両方について、それぞれ相続を承認するか放棄するかを選択できます。

　ただし、Cが第2次相続の放棄を先に選択した場合は、Bの権利義務を何ら承継しないことになりAの相続人としての地位も承継しないため、第1次相続についての選択権を失います。

　第1次相続について放棄した後に第2次相続を放棄した場合に、第2相続放棄の遡及効（民939）によって、先に選択した第1相続の選択権を遡って失い第1相続の放

棄が無効になるのではないかが問題となりますが、このような場合、第1相続の放棄が遡って無効となることはないというのが最高裁判所の判断です（最判Ｓ63.6.21家月41・9・101）。

**＜第1次相続と第2次相続の選択の順序による違い＞**

| 第1次相続を先に選択 | | 第2次相続を先に選択 | |
|---|---|---|---|
| 第1次の選択 | 第2次の選択権 | 第2次の選択 | 第1次の選択権 |
| 承認 | あり | 承認 | あり |
| 放棄 | あり(注) | 放棄 | なし |

(注)　第2次相続で放棄を選択したとしても、すでに行使した第1次相続の選択権が遡及的に失われることはありません。

　また、Ｃは、第2次相続が自己のために開始していることを知った時点では、第1次相続について知らなかったということがあり得ます。このような場合の第1次相続の熟慮期間の起算点は、ＣがＡの相続人としての地位を自己が承継した事実を知った時となります（最判Ｒ1.8.9民集73・3・293）。

## 2　相続人による相続財産の管理

　相続人は、相続の承認又は放棄をするまでは、その固有財産におけるのと同一の注意をもって、相続財産を管理しなければなりません（民918）。

　相続人がこの注意義務に違反して相続財産に損害を与えた場合、その相続財産に利益を持つ者（相続することになった者や債権者など）に対して賠償責任を負うことになります。

　相続財産の管理については、相続財産管理人の制度も設けられています。

　従前、相続財産管理人の選任は熟慮期間内に限られていましたが、令和3年民法改正により、いつでも選任できることになりました（民897の2Ⅰ）。

　相続財産管理人については、第2編、第3章、第1、4「相続財産の管理」を参照してください。

## 3　相続の承認及び放棄の撤回及び取消し

### ⑴　相続の承認及び放棄の撤回

　いったん相続の承認・放棄がなされると、熟慮期間中であっても撤回することはで

きなくなります（民919Ⅰ）。

**(2)　相続の承認及び放棄の取消し**

　相続の承認及び放棄は、第1編（総則）及び第4編（親族）の規定による取消しをすることができます（民919Ⅱ）。この場合、取消権の期間制限は短縮され、追認をすることができる時から6か月、相続の承認又は放棄の時から10年となります（民919Ⅲ）。

　限定承認又は相続の放棄の取消しは、家庭裁判所への申述で行います（民919Ⅳ）。

　なお、無効についての明文はありませんが、署名捺印が冒用されるなどの無効事由がある場合に無効を主張することは認められると考えられます。

＜相続の承認及び放棄の取消し＞

| 規定の場所 | 取消事由 | 根拠条文 |
|---|---|---|
| 第1編<br>総則 | 未成年者がその法定代理人の同意を得ずにした場合 | 民5ⅠⅡ |
| | 成年被後見人がした場合 | 民9 |
| | 被保佐人が保佐人の同意を得ずにした場合 | 民13Ⅰ⑥、Ⅳ |
| | 錯誤による場合 | 民95 |
| | 詐欺又は強迫による場合 | 民96 |
| 第4編<br>親族 | 後見人が後見監督人の同意を得ずにした場合<br>後見人が後見監督人の同意を得ずに同意した場合 | 民864、865 |

# 第2　単純承認

## 1　単純承認とは

相続の承認には、「単純承認」と「限定承認」があります。

「単純承認」をした相続人は、無限に被相続人の権利義務を承継します（民920）。

負債についても無限に承継するため、相続財産がマイナスである場合は、相続人は自己の固有の財産から支払う義務を負うことになります。

「単純承認」の法的性質には、意思表示説と法定効果説の争いがありますが、通説・判例は意思表示説を採っています。

＜単純承認の法的性質＞

| 法的性質 | 内　容 |
|---|---|
| 意思表示説<br>（通説・判例） | 単純承認を意思表示と考えます。法定単純承認は意思表示の擬制となります。<br>撤回、取消しをすることができます。 |
| 法定効果説 | 単純承認を法定効果と考えます。<br>意思表示ではないため、撤回や取消しは観念し得ません。 |

「単純承認」には、意思表示での単純承認のほか、一定の行為で単純承認とみなされる法定単純承認があります。

＜単純承認の種類＞

| 単純承認の種類 | | 単純承認となる事由 | 根拠条文 |
|---|---|---|---|
| 意思表示による単純承認 | | 単純承認の意思表示をしたとき。 | 民915 I |
| 法定単純承認 | 限定承認又は相続の放棄をしていない場合 | 相続財産の全部又は一部を処分したとき（注1）。 | 民921① |
| | | 熟慮期間内に限定承認又は相続の放棄をしなかったとき。 | 民921② |
| | 限定承認又は相続放棄をした場合（注2） | ア　相続財産の全部若しくは一部を隠匿したとき。<br>イ　私に相続財産を消費したとき。<br>ウ　悪意で相続財産を相続財産の目録中に記載しなかったとき。 | 民921③ |

(注)1　保存行為及び民法602条に定める期間を超えない賃貸は対象外です。
　　2　相続人が相続の放棄をしたことによって相続人となった者が相続の承認をした後であれば法定単純承認となりません。

## 2　意思表示による単純承認

相続人が単純承認の意思表示をした場合、単純承認となります（民915Ⅰ）。

## 3　法定単純承認

### ⑴　相続財産の処分

相続人が、相続財産の全部または一部を処分した場合は、単純承認があったとみなされます（民921①）。この趣旨は、黙示の単純承認があったと推認できること、及びその処分を信頼した第三者を保護すべきであることと考えられます。

＜相続財産の処分＞

| | 内　容 | 判　例 |
|---|---|---|
| 「処分」とは | 売却等の法的処分のみならず毀損等の物理的処分も含まれると考えるのが一般的です。<br>「処分」に該当するかどうかは実質的に判断し、経済的重要性を欠くものの処分は「処分」に該当しません。 | － |
| 処分時の認識 | 相続人が自己のために相続が開始した事実を知りながら相続財産を処分したか、あるいは少なくとも相続人が被相続人の死亡した事実を確実に予想しながらあえてその処分をしたことを要します。 | 最判 S42.4.27<br>民集21・3・741 |
| 処分の基準時 | 限定承認又は相続の放棄をしていない時点での処分が対象となります。<br>限定承認又は相続放棄後の処分は、法定単純承認にはなりませんが、相続債権者等への損害賠償責任が生じる可能性があります。 | 大判 S 5.4.26<br>民集9・427 |
| 法定相続人のした処分 | 相続人の法定代理人がした「処分」であっても法定単純承認の効果が生じます。 | 大判 T 9.12.17<br>民録26・2043 |
| 具体例 | いわゆる「形見分け」は「処分」になります。ただし、一般経済価額を有するものに限られます。 | 大判 S 3.7.3<br>新聞2881・6 |
| | 債権の取立て、弁済受領は「処分」です。 | 最判 S37.6.21<br>家月14・10・100 |
| | 死亡保険金を請求、受領し、相続債務の一部を弁済した事案で、死亡保険金は相続人の固有財産であるから「処分」にあたらないとされました。 | 福岡高宮崎支決 H10.12.22<br>家月51・5・49 |

## (2)　熟慮期間の徒過

　相続人が第915条第1項の期間（熟慮期間）内に限定承認又は相続の放棄をしなかったときは、単純承認をしたものとみなされます（民921②）。

## (3)　限定承認又は相続の放棄をした後の事由

　相続人が、限定承認又は相続の放棄をした後であっても、相続財産の全部若しくは一部を隠匿し、私にこれを消費し、又は悪意でこれを相続財産の目録中に記載しなかったときは、単純承認をしたものとみなされます（民921③）。

　これらの行為は、相続債権者に対する背信的行為であり、背信的行為をするような

不誠実な相続人に限定承認や放棄の保護を与える必要はないとの趣旨と考えられます。

### ア　隠匿

「隠匿」は、容易にその存在を他人が認識することができないようにする行為です。

その行為の結果、被相続人の債権者等の利害関係人に損害を与えるおそれがあることを認識している必要がありますが、必ずしも、被相続人の特定の債権者の債権回収を困難にするような意図、目的までも有している必要はありません（東京地H12.3.21家月53・9・45）。

### イ　私に消費

「私に消費」は、ほしいままにこれを処分して原形の価値を失わせることです。

消費に正当な事由がある場合は該当しません。

### ウ　悪意での遺産目録不記載

相続人が遺産目録の作成義務を負うのは限定承認の場合のみであるため（民924）、限定承認をした場合のみが対象となります（大判S15.1.13民集19・1）。

**＜悪意での相続財産目録不記載＞**

| | 内　容 | 判　例 |
|---|---|---|
| 「悪意」の意義 | 「悪意」の意義には争いがあり、特定の相続財産があることを知っていながらこれを財産目録に記載しなかったという事実があれば十分とするもの、詐害の意思を要するとするものがあります。 | 大判T13.7.9民集3・303 大判S17.10.23判決全集9・36・2 |
| 消極財産の不記載 | 消極財産を記載しないことも、相続債権者等を害し限定承認手続の公正を害するため、「不記載」に該当します。 | 最判S61.3.20民集40・2・450 |

# 第3 限定承認

## 1 限定承認とは

限定承認は、相続によって得た財産の限度においてのみ被相続人の債務及び遺贈を弁済すべきことを留保してする相続の承認です（民922）。

限定承認をすると、相続財産が債務超過だった場合の不利益を回避できます。

相続人のほか、包括受遺者（民990）も限定承認をすることができます。

**＜限定承認のイメージ＞**

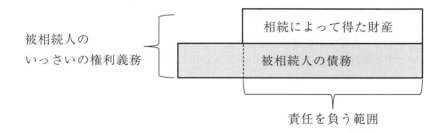

## 2 共同相続人の限定承認

共同相続の場合の限定承認は、共同相続人の全員が共同してしなければなりません（民923）。

**＜共同相続人中に単純承認又は相続放棄した者がいる場合の限定承認＞**

| 共同相続人の行為 | 処　理 | 根拠条文 |
|---|---|---|
| 単純承認の意思表示 | 限定承認はできません。 | 民923 |
| 相続放棄 | 相続放棄をした者ははじめから相続人にならなかったものとみなされるため、残った共同相続人全員で限定承認をすることができます。 | 民939 |
| 熟慮期間の徒過による法定単純承認（民921②） | 他の共同相続人が限定承認できる期間内であれば、熟慮期間を徒過している相続人を含む全員で限定承認をすることができます（通説）。 | － |
| 相続財産処分、隠匿・消費・目録不記載による法定単純承認（民921①③） | 限定承認が有効なものとして手続を進めることができます(注)。相続債権者は、相続財産から弁済を受けられなかった債権額について、法定単純承認者に対し、その相続分に応じて権利を行使することができます。 | 民937 |

(注)　相続財産を処分した事実が限定承認申述時に家庭裁判所に明らかになった場合には、申述を受理できないとする審判例があります（富山家審Ｓ53.10.23家月31・9・42）。

## 3　限定承認の効果

　限定承認がなされると、相続財産と相続人の固有財産とを切り離して取り扱うことになります。

　相続人が被相続人に対して有している権利義務は、単純承認であれば混同によって消滅しますが、限定承認の場合は消滅しなかったものとみなされます（民925）。

　被相続人に債権を有していた場合は相続債権者として弁済を受け、債務を有していた場合は相続債権者等の債権の引当てとなります。

　また、被相続人が財産を生前に処分していた場合の譲受人と相続債権者の関係は対抗関係となりますが、不動産の死因贈与の受贈者が贈与者の相続人でもあり、この相続人が限定承認をした場合において、信義則上、限定承認者は相続債権者に対して不動産の所有権取得を対抗することができないとされた事案があります。

**＜被相続人が生前に処分した財産の対抗問題と限定承認＞**

| | 内　容 | 判　例 |
|---|---|---|
| 原則 | 被相続人が財産を生前に処分していた場合の譲受人と相続債権者の関係は、対抗関係です。対抗要件を具備する先後で判断されます。 | 大判 S 9.1.30<br>民集13・93 |
| 例外 | 限定承認者が相続債権者による差押登記に先立って死因贈与に基づく所有権移転登記手続をすることにより相続債権者に対抗できるとした場合、限定承認者は、当該不動産以外の被相続人の財産の限度においてのみその債務を弁済すれば免責されるばかりか、当該不動産の所有権をも取得するという利益を受け、他方、相続債権者はこれに伴い弁済を受けることのできる額が減少するという不利益を受けることとなり、限定承認者と相続債権者との間の公平を欠く結果となることから、信義則に照らし、限定承認者は相続債権者に対して不動産の所有権取得を対抗できないとされました。 | 最判 H 10.2.13<br>民集52・1・38 |

## 4　限定承認の手続

　限定承認をするには、熟慮期間内に家庭裁判所へ申述受理の申立てをする必要があります。

## ＜限定承認の手続の流れ＞

| 内　容 | | | 根拠条文 |
|---|---|---|---|
| 相続財産目録作成 | 作成者 | 限定承認をしようとする相続人又は包括受遺者 | 民924、990 |
| 家庭裁判所へ申述受理の申立て | 申立人 | 相続人又は包括受遺者 | 民924、990 |
| | 管轄 | 相続が開始した地を管轄する家庭裁判所 | 家事201Ⅰ |
| 申述受理の審判（相続財産清算人の選任） | | 家庭裁判所は、申述を受理する審判をします。相続人が複数ある場合は、家庭裁判所は相続人の中から相続財産清算人を選任します（以後の手続は、清算人が選任されないときは限定承認者が、清算人が選任されたときは清算人が行います。）。 | 家事39別1�995 民936Ⅰ、家事201Ⅲ（民936ⅡⅢ） |
| | 即時抗告 | 申立てを却下する審判に対しては、申立人は即時抗告ができます。 | 家事201Ⅸ③ |
| 公告 | | 限定承認をした後5日（清算人選任から10日）以内に、すべての相続債権者及び受遺者に対し、限定承認をしたこと及び一定の期間（2月を下らない）内にその請求の申出をすべき旨を官報で公告します（注1）。 | 民927ⅠⅣ 民936Ⅲ |
| 催告 | | 知れている相続債権者及び受遺者には、各別に申出の催告をします。 | 民927Ⅲ |
| | 換価 | 弁済をするために相続財産を売却する必要があるときは、これを競売に付さなければなりません（注2）。 | 民932本 |
| 相続債権者への弁済 | | 公告した期間が満了した後、期間内に同項の申出をした相続債権者その他知れている相続債権者に対し、債権額の割合と優先権に応じた弁済をします（注3）。 | 民929 |
| 受遺者への弁済 | | 相続債権者への弁済後、受遺者に弁済をします。 | 民931 |

注1　公告には、相続債権者及び受遺者がその期間内に申出をしないときは弁済から除斥されるべき旨を付記します。知れていない相続債権者及び受遺者が期間内に申出をしない場合は弁済から除斥され（民927Ⅱ）、残余財産に対する権利行使しかできなくなります（民935）。
　2　家庭裁判所が選任した鑑定人の評価に従い相続財産の全部又は一部の価額を弁済することで競売を止めることができます（民932ただし書）。
　　相続債権者及び受遺者は、相続財産の競売又は鑑定に参加することができます（民933）。

3　公告した期間の満了前は、弁済期が到来していても、弁済を拒むことができます（民928）。
　　公告した期間の満了後は、弁済期に至らない債権であっても弁済をしなければなりません。条件付きの債権又は存続期間の不確定な債権は、家庭裁判所が選任した鑑定人の評価に従って弁済します（930ⅠⅡ）。

## ＜家事審判申立書（相続の限定承認）の記載例＞

| 受付印 | 家 事 審 判 申 立 書　　事件名（　相続の限定承認　　）|
|---|---|
| | （この欄に申立手数料として1件について800円分の収入印紙を貼ってください。）|

| 収 入 印 紙 | 円 |
|---|---|
| 予納郵便切手 | 円 |
| 予納収入印紙 | 円 |

（貼った印紙に押印しないでください。）

| 準口頭 | | 関連事件番号　平成・令和　　　年（家　　　）第　　　　　　　　　　号 |
|---|---|---|

| 東 京 家 庭 裁 判 所 御中 令和 ○ 年 ○ 月 ○ 日 | 申 述 人 （又は法定代理人など） の 記 名 押 印 | 甲 野 一 郎 印 甲 野 二 郎 印 |
|---|---|---|

| 添付書類 | （審理のために必要な場合は、追加書類の提出をお願いすることがあります。） 申述人の戸籍謄本（全部事項証明書）　　通　　　被相続人の戸籍謄本（全部事項証明書）　　通 被相続人の住民票除票　通　　遺産目録　通 |
|---|---|

| 申述人 | 本　籍 （国　籍）| 都道 ○○ 府県 ○○市○○町○丁目○番地 |
|---|---|---|
| | 住　所 | 〒 ○○○ － ○○○○　　　　　電話 ○○○ （ ○○○○ ）○○○○ 東京都○○区×××○丁目○番○号 （　　　　　　　方）|
| | 連絡先 | 〒　　－　　　　　　　　　　　　電話　　　（　　　　　） （注：住所で確実に連絡できるときは記入しないでください。）（　　　　　方）|
| | フリガナ 氏　名 | コウ ノ イチ ロウ 甲 野 一 郎 昭和 平成 ○ 年 ○ 月 ○ 日生 令和 （ ○○ 歳）|
| | 職　業 | 会 社 員 |

| ※ 申述人 | 本　籍 （国　籍）| 都道 府県 申述人甲野一郎の本籍と同じ |
|---|---|---|
| | 住　所 | 〒 ○○○ － ○○○○　　　　　電話 ○○○ （ ○○○○ ）○○○○ 東京都○○市××町○丁目○番○号　　○○マンション○号室 （　　　　　方）|
| | 連絡先 | 〒　　－　　　　　　　　　　　　電話　　　（　　　　　） （　　　　　方）|
| | フリガナ 氏　名 | コウ ノ ジ ロウ 甲 野 二 郎 昭和 平成 ○ 年 ○ 月 ○ 日生 令和 （ ○○ 歳）|
| | 職　業 | 会 社 員 |

（注）　太枠の中だけ記入してください。

※の部分は、申立人、法定代理人、成年被後見人となるべき者、不在者、共同相続人、被相続人等の区別を記入してください。

別表第一（1/　）　　　　　　　　（令5．2　東京家）

| ※ 被相続人 | 本　籍<br>（国　籍） | 都　道<br>府　県　申述人甲野一郎の本籍と同じ | | |
| | 住　所 | 〒　　　－　　　　　　　　　　電話　（　　　　）<br>申述人甲野一郎の住所と同じ<br>（　　　　　方） | | |
| | 連　絡　先 | 〒　　　－　　　　　　　　　　電話　（　　　　）<br>（　　　　　方） | | |
| | フリガナ<br>氏　名 | コウ　ノ　　タ　ロウ<br>甲　野　太　郎 | 昭和<br>平成　○ 年 ○ 月 ○ 日生<br>令和　（　　　　歳） | |
| | 職　業 | 無　職 | | |
| ※ | 本　籍<br>（国　籍） | 都　道<br>府　県 | | |
| | 住　所 | 〒　　　－　　　　　　　　　　電話　（　　　　）<br>（　　　　　方） | | |
| | 連　絡　先 | 〒　　　－　　　　　　　　　　電話　（　　　　）<br>（　　　　　方） | | |
| | フリガナ<br>氏　名 | | 昭和<br>平成　　年　月　日生<br>令和　（　　　　歳） | |
| | 職　業 | | | |
| ※ | 本　籍<br>（国　籍） | 都　道<br>府　県 | | |
| | 住　所 | 〒　　　－　　　　　　　　　　電話　（　　　　）<br>（　　　　　方） | | |
| | 連　絡　先 | 〒　　　－　　　　　　　　　　電話　（　　　　）<br>（　　　　　方） | | |
| | フリガナ<br>氏　名 | | 昭和<br>平成　　年　月　日生<br>令和　（　　　　歳） | |
| | 職　業 | | | |

（注）　太枠の中だけ記入してください。
※の部分は、申立人、法定代理人、成年被後見人となるべき者、不在者、共同相続人、被相続人等の区別を記入してください。

別表第一（　／　）　　　　　　　（令５．２　東京家）

| 申　立　て　の　趣　旨 |
| :--- |
| 被相続人の相続につき限定承認します。 |
| |
| |
| |

| 申　立　て　の　理　由 |
| :--- |
| 1　申述人らは、被相続人の子であり、相続人は申述人らだけである。 |
| 2　被相続人は令和〇年〇月〇日に死亡してその相続が開始し、申述人らは、いずれも被相続人の死亡当日に相続の開始を知りました。 |
| 3　被相続人には別添の遺産目録記載の遺産がありますが、相当の負債もあり、申述人らは、いずれも相続によって得た財産の限度で債務を弁済したいと考えますので限定承認をすることを申述します。 |
| 　なお、相続財産清算人には、申述人の甲野一郎を選任していただくよう希望します。 |
| |
| |
| |
| |
| |
| |

別表第一（　/　）　　　（令5．2　東京家）

遺　産　目　録（土　地）

| 番号 | 所　　　　在 | 地　番 | | 地　目 | 地　積 | 備　考 |
|---|---|---|---|---|---|---|
| 1 | ○○区○○町○丁目 | ○ 番 | ○ | 宅地 | 平方メートル<br>150　00 | 建物1の<br>敷地 |
| | | | | | | |

遺　産　目　録（建　物）

| 番号 | 所　　　　在 | 家屋番号 | 種　類 | 構　造 | 床　面　積 | 備　考 |
|---|---|---|---|---|---|---|
| 1 | ○○区○○町○丁目<br>○○番地 | ○番○ | 居宅 | 木造瓦葺<br>平家建 | 平方メートル<br>90　00 | 土地1上<br>の建物 |
| | | | | | | |

遺　産　目　録（現金、預・貯金、株券等）

| 番号 | 品　　　　目 | 単　位 | 数　量　（金　額） | 備　考 |
|---|---|---|---|---|
| 1 | 預貯金<br>　○○銀行○○支店定期預金 | | 2570万円 | |
| 2 | 負債<br>　債権者　○○銀行○○支店 | | 借入金5800万円 | |

（令5．2　東京家）

## 5　限定承認者の責任

　限定承認者は、義務を怠ったり、民法の規定に違反する不当な弁済をしたことによって他の相続債権者又は受遺者に弁済をすることができなくなったときは、これによって生じた損害についての損害賠償責任を負います（民934Ⅰ）。

**＜限定承認者の不当な弁済等による損害賠償責任＞**

| 項　目 | 内　容 | | 根拠条文 |
|---|---|---|---|
| 損害の原因となる行為 | 公告若しくは催告をすることを怠ったこと | | 民934Ⅰ |
| | 公告期間内の弁済 | | |
| | 第929～第931条までの規定に違反する弁済 | 債権の割合や優先権に反した弁済（民929） | |
| | | 条件付き債権等の鑑定人の評価にしたがわない弁済（民930） | |
| | | 相続債権者の前に受遺者にした弁済（民931） | |
| 求償 | 弁済を受けた相続債権者又は受遺者が情を知っていた場合は、他の相続債権者又は受遺者は、弁済を受けた相続債権者又は受遺者に求償できます | | 民934Ⅱ |
| 時効 | この損害賠償の請求権は、被害者又はその法定代理人が損害及び加害者を知った時から3年間又は行為の時から20年間行使しないとき時効によって消滅します。 | | 民934Ⅲ→民724 |

# 第4 相続の放棄

## 1 相続の放棄とは

相続人が相続の放棄をすると、その相続に関して、はじめから相続人とならなかったものとみなされます（民939）。

被相続人の債務を承継したくない場合などに、相続自体を拒否する自由が認められているのです。

共同相続で、一部の相続人が放棄をした場合、放棄者のみがはじめから相続人ではなかったことになり、他の共同相続人らのみが相続することになります。同順位の相続人が全員放棄した場合は次順位の相続人が相続人となります（民889）。

また、相続放棄の場合に代襲相続は発生しません（下図のF。民887Ⅱ）。

次順位も含め、すべての法定相続人が相続を放棄してしまった場合は、「相続人のあることが明らかでないとき」に該当し、相続財産は法人化し、相続財産清算人選任の問題となります（民951、952Ⅰ）（第6章「相続人の不存在」を参照してください）。

**＜相続放棄の前後の法定相続分の例＞**

A・・・被相続人

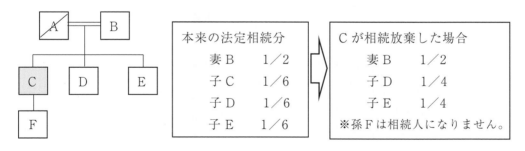

## 2 相続放棄の効力

### ⑴ 相続放棄と登記

相続の放棄の効力は絶対的なもので、登記等がなくとも第三者に対抗できます。

相続放棄者の債権者が、法定相続分で共同相続したものとして代位による所有権保存登記をしたうえで相続放棄者の持分を差し押さえた事案で、最高裁判所は「相続人は相続開始時に遡って相続開始がなかったと同じ地位におかれることとなり、この効力は絶対的で、何人に対しても登記等なくしてその効力を生ずる」と判断しました（最判Ｓ42.1.20民集21・1・16）。

## ⑵　二重の相続資格者の相続放棄

　同一人につき、相続資格が重複することがあります。相続の二重資格者の相続放棄については、一つの資格での放棄が当然に他の資格に及ぶかについて争いがあります。

〈二重の相続資格の例〉

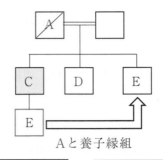

Aと養子縁組

| A…被相続人<br>C…Aより先に死亡<br>→Eは代襲相続人と子（養子）の<br>　二重資格者（同順位） | C…被相続人<br><br>→Eは子と兄弟の<br>　二重資格者（異順位） |
|---|---|

### ＜二重資格者の相続放棄の実務の取扱い＞

| 相続放棄者の二重資格 | どの資格の相続放棄か<br>（注1） | | 取扱い | 先例 |
|---|---|---|---|---|
| 同順位 | － | | 両方の相続の放棄となります。 | S41.2.21民三発172第3課長回答 |
| 異順位 | 先順位の資格 | 後順位をどうするか不明の場合 | 両方の相続の放棄となります。 | S32.1.10民事甲第61号民事局長回答 |
| | | 後順位は放棄しないことが明らかな場合（注2） | 先順位の相続のみの放棄となります。 | H27.9.2民二第363号民事局民事第二課長通知 |
| | 後順位の資格 | | （まだ相続人ではなく放棄できないと考えられます。） | － |

注1　相続放棄申述書の申述人の資格（被相続人との関係）欄の記載で判断されます。
　2　相続放棄申述書に後順位は放棄しない旨の記載をするか、その旨の上申書が必要です。

## 3　相続放棄の手続

## ⑴　家庭裁判所への申述受理の申立て

　相続を放棄するには、熟慮期間内に家庭裁判所へ申述受理の申立てをする必要があ

ります（民938）。

　相続開始前に放棄することは認められておらず、被相続人または共同相続人間で相続放棄契約をしたとしても無効です（東京家審Ｓ52.9.8家月30・3・88）。

**＜相続の放棄の手続の流れ＞**

| 内　容 | | | 根拠条文 |
|---|---|---|---|
| 家庭裁判所への申述受理の申立て | 申立人 | 放棄をしようとする相続人、包括受遺者 | 民938、990 |
| | 管轄 | 相続が開始した地を管轄する家庭裁判所 | 家事201Ⅰ |
| 事実の調査 | | 申述書と申述者が提出した証拠資料に基づいて行われます。 | 家事56Ⅰ |
| 審判 | | 家庭裁判所は、裁判をするのに熟したときは審判をします。 | 家事73Ⅰ |
| | 即時抗告 | 申立てを却下する審判に対しては、申立人は即時抗告ができます。 | 家事201Ⅸ③ |
| 確定（注） | | 相続放棄申述受理証明書が発行されます。 | － |

⒤　相続放棄の効力が終局的に確定するものではありません。相続債権者等が放棄を無効だとして訴訟を提起することは妨げられません。

## ＜相続放棄申述書の記載例＞

<table>
<tr>
<td rowspan="3">受付印<br><br><br>収入印紙　　　　円<br>予納郵便切手　　　円</td>
<td colspan="2">相 続 放 棄 申 述 書</td>
</tr>
<tr>
<td colspan="2">（この欄に申立人1人について収入印紙800円分を貼ってください。）<br><br><br><br><br>（貼った印紙に押印しないでください。）</td>
</tr>
</table>

| 準口頭 | | 関連事件番号　平成・令和　　　年（家　　）第　　　　　号 |
|---|---|---|

| 東京　家庭裁判所<br>　　　　　　　　御中<br>令和 ○ 年 ○ 月 ○ 日 | 申　述　人<br>〔未成年者などの場合は法定代理人〕<br>の 記 名 押 印 | 甲 野 一 郎　　印 |
|---|---|---|

| 添付書類 | （同じ書類は1通で足ります。審理のために必要な場合は追加書類の提出をお願いすることがあります。）<br>□戸籍（除籍・改製原戸籍）謄本（全部事項証明書）　合計　　通<br>□被相続人の住民票除票又は戸籍附票<br>□ |
|---|---|

<table>
<tr>
<td rowspan="5">申<br>述<br>人</td>
<td>本　籍<br>（国　籍）</td>
<td colspan="3">○ ○ 都道府県　　○○市○○町○丁目○○番地</td>
</tr>
<tr>
<td>住　所</td>
<td colspan="3">〒○○○ － ○○○○　　　　　　電話　○○○（○○○○）○○○○<br>東京都○○区×××○丁目○○番○○号　○○アパート○号室<br>（　　　　方）</td>
</tr>
<tr>
<td>フリガナ<br>氏　名</td>
<td colspan="2">コウノ イチ ロウ<br>甲 野 一 郎</td>
<td>昭和<br>平成 ○○年 ○○ 月○○ 日生<br>令和　（ ○○ 歳）</td>
<td>職業　会社員</td>
</tr>
<tr>
<td>被相続人<br>との関係</td>
<td colspan="3">※　　　　　①子　　　2 孫　　　3 配偶者　　　4 直系尊属（父母・祖父母）<br>被相続人の・・・<br>　　　　　　5 兄弟姉妹　　6 おいめい　　7 その他（　　　　　　　　）</td>
</tr>
</table>

| 法定代理人等 | ※<br>1 親権者<br>2 後見人<br>3 | 住所 | 〒　　－　　　　　　電話　　（　　　）<br>（　　　方） |
|---|---|---|---|
| | | フリガナ<br>氏　名 | フリガナ<br>氏　名 |

<table>
<tr>
<td rowspan="3">被<br>相<br>続<br>人</td>
<td>本　籍<br>（国　籍）</td>
<td colspan="2">○ ○ 都道府県　　○○市○○町○丁目○○番地</td>
</tr>
<tr>
<td>最後の<br>住所</td>
<td>東京都○○区×××○丁目○○番○○号</td>
<td>死亡当時<br>の 職 業　無　職</td>
</tr>
<tr>
<td>フリガナ<br>氏　名</td>
<td>コウノ オツタロウ<br>甲 野 乙太郎</td>
<td>平成・令和 ○○年 ○○月 ○○日死亡</td>
</tr>
</table>

（注）太枠の中だけ記入してください。　※の部分は、当てはまる番号を○で囲み、被相続人との関係欄の7、法定代理人等欄の3を選んだ場合には、具体的に記載してください。

相続放棄（1／2）　　　　　　（令5．2　東京家）

| 申　述　の　趣　旨 |
| --- |
| 　相　続　の　放　棄　を　す　る　。 |

| 申　述　の　理　由 | |
| --- | --- |
| ※　相続の開始を知った日・・・・平成・(令和)　〇〇　年　〇〇　月　〇〇　日<br><br>　(1)　被相続人死亡の当日　　　3　　先順位者の相続放棄を知った日<br>　2　　死亡の通知をうけた日　　4　　その他（　　　　　　　　　　） | |
| 放　棄　の　理　由 | 相　続　財　産　の　概　略 |
| ※<br>　1　　被相続人から生前に贈与<br>　　を受けている。<br>　2　　生活が安定している。<br>　3　　遺産が少ない。<br>　4　　遺産を分散させたくない。<br>　(5)　債務超過のため。<br>　6　　その他<br>　　〔　　　　　　　　　　〕 | 資<br><br>　農　地・・・・・　約＿＿＿＿平方メートル<br>　山　林・・・・・　約＿＿＿＿平方メートル<br>　宅　地・・・・・　約＿＿＿＿平方メートル<br>　建　物・・・・・　約＿＿＿＿平方メートル<br>産<br>　現金・預貯金・・　約１００万円<br>　有価証券・・・・　約＿＿＿＿万円 |
| | 負　債・・・・・・　約１０００万円 |

（注）太枠の中だけ記入してください。　　※の部分は、当てはまる番号を〇で囲み、申述の理由欄の4、
　　放棄の理由欄の6を選んだ場合には、　（　　　）内に具体的に記入してください。

相続放棄（2／2）　　　　　　　　（令5．2　東京家）

### (2)　事実上の相続放棄

　家庭裁判所の手続によらずに、共同相続における一部の相続人が相続しないようにする処理が行われることがあります。

**＜事実上の相続放棄の方法＞**

| ① | 当該相続人の取得分をゼロとする遺産割協議書を作成します。 |
|---|---|
| ② | 法定相続分に見合う生前贈与を受けたとして「特別受益証明書」又は「相続分不存在証明書」を作成し、移転登記手続を行います。 |
| ③ | 相続分の譲渡又は相続分の放棄 |

　ただし、このような事実上の放棄では、相続債務を免れることはできません。

　また、家庭裁判所への申述を経た相続放棄は詐害行為取消の対象になりませんが（最判Ｓ49.9.20民集28・6・1202）、遺産分割による事実上の相続放棄については詐害行為取消しが認められています（最判Ｈ11.6.11民集53・5・898）。

**＜事実上の相続放棄のメリット・デメリット＞**

| メリット | 家庭裁判所の手続が不要です。 |
|---|---|
| | 熟慮期間を徒過してからでも可能です。 |
| デメリット | 相続債務を免れることはできません。 |
| | 第三者に対抗するには登記が必要です。 |

## 4　相続の放棄をした者による相続財産の管理

　相続の放棄をした者は、相続財産を管理する義務を負います（民940Ⅰ）。

　相続放棄者の相続財産管理義務の内容は、従前、「その放棄によって相続人となった者が相続財産の管理を始めることができるまで」とされていたため、次順位の相続人がいない場合に終期がみえないなどの問題があり、令和3年民法改正で緩和されました。

**＜相続放棄者の相続財産管理義務＞**

| | 令和３年改正民法 | 改正前民法 |
|---|---|---|
| 義務発生条件 | その放棄の時に相続財産に属する財産を現に占有しているとき | − |
| 管理の終期 | 相続人又は相続財産清算人（民952Ⅰ）に対して当該財産を引き渡すまで | その放棄によって相続人となった者が相続財産の管理を始めることができるまで |
| 義務の内容 | 自己の財産におけるのと同一の注意をもって、その財産を保存しなければならない | 自己の財産におけるのと同一の注意をもって、その財産の管理を継続しなければならない |

　近年、管理義務の負担から土地の相続を希望しないニーズが高まっており、令和３年に相続土地国庫帰属制度が創設されました。この制度を利用すれば、相続放棄をせずに相続土地を承継しないことが可能です。

**＜相続財産等を管理・処分する制度のまとめ＞**

| 制　度 | 内　容 | 根拠条文 |
|---|---|---|
| 相続人 | 相続人は、相続の承認又は放棄をするまでの間、その固有財産におけるのと同一の注意をもって、相続財産を管理しなければなりません。 | 民918 |
| 相続放棄者（占有していた場合） | 相続放棄の時に相続財産の土地を占有している相続放棄者は、相続人又は相続財産清算人に対して当該財産を引き渡すまでの間、自己の財産におけるのと同一の注意をもって、その財産を保存しなければなりません。 | 民940 I |
| 相続財産管理人 | 家庭裁判所が、相続開始後いつでも利害関係人又は検察官の請求によって選任します。<br>保存行為、性質を変えない範囲の利用・改良行為ができます。これを超える行為は家庭裁判所の許可が必要です。 | 民897の2 I<br><br>民28、103 |
| 相続財産清算人 | 相続人のあることが明らかでないとき利害関係人又は検察官の請求により選任されます。<br>限定承認で相続人が複数ある場合、家庭裁判所が選任します。<br>相続財産の清算業務を行います。 | 民951、952<br><br>民936 I |
| 相続土地の国庫帰属 | 相続等により土地を取得した所有者は、法務大臣に対し、その土地の所有権を国庫に帰属させることについての承認を申請することができます。 | 相続等により取得した土地所有権の国庫への帰属に関する法律2 |
| 所有者不明土地・建物管理人 | 裁判所が、所有者不明土地について、利害関係の請求により所有者不明土地管理命令において選任します。<br>善良な管理者の注意義務を負います。<br>性質を変えない範囲の利用・改良行為を超える行為は家庭裁判所の許可が必要です。 | 民264の2<br><br><br>民264の5<br>民264の3 I II |

# 第5章　財産分離

## 第1　財産分離とは

### 1　財産分離の意義

　被相続人の死亡により相続が開始した場合、被相続人の財産は相続人に承継され（民896）、相続人には①相続人が相続開始以前から有していた固有の財産と②相続財産が帰属することになります。

＜相続人に帰属する財産＞

| 相続人に帰属する財産 | |
|:---:|:---:|
| 相続人の固有財産 | 相続財産 |

　そのため、相続人の固有の財産あるいは相続財産が債務超過の状態にあった場合、相続人の債権者あるいは被相続人の債権者（相続債権者）又は受遺者は、相続という偶然の事情により、自己の債権の完済を受けられないという不測の不利益を被る危険にさらされることになります。

＜不利益を被る危険にさらされる債権者＞

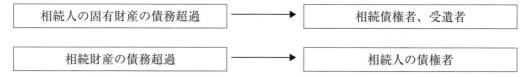

| 相続人の固有財産の債務超過 | → | 相続債権者、受遺者 |
|:---:|:---:|:---:|
| 相続財産の債務超過 | → | 相続人の債権者 |

**＜相続債権者（負債Aの債権者）が相続によって返済を受けられなくなる場合＞**

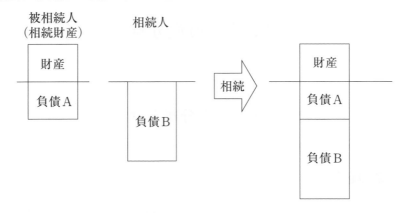

**＜相続人の債権者（負債Bの債権者）が相続によって返済を受けられなくなる場合＞**

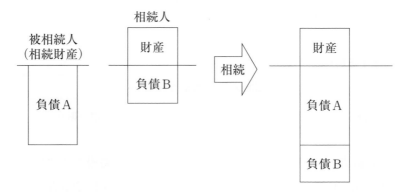

　このような相続債権者、受遺者あるいは相続人の債権者の利益を保護するため民法上規定されたのが財産分離の制度であり、財産分離にはその保護対象に応じて、相続債権者、受遺者の保護を目的とする第1種財産分離（民941～949）と、相続人の債権者の保護を目的とした第2種財産分離（民950）が定められています。

**＜財産分離制度の保護対象＞**

| 種　類 | 保護対象 |
| --- | --- |
| 第1種財産分離 | 相続債権者、受遺者 |
| 第2種財産分離 | 相続人の債権者 |

## 2　第1種財産分離

　第1種財産分離とは、相続債権者又は受遺者が家庭裁判所へ請求することにより相続財産と相続人の固有の財産を分離させるものです（民941）。その効果として相続債権者又は受遺者は相続財産について相続人の債権者に優先して弁済を受けることがで

きます（民942）。

　第1種財産分離は、相続財産自体は債務超過の状態にはなく相続財産を引当てにするのが相続債権者又は受遺者だけであるならば相続財産から完全な弁済を受けることが可能であるが、相続人の固有の財産が債務超過の状態にあるために、相続人の債権者が相続財産からの弁済を求め、その結果相続債権者又は受遺者が完全な弁済を受けられなくなる場合に相続債権者又は受遺者にとって有用な制度です。

## 3　第2種財産分離

　第2種財産分離とは、相続人の債権者が家庭裁判所へ請求することにより相続財産と相続人の固有の財産を分離させる制度です（民950Ⅰ）。財産分離の審判が確定すると、相続財産について清算が開始し、相続債権者は相続財産から配当を受けます。相続人の固有財産に対しては、相続人の債権者が優先して弁済を受けることができます。

　第1種財産分離とは異なり、第2種財産分離は相続人の債権者を保護対象としており、相続財産が債務超過の状態にある場合に有用な制度です。

　なお、相続財産が債務超過の状態にある場合、相続人が主体となってとり得る手段として限定承認という方法があり（民922）、相続人により限定承認がなされた場合には、相続債権者は相続人の固有の財産にかかっていくことができず、結果的に第2種財産分離と同様に相続人の債権者が保護されることになります。

　さらに、相続財産が債務超過の状態にある場合には、相続財産の破産制度が破産法上規定されており、同制度が利用される場合にも相続人の債権者の利益に資することになりますが（破222～237）、同制度の申立権者に相続人の債権者は含まれないため（破224Ⅰ）、限定承認と同じく相続人の債権者が主体的に同制度を利用することはできません。

**＜相続人の債権者が保護される制度＞**

| 制　　度 | 制度利用の主体 | 根拠条文 |
|---|---|---|
| 第2種財産分離 | 相続人の債権者 | 民950 |
| 限定承認 | 相続人 | 民922～937 |
| 相続財産の破産 | 相続債権者、受遺者、相続人、相続財産管理人、遺言執行者 | 破222～237 |

# 第2　財産分離の手続

## 1　財産分離手続の開始

　財産分離の手続は、第1種財産分離については相続債権者又は受遺者が、第2種財産分離については相続人の債権者が、家庭裁判所に対して相続人を相手方として請求することにより開始されます。

**＜財産分離の手続の開始＞**

| | 第1種財産分離 | 第2種財産分離 |
|---|---|---|
| **請求権者** | 相続債権者、受遺者（民941Ⅰ） | 相続人の債権者（民950） |
| **期　間** | ①　相続開始の時から3か月以内<br>②　3か月満了後も相続財産が相続人の固有財産と混合しない間（民941Ⅰ） | ①　相続人が限定承認できる間(注)<br>②　相続財産が相続人の固有財産と混合しない間（民950） |

(注)　限定承認できる期間は、原則として自己のために相続の開始があったことを知った時から3か月以内です（民924→915Ⅰ）。

## 2　第1種財産分離の手続

相続債権者、又は受遺者による家庭裁判所への審判申立て（民941Ⅰ、家事39別1 96）

↓　　　　　　　　　　　　　　　↓

| 認容の審判 | 棄却の審判 |

↓　　　　　　　　　　　　　　　↓

| 即時抗告（家事202Ⅱ①） | 即時抗告（家事202Ⅱ②） |

↓　　　　　　　　　　　　　　　↓

財産分離の審判の確定
＊裁判所は、相続財産の管理に必要な処分（民943Ⅰ）として相続財産の管理
人を選任することができます（民943Ⅱ、家事39別1 98、202Ⅲ→125）。

|

| 5日以内 |

↓

審判申立てをした請求権者は、他の相続債権者及び受遺者に対し
①　財産分離の命令があったこと
②　一定の期間（2か月を下回ること不可）を定めて期間内に配当加入の申
　　出をすべき旨を官報に掲載する方法により公告しなければなりません（民
　　941Ⅱ、Ⅲ）。

↑

審判申立てをした請求権者以外の請求権者が他の債権者に優先して弁済を受
けるには、申出期間内に配当加入の申出が必要です（民942）。

## 3　第2種財産分離の手続

相続人の債権者による家庭裁判所への審判申立て（民950 I、家事39別 1 96）

| 認容の審判 | 棄却の審判 |

即時抗告（家事202 II ①）　　　　即時抗告（家事202 II ②）

財産分離の審判の確定
＊裁判所は、相続財産の管理に必要な処分（民943 I）として相続財産の管理人を選任することができます（民950 II →943、家事39別 1 98、202 III →125）。

5 日以内

審判申立てをした請求権者は、
＜すべての相続債権者及び受遺者に対し＞
①　財産分離の命令があったこと
②　一定の期間（2か月を下回ること不可）を定めて期間内に配当加入の申出をすべき旨を官報に掲載する方法により公告しなければなりません（民950 II →927 I、Ⅳ）。
＜知れている相続債権者及び受遺者に対し＞
各別に②の申出をすべきことを催告しなければなりません（民950 II →927 III）。

審判申立てをした請求権者以外の請求権者が他の債権者に優先して弁済を受けるには、申出期間内に配当加入の申出が必要です（民950 II →929）。
ただし、相続人に知れている相続債権者、受遺者であれば申出がなくても弁済から除斥はされません（民950 II →927 II）。

# 第3　財産分離の効力

## 1　第1種財産分離の効力

### (1)　弁済に関する効力

　第1種財産分離がされると、その効力として相続財産が相続人の財産と区別され、財産分離の請求者並びに公告期間内に申出をした相続債権者及び受遺者は、相続財産について相続人の債権者に優先して配当弁済を受けることができることになります（民942）。また、民法第946条は物上代位に関する民法第304条の規定を準用しており、相続債権者又は受遺者は相続財産の売却等により受けるべき金銭等について代位することが認められています。

　そして、この弁済は債権額の割合に応じてされなければなりません（民947Ⅱ）。

　なお、相続人により限定承認がなされていない場合、相続人の責任の範囲は相続財産の限度に限られないため、相続財産から債権の完済を受けられないような場合には、相続債権者又は受遺者は残余債権について相続人の固有の財産からの弁済を求めることができます（民948前段）。ただし、財産分離の手続がとられ相続財産から相続債権者又は受遺者への優先弁済がなされた場合、相続債権者又は受遺者が相続人の固有の財産から受けられる弁済は相続人の債権者に劣後するものとされており（民948後段）、相続財産から優先弁済を受けた相続債権者又は受遺者と相続人の債権者との間での利益調整がなされています。

　その他、相続債権者及び受遺者に対する弁済に関しては、限定承認の規定が準用されています（民947Ⅲ→930～934）。

＜第1種財産分離の優先弁済の効力＞

| 主　体 | 相続財産について | 相続人固有の財産について |
|---|---|---|
| 相続債権者、受遺者 | 優　先 | 劣　後 |
| 相続人の債権者 | 劣　後 | 優　先 |

＜弁済に関する規定＞

| | 第1種財産分離・第2種財産分離 | 限定承認 |
|---|---|---|
| 期限前の債務 | 弁済します（民947Ⅲ→930）。 | 弁済します（民930）。 |
| 受遺者に対する弁済 | 相続債権者の後になります（民947Ⅲ→931）。 | 相続債権者の後になります（民931）。 |
| 弁済のための相続財産の換価 | 原則として競売に付します（民947Ⅲ→932）。 | 原則として競売に付します（民932）。 |
| 換価手続への参加 | 相続債権者及び受遺者は競売又は鑑定に参加できます（民947Ⅲ→933）。 | 相続債権者及び受遺者は競売又は鑑定に参加できます（民933）。 |
| 不当な弁済をした者の責任 | 損害を賠償する責任を負います（民947Ⅲ→934）。 | 損害を賠償する責任を負います（民934）。 |

## (2)　対抗要件

　第1種財産分離の効果として、相続財産は相続債権者又は受遺者に対する弁済のために確保されることになり、相続人は相続財産を管理する義務を負い、これを勝手に処分することはできなくなります（民944）。

　しかし、この義務に違反した相続人の処分行為を常に無効としたのでは第三者の利益に反するため、第三者の保護という観点から、特に不動産について財産分離の効力を第三者に対抗するためには登記をしなければならない旨が規定されています（民945）。

　ただし、不動産登記法上財産分離の登記についての規定が定められていないため、これを相続人において自由に処分し得ない旨を表示する処分制限の登記をすべきものと解されています。

## (3)　財産分離請求の阻止

　相続人がその固有財産をもって相続債権者又は受遺者に弁済をするか担保を提供した場合には、第1種財産分離は不要であるから、第1種財産分離の請求は防止され、また発生した効力は消滅することになります（民949本文）。

　ただし、相続人による財産分離請求の阻止のための行為により、相続人の債権者の引き当てとなる固有財産が減少し相続人の債権者が不測の不利益を被ることは適切でないことから、相続人の債権者がこれによって損害を受けるべきことを証明して異議を申し立てた場合には、相続人による財産分離請求の阻止は認められないことになり

ます（民949ただし書）。

## 2　第2種財産分離の効力

### ⑴　限定承認及び第1種財産分離の準用

　第2種財産分離がされると、相続財産と相続人の固有の財産は区別され、相続財産について清算が開始されます。

　このように、第2種財産分離は第1種財産分離と同様に相続財産を清算するという機能を有し、他方で相続財産が債務超過の場合に利用されるため、相続人が主体となる限定承認とも類似するため、その効力については、独立の規定を置かず、限定承認に関する規定（民925、927〜934）と第1種財産分離に関する規定が準用されています（民950Ⅱ→943〜945、948）。

### ⑵　弁済に関する効力

　第2種財産分離の場合、相続財産から弁済を受けられる者には請求の申出をした相続債権者又は受遺者の他、知れている相続債権者又は受遺者も含まれています。そして、これらの者はそれぞれの債権額の割合に応じて弁済することになります（民950Ⅱ→929）。

　なお、相続債権者及び受遺者は、相続財産から全部の弁済を受けることができなかった場合に、相続人の固有の財産からも劣後的ながら弁済を受けることができるのは、第1種財産分離の場合と同様です（民950Ⅱ→948）。

**＜相続財産から弁済を受けられる者の対比＞**

| | 第1種財産分離 | 第2種財産分離 |
|---|---|---|
| 相続財産から弁済を受けられる者 | ①　財産分離を請求した相続債権者又は受遺者<br>②　公告期間中に配当加入の申出をした相続債権者又は受遺者 | ①　公告期間中に請求の申出をした相続債権者又は受遺者<br>②　知れている相続債権者又は受遺者 |
| 根拠条文 | 民942 | 民950Ⅱ→929 |

### ⑶　対抗要件

　第2種財産分離の場合についても、第1種財産分離における対抗要件の規定が準用されており、不動産についてはその登記をしなければ、第三者に対抗することができないものとされています（民950Ⅱ→945）。

# 第6章　相続人の不存在

## 第1　相続財産の管理

　被相続人が死亡して相続が開始された場合に、必ず相続財産を承継すべき相続人が存在するとは限りません。

　しかし、相続人がいない場合であっても現実に相続財産が存在する場合には、そうした相続財産を整理・清算することが必要となります。

　このように、相続人の存在が明らかでなく、相続財産の整理・清算が必要な場合について、民法は、相続財産を相続財産法人とし（民951）、相続財産法人を整理・清算する者として、相続財産管理人を規定しました。相続財産管理人は、利害関係人又は検察官の請求により家庭裁判所が選任します（民952、家事39別1⑨⑨）。

　なお、令和3年民法改正により、「相続財産管理人」は「相続財産清算人」と名称が変更されましたが、本章では、従前の「相続財産管理人」の名称を用いることとします。

**＜相続人不存在の場合の相続手続の流れ＞**

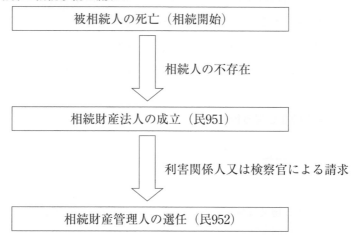

| 被相続人の死亡（相続開始） |

　　　　↓　相続人の不存在

| 相続財産法人の成立（民951） |

　　　　↓　利害関係人又は検察官による請求

| 相続財産管理人の選任（民952） |

## 1　相続財産法人

　民法上相続人のあることが明らかでないときは、相続財産を法人とすると定められています（民951）。

　相続財産法人の成立自体に特段の手続は必要ありませんが、相続財産法人が成立した場合、利害関係人（次表参照）又は検察官の請求により、家庭裁判所は相続財産管理人を選任しなければなりません（民952Ⅰ）。

　そして、家庭裁判所は相続財産管理人を選任した場合、その旨を遅滞なく公告しなければなりません（民952Ⅱ）。

**＜相続財産法人の利害関係人となり得る者＞**

| | |
|---|---|
| 利害関係人の例 | 受遺者（包括・特定） |
| | 相続債権者 |
| | 相続債務者 |
| | 相続財産上の担保権者 |
| | 特別縁故者 |
| | 被相続人からの物権取得者で対抗要件を具備していない者 |
| | 市町村長（生活保護の実施機関、生活保護法19） |

## 2　相続財産管理人

### (1)　相続財産管理人の権限

　前述のとおり、相続財産管理人は利害関係人又は検察官からの請求により家庭裁判所において選任されることになりますが、相続財産管理人は相続財産法人の代理人として民法第103条に規定する権限を有し、この権限を越える行為をなす場合には家庭裁判所の許可を得ることが必要とされています（民953→28）。

**＜相続財産管理人のなし得る行為＞**

| 行　為 | 根拠条文 |
|---|---|
| 保存行為 | 民103① |
| 代理権の目的である物又は権利の性質を変えない範囲において、その利用又は改良を目的とする行為 | 民103② |
| 家庭裁判所の許可を受けた行為 | 民953→28 |

## (2)　相続財産管理人の職務

### ア　相続財産管理人としての職務

　相続財産管理人は、相続財産の清算を主たる任務としていますが、その職務に関しては不在者の財産管理人に関する規定が準用されており、相続財産管理人には相続財産目録調製の義務があります（民953→27Ⅰ）。

　また、相続財産管理人は相続債権者又は受遺者から請求があった場合には、相続財産の状況を報告する義務を負っています（民954）。

### イ　相続人の捜索

　相続財産管理人が選任されるのは相続人の存在が明らかでない場合ですので、相続人の存否を明らかにするため、相続人の捜索のための手続がとられることになっています。

　相続人の捜索のための手続としては、まず家庭裁判所による相続財産管理人を選任した旨の公告があります（民952Ⅱ、家事規109Ⅰ）。

　第2回目の捜索手続として相続財産管理人は家庭裁判所による上記公告があった後2か月以内に相続人が現れなかった場合、遅滞なくすべての相続債権者及び受遺者に対し2か月を下らない範囲で定めた期間内に債権の申出をすべき旨を公告することが義務付けられています（民957Ⅰ）。この公告の直接の目的は相続債権者又は受遺者からの債権の申出を受けることにより相続財産の清算を進めることにあるといえますが、他面においては第2回目の相続人の捜索の公告としての機能を有しています。

　なお、この公告期間を過ぎると後述のとおり相続財産は清算されることになりますが、さらに家庭裁判所は相続財産管理人又は検察官の請求により相続人があるならば6か月を下らない一定の期間内にその権利を主張すべき旨の公告をしなればならず、これが第3回目の相続人の捜索手続となっています（民958、家事規109Ⅱ）。

　以上が、令和3年民法改正前の相続人の捜索手続でした。しかし、これによると、相続人財産に関する権利の確定のために10か月以上を要し、必要以上に手続が重い、との批判がありました。また、相続財産管理人の公告と相続人の権利主張のための公告を個別に行う必要はなく、かつ、相続人の権利主張のための公告と相続債権者のための公告は同時並行的に行えば十分であると考えられました。そこで、令和3年改正民法では、相続財産管理人選任の公告期間を6か月以上とし（令和3年改正民952Ⅱ）、その期間内に、2か月以上の期間を定めて相続債権者及び受遺者に対する権利の申出の公告をすることとなりました（令和3年改正民957Ⅰ）。

＜相続人の捜索手続＞

|  | 捜索主体 | 捜索方法 | 期間 | 根拠条文 |
|---|---|---|---|---|
| 第1回目 | 家庭裁判所 | 相続財産管理人の選任の公告 | 2か月 | 民952Ⅱ、957Ⅰ |
| 第2回目 | 相続財産管理人 | 相続債権者及び受遺者に対する債権申出の公告 | 2か月以上 | 民957Ⅰ |
| 第3回目 | 家庭裁判所（相続財産管理人又は検察官が請求） | 相続人の権利主張を求める公告 | 6か月以上 | 民958 |

＜令和3年民法改正後の相続人の捜索手続＞

| 捜索主体 | 捜索方法 | 期間 | 根拠条文 |
|---|---|---|---|
| 家庭裁判所 | 相続人の権利主張を求める公告 | 6か月以上 | 民952Ⅱ |
| 相続財産管理人 | 相続債権者及び受遺者に対する権利申出の公告 | 相続人の権利主張を求める公告の期間の中で2か月以上 | 民957Ⅰ |

### ウ　相続財産の清算

　相続財産管理人による相続財産の清算手続は、前述の相続債権者及び受遺者に対する債権申出の公告により開始されます（民957Ⅰ）。

　なお、相続財産管理人に知れたる相続債権者又は受遺者が存在する場合、相続財産管理人は各別に債権申出の催告をしなければならず（民957Ⅱ→927Ⅲ）、配当に際しても公告期間内に申出をした相続債権者又は受遺者に加え相続財産管理人に知れている相続債権者及び受遺者に対しては弁済をしなければならないものとされています（民957Ⅱ→929）。

　また、債権の申出をせず相続財産管理人に知れていなかった相続債権者及び受遺者についても、残余財産がある場合にはそこから弁済を受けることが認められています（民957Ⅱ→935）。

**＜相続財産の清算手続の流れ＞**

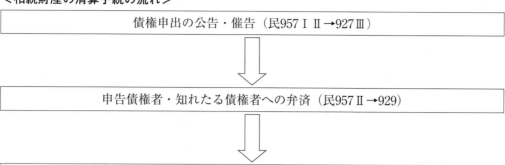

エ　相続財産の凍結

　　前述のとおり、相続財産管理人のなす2か月以上の債権申出の公告期間の満了後、家庭裁判所は相続財産管理人又は検察官からの請求により6か月以上の期間を定めて相続人の権利主張を求める最終的な公告を行います（民958）。

　　そして、この公告期間は延長されず、この期間内に相続人たる権利を主張する者が現れない場合には、相続人の権利はこの最終的な公告期間の経過をもって消滅することになります（最判S56.10.30民集35・7・1243）。

　　また、相続財産管理人に知られなかった債権者及び受遺者の残余財産に対する権利行使も、この最終的な公告期間の経過後は認められないことになります（民958の2）。

　　このように、相続人捜索のための最終的な公告期間の経過後は相続財産に対する債権者等の権利行使は認められず、相続財産は凍結状態に置かれることになり、この凍結状態が相続財産の国庫帰属までの期間存在することにより特別縁故者（429頁）への相続財産分与が可能となっています。

(3)　相続人の存在が明らかになった場合

　相続開始後、相続人の存在が明らかでなかったために相続財産管理人が選任されている場合であっても、その後に相続人の存在が明らかになる場合もあります。

　そのような場合、相続財産法人はその存在理由を失うわけですから相続財産法人は当初よりから成立しなかったものとみなされますが（民955）、相続財産管理人がその権限内でなした行為についての効力は有効なままとされています（民955ただし書）。

　なお、相続人の存在が判明し相続財産法人が遡及的に消滅する場合、相続財産管理人の代理権も直ちに消滅するとも考えられますが、民法上は相続財産管理人の代理権は相続人が相続の承認をした時に消滅すると規定されており、相続財産が管理者不在

の状態に置かれることのないように配慮がなされています（民956Ⅰ）。

**＜相続財産管理人の代理行為の効力＞**

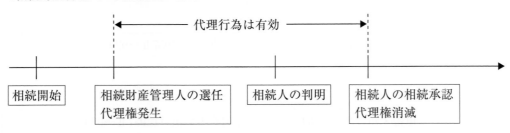

# 第2 特別縁故者

## 1 特別縁故者の意義

### (1) 特別縁故者制度

　相続財産管理人による清算手続を経ても（民957Ⅱ）、なお残余の相続財産が存在することは当然ありますし、相続財産管理人が最終的に行う相続人捜索のための公告期間を経ても（民958）、結局相続人の存在が明らかにならないという場合も存在します。

　このような場合相続人の不存在が確定することになるわけですが、残余の相続財産について一律に国庫に帰属させることは適当でないことから、残余の相続財産を特別縁故者へ分与する制度が設けられています。

　特別縁故者とは、被相続人と特別の縁故があったことに基づき相続人の不存在が確定した場合に、家庭裁判所に対する請求をすることにより清算後残存すべき相続財産の全部又は一部の分与を受けることができる者をいいます（民958の3）。

**＜相続人不存在の場合の残余の相続財産の帰趨＞**

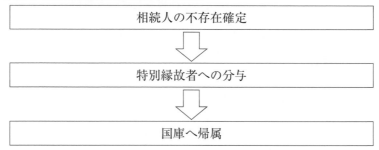

### (2) 特別縁故者制度の趣旨

　このように、相続人の不存在が確定した場合であっても特別縁故者への残余財産の分与を認めた趣旨は、①もし被相続人による遺言がなされていたとしたら遺贈をされていたであろう者に被相続人の遺志を推測して残余財産を分与するという遺言制度の補充という点と、②内縁の配偶者のように実質的に相続人同様の地位にあった者に対して残余財産を分与することにより法定相続制度を補充するという点にあります。

## 2 特別縁故者の範囲

　民法上、特別縁故者とは被相続人と生計を同じくしていた者、被相続人の療養看護

に努めた者、その他被相続人と特別の縁故のあった者と定められています（民958の3）。

　特別縁故者は、自然人のみならず、法人や権利能力なき社団・財団もなることができます。

**＜特別縁故者として認められた裁判例＞**

| 類　型 | 身　分 | 事　例 | 判　例 |
|---|---|---|---|
| 被相続人と生計を同じくしていた者 | 内縁配偶者 | ①　30年以上にわたり生活を共にし、唯一の身よりとして葬儀を営み菩提を弔った事案<br>②　20年以上事実上の夫婦として生活し、被相続人死亡後は内縁の妻が負債を完済し遺産たる宅地と居宅について自己の不動産と同様の管理を続けていた事案 | ①　東京家審<br>S38.10.7<br>家月16・3・123<br>②　千葉家審<br>S38.12.9<br>家月16・5・175 |
| | 事実上の養子 | 事実上の養子として、叔父・叔母と30有余年生活を共にしてきた事案 | 大阪家審<br>S40.3.11<br>家月17・4・70 |
| | 事実上の養親 | 叔父が、親代わりとなって療養看護に努めたほか、被相続人の死後は祭祀を主宰し相続財産の管理保存や納税をしていた事例 | 岡山家玉野支部審S38.11.7<br>家月16・4・161 |
| 被相続人の療養看護に努めた者 | 同居者（生計は別） | 被相続人の家に同居し、10数年間、その大半は病院勤務をしながら看病や身の回りの世話をしていた事案 | 高松高決<br>S48.12.18<br>家月26・5・88 |
| | 看護婦 | 被相続人に依頼されて看護婦として2年以上連日誠心誠意その看護に務め、その仕事ぶりには与えられる報酬を上回るものがあったとされた事案 | 神戸家審<br>S51.4.24<br>判時822・17 |
| その他被相続人と特別の縁故があった者 | 親族 | 被相続人の5親等に当たる独身者が、被相続人から生活の援助を受け、特に被相続人の死亡の1、2年前からは、少額ながら毎月一定の生活支援を受けていた事案 | 神戸家審<br>S51.4.24<br>判時822・17 |
| | 雇用主 | 被相続人の勤務先の代表取締役が、困窮する被相続人のために家屋を購入してやり、10年以上にわたり生活を援助していた事案 | 大阪家審<br>S41.5.27<br>家月19・1・55 |
| | 地方公共団体 | 市が、路上に行き倒れとなっていた精神薄弱の被相続人を保護し、18年間生活資金等を支給して、その療養看護に努めたという事案 | 福島家審<br>S55.2.21<br>家月32・5・57 |

## 3 特別縁故者による財産分与の手続

特別縁故者は民法第958条（令和3年改正民952Ⅱ）の規定する相続人捜索の公告期間満了後3か月以内に家庭裁判所に対して相続財産の分与の審判の申立てをしなければなりません（民958の3）。

この審判申立ては家事事件手続法の別表第1事件として取り扱われ（家事39別1⑩、家事規110）、複数人が同一の相続財産に関して申立てをした場合には必ず併合審理されることになります（家事204Ⅱ）。

家庭裁判所による処分の審判に対して不服のある場合、申立人又は相続財産管理人は即時抗告をすることが認められています（家事206Ⅰ）。なお、複数人から同一の相続財産に関して申立てがなされ審判が併合された場合については、申立人の1人又は管理人のした即時抗告は申立人全員について効力を有するものとされています（家事206Ⅱ）。

## 4 民法第255条との関係

民法第255条は、共有者の1人が相続人なく死亡したときにはその持分は他の共有者に帰属する旨を定めています。

そのため、民法第255条と第958条の3の適用関係が問題となりますが、判例は特別縁故者の相続財産に対する期待を重視して、民法第958条の3が優先して適用されることを明らかにしています（最判H元.11.24民集43・10・1220）。

# 第3　国庫への帰属

## 1　国庫への帰属時期

　相続人の不存在が確定しさらに特別縁故者への残余財産の分与を経てもなお残余する相続財産が存在する場合には、当該残余財産は国庫に帰属することになります（民959）。

　ただし、著作権法第62条、特許法第76条、実用新案法第26条、意匠法第36条、商標法第35条といった知的財産権に関する法律においては、相続人が不存在の場合についてその権利は国庫に帰属せず消滅することになります。

　特別縁故者に分与されなかった残余の相続財産が国庫に帰属する時期は、相続財産管理人において残余の相続財産を国庫に引き継いだ時であり、その全部の引継ぎが完了するまでは相続財産法人は消滅することなく、相続財産管理人の代理権もまた引継未了の相続財産についてはなお存続することになります（最判Ｓ50.10.24民集29・9・1483）。

## 2　国庫への帰属の完了

　相続財産管理人による国庫への残余の相続財産の引渡しが完了した場合、相続財産管理人は遅滞なく管理の計算をしなければなりません（民959→956Ⅱ）。

# 第7章　遺　言

## 第1　遺言の基礎知識

### 1　遺言の意義

#### (1)　遺言とは

　遺言とは、自分の死後に一定の効果が発生することを意図した個人の最終意思が一定の方式のもとで表示されたもので、遺言した人の死後、意図された効果の発生が法律によって保障されます。遺言は、法律行為の一種で、相手方のない単独行為とされます。

#### (2)　遺言制度の趣旨

　民法は相続の法定原則を定めていますが（民886以下）、被相続人が法定相続とは異なる相続を望む場合もあります。例えば、法定相続では相続人が被相続人の妻と子のみであるが、①お世話になった兄弟にも遺産を相続させたい、あるいは、②妻と子の相続分を法定相続とは違う割合で相続させたい、というような場合です。

　民法の根底にある私的自治の原則の観点からも、できる限り被相続人の意思を尊重する必要があります。

　そこで、民法は遺言制度により、被相続人の意思表示によって法定相続の原則を修正することを認めたのです。

**＜遺言制度の趣旨＞**

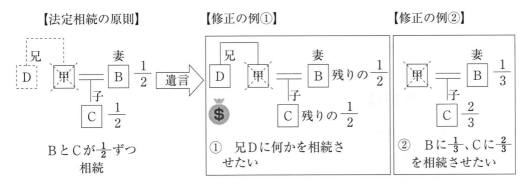

### ⑶　遺言自由の原則

　遺言により、人はその死後も自己の財産を自由に処分することができます（ただし、法定相続人の遺留分を侵害してはならないなどの制約はあります。）。

　これを遺言自由の原則といいます。

**＜遺言自由の原則の内容＞**

| |
|---|
| 遺言能力のある者は、いつでも自由に遺言をすることができ、自由に変更し、撤回できます。 |
| 遺言をする者（被相続人）が遺産の処理について自由に決定できます。 |

## 2　遺言の特殊性

　遺言は、遺言者の最終意思を尊重して一定の効果を与える制度であり、法律行為の一種です。遺言には、以下のような通常の法律行為と異なる特殊性があります。

**＜遺言の特殊性＞**

| | 内　容 | 根拠条文 |
|---|---|---|
| 単独行為 | 遺言は、特定の者を相手に意思表示しなくても有効であり、遺言の効力を受ける者の承諾は不要です。 | ― |
| 要式行為 | 遺言は、民法の規定する一定の方式に従わなくてはなりません。 | 民960 |
| 独立行為 | 遺言は、遺言者自身の独立した意思を尊重するものであり、同意や代理に親しまない一身専属的な行為です。 | ― |
| 死後行為 | 遺言は死後行為であり、遺言者の死亡によって効力が生じます。 | 民985Ⅰ |
| 遺言でなし得る行為の限定 | 遺言でなし得る行為は、民法により限定されています。 | ― |
| 撤回可能 | 遺言者は、何らの理由なしにいつでも、遺言の方式に従って、遺言の全部又は一部を撤回することができます。 | 民1022以下 |

## 3　遺言でなし得る行為

　遺言は、遺言者の意思表示により相続の法定原則を修正する機能がありますが、遺言者の死亡後に効力を生じるものであり、また相続人等多くの利害関係人にも影響を及ぼすことから、遺言でなし得る行為が法定されています。

＜遺言でなし得る行為の例＞

| 行　為 | 内　容 | 根拠条文 |
|---|---|---|
| 相続の法定原則を修正する行為 | 相続人の廃除・廃除の取消し | 民893、894Ⅱ |
| | 相続分の指定 | 民902 |
| | 遺産分割方法の指定 | 民908 |
| | 遺留分減殺方法の定めなど | 平成30年改正民1047Ⅰ②ただし書 |
| 相続以外の財産処分行為 | 遺贈など | 民964 |
| 身分関係に関する行為 | 認知 | 民781Ⅱ |
| | 後見人又は後見監督人の指定など | 民839、848 |
| 遺言執行に関する行為 | 遺言執行者の指定又は指定の委託など | 民1006 |

　なお、上記のうち、相続人の廃除・廃除の取消し、遺贈、認知は、遺言でなく生前行為によってもなし得ます（ただし、遺贈を生前行為で行う場合は、単独行為でなく贈与契約になります。）。

## 4　遺言の要式性

　遺言は、遺言者の最終的な意思の実現を保障する制度であり、相続人等多数の利害関係人がいることからも、遺言者の真意を確保し、遺言内容の変造や偽造を防止する必要があります。

　そのため、民法第960条は「遺言は、この法律に定める方式に従わなければ、これをすることができない」と定め、遺言の方式を厳格に決めています。これを遺言の要式性といいます。

　決められた方式に従っていない遺言は、遺言の要式性に違反し無効です。

　遺言の方式には幾つか種類がありますが、これは後述します（437頁）。

## 5　遺言能力

### (1)　遺言能力の意義

　遺言者が遺言をする時には、遺言をする能力（遺言能力）を有する必要があります

（民963）。遺言は遺言者の最終意思を尊重する制度ですから、合理的かつ適正な判断能力を有する人の遺言でなければ、これを有効として尊重する訳にはいかないからです。

民法第961条は「15歳に達した者は、遺言をすることができる」と定め、満15歳以上であれば有効な遺言ができるとしています。

## (2)　遺言能力と行為能力の関係

遺言については未成年者、成年被後見人、被保佐人及び被補助人に関する規定（民5、9、13、17）は適用されません（民962）。

よって、意思能力がある限り、これらの者（未成年者は満15歳以上に限ります。）も単独で遺言ができます。

通常は意思能力がない被成年後見人については、事理弁識能力を一時的に回復したときに遺言ができ、医師2人以上の立会いを要するなど、特別な方式に従う必要があります（民973）。

## (3)　代理等は不可

遺言は、遺言者の最終意思を尊重するものですから、他人を代理人として行うことはできません（遺言の独立性）。他人の意思が介在しそうな場合（受遺者の選定及び遺贈額の割当てを第三者に一任した遺言等）は、その遺言は無効です。

## (4)　遺言能力を要する時期

遺言能力は、遺言をする時に有している必要があります（民963）。

したがって、遺言をする時に遺言能力がなければその遺言は無効ですが、遺言が有効に成立した場合には、その後に遺言者が心神喪失などのために意思能力を失っても遺言の効力には影響はなく有効です。

＜遺言能力を要する時期の図＞

# 第2　遺言の方式

　遺言をするには民法に定める方式に従う必要がありますが、幾つかの方式があります。

　大きくは、普通方式と特別方式に分かれます。

　普通方式には、自筆証書、公正証書、秘密証書があり（民967）、厳格な要式性が要求されます。

　特別方式には、危急時遺言と隔絶地遺言があります。普通方式に従った遺言ができない程、遺言者の死が差し迫っているなど、特殊な事情がある時に認められた方式です。普通方式よりも簡易な方式となっています。

**＜遺言の方式の種類の図＞**

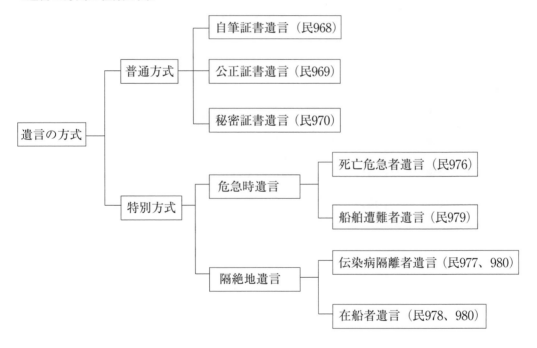

## 1　普通の方式

　遺言は、原則としては、普通方式すなわち自筆証書遺言、公正証書遺言又は秘密証書遺言の3種類のうち、いずれかの方式によってしなければなりません（民967本文）。普通方式の3種類には、それぞれメリットとデメリットがあり、どの方式によるかは遺言者が自由に選択できます。

　普通方式の遺言ができない特殊な事情がある場合のみ、特別方式による遺言が許されます（民967ただし書）。

　なお、特別方式による遺言ができる場合に、あえて普通方式による遺言をしても有効です。

### ⑴　自筆証書遺言
#### ア　自筆証書遺言の意義

　　自筆証書遺言とは、遺言者が、その全文、日付及び氏名を自書し、これに印を押して作成する遺言です（民968Ⅰ）。

**＜自筆証書遺言の要件＞**

| | |
|---|---|
| 全文の自書 | 遺言者は、遺言の全文を自分で書かなくてはなりません。㈲ |
| 日付の自書 | 遺言者は、遺言の作成日を自分で書かなくてはなりません。 |
| 氏名の自書 | 遺言者は、自分の氏名を自分で書かなくてはなりません。 |
| 押　印 | 遺言者は、自分で印を押さなくてはなりません。 |

㈲　平成30年民法改正で一部緩和されました（442頁参照）。

**＜自筆証書遺言文例＞**

# 遺　言　書

遺言者甲野太郎は、本遺言書により次のとおり遺言する。

1　遺言者甲野太郎は、その所有に係る下記不動産を妻甲野花子に相続させる。

記

（一）　土地

所在及び地番　　〇〇区〇〇　〇丁目〇番

地　　　　目　宅地

地　　　　積　123.45平方メートル

（二）　建物

所　　　　在　〇〇区〇〇　〇丁目〇番地

家　屋　番　号　〇〇番〇

種　　　　類　居宅

構　　　　造　木造スレート板葺2階建

床　面　積　　1階　67.89平方メートル

2階　45.67平方メートル

2　本遺言の遺言執行者に、東京都〇〇区〇〇　〇丁目〇番〇号弁護士〇〇〇〇を指定する。

本遺言のため遺言者甲野太郎自ら本遺言書全文を筆記し、日付及び氏名を自書して押印する。

令和〇年〇月〇日

東京都〇〇区〇〇　〇丁目〇番〇号

遺言者　甲　野　太　郎　㊞

### イ　自筆証書遺言のメリット・デメリット

　自筆証書遺言には、いつでもどこでも作成できる極めて簡単な方式だということなどのメリットがあります。

　その反面、決められた方式に従っていないために遺言が無効になってしまう危険があるなどのデメリットがあります。なお、これらのデメリットを回避するため、平成30年の相続法制の改正では、一部要式の要件が緩和されたり、遺言書保管の制度が創設されたりしています。詳しくは本章　第2　1(1)エ、ケを参照してください。

**＜自筆証書遺言のメリット・デメリット＞**

| | |
|---|---|
| メリット | 字が書けるのであれば、いつでもどこでも作成することができます。 |
| | 遺言をしたことや遺言の内容を秘密にしておくことができます。 |
| | 特に費用もかかりません。 |
| デメリット | 遺言書を紛失したり、偽造・変造されたりするなどの危険があります。 |
| | 方式不備により遺言が無効になったり、文意が不明確なために紛争が生じたりするなどの危険があります。 |
| | 家庭裁判所における検認手続が必要となります（民1004）。 |

## ウ　全文の自書

全文の自書とは、遺言者自らが遺言の全文を自筆で筆記することです。

全文の自書が必要なのは、遺言者の真意を担保するためと、遺言書の偽造・変造等を防止するためです。自書によれば、筆跡を見て本人が書いたものであるとわかり、それ自体で遺言が遺言者の真意に基づくものであることを保障することができます。ただし、次項で述べるように、平成30年民法改正で、一部については自書によらなくてもよいことになりました。

＜「全文の自書」の条件＞

| 条　件 | 内　容 | 判　例 |
|---|---|---|
| 自書能力 | 自書するには、自筆で文字を筆記する能力（自書能力）が必要です。文字を知らなければ自書能力はありません。 | ― |
| パソコンなどは不可 | 自書といえるためには、遺言者自らが筆記する必要があります。パソコンやタイプライターなどを使って遺言書を作成しても、自筆証書遺言とはなりません。レコーダーに肉声を録音して遺言をしたとしても、自書したとはいえないので、このような遺言も一般的には無効となります。㊟ | ― |
| 代筆不可 | 全文を他人が遺言者の代わりに書いた場合も、自書にはなりません。遺言者が口述する内容を他人が書き取り、遺言者がその内容を確認の上で署名押印しても無効です。<br>しかし、遺言者に自書能力はあるものの、例えば病気によって手が震えるなどの理由で第三者に手を添えてもらって全文を筆記したという場合には、自書と認められる場合もあります。㊟ | 最判 S62.10.8<br>民集41・7・1471 |
| 用　語 | 使用する言語について制限はありません。英語などの外国語や何らかの記号が使用されていても、遺言者の真意が明確に判断されるのであれば有効です。 | ― |
| 筆記用具など | 使用する筆記用具や用紙などについて制限はありません。鉛筆で書いても構いません。しかし、偽造・変造が容易になってしまうため、万年筆やボールペンなどを使用するのが一般的です。 | ― |
| 様　式 | 証書の形式に制限はありません。手紙や葉書などであっても、自筆証書遺言の方式を備えていれば有効です。遺言書が数葉にわたる場合であっても、その数葉が1通の遺言書として作成されたものであることが確認されれば、その一部に日付、署名、押印が適法になされている限り、その遺言は有効となります。 | 最判 S36.6.22<br>民集15・6・1622 |

㊟　ただし、次項の例外があります。

**エ　全文の自書の例外**

　平成30年民法改正では、財産の特定に関する事項（財産目録など）については、自筆でなく、パソコンや他人の筆記、または法務局の全部事項証明書をそのまま目録として使用するなど、他の方法で作成してもよいこととなりました（民968Ⅱ）。

　ただし、自筆以外の方式で作成した場合は、遺言者が全てのページに署名し、印鑑を押す必要があります（民968Ⅱ）。また、自筆以外の方式で作成が認められる部分についても、加筆・修正する場合は、本文と同じように、遺言者がその場所を指示し、変更した旨を付記して署名し、変更箇所に押印する必要があります（民968Ⅲ）。

　なお、上記改正民法の施行日は平成31年1月13日であり、施行日前にされた自筆証書遺言には、改正法の適用はありません（平成30年改正民附則6）。

### オ　日付の自書

　日付の自書は、遺言書が成立した日を明確にし、遺言能力の有無を判断する時期を明らかにするために必要な要件です。日付があることで、複数の遺言書がある場合には、その先後を確定することもできます（先の遺言が後の遺言と抵触するときは、抵触部分については撤回とみなされます。（民1023Ⅰ））。

　日付の自書を欠く遺言は無効です。

### ＜「日付の自書」の要件＞

| | 内　容 | 判　例 |
|---|---|---|
| 日付の記載方法 | 日付は、通常は年月日で記載します（例：「平成21年1月1日」）。ただし、遺言書を作成した日付が確定できれば年月日の記載でなくとも可です。 | ― |
| | 【無効の具体例】<br>ア　年月だけ記載して日を記載しなかったもの。<br>イ　「昭和四拾壱年七月吉日」というように日付を記載したもの<br>【有効の具体例】<br>・　「私の還暦の日」という記載 | ア　イ　最判 S54.5.31<br>　　　民集33・4・445 |
| 日付の記載時期 | 日付は、真に遺言書を作成した日を記載する必要があります。<br>故意に虚偽の日付を記載した場合、日付の記載を欠くものとして遺言は無効です。ただし、場合によっては遺言書全文を書いた日と日付を記載した日がずれることもあり、この場合でも、全文の記載と日付の記載が一連の遺言行為としてなされたといえる場合には遺言は無効にはなりません。 | 最判 S52.4.19<br>集民120・531 |
| | 【無効の具体例】<br>・　遺言書作成日は平成21年1月1日であるのに、遺言書には「平成20年12月1日」と故意に日付を遡らせて記載したもの<br>【有効の具体例】<br>ア　11月5日の夜に遺言書の全文を書いた後、遺言者の疲労が激しいために日付の記載だけは翌日にすることとし、翌6日に「5日」と日付を記載したもの<br>イ　日付が真実の作成日と違っても、それが誤記であり、真実の作成日が遺言書の記載などから容易にわかる場合<br>ウ　入院中に遺言書を全文自書し日付・氏名を記載した後、退院して押印をして遺言書を完成させた場合、遺言書の作成日は押印した日であるが、事実関係からすれば遺言者の真意は確保されており有効であるとした。 | ア　大判 S6.7.10<br>　　民集10・736<br><br>イ　最判 S52.11.21<br>　　家月30・4・91<br>ウ　最判 R3.1.18<br>　　裁時1760・2 |
| 日付の記載場所 | 特に制限はありません。 | |
| | 【具体例】<br>遺言全文3葉を封印した封筒の裏面に日付を自書した場合でも、遺言全文3葉と封筒が一体であり、日付の自書があったといえます。 | 東京高判 S56.9.16<br>判時1020・49 |

### カ　氏名の自書

氏名の自書は、その遺言書が誰によって書かれたものかを明確にし、遺言者の真意を担保するために必要な要件です。氏名の自書を欠く場合は無効です。

**＜「氏名の自書」の要件＞**

| | 内　容 | 判　例 |
|---|---|---|
| 氏名の表示 | 氏名は、通常は戸籍上の氏名を記載しますが、誰が遺言書を書いたかがわかる程度であれば足り、通称・ペンネーム・芸名などであっても、他人と区別できればよいとされています。ただし、親戚に同姓同名の人がいるなど他人と誤解されるおそれがある場合もあるので、氏名と共に住所を記載するなどして、他人と混同されないように注意した方が無難です。 | ― |
| | 【有効の具体例】<br>氏又は名だけを記載した場合（例：本名「甲野太郎」のところを、「甲野」のみ又は「太郎」のみ記載した場合）でも、遺言の内容などから遺言者が誰か判断できれば有効です。 | 大判 T 4.7.3<br>大審院民事判<br>決録21・1176 |

### キ　押印

押印は、氏名の自書と同じく、その遺言書が誰によって書かれたのかを明確にし、遺言者の真意を担保するために必要な要件です。

押印を欠く場合は無効です。

**＜「押印」の要件＞**

| | 内　容 | 判　例 |
|---|---|---|
| 印章の種類 | 印章の種類には特に制限はなく、実印はもちろん、三文判（認め印）でも構いません。 | ― |
| 拇印又は指印 | 印章を用いない拇印又は指印（遺言者が印章に代えて拇指その他の指頭に墨、朱肉などを付けて押捺すること）でもよいとされています。 | 最判 H 元 .2.16<br>民集43・2・45 |
| 押印の場所 | 押印の場所は、通常は遺言書末尾の氏名の後になされますが、特に制限はありません。遺言書本文の封入された封筒の封じ目に押印されているのみであってもよいとされています。 | 最判 H 6.6.24<br>家月47・3・60 |
| 外国人のサイン | 押印を欠く遺言は原則として無効ですが、例えば日本に帰化した外国人が約40年間ずっと日本で暮らし、日常生活では押印でなく専らサインで済ませてきたなどの特別な事情があった場合には、遺言書に押印がなくサインだけであったとしても、遺言書は有効とされています。 | 最判 S49.12.24<br>民集28・10・2152 |

**「花押」は「押印の要件」を満たすか**

　花押とは、自署（サイン）をその人独自の形に図案化したものです。外国人のサインや印章と同様に、その人の作成であることを明らかにして偽造を防ぐために使用されます。自署の代わりとして発生しましたが、自署の下にさらに花押が書かれることもあります。

　遺言書の全文、日付及び氏名を自書し、押印の代わりに花押を書いた遺言書の効力が争われた事件において、最高裁判所は、民法が自筆証書遺言に押印を要するとした趣旨について、「重要な文書については作成者が署名した上その名下に押印することによって文書の作成を完結させるという我が国の慣行ないし法意識に照らして文書の完成を担保することにあると解される」とし、花押については、「花押を書くことによって文書を完成させるという慣行ないし法意識が存するものとは認め難い」として、花押は押印の要件を満たさないと判断しました（最判 H28.6.3民集70・5・1263）。

### ク 封筒への封入

#### ㋐ 封筒

遺言書を封筒に封印しておくことは、自筆証書遺言の要件ではありませんので、必ずしも必要ではありません。しかし、遺言書の偽造や変造を防ぎ、大切に保管しておくためには、遺言書を封筒に入れて封印しておいた方が無難でしょう。

**＜遺言書を入れる封筒の例＞**

表

裏

令和○年○月○日
東京都○○区××町
一─二─三
遺言者　甲野太郎 ㊞

＊封印は封に重ねます。

㊟　封筒への記載については法の定めはありませんが、遺言書であること、遺言者の氏名は書いておいた方がよいでしょう。

#### ㋑ 遺言書の開封

封印のある遺言書は、家庭裁判所において相続人又はその代理人の立会いの下で開封しなければなりません（民1004Ⅲ）。

家庭裁判所以外で勝手に開封してしまうと、５万円以下の過料に処される場合があります（民1005）。

### ケ　自筆証書遺言の保管制度の創設

　平成30年民法改正に伴って、自筆証書遺言の原本を一定の公的機関に保管してもらい、相続人や遺言執行者が、相続開始後に遺言書の保管の有無等を確認できる制度が創設されました（法務局における遺言書の保管等に関する法律（以下「保管法」といいます。））。なお、この法律の施行日は令和2年7月10日となっています。

　㋐　遺言書保管の申請

　　遺言書の保管を希望する遺言者は、以下の方法により遺言書の保管の申請をすることができます。

**＜遺言書保管申請の手続＞**

| | 内　容 | 根拠条文 |
|---|---|---|
| 申請者 | 遺言者本人が自ら出頭して行う必要があります。 | 保管法4Ⅵ |
| 申請場所 | 遺言者の住所地・本籍地・遺言者が所有する不動産の所在地のいずれかを管轄する、法務大臣が指定する法務局（遺言書保管所）となります。<br>なお、すでに遺言書が保管されている場合は、その遺言書が保管されている遺言書保管所となります。 | 保管法2Ⅰ、4Ⅲ |
| 保管対象となる遺言書 | 法務省令で定める様式にしたがって作成されたものであることが必要です。<br>また、無封である必要があります。 | 保管法4Ⅰ |
| 提出書類 | ①　遺言書<br>②　以下の事項を記載した申請書<br>・遺言書に記載されている作成年月日<br>・遺言者の氏名、生年月日、住所、本籍（外国人は国籍）<br>・受遺者、遺言執行者がいる場合はその氏名（名称）と住所<br>③　遺言者の氏名、生年月日、住所、本籍（外国人は国籍）を称する書類<br>④　その他法務省令で定める書類<br>⑤　遺言書保管所は、本人確認が必要な書類の提出、及びこれに対する説明を求めることができます。 | 保管法4Ⅱ、4Ⅲ、5 |

　㋑　遺言書の保管

　　適法な遺言書保管の申請があった場合、遺言書保管所の保管官として指定された者（遺言書保管官）は、以下のとおり遺言書の保管を行います。

| | 内　容 | 根拠条文 |
|---|---|---|
| 保管場所 | 遺言書は遺言書保管所の施設内で保管されます。 | 保管法6Ⅰ |
| 管理情報 | 保管された遺言書の以下の情報が、磁気ディスク等によるファイル（遺言書保管ファイル）に記録され、管理されます。<br>①　遺言書の画像情報<br>②　遺言書に記載されている作成年月日<br>③　遺言者の氏名、生年月日、住所、本籍（外国人は国籍）<br>④　受遺者、遺言執行者がいる場合はその氏名（名称）と住所<br>⑤　遺言書の保管開始年月日<br>⑥　遺言書が保管されている遺言書保管所の名称及び保管番号 | 保管法7Ⅰ、7Ⅱ |
| 保管期間 | 遺言者死亡日から、相続に関する紛争を防止する必要があると認められる期間として政令で定める期間が経過した後は、遺言書や管理情報を廃棄することができます。 | 保管法6Ⅴ、7Ⅲ |

㈡　閲覧請求・証明書の交付請求

　遺言者や遺言者と一定の関係を有する者は、遺言書の閲覧や、遺言書保管ファイルに記録された事項を証明した書面（遺言書情報証明書）の交付、遺言書保管ファイルに記録された事項のうち、①遺言書作成年月日、②遺言書が保管されている遺言書保管所の名称及び保管番号について証明した書面（遺言書保管事実証明書）の交付を求めることができます（保管法6Ⅱ、9Ⅰ、9Ⅲ）。

　閲覧・交付が行われた場合、遺言書保管官は、速やかに当該遺言書を保管している旨を遺言者の相続人及び遺言書に記載された受遺者・遺言執行者に通知する必要があります。ただし、これらの者が既にこれを知っている場合はこの限りではありません（保管法9Ⅴ）。

**＜閲覧・証明書交付の請求権者＞**

| 対　象 | 請求権者 | 請求可能な時期 | 根拠条文 |
|---|---|---|---|
| | 遺言者 | いつでも | 保管法6Ⅱ |
| 遺言書の閲覧 | 以下にする者（関係相続人等）<br>①　保管された遺言書の相続人（欠格事由のある相続人、廃除された相続人、相続放棄した相続人も含まれる）<br>②　受遺者<br>③　遺言によって認知された者<br>④　遺言によって廃除され、または廃除を取り消された推定相続人<br>⑤　遺言によって祭祀承継者に指定された者<br>⑥　国家公務員災害補償法、地方公務員災害補償法により遺族補償一時金を受けることができる遺族のうち特に指定された者<br>⑦　遺言信託において受益者、残余財産帰属者として指定された者等<br>⑧　遺言による保険金受取人の変更により保険金受取人となるべき者<br>⑨　遺言によって子に与えた財産を父母に管理させない場合の管理者とし指定された者<br>⑩　遺言によって指定された未成年者後見人、未成年者後見監督人<br>⑪　遺言によって、共同相続人の相続分を定めることを委託された第三者、遺産の分割の方法を定めることを委託された第三者、遺言執行者の指定を委託された第三者<br>⑫　遺言によって、著作権の実名登録を行う者に指定された者、著作権に基づく差止請求、名誉回復請求等をする者に指定された者<br>⑬　遺言によって、遺言信託における受託者、信託管理人、信託監督人、受益者代理人として指定された者<br>⑭　これらに類するものとして政令で定める者 | 遺言者が死亡した後 | 保管法9Ⅰ、9Ⅲ |

| 対　象 | 請求権者 | 請求可能な時期 | 根拠条文 |
|---|---|---|---|
| 遺言書情報証明書の交付 | 関係相続人等 | 遺言者が死亡した後 | 保管法9Ⅰ |
| 遺言書保管事実証明書 | 誰でも | いつでも | 保管法10Ⅰ |

＜請求対象となる場所＞

| 対　象 | 請求する場所 | 根拠条文 |
|---|---|---|
| 遺言書の閲覧 | 遺言書が保管されている遺言書保管所 | 保管法6Ⅱ、9Ⅲ |
| 遺言書情報証明書の交付 | 遺言書が保管されている遺言書保管所<br>その他の遺言書保管所 | 保管法9Ⅲ |
| 遺言書保管事実証明書 | 遺言書が保管されている遺言書保管所<br>その他の遺言書保管所 | 保管法10Ⅱ→9Ⅲ |

㈃　遺言書の保管申請の撤回

遺言者は、いつでも遺言書の保管の申請を撤回することができます（保管法8Ⅰ）。

この場合、遺言者は、遺言書を保管している遺言書保管所に自ら出頭し、法務省令で定めた書類を添付した撤回書を提出する必要があります（保管法8Ⅱ、8Ⅲ）。

撤回がなされた場合、遺言書保管官は、遺言者に遺言書を返還し、当該遺言書に関し管理している情報を消去します（保管法8Ⅳ）。

㈄　検認の適用除外

自筆証書遺言書保管制度により遺言書が保管されている場合、当該遺言書については、家庭裁判所による検認の手続が不要となります（保管法11）。

### ⑵　公正証書遺言

#### ア　公正証書遺言の意義

公正証書遺言とは、遺言者が遺言の趣旨を口頭で述べ、公証人がこれを筆記するなどして公正証書を作成することによって行う遺言です（民969）。

公正証書とは、公証人（法務大臣により任命された公務員。公証人法11）が、その権限に基づき作成する公文書のことです。通常は、近くの公証役場に行って作成します。なお、公証役場は全国の主要都市に設置されています。

**＜公正証書遺言の要件＞**

| | |
|---|---|
| ①　証人 | 証人2人以上の立会いがなければなりません。 |
| ②　公証人への口授 | 遺言者が遺言の趣旨を公証人に口授㈲しなければなりません。 |
| ③　公証人による筆記等 | 公証人が遺言者の口述を筆記し、これを遺言者及び証人に読み聞かせ、又は閲覧させなければなりません。 |
| ④　遺言者らの署名押印等 | 遺言者及び証人が、筆記が正確なことを承認した後、各自これに署名押印しなければなりません。ただし、遺言者が署名できない場合は公証人がその事由を付記して署名に代えることができます。 |
| ⑤　公証人の署名押印等 | 公証人が、その証書が上記①から④の方式に従って作ったものである旨を付記して、これに署名押印しなければなりません。 |

㈲　口授とは、直接口頭で述べることです。

**＜公正証書遺言文例＞**

令和○年第○○号

# 遺　言　公　正　証　書

　　本職は、遺言者甲野太郎の嘱託により、証人丙野三郎、証人丁野四郎の立会いの下に遺言者の口述を次のとおり筆記し、これを証書に作成する。

1　遺言者甲野太郎は、その所有に係る下記不動産を妻甲野花子に相続させる。

記

　㈠　土地
　　　　所在及び地番　　○○区○○　○丁目○番
　　　　地　　　　目　　宅地
　　　　地　　　　積　　123.45平方メートル

　㈡　建物
　　　　所　　　　在　　○○区○○　○丁目○番地
　　　　家　屋　番　号　　○○番○
　　　　種　　　　類　　居宅
　　　　構　　　　造　　木造スレート板葺２階建
　　　　床　面　積　　　１階　67.89平方メートル
　　　　　　　　　　　　２階　45.67平方メートル

2　本遺言の遺言執行者に、東京都○○区○○　○丁目○番○号弁護士○○○○を指定する。

　　　　　　　　　　　東京都○○区○○　○丁目○番○号
　　　　　　　　　　　　　　　遺言者　甲　野　太　郎
　　　　　　　　　　　　　　　昭和○年○月○日生

　　前記遺言者は、本職が氏名を知らず面識がないので、法定の印鑑証明書によりその人違いでないことを証明させた。

　　　　　　　　　　　東京都○○区○○　○丁目○番○号
　　　　　　　　　　　　　　　会社員　証人　丙　野　三　郎
　　　　　　　　　　　　　　　昭和○年○月○日生
　　　　　　　　　　　東京都○○区○○　○丁目○番○号
　　　　　　　　　　　　　　　会社員　証人　丁　野　四　郎
　　　　　　　　　　　　　　　昭和○年○月○日生

　　遺言者及び証人に前記各事項を読み聞かせたところ、各自筆記の正確なことを承認し、それぞれ次に署名押印する。

　　　　　　　　　　　　　　　遺言者　　甲　野　太　郎　⑪
　　　　　　　　　　　　　　　証　人　　丙　野　三　郎　⑪
　　　　　　　　　　　　　　　証　人　　丁　野　四　郎　⑪

　　この証書は民法第969条第１号ないし第４号所定の方式に従って令和○年○月○日本職役場において作成し、同条第５号に基づき本職次に署名押印する。

　　　　　　　　　　　東京都○区○町○丁目○番○号
　　　　　　　　　　　東京法務局所属
　　　　　　　　　　　公証人　　○　○　○　○　⑪

### イ　公正証書遺言のメリット・デメリット

　公正証書遺言には、法律の専門的知識を有する公証人が作成するため遺言の効力が問題となる危険が少ないなどのメリットがあります。

　他方、証人が必要となるなど、作成手続が面倒などのデメリットがあります。

＜公正証書遺言のメリット・デメリット＞

| | |
|---|---|
| メリット | 公証人が作成するので、内容も正確で、証拠力が高いです。 |
| | 字を書けなくても作成できます。 |
| | 公証人も遺言書原本を保管するため、偽造・変造等の危険が少ないです。 |
| | 検認手続が不要（民1004Ⅱ）です。 |
| デメリット | 公証人の関与、証人2人以上が必要など、作成手続が面倒です。 |
| | 公正証書作成手数料等の費用がかかります。 |

### ウ　証人の立会い

　証人の立会いの意義、要件は次のとおりです。

＜証人の立会い＞

| | |
|---|---|
| 証人立会いの意義 | ①　遺言者本人であることを確認すること<br>②　遺言者が真意に基づいて遺言を公証人に口述したことを担保すること |
| 要　件 | ①　2人以上の証人が<br>②　遺言作成中、始めから終わりまで間断なく遺言作成手続に立ち会っていること<br>③　証人2人が立ち会っていても、そのうち1人が欠格者であった場合には、当該遺言は方式違反として無効 |

### エ 公証人への口授

公証人への口授の意義等は次のとおりです。

**＜公証人への口授＞**

| | |
|---|---|
| 口授の意義 | 遺言者が遺言の趣旨を公証人に対して直接口頭で述べることをいいます。外国語でも可能です。通訳が立ち会い、日本語で公正証書を作成します（公証人法27、29）。<br>遺言者が遺言の趣旨を口述せず、単なるジェスチャーをしたにすぎない場合には、口授があったとはいえません。<br>**【無効の具体例】**<br>遺言者が病気などで意識が朦朧としており、何をいっているのかも不明で、公証人の質問に対してうなずいただけで一言も発しなかった場合には口授があったとはいえません。 |
| 言語機能障害者の特則 | 口がきけない者が公正証書によって遺言をする場合には、遺言者は、公証人及び証人の前で、遺言の趣旨を通訳人の通訳（手話通訳等）により申述し、又は自書（筆談等）によって、公正証書遺言をすることができます（民969の2Ⅰ）。 |

### オ 公証人による筆記、読み聞かせ

公証人による筆記、読み聞かせの意義等については、次のとおりです。

**＜公証人による読み聞かせ＞**

| | 内　容 | 判　例 |
|---|---|---|
| 筆記、読み聞かせの意義 | 公証人は、遺言者の口述内容を筆記し、これを遺言者と証人に読み聞かせなければなりません。<br>∵遺言者及び承認に筆記した遺言内容を確認させ、その内容の正確性を担保するためです。 | ― |
| | **【筆記の要件】**<br>ア　遺言者の口述を一言一句漏らさずに書き写すことまでは必要ありません。<br>イ　また、必ずしも公証人自ら筆記する必要はありません。<br>**【読み聞かせの要件】**<br>・　必ずしも公証人自らが読み聞かせる必要はなく、公証人の立会い・指図の下に第三者に読み聞かせをさせても構いません。 | ア　―<br>イ　大判T7.3.9<br>　　大審院刑事判<br>　　決録24・197 |
| 口授と筆記の順序 | 通常は遺言者による口授がなされ、それを公証人が筆記して公正証書を作成します。ただし、口授と筆記の順序が逆の場合、つまり、まず公証人が他人から遺言の趣旨を聞いたものを筆記して書面を作成しておき、その後に遺言者による口授がなされてその趣旨が予め作成しておいた書面の内容と同一であることを確認し、遺言者及び証人にも読み聞かせて公正証書を作成したという場合でも、遺言は有効です。 | 大判S6.11.27<br>民集10・1125、<br>最判S43.12.20<br>民集22・13・3017 |

## カ　遺言者らの承認、署名押印

遺言者らの承認、署名押印の内容は、次のとおりです。

**＜遺言者らの承認、署名押印＞**

| | 内　容 | 判　例 |
|---|---|---|
| 承　認 | 遺言者及び証人は、遺言内容の正確性を担保するため、筆記の正確なことを確認してこれを承認する必要があります。 | ― |
| 署名押印 | 遺言者及び証人は、筆記の正確性を承認して、それぞれ署名押印します。<br>【署名押印の要件】<br>ア　署名は、誰が署名したのかがわかればよいので、本名でなくとも通称やペンネームでも足ります。<br>イ　遺言者が署名することができない場合は、公証人がその事由を付記して、署名に代えることができます（民969④ただし書）。<br>ウ　原則としては遺言者及び証人が自ら押印しますが、他人に押印させても構いません。 | ア　―<br>イ　―<br>ウ　大判S6.7.10 民集10・736 |

## キ　公証人による署名押印等

公証人は、証書が民法の定める公正証書遺言の方式に従って作ったものである旨を付記して、これに署名押印する必要があります。

公正証書遺言の正確性を担保するためです。

## ク　作成場所

通常は公証役場において作成しますが、遺言者の入院先や自宅などに公証人に来てもらって作成することも可能です（公証人法57、18Ⅰ）。

## ケ　保管

公正証書遺言が作成されると、原本を公証人が保管し、遺言者には正本及び謄本が交付されます。原本を公証人が保管するため、偽造・変造等の危険が少ないといえます。

遺言書原本の保管期間は、原則として20年です（公証人法施行規則27Ⅰ）。

### (3) 秘密証書遺言

#### ア 秘密証書遺言の意義

　秘密証書遺言は、遺言があることは明らかにしつつ、その内容を秘密にしておくために作成する遺言です（民970）。秘密証書遺言は遺言を秘密に保管しておくための方式であり、遺言書自体は特別な作成方式が決められている訳ではありません。

**＜秘密証書遺言の要件＞**

| | |
|---|---|
| 署名押印 | 遺言者が、その証書に署名押印すること |
| 封印 | 遺言者が、その証書を封じ、証書に用いた印章をもってこれに封印すること |
| 遺言者の申述等 | 遺言者が、公証人1人及び証人2人以上の前に封書を提出して、自己の遺言書である旨並びにその筆者の氏名及び住所を申述すること |
| 公証人の封紙記載等 | 公証人が、その証書を提出した日付及び遺言者の申述を封紙に記載した後、遺言者及び証人とともにこれに署名押印すること |

**＜秘密証書遺言の封紙文例＞**

令和〇年第〇〇号

# 秘 密 遺 言 証 書 封 紙

　遺言者甲野太郎は、本職及び証人丙野三郎、証人丁野四郎の面前にこの封書を提出し、これは自己の遺言書であって、自己が（又は東京都〇区〇〇　〇丁目〇番地戊野五郎が）筆記したことを申述した。

　令和〇年〇月〇日本職役場において

東京都〇区〇町〇丁目〇番〇号
東京法務局所属
公証人　〇　〇　〇　〇 ㊞

東京都〇〇区〇〇　〇丁目〇番〇号
遺言者 甲 野 太 郎 ㊞

　前記遺言者は、本職が氏名を知らず面識がないので、法定の印鑑証明書によりその人違いでないことを証明させた。

東京都〇〇区〇〇　〇丁目〇番〇号
会社員 証人 丙 野 三 郎 ㊞
東京都〇〇区〇〇　〇丁目〇番〇号
会社員 証人 丁 野 四 郎 ㊞

### イ　秘密証書遺言のメリット・デメリット

　秘密証書遺言には、遺言の内容を秘密にしておけるなどのメリットがある半面、証人が必要となるなど、作成手続が面倒などのデメリットがあります。

＜秘密証書遺言のメリット・デメリット＞

| メリット | 遺言があることを明らかにしつつ、その内容を秘密にすることができます。 |
|---|---|
| | 字を書けなくても作成できます。 |
| デメリット | 公証人1人及び証人2人以上が必要など、作成手続が面倒です。 |
| | 公証人が遺言の内容には関与しないため、記載内容を巡って紛争が生じる危険があります。 |
| | 作成手数料等の費用がかかります。 |

### ウ　遺言者の署名押印

　秘密証書遺言は、全文を自書する必要はなく、パソコンなどで作成してもよいですし、他人に代筆させても構いません（ただし、全文を自書して作成した場合には、秘密証書遺言としては無効となる場合でも、自筆証書遺言として有効となる場合があります。）。また、日付も公証人が記載しますので、遺言者は特に日付を記載する必要はありません。

　ただし、遺言者の真意を確保するため、遺言者は遺言書に署名押印しなければなりません。

### エ　封入及び封印

　遺言の内容を秘密にしておくため、遺言者は遺言書を封筒に入れるなどして封じ、遺言書に押印した印章をもって封印しなければなりません。

### オ　遺言者の申述等

　遺言者は、公証人1人及び証人2人以上の前で封書を提出し、自己の遺言書であること及び筆者の氏名・住所を申述しなければなりません。

＜遺言者の申述等の要件＞

| | 内　容 | 根拠条文 |
|---|---|---|
| 証　人 | ２人以上必要です。<br>未成年等の欠格事由がある者は、証人にはなれません。 | 民974 |
| 遺言者の申述 | 秘密証書遺言は、遺言者ではない第三者に代筆させても構わないので、後日、誰が書いたのかわかるようにしておくために、遺言者は、筆者の氏名・住所を申述する必要があります。 | ― |
| 口がきけない者の場合 | 口がきけない者が秘密証書遺言をする場合には申述ができないので、この場合、遺言者は、公証人及び証人の前で、その証書は自己の遺言書である旨及び筆者の氏名・住所を通訳人の通訳によって申述し、又は封紙に自書することによって、上記の申述に代えることができます。 | 民972Ⅰ |

### カ　公証人の封紙記載、遺言者らの署名押印

　遺言書の提出を受けた公証人は、遺言書の提出日付及び遺言者の申述内容を封紙に記載します。

　そして、公証人、遺言者及び証人がそれぞれ封紙に署名押印しなければなりません。署名は自署が求められますので、遺言者及び証人は自署できなければ秘密証書遺言の方式を欠くことになります。

　公証人による封紙記載等によって、封紙は公正証書になります。しかし、封入された遺言書の内容には公証人らは関与せず、遺言書そのものには公証力はありません。

### キ　自筆証書遺言への転換

　秘密証書遺言に必要な方式に欠けるものがあっても、自筆証書遺言の方式を具備しているときは、自筆証書遺言として有効とされます（民971）。

　遺言者の意思をできるだけ尊重し、遺言をなるべく有効とするためです。

### ク　秘密証書遺言の保管

　秘密証書遺言の保管は遺言者に任され、特に公証人が保管する訳ではありません。公証役場には、遺言者が秘密証書遺言をしたことは記録されますが、遺言の内容は記録されません。

## 2 特別の方式

　遺言の特別方式は、普通方式に従った遺言ができない程、遺言者の死が差し迫っているなど、特殊な事情がある時に認められた方式であり、普通方式よりも簡易な方式となっています。

　特別方式には、危急時遺言と隔絶地遺言があります。

### ⑴ 危急時遺言

　危急時遺言は、死が差し迫っている場合に緊急に行う遺言です。

＜危急時遺言の種類＞

| 種　類 | 内　容 | 根拠条文 |
|---|---|---|
| 死亡危急者遺言 | 疾病その他の事由によって死亡の危急が迫っている場合に、証人3人以上の立会いの下で、証人に遺言の趣旨を口授、証人が筆記等することによって行う遺言です。 | 民976 |
| 船舶遭難者遺言 | 船舶が遭難した場合において、当該船舶中に在って死亡の危急が迫っている者が、証人2人以上の立会いの下、口頭で遺言を行い、証人が筆記等をして行う遺言です。 | 民979 |

### ⑵ 隔絶地遺言

　隔絶地遺言は、一般社会との自由な交通が絶たれている場所で行う遺言です。

＜隔絶地遺言の種類＞

| 種　類 | 内　容 | 根拠条文 |
|---|---|---|
| 伝染病隔離者遺言 | 伝染病のため行政処分によって交通を絶たれた場所にある者が、警察官1人及び証人1人以上の立会いの下、遺言書を作成して行う遺言です。 | 民977、980 |
| 在船者遺言 | 船舶中にある者が、船長又は事務員1人及び証人2人以上の立会いの下、遺言書を作成して行う遺言です。 | 民978、980 |

## 3 遺言の加除・訂正等

### (1) 加除・訂正

　公正証書遺言以外の遺言の場合、遺言中の加除その他の変更は、遺言者が、その場所を指示し、これを変更した旨を付記して特にこれに署名し、かつ、その変更の場所に押印しなければ効力を生じません（民968Ⅱ、970Ⅱ、982）。

　偽造・変造等を防止するために、遺言の加除・訂正等についても、厳格な要件を定めているのです。

　方式違反の加除・訂正等は無効であり、加除・訂正等はなかったものとして取り扱われると解されています。よって、この場合、加除・訂正をする前の文言に従って遺言が解釈されます。

**＜遺言書の変更文例＞**
**【その1】**

```
　1　遺言者 甲野太郎は、その所有に係る下記不動産を妻 甲野花子に相続させる。
　　　　　　　　　　　　　　　　　　　　　記
　　㈠　土地　　　　　　　　　三【←訂正内容を記載】
　　　　　所在及び地番　千代田区霞が関○丁目○番
　　　　　地　　　目　宅地
　　　　　地　　　積　123.45平方メートル

　【遺言書の末尾】
　　上記1㈠の遺言文言のうち、所在及び地番の「八」とあるのを「三」と訂正した。
　　遺言者　甲　野　太　郎（署名）
```

**【その2】**

```
　1　遺言者 甲野太郎は、その所有に係る下記不動産を妻 甲野花子に相続させる。
　　　　　　　　　　　　　　　　　　　　　記
　　㈠　土地
　　　　　　　【 訂正内容を記載→】三　　　　加一字
　　　　　所在及び地番　千代田区霞が関○丁目○番　削一字　甲野太郎
　　　　　地　　　目　宅地
　　　　　地　　　積　123.45平方メートル
```

（注）1　なお、押印は訂正・変更箇所には必要ですが、変更後の署名の後には不要です。
　　　2　訂正箇所に押す印鑑は遺言書に押印したものと同じ印鑑を使わなくてはなりません。

### (2) 証人及び立会人の欠格

　証人及び立会人は、遺言者の真意を確認できる人でなくてはなりません。そこで、

一般的に遺言者の真意の確認が難しい未成年者や、遺言（相続）について利害関係がある親族、公証人の関係者などは証人になることができません（民974）。

**＜遺言の証人等の欠格事由（民974）＞**

| 1号 | 未成年者 |
|---|---|
| 2号 | 推定相続人及び受遺者並びにこれらの配偶者及び直系血族 |
| 3号 | 公証人の配偶者、4親等内の親族、書記及び使用人 |

### ⑶　共同遺言の禁止

　遺言は、2人以上の者が同一の証書ですることはできません（民975）。このような共同遺言を許すと、遺言の撤回（取消し）が自由にできなくなるなどの弊害があるため禁止されているのです。

　よって、例えば、夫婦で同じ「遺言書」でもって遺言をすると無効になってしまうので、注意が必要です。内容がほぼ同じであっても、夫と妻それぞれ別の遺言書を作成する必要があります。

# 第3　遺言の効力・遺贈

## 1　遺言の効力

### (1)　効力の発生時期

　遺言は、相手方のない単独行為であるため、遺言者の意思表示のみによって完全な効力を生じます。遺言という意思表示の成立は遺言書作成時ですが、効力発生は遺言者の死亡の時です（民985Ⅰ）。したがって、遺言者が死亡する時までは、何の法律関係も生ぜず、期待権もありません。遺言者生存中には、遺贈を原因として仮登記することはできず、また、遺言者の生存中に遺言の無効の訴えを提起することもできません（最判H11.6.11判時1685・36）。

**＜効力発生時期の原則と例外＞**

| 区　分 | 内　容 | 根拠条文 |
|---|---|---|
| 原　則 | 遺言者の死亡の時 | 民985Ⅰ |
| 例　外 | ①　遺言に停止条件を付した場合で、その条件が遺言者の死亡後に成就したときは、条件が成就した時<br>②　ただし、遺言者が条件成就の効果に遡及効を与えるときは、原則である遺言者死亡の時 | ①民985Ⅱ<br><br>②民127Ⅲ |

### (2)　相続させるものと指定された推定相続人が遺言者より先に死亡した場合

　「相続させる」旨の遺言により遺産を相続させるものとされた推定相続人が、遺言者より先に死亡したときは、遺贈の場合と同じく（民994Ⅰ）その遺言は効力を生じないのか、当該推定相続人の子らが代襲相続するのか、問題となります。

　この点、判例は、当該「相続させる」旨の遺言に係る条項と遺言書の他の記載との関係、遺言書作成当時の事情及び遺言者の置かれていた状況などから、遺言者が、当該推定相続人の代襲者その他の者に遺産を相続させる旨の意思を有していたとみるべき特段の事情のない限り、効力を生じないとしています（最判H23.2.22民集65・2・699）。

### (3)　遺言と相続債務

　遺言において相続分の指定（民902）がなされた場合、その効力は相続債務にも及ぶのか問題となります。判例は、特段の事情のない限り、共同相続人間においては、

法定相続分ではなく指定相続分の割合に応じて相続債務を承継するとしています（最判 H21．3．24民集63・3・427）。ただし、相続債権者に対しては遺言の効力は及ばず、各相続人は、相続債権者から法定相続分に従った相続債務の履行を求められたときには、これに応じなければなりません（同判例）。

　なお、上記最高裁判例を受けて、平成30年民法改正では、①相続債権者は、遺言による相続分の指定にかかわらず法定相続分に応じて各相続人に権利行使できること、②相続債権者が共同相続人の一人に対し指定された相続分に応じた債務の承継を承認したときは、その指定された相続分に応じた権利行使となること、が明文化されました（平成30年改正民902の2）。

### (4)　遺言の無効・取消し

　遺言も法律行為であるため、その無効・取消しが問題となります。遺言は自由に撤回することができるので（本章第4　3「遺言の撤回」参照）、遺言の無効が問題となるのは通常は遺言者の死亡後です。また、意思表示の瑕疵を理由とする取消しについても、同様に遺言者自身に取消権を認める実益は乏しいように思われますが、詐欺又は強迫を受けて遺言書が作成された場合で、その後に遺言者が意思能力を失ったような場合には、法定代理人に取消権を行使させる必要があり、また、遺言者が死亡したときは取消権が相続人に相続されることになります。

**＜遺言が無効になる場合及び取り消すことができる場合＞**

| 遺言が無効になる場合 | 根拠条文 |
| --- | --- |
| 遺言の方式に違背した場合 | 民960 |
| 遺言の能力のない者（満15歳未満の者）の遺言 | 民961 |
| 民法第937条に定める方式によらない成年被後見人の遺言 | — |
| 2人以上の者が同一の証書で遺言をした場合 | 民975（共同遺言） |
| 公序良俗に反する遺言 | 民90 |
| 錯誤のある遺言 | 民95 |
| 被後見人が後見の計算終了前に、後見人又はその配偶者若しくは直系卑属の利益となるべき遺言をしたとき<br>ただし、直系血族、配偶者又は兄弟姉妹が後見人である場合は除きます。 | 民966 |
| **遺言を取り消すことができる場合** | **根拠条文** |
| 詐欺・強迫により作成された遺言 | 民96 |

## 2　遺贈

### (1)　意義

　遺言者は、包括又は特定の名義で、その財産の全部又は一部を処分することができます（民964）。これを「遺贈」といいます。

　人は生きている間は自分の財産を自由に処分することができます。そうであれば、その人の最後の財産処分の意思についてもできるだけ尊重しようという趣旨で遺言の制度が認められています。もっとも、法定相続からの逸脱の程度が大きい場合には公平を欠くことになるため、遺留分制度（民1028以下）によって遺言者の意思では奪うことのできない相続分を定めています。

**＜遺贈と贈与の比較＞**

| 財産取得の原因 | 共通点 | 差　異 |
|---|---|---|
| **贈　与**<br>（民549〜544） | 財産上の利益を無償で譲与 | ①　贈与者と受贈者との「契約」<br>②　生前処分 |
| **遺　贈**<br>（民986〜1003） | | ①　遺言者の「単独行為」であること<br>②　死後処分 |

### (2)　受遺者と遺贈義務者

　遺贈によって利益を受ける者を「受遺者」、遺贈を実行すべき義務を負う者を「遺贈義務者」といいます。

　遺贈は、遺言者の死亡以前に受遺者が死亡したときは、その効力を生じません（民994Ⅰ）。したがって、受遺者は、遺言の効力発生の時（本章第3　1(1)「効力の発生時期」参照）に生存していることを要します（同時存在の原則）。停止条件付遺贈の場合も受遺者がその条件成就前に死亡したときも、同様に効力を生じません（民994Ⅱ）。ただし、後者については、遺言者は遺言で別段の意思表示をすることができ、その場合はその意思に従うことになります（民994Ⅱただし書）。

**＜受遺者＞**

| 区　分 | 内　容 | 根拠条文 |
|---|---|---|
| **受遺者になることができる者** | ①　自然人<br>②　法人<br>③　胎児 | ①　—<br>②　—<br>③　民965、886 |
| **受遺欠格者** | 相続欠格者 | 民965、981 |

＜遺贈義務者＞

| 区　分 | 内　容 | 根拠条文 |
|---|---|---|
| 原　則 | 相続人 | ― |
| 例　外 | ①　包括受遺者<br>②　相続財産法人の遺産管理人<br>③　遺言執行者 | ①　民990<br>②　民952<br>③　民1015、1012 |

## (3)　遺贈の効力

　遺贈の効力が生じた場合、遺贈の目的の権利義務は受遺者に移転します（物権的効力）。もっとも、不動産については引渡し及び登記、動産については登記、債権については債務者の通知等が遺贈の履行として要求されることになります。また、原則として、受遺者は、遺贈の履行を請求することができるときから果実（預金利子、土地建物の賃料、株式の配当など）を取得します（民992）。

## (4)　遺贈の種類

### ア　包括遺贈と特定遺贈

　遺贈は、対象となる遺産をどのように特定するかによって、包括遺贈か特定遺贈かに分類されます

＜包括遺贈と特定遺贈＞

| | 包括遺贈 | 特定遺贈 |
|---|---|---|
| 定　義 | 遺産の全部又は一部を一定の割合で示してする遺贈 | 特定の具体的な財産的利益の遺贈 |
| 具体例 | (例)　遺言者は、遺言者の有する財産の全部を遺言者の内縁の妻○○○○（昭和○年○月○日生）に包括して遺贈する。 | (例)　遺言者の所有する次の土地・建物を遺言者の内縁の妻○○○○（昭和○年○月○日生）に遺贈する。<br>　1　土地の表示（所在、地番、地目、地積）<br>　2　建物の表示（所在、家屋番号、種類他） |
| 効　果 | 包括受遺者は相続人と同一の権利義務を有します（民990）。<br><br>包括遺贈の承認・放棄について相続の承認・放棄の規定（民915~940）が適用されます。 | 具体的な効力は原則として遺言の解釈によって決定されます。<br><br>遺言者の死後、いつでも、遺贈義務者に対して意思表示をすることにより遺贈の放棄をすることができます（民986）。特別の様式は定められていないため、口頭でも可能です。この承認・放棄は原則として撤回できませんが（民989Ⅰ）、心裡留保（民93）、虚偽表示（民94）、錯誤（民95）による無効、詐欺・強迫（民96）による取消しは認められています。 |

### イ　負担付遺贈

負担付遺贈は、受遺者に一定の法律上の義務を負担させる遺贈です。

負担する義務は、遺贈の目的の価額の限度内とされます（民1002Ⅰ、1003）。

**＜負担付遺贈＞**

| 具体例 | （例）　受遺者○○○○は、遺言者の妻△△△△に対し、同人が生存中その生活費として月額金00000円を毎月末日限り同人の住所に持参又は送金して支払うこと。 |
| --- | --- |

負担付遺贈において、受遺者がその負担を履行しない場合、相続人や遺言執行者は、相当の期間を定めて、その履行を請求することができます（民1027、1015）。受益者が履行を請求できるかについては争いがありますが、認められないとするのが通説です。そして、相続人らが相当の期間を定めて負担の履行を催告したにもかかわらず、その期間内に履行がないときは、相続人らはその負担付遺贈にかかる遺言の取消しを家庭裁判所に請求することができます（民1027）。

受遺者が遺贈を放棄したときは、負担の利益を受けるべき者（受益者）が自ら受遺者となります（民1002Ⅱ）。ただし、遺言者が遺言で別段の意思表示をしたときはその意思に従うことになります。

### ウ　条件・期限付遺贈

包括遺贈・特定遺贈の区別なく、条件付（停止条件・解除条件）又は期限付（始期・終期）の遺贈にすることができます。

**＜条件・期限付遺贈の種類＞**

| 停止条件付遺贈 | 受遺者が遺言者の死亡時に停止条件付権利を取得する遺贈で条件が成就したときに遺贈の効力が生じます。 |
| --- | --- |
| | (例)　遺言者は、遺言者の姪○○○○（○○市○○町○○番地）が婚姻したときに、次の土地・建物（略）を遺贈する。 |
| 解除条件付遺贈 | 受遺者が遺言者の死亡時に解除条件付権利を取得する遺贈で条件が成就したときに遺贈の効力を失います。 |
| | (例)　遺言者は、姪○○○○（○○市○○町○○番地）に次の土地・建物（略）を遺贈する。ただし、受遺者○○○○が農業をやめたときは、上記遺贈はその効力を失う。 |
| 始期付遺贈 | 遺言者の死後のある事実が到来した時を履行期とする遺贈 |
| | (例)　遺言者は、遺言者の死亡後3年を経過した時に、姪○○○○（○○市○○町○○番地）に次の土地・建物（略）を遺贈する。 |
| 終期付遺贈 | 遺言者の死後のある事実が到来した時を効力消滅時とする遺贈 |
| | (例)　遺言者は、遺言者の死後3年間、姪○○○○（○○市○○町○○番地）に次の建物（略）の家賃収入の全額を遺贈する。 |

**参考　遺言信託**

　当然のことですが、死後は自分で財産管理ができません。信頼できる人に委任したとしても、委任契約は契約当事者の死亡により終了してしまいます（民653①）。

　しかし、遺言信託であれば、ある程度死後の財産管理をコントロールできます。

　信託は、委託者（財産の所有者）が受託者に一定の財産（信託財産）を託して、一定の目的（信託目的）のために行為してもらうようにすることであり（信託法2Ⅰ）、遺言により設定することができます（信託法3②）。

　例えば、障害のある子や高齢の配偶者に毎月生活費を定期的に支払うことを目的とする信託を遺言で設定し、信頼できる者を受託者に指定すれば、委託者の死後、受託者が信託財産を管理して子や配偶者（受益者）に毎月の生活費を給付することが実現できます。

　委託者が、生存中は自分を受益者として受託者に財産を管理してもらい、死亡後は受益者を子又は配偶者に変更するという信託（遺言代用信託）も可能です（信託法90ⅠⅡ）。

　Aが死んだらB、Bが死んだらCというように、順次受益者を指定することもできます。ただし、信託期間に30年の制限がありますので注意が必要です（信託法91）。

## (5)　遺贈の無効・取消し

　遺贈は遺言によるものであり、遺言の無効・取消しについては前記1(4)のとおりですが、そのほかにも次のような無効・取消原因が定められています。

**＜遺贈特有の無効原因と取消原因＞**

| 遺贈特有の無効原因 | 根拠条文 |
| --- | --- |
| 遺言者の死亡以前に受遺者が死亡した場合(注) | 民944Ⅰ |
| 停止条件付遺贈でその条件成就前に受遺者が死亡した場合で、遺言に別段の定めがない場合 | 民944Ⅱ |
| 遺贈の目的である権利が遺言者の死亡のときにおいて相続財産に属しておらず、かつ、その権利が相続財産に属するかどうかにかかわらず遺贈の目的としたものと認められない場合 | 民966 |

| 遺贈特有の取消原因 | 根拠条文 |
| --- | --- |
| 遺言者の死亡以前に受遺者が死亡した場合(注) | 民994Ⅰ |
| 負担付遺贈において相続人らが相当の期間を定めて催告したにもかかわらず、受遺者がその期間内にその負担を履行しなかった場合 | 民1027 |

(注)　ただし、「受遺者が相続開始以前に死亡したときは、受遺者の相続人に遺贈する」という遺言がなされた場合は、受遺者の死亡を停止条件とする第2遺言として有効であると解されています。

**参考**

### 遺贈の目的物が死亡時に存在しない場合の償金請求

　遺贈の目的物や権利が遺言者の死亡時において相続財産に属していなかった場合には、遺贈は効力を有しません。ただし、例外的に、その権利が相続財産に属するか否かにかかわらず遺贈の目的としたものと認められる場合は、遺贈は依然として効力を有します（民996但書）。この場合に、受遺者が遺贈の目的物や権利を取得することができなかったり、又は取得に過分の費用がかかる場合は、遺贈義務者は、原則としてその価額を弁償しなければなりません（民997）。

　他方、遺言者が、遺贈の目的物の滅失・変造又は占有の喪失によって第三者に対して償金を請求する権利を有するときは、その権利を遺贈の目的としたものと推定する、という条文も存在します（民999Ⅰ）。

　では、遺言者が受遺者に対して不動産を遺贈する旨の遺言をしたものの、死亡前に遺言者の成年後見人が当該不動産を売却してしまった、という場合で、かつ、遺言者に相続財産に属していなかったとしても、その権利が相続財産に属するか否かにかかわらず遺贈の目的とする意思が認められなかった場合（民法第997条による

価額弁償請求が認められない場合）に、民法第999条第1項を主張して、売買代金相当額を請求することができるでしょうか。この事案について、裁判例では、不動産の売却は「遺贈の目的物の滅失」に該当するとしつつも、遺贈は、その目的である権利が遺言者死亡の時に相続財産に属さなかったときは、その効力を生じないのが原則であるから、民法第999条第1項の適用についても例外的に解するべきであるとして、同条が適用されるのは、遺言者死亡時に目的物滅失に対する償金請求権（ここでは売買代金債権）を有している場合に限られる、と判示して、既に売買代金が支払い済みの本件では、民法第999条第1項の適用は認められない、としました（広島高岡山支部判 H30.9.27）。

# 第4　遺言の執行

　遺言の内容が相続分の指定や後見人の指定などの場合、その遺言は相続開始と同時に効力を生じ、効力発生とともにその内容が実現されるため、特に遺言の内容を実現するための行為は必要ではありません。他方、遺言の内容が不特定物の遺贈の場合には目的物を特定して受遺者に引渡しをする必要が生じ、推定相続人の廃除の場合には家庭裁判所に審判を請求しなければなりません。このように、遺言の効力が発生した後でその内容を実現する手続を遺言の執行といいます。

**＜執行行為を要する例・要しない例＞**

| 執行行為を必要とする事項の例 | 根拠条文 | 執行行為を必要としない事項の例 | 根拠条文 |
| --- | --- | --- | --- |
| 認知 | 民781② | 未成年後見人・未成年後見監督人の指定 | 民839、848 |
| 祭祀承継者の指定 | 民897 | 相続分の指定・指定の委託 | 民902 |
| 推定相続人の廃除・取消し | 民892〜895 | 特別受益の持戻しの免除 | 民903Ⅲ |
| 遺贈（登記の移転・物の引渡しなど） | 民964 | 遺産分割の方法の指定・指定の委託 | 民908 |
| 一般財団法人の設立 | 一般法人152Ⅱ | 遺産分割の禁止 | 民908 |
| 信託 | 信託法3② | 相続人担保責任の指定 | 民914 |
| 生命保険の受取人の指定・変更 | 商法677Ⅰ | 遺言執行者の指定の委託 | 民1006 |
|  |  | 遺言の撤回 | 民1022 |
|  |  | 遺留分減殺方法の指定 | 民1034ただし書 |

## 1　検認

### (1)　検認

　遺言書の保管者は、又は遺言書の保管者がない場合に遺言書を発見した相続人は、相続の開始を知った後、遅滞なく、相続開始地（遺言者の住所地）を管轄する家庭裁判所に提出して、その検認を請求しなければなりません（民1004、家事39別1⑩）。

ただし、公正証書による遺言は、公証役場に保存され、偽造・変造のおそれがないため、検認の必要はありません。

**＜遺言の種類による検認の要否＞**

| 検認不要 | 検認必要 |
|---|---|
| 公正証書遺言 | ・自筆証書遺言<br>・秘密証書遺言<br>・一般危急時遺言<br>・難船危急時遺言<br>・一般隔絶地遺言<br>・船舶隔絶地遺言 |

　検認は、遺言の形式・態様など調査・確認して、その偽造・変造を防止し、保存を確実にする目的でなされる一種の検証手続です。

**＜検認手続の流れ＞**

| 【家庭裁判所に対する検認の申立て】 |
|---|
| 申立権者：遺言書の保管者又は遺言書を発見した相続人 |

| 【家庭裁判所から相続人、受遺者その他の利害関係人への呼出し】 |
|---|
| 呼出しを受けた者が立ち会わなくても検認は可能 |

| 【家庭裁判所による調査】 |
|---|
| どのような用紙何枚に、どのような筆記用具で、どのようなことが書かれ、日付、署名、印はどうなっているなどの事実状態を調査し（家事規113）、その結果について検認調書を作成します（家事211、家事規114）。なお、通常は遺言書のコピーが添付されます。 |

| 【申立人に対して検認済証明書を付した遺言書を返還】 |
|---|
| 裁判所書記官が、検認に立ち会わなかった申立人、相続人、受遺者その他の利害関係人に対して遺言を検認した旨を通知します（家事規15）。 |

　検認は、遺言書の現況を確認する手続であり、遺言の有効無効・内容の真否を判断するものではありませんので、検認後に遺言の効力を争うことも可能です。

この検認のための遺言書の提出を怠ったり、検認手続を経ないで遺言を執行した者は5万円以下の過料に処せられます（民1005）。ただし、検認の手続を怠ったとしても、遺言の効力には影響がありません。

## (2) 開封

封印のある遺言書は、家庭裁判所において相続人又はその代理人の立会いがなければ、開封することができません（民1004Ⅲ）。遺言書の偽造・変造を防止し、遺言書の最終意思を確保するためです。

開封手続が必要とされるのは、封印のある遺言書です。封筒に入れられただけで封印のない自筆証書遺言や封印が要件とされていない公正証書遺言は家庭裁判所の開封の手続をとる必要はありません。

家庭裁判所は、期日を定めて、すべての相続人又は代理人に呼出状を送達するなどして立会いを求めますが、相続人が出席しないときは立会いのないまま開封されます。この開封の手続は、検認の前提となるため、実際には検認手続の一環として取り扱われる場合が多く、開封手続のみ独立して処理する例はほとんどないようです。

この手続を怠って家庭裁判所外において開封した者は5万円以下の過料に処せられます（民1005）。

## 2 遺言執行者

遺言執行者とは、遺言執行の目的のために選任された者であり、遺言者に代わって遺言の内容を実現させる者といえます。遺言の執行は事実上相続人によって行われることも多く、遺言執行者の選任は不可欠なものではありませんが、子の認知（民781Ⅱ、戸籍64）、相続人の廃除・その取消し（民893、894）などは明文で遺言執行者を置かなければならないことが定められています。利害が対立する相続人にこれらの届出や審判の請求を期待することができないためです。

**＜遺言執行者の要件＞**

| 区 分 | 内 容 | 根拠条文 |
|---|---|---|
| 遺言執行者になることができる者 | ① 自然人（相続人、受遺者も可）<br>② 法人（信託銀行など） | ― |
| 遺言執行者になることができない者 | ① 未成年者<br>② 破産者 | 民1009 |

## (1)　遺言執行者の選任

遺言執行者の選任には、遺言による指定又は指定の委託の場合と家庭裁判所による選任の場合があります。

**＜遺言執行者の選任方法＞**

| 区分 | | 内　容 | 根拠条文 |
|---|---|---|---|
| 遺言書による選任 | | 遺言者は、遺言で、1人又は数人の遺言執行者を指定し、又はその指定を第三者に委託することができます。 | 民1006 Ⅰ |
| | 遺言者の指定の委託を受けた場合 | ①　遺言者の指定の委託を受けた者は、遅滞なく、その指定をして、これを相続人に通知しなければなりません。<br>②　また、その委託を辞そうとするときは、遅滞なくその旨を相続人に通知しなければなりません。<br>③　指定の委託を受けた者が指定も辞退もしない場合には、家庭裁判所による選任の手続をとることになります。 | ①民1006 Ⅱ<br><br>②民1006 Ⅲ<br><br>③民1010 |
| | 遺言執行者に指定された場合 | ①　就職を承諾するかどうかは自由であり、すみやかに諾否を決定して通知する義務もありません。<br>②　ただし、遺言執行の不当な遅延を防ぐため、相続人その他の利害関係人は、遺言執行者に指定された者に対し、相当の期間を定めて、その期間内に就職を承諾するかどうかを確答すべき旨の催告をすることができ、この場合において、遺言執行者に指定された者が、その期間内に相続人に対して確答をしないときは、就職を承諾したものとみなされます。<br>③　指定された者が就職を承諾したときは、直ちにその任務を行わなければなりません。<br>④　遺言執行者が任務を開始したときは、遅滞なく遺言の内容を相続人に通知しなければなりません。 | ①　―<br><br>②民1008<br><br><br><br><br><br><br><br><br>③民1007 Ⅰ<br>④民1007 Ⅱ |
| 家庭裁判所による選任 | | 遺言執行者が必要なのに遺言執行者の指定がない、指定された者が就職を拒否したなどの事情により遺言執行者がいないとき、又は遺言執行者がいなくなったときは、家庭裁判所は、利害関係人の請求によって、遺言執行者を選任することができます。 | 民1010、家事39別1 ⑭ |

## (2)　遺言執行者の職務・権限

　平成30年民法改正において、遺言執行者の権限が明確化されるなど、遺言執行者についての規定が整備されました。

　遺言執行者の職務、権限は次のとおりとなります。

**＜遺言執行者の職務内容・権限＞**

| 区　分 | 内　容 | 根拠条文 |
|---|---|---|
| 任務開始時の通知 | 任務を開始したときは、遅滞なく遺言の内容を相続人に通知しなければなりません。 | 民1007Ⅱ |
| 財産目録の調整 | **＜原則＞**<br>遅滞なく、相続目録を作成して、相続人に交付しなければなりません。<br>ただし、遺言が特定の財産に関する場合は、その財産についてのみ目録を作成すれば足ります。 | 民1011Ⅰ<br><br>民1014Ⅰ |
| | **＜相続人の請求があるとき＞**<br>①　相続人の立会いをもって財産目録を作成、又は<br>②　公証人に財産目録を作成させる義務があります。 | 民1011Ⅱ |
| 管理・執行 | **＜一般的な権利義務＞**<br>①　遺言執行者は、遺言の内容を実現するため、相続財産の管理その他の遺言の執行に必要な一切の行為をする権利義務を有します。<br>②　遺言執行者がある場合には、相続人は、相続財産の処分その他遺言の執行を妨げるべき行為をすることができません。<br>③　②に反してなされた相続人の行為は無効となります。ただし、善意の第三者には対抗できません。<br>　（注）　遺言執行者として指定された者が就職を承諾する前でも、「遺言執行者がある場合」に含まれます（最判Ｓ62.4.23民集41・3・474）。<br>④　遺言執行者がいても、相続人の債権者は、相続財産についてその権利を行使することができます。 | ①民1012Ⅰ<br><br>②民1013Ⅰ<br><br>③民1013Ⅱ<br><br>④民1013Ⅲ |
| | **＜具体的な管理・執行＞**<br>①　遺言執行者がある場合は、遺贈の履行は、遺言執行者のみが行うことができます。<br>②　遺言の執行に関連する訴訟の当事者となります。<br>③　遺言執行者の行為には、委任の規定が準用されます。 | ①民1012Ⅱ<br><br><br>③民1012Ⅲ |
| | **＜特定財産に関する遺言の執行＞**<br>①　遺産に属する特定の財産を共同相続人の1人または数人に承継させる旨の遺言があったときは、遺言執行者は、当該共同相続人が対抗要件を備えるために必要な行為をすることができます。 | ①民1014Ⅰ |

— 474 —

| | |
|---|---|
| ②　①の特定の財産が預貯金債権の場合は、遺言執行者は、払戻請求や解約の申入れができます。ただし、解約の申入れは、その預貯金債権全部が遺言の目的となっている場合に限られます。<br>③　被相続人が別段の意思を表示した場合は、その意思に従います。 | ①民1014Ⅱ<br><br><br><br>③民1014Ⅲ |
| **＜遺言執行者が数人ある場合＞**<br>①　任務の執行は過半数で決します。<br>②　遺言者がその遺言に別段の意思を表示したときは、その意思に従います。<br>③　保存行為については、単独で執行可能です。 | 民1017 |

（注）1　遺言が財産のうち特定の財産に関する場合は、その財産についてのみ目録を作成すればよいとされています（民1014）。
　　　2　遺言執行者として指定された者が就職を承諾する前でも「遺言執行者がある場合」に含まれます（最判 S62.4.23民集41・3・474）。
　　　3　受遺者が遺贈された不動産の移転登記を求める相手方は遺言執行者であり、相続人ではありません。

## ⑶　遺言執行者の行為の効果

　これまで、遺言執行者は「相続人の代理人」とみなされ、その行為の効果には代理人の規定（民99Ⅰ）が適用されていました。しかし、平成30年民法改正において、「遺言執行者がその権限内において遺言執行者であることを示した行為は、相続人に対して直接にその効力を生ずる」と規定されました（民1015）。

## ⑷　遺言執行者の辞任・解任

　遺言執行者は、病弱、多忙その他任務を果たすことができない合理的な事由（正当な事由）があるときは、家庭裁判所の許可を得て、その任務を辞することができます（家事39別1⑩）。

　遺言執行者がその任務を怠ったとき、その他正当な事由があるときは、利害関係人は、その解任を裁判所に請求することができます（民1019Ⅰ、家事39別1⑩）。家庭裁判所は、解任する正当な事由があるかどうかを判断して、解任を決定します。

　辞任・解任によって遺言執行者が欠けたときは、家庭裁判所は、利害関係人の請求によって、遺言執行者を選任します（民1010、家事39別1⑩）。

## ⑸　遺言執行者の復任権

　平成30年民法改正により、遺言執行者は、自己の責任で第三者にその任務を行わせること（復任）ができるものとされました。ただし、遺言者が遺言で別段の意思を表示したときは、その意思に従います（民1016Ⅰ）。

　また、第三者に復任できる場合で、第三者に任務を行わせることについてやむを得ない事由があるときは、遺言執行者は、相続人に対して、その選任及び監督についての責任のみを負います（民1016Ⅱ）。

　ただし、上記の規定は、施行日前に作成された遺言書により遺言執行者となった者については、適用されません（平成30年改正民附則8Ⅲ）。

## 3　遺言の撤回

　遺言が一度有効に成立しても、時間の経過により遺言者の意思は変わることがあります。遺言者は、いつでも、遺言の方式に従って、その遺言の全部又は一部を撤回することができます（民1022）。遺言がその人の最後の財産処分の意思を尊重しようとするものであるため遺言の撤回は自由とされているのです。さらにこの自由を確保するために、遺言者は、その遺言を撤回する権利を放棄することができないものとされています（民1026）。したがって、仮に遺言書に「絶対に撤回しない」旨を記載したとしても、前の遺言を撤回することはできます。また、遺言者が前にした遺言の趣旨と抵触する一定の行為をした場合に抵触した部分が撤回したものとみなされます。これを法定撤回といいます。

＜遺言の撤回の方法＞

| | 内　容 | 根拠条文 |
|---|---|---|
| 撤回の遺言 | 前の遺言の効力を否定する遺言による撤回<br><br>⒠　遺言者は、平成○年○月○日○○公証役場で公正証書遺言（平成○年第○号、公証人○○○○）を作成したが、今般、この遺言書により、上記公正証書遺言の全部を取り消す。 | 民1022 |
| 法定撤回 | 前の遺言が後の遺言と抵触するときは、その抵触する部分については、後の遺言で前の遺言を撤回したものとみなされます。<br><br>⒠　「建物Aを甲に遺贈する」旨の遺言の後の「建物Aを乙に遺贈する」旨の遺言 | 民1023Ⅰ |
| | 遺言が遺言後の生前処分その他の法律行為と抵触するときは、その抵触する部分については、後の法律行為で前の遺言を撤回したものとみなされます。<br><br>⒠　「建物Aを甲に遺贈する」旨の遺言の後で、遺言者が建物Aを乙に売却した場合 | 民1023Ⅱ |
| | 遺言者が故意に遺言書を破棄したときは、その破棄した部分については遺言を撤回したものとみなされます。<br><br>⒠　遺言者が、故意に遺言書の文面全体の左上から右下にかけて赤色のボールペンで1本の斜線を引いた場合は、遺言書の元の文字が判読できる状態であったとしても、「故意に遺言書を破棄した」とみなされます（最判H27.11.20民集69・7・2021）。 | 民1024<br>前段 |
| | 遺言者が故意に遺贈の目的物を破棄したときは、その破棄した目的物については、遺言を撤回したものとみなされます。 | 民1024<br>後段 |

　第1の遺言が第2の遺言により撤回され、その第2の遺言が撤回された場合（〈撤回を〉撤回した場合）でも、第1の遺言は効力を回復しません（民1025）。遺言者の意思が不明になることが多いからです。第1の遺言の効力を希望する場合には、再度、第1の遺言と同じ内容の遺言を新たに行わなければなりません。

　ただし、遺言の撤回が詐欺又は強迫によってなされたため取り消された場合には、前の遺言に戻す意思が明確であるから、前の遺言が効力を回復します（民1025ただし書）。同様に、遺言者が第1の遺言を第2の遺言で撤回し、さらに第3の遺言をもって、第2の遺言を撤回するとともに第1の遺言を復活させる旨を述べていた場合など、遺言書の記載に照らして遺言者が当初の遺言を復活することを希望するものであることが明らかなときは、当初の遺言の効力が復活すると解されています（最判H9.11.13民集51・10・4144）。

# 第8章　配偶者の居住の権利

## 第1　配偶者の居住の権利

　配偶者の居住の権利は、平成30年民法改正によって新たに設けられた制度です。

　遺産分割において、配偶者が居住していた建物の所有権を取得できなくとも、終身（又は一定期間）の使用ができる権利を取得することができます。

　配偶者居住権には、原則として終身の間存続する「配偶者居住権」と短くとも6か月間は存続する「配偶者短期居住権」があります。

# 第2　配偶者居住権

　配偶者居住権は、相続開始のときに遺産に属する建物に居住していた被相続人の配偶者に認められる、その建物の全部について無償で使用及び収益をする権利です。

**＜配偶者居住権＞**

| | | 内　容 | 備　考 | 根拠条文 |
|---|---|---|---|---|
| 取得 | 遺産分割 | 遺産分割によって取得します。 | 居住建物が配偶者以外の者との共有だった場合は取得しません。 | 民1028 I |
| | 遺贈 | 遺贈の目的とされたとき取得します（注1）。 | | |
| | 遺産分割の審判 | 次の場合に家庭裁判所が審判で配偶者居住権の取得を定めることができます。<br>①　共同相続人間に配偶者が配偶者居住権を取得することについての合意が成立している場合<br>②　配偶者が希望している場合で、居住建物の所有者の受ける不利益の程度を考慮してもなお配偶者の生活を維持するために必要があると認められる場合 | ― | 民1029 |
| 存続期間 | 原則 | 終身 | ― | 民1030 |
| | 例外 | 遺産分割協議、遺言若しくは遺産分割の審判に別段の定めがなされた場合は、その定めに従います。 | | |
| 配偶者居住権設定の登記 | 登記義務者 | 居住建物の所有者 | ― | 民1031 I |
| | 登記の効力 | 居住建物について物権を取得した者その他第三者に対して対抗することができ、また、占有の妨害に対して妨害排除請求、返還請求ができます。 | ― | 民1031 II →605、605の4 |

| | | 内　容 | 備　考 | 根拠条文 |
|---|---|---|---|---|
| 配偶者の使用収益 | 権利 | 居住建物の全部について無償で使用及び収益できます。<br>従前居住の用に供していなかった部分にも居住できます。 | — | 民1028 I<br><br>民1032 I ただし書 |
| | | 居住建物の使用及び収益に必要な修繕をすることができます。 | 修繕が必要であるのに配偶者が相当期間内に修繕しないときは、居住建物の所有者が修繕できます。 | 民1033 I II |
| | | 通常の必要費以外の費用は所有者に償還を求めることができます。 | — | 民1034 II →583 II |
| | 義務 | 配偶者は善管注意義務を負います。 | — | 民1032 I |
| | | 配偶者居住権は第三者に譲渡できません。 | — | 民1032 II |
| | | 居住建物は増改築できません。 | 所有者の承諾があればできます。 | 民1032 III |
| | | 居住建物は第三者に使用収益させられません（注2）。 | | |
| | | 居住建物が修繕を要するとき、又は居住建物について権利を主張する者があるときは、所有者に対し、遅滞なく通知しなければなりません。 | 修繕については配偶者が修繕するときは不要です。<br>所有者が既に知っている場合は不要です。 | 民1033 III |
| | | 居住建物の通常の必要費を負担します。 | — | 民1034 I |
| 消滅事由 | 死亡 | 配偶者が死亡した場合、配偶者居住権は消滅します。 | — | 民1036→597 III |
| | 期間の定め | 遺産分割協議、遺言若しくは遺産分割の審判に消滅について別段の定めがあるときはその定めるときに、当事者で期間を定めたときは、その期間が満了することにより消滅します。 | — | 民1030、民1036→597 I |

| | | 内　容 | 備　考 | 根拠条文 |
|---|---|---|---|---|
| 消滅事由 | 混同 | 居住建物が配偶者の所有となった場合、配偶者居住権は消滅します。 | 共有者がいる場合は消滅しません。 | 民1028Ⅱ |
| | 所有者の意思表示 | 配偶者が善管注意義務に反したり、無断で増改築、第三者に使用収益させた場合で、所有者が相当の期間を定めてその是正の催告をし、その期間内に是正がされないときは所有者の意思表示で配偶者居住権は消滅します。 | ― | 民1032Ⅳ |
| | 全部滅失等 | 居住建物の全部が滅失その他の事由により使用収益することができなくなったときは配偶者居住権は消滅します。 | ― | 民1036→616の2 |
| 返還 | 返還義務 | 配偶者居住権が消滅した場合、居住建物を返還しなければなりません。 | 配偶者が共有持分を有する場合は返還不要です。 | 民1035Ⅰ |
| | 原状回復義務 | 相続開始後に居住建物に付属させた物がある又は損傷がある場合、配偶者は原状回復義務を負います。 | ― | 民1035Ⅱ→599ⅠⅡ、621 |
| 遺産分割における評価 | 原則 | 配偶者は、配偶者居住権相当額を相続したもの（特別受益）として扱われます。 | ― | 民1028Ⅲ→民903Ⅳ |
| | 例外 | 婚姻期間が20年以上の夫婦間の場合、被相続人は持戻しを免除する意思表示をしたものと推定されます（持戻しの免除については306頁を参照）。 | ― | |

※　根拠条文欄の準用条文は平成29年改正民法の条文です。

㊟　第三者に使用収益させる場合の効果は、転貸の効果と同様となります（民1036→民613）。

# 第3　配偶者短期居住権

　配偶者短期居住権は、相続開始の時に遺産に属する建物に無償で居住していた被相続人の配偶者に認められる、その建物について無償で使用する権利です。

　被相続人の配偶者が居住建物につき無償で使用できる権利という点は配偶者居住権と同様であり、建物使用に当たっての善管注意義務などの権利義務はほぼ共通です。ただし、その取得事由、存続期間などにつき、次のとおり違いがあります。

**＜配偶者居住権と配偶者短期居住権の相違点＞**

| | 配偶者居住権 | 配偶者短期居住権 | 配偶者短期居住権の根拠条文 |
|---|---|---|---|
| 取得 | 相続開始の時に遺産に属する建物に居住していた配偶者が、遺産分割協議、遺贈、又は遺産分割の審判によって取得します。 | 相続開始の時に遺産に属する建物に無償で居住していた場合に取得します（注1）。 | 民1037 I |
| 存続期間 | 原則：終身<br>例外：遺産分割協議、遺言若しくは遺産分割の審判に別段の定めがなされた場合は、その定めに従います。 | 配偶者を含む共同相続人間で遺産分割をする場合、遺産の分割により居住建物の帰属が確定した日又は相続開始の時から6か月を経過する日のいずれか遅い日まで<br><br>6か月<br>帰属確定<br>相続開始<br>帰属確定 | 民 1037 I ① |
| | | 所有者の配偶者短期居住権の消滅の申入れがあった場合、申入れの日から6か月を経過する日まで（注2） | 民 1037 I ② |
| 設定の登記（配偶者居住権） | 居住建物の所有者が登記義務を負います。 | 登記の制度はありません。 | |

| | 配偶者居住権 | 配偶者短期居住権 | 配偶者短期居住権の根拠条文 |
|---|---|---|---|
| 配偶者の使用（収益） | 居住建物の全部について無償で使用及び収益できます。従前居住の用に供していなかった部分にも居住できます。 | 居住建物（従前一部を使用していた場合はその部分）につき無償で使用できます（注3）。 | 民1037 I 本文 |
| 消滅事由（注4） | 配偶者が善管注意義務に反したり、無断で増改築したり、第三者に使用収益させた場合で、所有者が相当の期間を定めてその是正の催告をし、その期間内に是正がされないときは所有者の意思表示で配偶者居住権は消滅します。 | 配偶者が善管注意義務に反したり、無断で第三者に使用させた場合、所有者の意思表示で配偶者短期居住権は消滅します。 | 民1038 III |
| | ― | 配偶者居住権を取得したとき、配偶者短期居住権は消滅します。 | 民1039 |
| 返還（注5） | 配偶者居住権が消滅した場合、居住建物を返還しなければなりません。 | 配偶者短期居住権が消滅した場合、居住建物を返還しなければなりませんが、配偶者居住権を取得した場合は返還不要です。 | 民1040 I |
| 遺産分割における評価 | 配偶者は、配偶者居住権相当額を相続したもの（特別受益）として扱われます（ただし持戻し免除の推定あり。）。 | 遺産分割において考慮されません（配偶者の遺産の取り分として算入されません。）。 | 民1028 III →民903 IV |

(注)1　相続開始の時に配偶者居住権を取得した場合及び配偶者に相続欠格事由がある場合、廃除によって相続権を失ったときは取得しません（民1037 I ただし書）。

　　2　所有者は、いつでも消滅の申入れをすることができます（民1037 III）。

　　3　所有者は譲渡その他の方法により配偶者の使用を妨げてはなりません（民1037 II）。

　　4　配偶者の死亡（民1036、1041→民597 III）及び居住建物の全部が滅失その他の事由により使用することができなくなったとき（民1036、1041→民616の2）は、配偶者居住権、配偶者短期居住権ともに消滅します。

　　5　配偶者が共有持分を有する場合は配偶者居住権、配偶者短期居住権ともに返還不要です（民1035 I ただし書、1040 I ただし書）。

＜配偶者居住権フローチャート＞

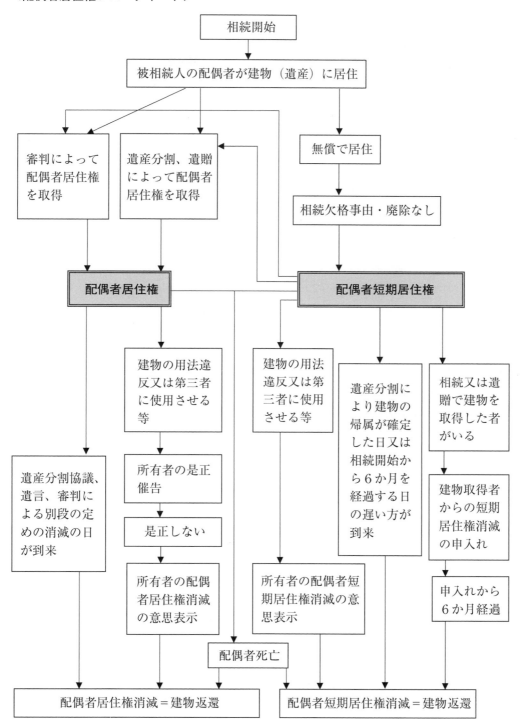

# 第9章　遺留分

## 第1　遺留分割合

### 1　遺留分制度

　遺留分制度は、被相続人の有していた相続財産について、一定の相続人に一定割合の承継を保障する制度です（民1042以下）。

　被相続人は生前贈与や遺言により自己の財産を自由に処分することができますが、被相続人の死亡後、遺留分制度により、相続財産の一定割合が、一定の範囲の相続人に留保されることになります。

　したがって、被相続人が特定の相続人にすべての財産を相続させるとの遺言を残していた場合でも、他の相続人が遺留分権利者である場合には、その遺留分権利者の遺留分の限度で遺言の効力が制限され、遺留分権利者に一定の範囲の相続財産が留保されることとなります。留保されるというのは、当然に遺言の効力が無効になるわけではなく、遺留分権利者が遺留分権を行使しなければその遺言のままということです。この点は本章第3「遺留分権の行使」で詳しく説明します。

　遺留分制度の趣旨は、被相続人の財産処分の自由と、相続という制度における遺族の生活保障及び家族財産を公平に分配するという趣旨、との調和を図るという点にあると考えられます。

　なお、平成30年民法改正では、遺留分に関する民法の規定が全面的に改正されました。この改正で、新しく設けられた規定も存在します。

**＜遺留分制度の趣旨＞**

**＜遺留分に関する用語の整理＞**

| 用　語 | 定　義 |
|---|---|
| 遺留分権 | 遺留分の制度により相続財産の一定割合を確保する地位 |
| 遺留分権利者 | 遺留分権を有する相続人 |
| 遺留分 | 遺留分権利者に保障される相続財産の一定割合 |

## 2　遺留分権利者の範囲

　遺留分権利者は、兄弟姉妹以外の法定相続人（配偶者、子、直系尊属）です（民1042）。兄弟姉妹には、遺留分はありません。

**＜遺留分権利者となる者＞**

| 関　係 | 遺留分の有無 |
|---|---|
| 配偶者 | ○ |
| 子 | ○ |
| 直系尊属 | ○ |
| 兄弟姉妹 | × |

**＜遺留分の有無が問題となる者＞**

| 関　係 | 遺留分の有無・条件等 | |
|---|---|---|
| 胎　児 | 生まれたときに子としての遺留分が認められます（民886）。 | |
| 代襲相続人 | ①　子の代襲相続人は遺留分を有します（民1042Ⅱ→901）。<br>②　兄弟姉妹の代襲相続人は、兄弟姉妹が遺留分を有しないため、当然遺留分を有しません（民1042参照）。 | |
| 相続欠格者 | 遺留分は相続人に与えられる権利であることから、相続権がなくなる相続欠格（民891）・廃除（民892、893）・相続放棄（民938）があれば遺留分権利者となりません（民939参照）。 | ただし、相続欠格・廃除の場合、代襲者が相続人となり、その者が遺留分権利者となります（民1042Ⅱ→901Ⅰ→887ⅡⅢ）。 |
| 相続を廃除された者 | | |
| 相続を放棄した者 | | |

## 3　遺留分の割合

### (1)　総体的遺留分

　遺留分の割合は相続人が被相続人とどのような身分関係にあるかによって決まります（民1042）。この割合によって算出される、相続財産（遺留分算定の基礎となる財産）から被相続人が処分し得る相続財産の部分（相続人の自由分）を除いた割合的な遺留分を総体的遺留分といいます。

**＜遺留分の割合＞**

| 相続人の内訳 | 遺留分割合 | 根拠条文 |
|---|---|---|
| 直系尊属のみの場合 | 被相続人の財産の3分の1 | 民1042Ⅰ① |
| 上記以外の場合 | 被相続人の財産の2分の1 | 民1042Ⅰ② |

### (2)　個別的遺留分と遺留分侵害額

　前記(1)の割合によって算出された総体的遺留分を、法定相続分の原則に従って配分した各遺留分権利者に固有の遺留分を個別的遺留分といいます（民1042Ⅱ→900、901）。

　この個別的遺留分から、各相続人の現実の相続額を差し引いた残額が遺留分を侵害された額になります。

　具体的な例として、最も単純な個別的遺留分と遺留分侵害額の計算例を次の設例で

挙げてみます。

**＜個別的遺留分・遺留分侵害額の計算例＞**

【設例】

被相続人　　甲
相続人　　　乙（甲の妻）　丙（甲の子）　丁（甲の子）
相続財産　　現金1,000万円
甲の遺言　　「相続財産をすべて丙に相続させる」

【総体的遺留分】

　相続人が直系尊属のみの場合以外の場合なので遺留分割合は２分の１になります。したがって、総体的遺留分は500万円になります。

$$1,000万円 \times \frac{1}{2} ＝ 500万円$$

【個別的遺留分】

　本設例は、相続人が配偶者（乙）と２名の子（丙・丁）ですので、それぞれの法定相続分は乙が２分の１、丙・丁がそれぞれ４分の１となります。よって、それぞれの個別的遺留分は以下のとおりとなります。

乙の個別的遺留分・・・500万円 $\times \frac{1}{2}$ ＝250万円
丙の個別的遺留分・・・500万円 $\times \frac{1}{4}$ ＝125万円
丁の個別的遺留分・・・500万円 $\times \frac{1}{4}$ ＝125万円

【遺留分侵害額】

　本設例では、「相続財産をすべて丙に相続させる」との遺言がありますので、相続人の相続額は、乙が０円、丙が1,000万円、丁が０円です。よって、それぞれの遺留分侵害額は以下のとおりとなります。

乙の遺留分侵害額
　　・・・250万円（個別的遺留分）－　　　０円（相続額）＝　250万円
丙の遺留分侵害額
　　・・・125万円（個別的遺留分）－1,000万円（相続額）＝－875万円
丁の遺留分侵害額
　　・・・125万円（個別的遺留分）－　　　０円（相続額）＝　125万円

　よって、丙は遺留分が侵害されておらず、乙と丁はそれぞれ250万円と125万円分の遺留分が侵害されていることとなります。したがって、乙は丙に対して遺留分侵害額請求をして250万円を、同様に丁は丙に対して125万円をそれぞれ請求することができます。

# 第2　遺留分侵害額の算定

## 1　遺留分侵害額の算定方法

　遺留分が侵害されている場合、侵害されている遺留分権者は、遺留分侵害額請求により遺留分権を行使することになりますが、遺留分侵害額請求の前提として遺留分侵害額を算定する必要があります。

　遺留分侵害額は、以下の計算式により算定します（最判 H8.11.26民集50・10・2747）。

### ＜各相続人の遺留分侵害額の算定方法＞

> 「遺留分算定の基礎となる財産」（相続される積極財産額＋贈与額－相続債務総額）
> ×「その者の遺留分率」（遺留分割合（$\frac{1}{2}$ or $\frac{1}{3}$）×法定相続分割合）
> －「その者が受けた特別受益財産の価額」
> －「現実の相続取得額」
> ＋「その者が負担すべき相続債務分担額」

　なお、平成30年民法改正では、上記の遺留分侵害額の算定方法について、法律で明記されることになりました。

　上記改正民法の施行日は令和元年7月1日であり、施行日以降に開始した相続に適用されます（平成30年改正民附則2）。

### ＜遺留分侵害額の算定についての根拠条文＞

| 内　容 | 根拠条文 |
|---|---|
| 遺留分の基礎となる財産の算定方法 | 民1043 |
| 遺留分権利者の遺留分割合 | 民1042 |
| 遺留分権利者の受けた特別受益財産の額の控除 | 民1046Ⅱ① |
| 遺留分権利者の取得すべき遺産の価額の控除 | 民1046Ⅱ② |
| 遺留分権利者が承継する債務の加算 | 民1046Ⅱ③ |

**＜具体的な遺留分額の計算例＞**

【設例】

被相続人　　甲

相続人　　　乙（甲の妻）　丙（甲の子）　丁（甲の子）

戊（甲の友人）

相続財産　　現金1,000万円

土地建物（評価5,000万円）

　甲の遺言として「相続財産のうち現金は丙丁に按分して相続させる。土地建物は乙に相続させる」旨の公正証書遺言があり、亡くなる6か月前に生前世話になった古くからの友人である戊に対し1,000万円を生前贈与していました。

- - - - - - - - - - - - - - - - - - - - - - - - - - - - - - - - - - - - - -

【遺留分計算の基礎となる財産】

　相続財産は現金及び土地建物の価額を足した6,000万円となり、これに1年以内の贈与である1,000万円を加算し、相続債務がありませんので、遺留分計算の基礎となる財産は7,000万円になります。

（1,000万円＋5,000万円）＋1,000万円－0円＝7,000万円

【総体的遺留分】

　相続人が直系尊属のみの場合以外の場合なので遺留分割合は2分の1になります。したがって、総体的遺留分は3,500万円になります。

7,000万円×$\frac{1}{2}$＝3,500万円

【個別的遺留分】

　本設例は、相続人が配偶者（乙）と2名の子（丙・丁）ですので、それぞれの法定相続分は乙が2分の1、丙・丁がそれぞれ4分の1となります。よって、それぞれの個別的遺留分は以下のとおりとなります。

乙の個別的遺留分・・・3,500万円×$\frac{1}{2}$＝1,750万円

丙の個別的遺留分・・・3,500万円×$\frac{1}{4}$＝875万円

丁の個別的遺留分・・・3,500万円×$\frac{1}{4}$＝875万円

【遺留分侵害額】

　本設例では、前記の遺言がありますので、相続人の相続額は、乙が5,000円、丙が500万円、丁が500円です。よって、それぞれの遺留分侵害額は以下のとおりとなります。

乙の遺留分侵害額・・・1,750万円（個別的遺留分）－5,000万円（相続額）＝－3,250万円

丙の遺留分侵害額・・・ 875万円（個別的遺留分）－ 500万円（相続額）＝ 375万円

丁の遺留分侵害額・・・ 875万円（個別的遺留分）－ 500万円（相続額）＝ 375万円

　よって、乙は遺留分が侵害されておらず、丙と丁はそれぞれ375万円の遺留分が侵害されていることとなります。したがって、丙と丁は乙に対して、遺留分侵害額請求をして、それぞれ375万円を請求することができます。

## 2　遺留分算定の基礎となる財産の確定

遺留分割合（民1042）と法定相続分（民900）は民法に定められています。

遺留分算定の基礎となる財産を計算する方法は次のとおりです。

**＜遺留分算定の基礎となる財産の算定方法＞**

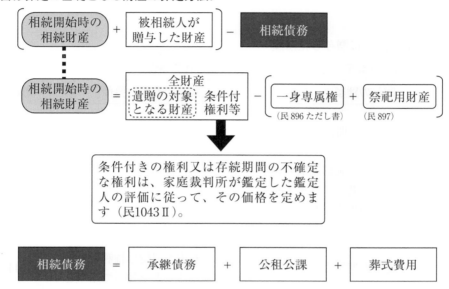

### (1)　相続開始時の相続財産

#### ア　原則

被相続人が相続開始時に有していた財産（積極財産）を遺留分算定の基礎とします（民1043Ⅰ）。ただし、一身専属財産（民896ただし書）や祭祀財産（民897）は除かれます。

条件付きの権利や存続期間の不確定な権利も遺留分算定の基礎となる財産に含まれますが、その権利の価格は、家庭裁判所が選任した鑑定委員の評価に従って定められます（民1043Ⅱ）。

#### イ　遺贈

遺贈の対象となった財産も被相続人が相続開始時に有していた財産に含まれます。

#### ウ　死因贈与

死因贈与を遺贈に準じて扱うか、贈与に準じて扱うかについては争いがあります。多数の学説は、死因贈与を遺贈として取り扱うべきであると解しているとの指摘があり（「新版注釈民法㉘」456頁）、傍論ながら同様の指摘をした裁判例もあります

（東京家審S47.7.28家月25・6・141）。他方、死因贈与を遺贈と同様に取り扱うよりはむしろ贈与として取り扱うのが相当であるとした裁判例があります（東京高判H12.3.8判時1753・57、ただし、同判決は、減殺の順序としては遺贈に次いで生前贈与より先に死因贈与を減殺の対象とすべきとし、完全に贈与と同一の扱いをしたものではありません。）。

　　※　山下寛ほか『遺留分減殺請求訴訟をめぐる諸問題（下）』判タ1252・29参照

## (2)　被相続人が生前に贈与した財産

**＜贈与財産が遺留分算定の基礎となる財産に加算される場合＞**

| 贈与の種類 | 加算の範囲、要件 | 根拠条文 |
|---|---|---|
| ア　相続開始前の１年間にされた贈与 | 無条件で加算 | 民1044Ⅰ前段 |
| イ　相続人に対し、相続開始前の10年間にされた、婚姻若しくは養子縁組のため又は生計の資本としてなされた贈与 | | 民1044Ⅲ |
| ウ　ア、イに定めた期間より前にされた贈与 | 当事者双方が遺留分権利者に損害を加えることを知って贈与をした場合は加算 | 民1044Ⅰ後段 |
| エ　負担付贈与 | 贈与の目的の価額から負担の価額を控除した額を加算 | 民1045Ⅰ |
| オ　不相当な対価による有償行為 | 当事者双方が遺留分権利者に損害を加えることを知って贈与をした場合は負担付贈与とみなして加算 | 民1045Ⅱ |
| カ　贈与以外の無償の処分 | 贈与と同様に扱い加算 | ― |

### ア　相続開始前の１年間にされた贈与

　相続開始前の１年間にされた贈与は、当事者の主観にかかわらずすべて遺留分算定の基礎となる財産に加算されます（民1044Ⅰ前段）。１年間の基準時は、契約時であって履行時ではないとされ、贈与契約が１年以上前にされているときには、その履行が１年間にされても含まれません（「新版注釈民法」463頁）。停止条件付贈与の事例において、契約時を基準時として判断した裁判例があります（仙台高秋田支部判S36.9.25下民12・9・2373）。

### イ　相続人に対する贈与

　相続人に対する贈与で、かつ、婚姻若しくは養子縁組のため又は生計の資本としてなされたものは、相続開始前の10年間にされた贈与が、遺留分算定の基礎となる財産に加算されます（民1044Ⅲ）。

> **参考**　相続人に対する贈与についての改正点

　相続人に対する、婚姻若しくは養子縁組のため又は生計の資本としてなされた贈与の、遺留分算定の基礎となる財産への加算は、改正前の民法では特別受益の持戻しの問題として規定されていました（平成30年改正前民1044→民903）。そのため、被相続人が特別受益の持戻し免除の意思思表示をしていた場合（民903Ⅲ）、これを遺留分算定の基礎となる財産に加算すべきか否か、という問題がありました。そして、最高裁判例は、この問題について遺留分算定の基礎としていました（最判H24.1.26判タ1369・124）。

　平成30年民法改正では、相続人に対する贈与について特別受益の規定を準用していませんので（民1044Ⅲ）、持戻し免除の規定の準用もなく、最高裁判例の結論と同様、被相続人が持戻し免除の意思表示をしていても、遺留分算定の基礎となります。

　また、改正前の民法では、相続人に対する、婚姻若しくは養子縁組のため又は生計の資本としてなされた贈与（特別受益）は、期間を定めずすべてが遺留分算定の基礎となる財産への加算される、とされていました。

　しかし、あまりに古い贈与まで遺留分算定の基礎となる財産としてしまうと、受遺者、受贈者にとって不測の不利益が生じたり、遺留分権利者の調査対象が広範にわたり大きな負担が生じたり、等の不都合が生じていました。

　そこで、平成30年民法改正では、相続人に対する贈与について、遺留分算定の基礎となる財産に加算する範囲を、相続開始前の10年間、としました（民1044Ⅲ）。

　なお、上記改正民法の施行日は令和元年7月1日であり、施行日以降に開始した相続に適用されます（平成30年改正民附則2）。

> **参考**
>
> **共同相続間でされた無償による相続分の譲渡は遺留分算定の基礎となる財産に加算されるか**

　夫A、妻B、子C、D、E、養子F（Eの妻）、という家族において、Aの死亡時、BとEは、Aの相続財産における自分達の相続分をFに無償で譲渡しました。その後、Bが死亡しました。Bは、全財産をFに相続させる旨の遺言をしましたが、Bにはさしたる財産はありませんでした。かかる事案で、Cが、Fに対して、Aの

相続時にBから受けた相続分の譲渡は民法第903条第1項の「贈与」に当たり、遺留分算定の基礎となる財産に当たる、として、遺留分減殺請求を行いました。これに対し判例は、共同相続人間でされた無償による相続分の譲渡は、当該相続分に財産的価値があるとはいえない場合を除き、民法第903条第1項の「贈与」に当たり、遺留分算定の基礎となる財産となる、と判示しました（最判 H30.10.19、民集72・5・900）。

　したがって、二次相続が10年以内に生じた場合には、従前の相続における処理についても注意が必要です。

### ウ　相続開始より1年前の日より前等にされた贈与

　相続開始より1年前の日より前にされた贈与、又は相続人に対し、相続開始より10年より前にされた、婚姻若しくは養子縁組のため、又は生計の資本としてなされた贈与は、当事者双方が遺留分権利者に損害を加えることを知って贈与をしたものである場合には、遺留分算定の基礎となる財産に加算されます（民1044Ⅰ後段）。

　「遺留分権利者に損害を加えることを知って」とは、遺留分権利者を害する意思までは必要ではなく、贈与契約時に客観的に遺留分権利者に損害を加えるべき事実関係を知っていることと解されています（大判 S9.9.15民集13・1792）。しかし、贈与の時点で遺留分を侵害していても、相続開始までに財産が増加することもあり得ることから、贈与財産の価額が残余財産の価額を超えていることを知っているだけでなく、将来において被相続人の財産が増加しないという予見があることが必要であると考えられています（大判 S11.6.17民集15・1246、「内田」506頁）。

　上記の認識があれば、誰が遺留分権利者であるかという認識までは必要はありません（大判 S4.6.22民集8・618）。

　加害の認識の立証責任は、遺留分侵害額請求権者が負い（大判 T10.11.29法律新聞1951・20）、加害の認識の認定は、贈与当時の事情によって判断されます（大判 S5.6.18民集9・609、「新版注釈民法」465頁）。

### エ　負担付贈与

　負担付贈与がなされた場合は、贈与の目的の価額から負担の価額を控除した額が遺留分算定の基礎となる財産に加算されます（民1045Ⅰ）。

### オ　不相当な対価による有償行為
　＜不相当な対価による有償行為についての改正点＞

　改正前の民法では、不相当な対価による有償行為を遺留分の基礎となる財産に加

算するには、遺留分権利者はその対価を償還する必要がありました（平成30年改正前民1039後段）。しかし、これでは遺留分権利者の権利行使を不当に制限する結果となりかねません。

　そこで、平成30年民法改正では、対価について負担付贈与の負担の価額とすることで、遺留分権利者が権利行使するに当たり価額を償還する義務を廃止しました（民1045Ⅱ）。

　1,000万円の土地を100万円で売った場合のように不相当な対価をもってした有償行為は、当事者双方が遺留分権利者に損害を加えることを知ってしたものに限り、当該対価を負担の価額とする負担付贈与とみなされます（民1045Ⅱ）。

### カ　贈与以外の無償の処分

　実質的に贈与と同様の結果をもたらす無償処分（無償の債務免除等）も贈与と同様に扱われると解されます。

**＜遺留分の基礎となる財産の算定における改正点＞**

| 改正前 | 根拠条文（平成30年改正前民法） | 改正後 | 根拠条文 |
|---|---|---|---|
| 相続人が受けた特別受益（婚姻若しくは養子縁組のため又は生計の資本としてなされた贈与）の持戻しは、過去すべてのものが対象となります。 | 民1044→903 | 相続人に対する贈与で、かつ、婚姻若しくは養子縁組のため又は生計の資本としてなされたものは、相続開始前の10年間にされた贈与が、遺留分算定の基礎となる財産に加算されます。 | 民1044Ⅲ |
| 不相当な対価による有償行為を遺留分の基礎に算定する場合、遺留分権利者は対価を償還する必要があります。 | 民1039後段 | 不相当な対価による有償行為を遺留分の基礎に算定する場合でも、遺留分権利者は対価の償還は不要です（対価を負担の価額とする負担付贈与とみなされます。）。 | 民1045Ⅱ |

　なお、上記改正民法の施行日は令和元年7月1日であり、施行日以降に開始した相続に適用されます（平成30年改正民附則2）。

## (3) 相続債務

### ア　控除される債務

遺留分算定の基礎となる財産から控除される債務は、私法上の債務だけでなく、租税債務や罰金などの公法上の債務を含みます。遺贈により被相続人の負うべき債務は、相続財産中の債務ではないため、控除される債務には含まれません。相続開始後に相続人によって相続債務が弁済されていた場合も遺留分算定の基礎となる財産を算定するに当たっては、当該債務を控除します（最判H8.11.26民集50・10・2747）。

相続税などの相続財産に関する費用や遺言執行に関する費用（民1021ただし書）は控除されるべき債務には当たらないと考えられています。

### イ　保証債務

相続開始時には確定債務となっていない保証債務が控除されるべき債務に含まれるかが問題となりますが、保証債務は保証人において将来現実に債務を履行するか否かが不確実であることなどから、「主たる債務者が弁済不能の状態にあるため保証人がその債務を履行しなければならず、かつ、その履行による出捐を主たる債務者に求償しても返還を受けられる見込みがないような特段の事情が存在する場合でない限り、民法第1029条㊟所定の『債務』には含まれないものと解するのが相当である」とした裁判例があります（東京高判H8.11.7判時1637・31）。

㊟　平成30年改正前の条文です。

### ウ　葬式費用

葬式費用を相続債務に含むか否かは、葬式費用を負担するのは誰か、という問題に関係します。

葬式費用の負担については、①喪主の負担とする説、②相続人全員で負担するとする説、③相続財産が負担するとする説、④慣習・条理によって決するとする説、様々な考えがありますが、近年は、①とされる場合が多く、その場合には、葬式費用は相続債務には含まれないことになります。

## (4) 遺留分算定の基礎となる財産への算入が問題となる財産

### ア　被相続人を被保険者とする生命保険金

#### (ア)　相続財産となるか

被相続人を被保険者とする生命保険金が遺留分算定の基礎となる財産に算定されるか否かは、受取人によって次のとおり異なることになります。

**＜被相続人を被保険者とする生命保険金の遺留分算定の扱い＞**

| 受取人 | 保険金請求権の帰属 | 保険金が遺留分算定の基礎となる財産に加算されるか | 判　例 |
|---|---|---|---|
| 被相続人 | 保険金請求権は被相続人に帰属 | 加算されます。 | ― |
| 被相続人以外の特定の者 | 保険金請求権は当該特定の者の固有財産となります。 | 加算されません。 | 最判 H 14.11.5 民集56・2・2069 |
| 相続人のみ | 被相続人死亡時における相続人の固有財産となります。 | 加算されません。 | 最判 S 48.6.29 民集27・6・737 |

　㈢　贈与となるか

　　上記のように受取人が被相続人以外の者に指定されている場合には、保険金請求権は、受取人の固有財産と評価されます。しかし、これを贈与に該当するとして遺留分算定の基礎となる財産の対象となるかが問題となります。

　　この点について、被相続人が、自己を被保険者とする生命保険の受取人を被相続人の妻から被相続人の父へ変更した行為が平成30年改正前民法第1031条の贈与又は遺贈に該当するかが争われた事案で、裁判所は、保険金請求権が受取人の固有の権利として取得するものであること、保険契約者又は被保険者の財産に属していたとみることもできないこと等を理由に平成30年改正前民法第1031条の贈与、遺贈には該当しないとしました（最判 H14.11.5民集56・8・2069）。

　㈣　遺留分算定の基礎となる財産に加算されるか

　　では、相続人の1人が保険金の受取人となっている場合に、当該保険金相当額は、遺留分算定の基礎となる財産に加算されるのでしょうか。

　　この点について、平成30年民法改正前ですが、最高裁判所は、養老保険契約に基づく死亡保険金請求権について、形式的にも実質的にも相続財産性を否定した上で特別受益には該当しない（平成30年改正民法においては、遺留分算定の基礎となる財産に加算さすべき贈与には該当しない）と判断しました（最判 H16.10.29民集58・7・1979）。

　　もっとも、同判例は、「保険金受取人である相続人とその他の共同相続人との間に生じる不公平が民法903条の趣旨に照らし到底是認することができないほどに著しい者であると評価すべき特段の事情が存する場合」には民法第903条の類

推適用により、特別受益として持戻しの対象となるとしました（平成30年改正民法では、遺留分における民法第903条の準用はありませんが、同様の趣旨から、遺留分算定の基礎となる財産への加算が認められる可能性はあります。）。そして、「上記特段の事情の有無については、保険金の額、この額の遺産の総額に対する比率のほか、同居の有無、被相続人の介護等に対する貢献の度合いなどの保険金受取人である相続人及び他の共同相続人と被相続人との関係、各相続人の生活実態等の諸般の事情を総合考慮して判断すべきである」としています。

　特別の事情が認められて、特別受益として持ち戻すことになった場合（平成30年改正民法においては、遺留分算定の基礎となる財産への加算が認められる場合）の金額については、次のような考え方があります。

**＜特別受益として持ち戻す場合の金額（遺留分算定の基礎となる財産へ加算する金額）についての考え＞**

| 被相続人が支払った保険料額とする見解 |
| --- |
| 受領した保険金額とする見解 |
| 契約者死亡時の解約返戻金額とする見解 |

### イ　死亡退職金

(ア)　相続財産となるか

　死亡退職金は、公務員や企業の従業員が在職中に死亡した場合に給付されるものであり、支払の根拠は、法律や私企業の内規、就業規則などによります。

　いずれの場合も、受給者の固有権と考え、相続財産とはならないと解するのが多数説とされます（新版注釈民法(28)468頁）。

(イ)　遺留分算定の基礎となる財産に加算されるか

　死亡退職金請求権を相続人が取得する場合には、これを遺留分算定の基礎となる財産に加算するかが問題となります。

　この点、平成30年民法改正前の裁判例では、特別受益として算入するべき（平成30年改正民法においては、遺留分算定の基礎となる財産に加算する贈与とすべき）とする見解とこれを否定する見解の双方があり、裁判例もこれを肯定するもの（大阪家審S53.9.26家月31・6・33）と否定するもの（大阪家審S40.3.23家月17・4・64）とがあります。

### ウ　遺族年金

遺族年金は種類が多いため一律には論じられませんが、基本的には相続制度とは別個の立場から受給権者と支給方法等を定めたものであることを理由に、受給者の固有権として相続財産とはならないと考えられています（大阪家審 S59.4.11家月37・2・147）。

特別受益に該当するか（平成30年改正民法においては、遺留分算定の基礎となる財産に加算する贈与に該当するか）についても、これを贈与とみることが困難であるため、特別受益には該当しない（平成30年改正民法においては、遺留分算定の基礎となる財産に加算する贈与に該当しない）と考えられています（東京高決 S55.9.10判タ427・159）。

## ⑸　寄与分との関係

### ア　遺留分を侵害する寄与分に対する遺留分権行使の可否

寄与分は遺留分算定の基礎となる財産の算定において、相続財産から控除すべき対象とされていません（民1043Ⅰ参照）。また、寄与分の上限は相続開始の時における相続財産の価額から遺贈の価額を控除した残額とされています（民904の2Ⅲ）。

このことから、遺留分を侵害する寄与分が定められることがあり得ます。これに対して、遺留分権利者は遺留分が侵害されたとして権利行使できるでしょうか。

この点、遺留分侵害額請求権は、寄与分を対象としておらず（民1046Ⅰ参照）、寄与分に対する遺留分権の行使はできないと考えられます。

もっとも、寄与分の額は共同相続人間の協議又は審判で定めるものとされており（民904の2ⅠⅡ）、裁判所が寄与分を定める際の「一切の事情」として遺留分も考慮すべきとされていることから（東京高決H3.12.24判タ794・215）、実務上裁判所が遺留分を侵害するような寄与分を定めることは通常ないと思われます。また、相続人の協議で遺留分を侵害するような寄与分が定められた場合は、実質的に遺留分の放棄があったとみることができ、遺留分侵害額請求ができないことを不当と評価することはできないと思われます。

### イ　遺留分侵害額請求訴訟における寄与分の抗弁の可否

共同相続人の1人が遺留分侵害額請求訴訟を提起した場合に、請求の相手方である受遺者・受贈者等による、当該遺贈又は贈与の一部は寄与分の趣旨でされたものであるから遺留分侵害額請求権を行使することはできないとの抗弁、あるいは、自分は寄与分が認められるため寄与分相当額が請求額から控除されるべきとの抗弁は、認められるでしょうか。

　　この点、平成30年民法改正前の判例ですが、寄与分は、共同相続人間の協議により、協議が調わないとき又は協議ができないときは家庭裁判所の審判により、定められるものであることから、遺留分減殺請求訴訟において抗弁として主張することは許されないとしています（最判 H8.1.26判時1559・43、最判 H11.12.16判時1702・62）。

　　条文上も、寄与分は遺留分算定の基礎となる財産の算定において、相続財産から控除すべき対象とされていないこと（民1043 I 参照）、遺留分侵害額請求の算定において請求額から控除される対象に寄与分は含まれていないこと（民1046 II）から、寄与分の主張は、遺留分権の行使に対する抗弁足り得ないと考えられます。

**＜寄与分・遺贈・遺留分の関係＞**

| 関係 | 内容 | 根拠条文（平成30年改正民法）・裁判例 |
|---|---|---|
| 遺贈＞寄与分 | 寄与分の上限は相続開始の時における相続財産の価額から遺贈の価額を控除した残額とされています。したがって、相続財産のすべてが遺贈された場合には、寄与分は認められません。 | 民904の2 III |
| 寄与分＞遺留分 | 遺留分を侵害するような寄与分を定めることも、法的には可能です。 | 東京高決 H 3 .12.24 判タ794・215 |
| 遺留分＞遺贈 | 遺贈は遺留分侵害額請求の対象となります。 | 民1046 I |

## (6)　遺留分算定の基礎となる財産の評価

### ア　評価の時期

　　遺留分算定の基礎となる財産を評価する基準時は、遺留分権が具体的に発生し範囲が定まる相続開始時とするのが通説・判例です（最判 S51.3.18民集30・2・111）。

　　金銭の場合は、贈与の価額を相続開始時の貨幣価値で評価し直します（前掲最判 S51.3.18）。

　　金銭の場合以外は、相続開始時の取引価額によるべきと考えられます。

　　受贈者の行為によって、その目的である財産が滅失した場合や、価値の増減があった場合でも、相続開始の時においてなお原状のままであるものとして相続開始時の価値で評価します（民1044 II →904）。

### イ　評価の方法

　財産の評価の方法は、財産の種類により異なります。

**＜財産の評価の方法＞**

| 財産の種類 | | 評価の方法 |
|---|---|---|
| 不動産 | 原　則 | 取引価格を基準として評価します。 |
| | 担保付<br>不動産 | 不動産の価額から被担保債権額を控除して評価すべきと解されていますが、被担保債務が相続債務として遺留分算定の基礎となる財産から控除されている場合は、重複して控除されてしまうことになるため、控除すべきではないと考えられます。 |
| 債　権 | | 債権の評価は、額面の金額を基礎として、債務者の資力、担保の有無などを具体的に斟酌して評価すべきとされます。 |
| 集　合　物 | | 個々の価格の合計ではなく一体として評価します。 |
| 負担付贈与 | | 目的の価額から負担の価額を控除したものが評価の対象となります（民1045Ⅰ）。 |
| 条件付権利 | | 家庭裁判所が選任した鑑定人の評価に従って価格を定めます（民1043Ⅱ、家事39別1⑩）。 |

　※高木多喜男「遺留分の算定」中川善之助教授還暦記念『家族法体系Ⅶ』有斐閣1960、267頁以下参照

## (7)　遺留分算定の基礎となる財産がゼロないし債務超過の場合

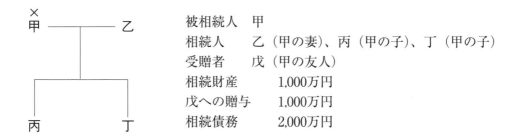

| | |
|---|---|
| 被相続人 | 甲 |
| 相続人 | 乙（甲の妻）、丙（甲の子）、丁（甲の子） |
| 受贈者 | 戊（甲の友人） |
| 相続財産 | 1,000万円 |
| 戊への贈与 | 1,000万円 |
| 相続債務 | 2,000万円 |

　例えば、上記のような場合、遺留分算定の基礎となる財産は、
1,000万円＋1,000万円－2,000万円＝0円となります（民1043Ⅰ）。

　しかし、遺留分侵害額は、遺留分算定の基礎となる財産にその者の遺留分率を乗じ、そこから、その者が受けた特別受益の価額、現実に取得する相続財産の価額を控除し、その者が承継する債務を加算して計算されます（民1046Ⅱ、481頁参照）。

　そのため、上記の例でいえば、丙の遺留分侵害額は、
基礎となる相続財産0円×丙の遺留分率1／8－特別受益相当額0円－現実に取得す

る相続財産額250万円＋承継する債務額500万円＝250万円となります。

　すなわち、遺留分算定の基礎となる財産がゼロないし債務超過の場合であっても、遺留分侵害額請求が認められる場合があるということです。

# 第3　遺留分権の行使

## 1　遺留分侵害額請求

### ⑴　意義

　自己の遺留分を侵害された遺留分権者及びその承継人は、遺留分を保全するのに必要な限度で、受遺者（特定財産を相続させる遺言や、相続分の指定による遺言により遺産を取得した相続人を含みます。）及び受贈者に対し、遺留分侵害額に相当する金銭の支払を請求することができます。

### ⑵　行使の方法

　遺留分侵害額請求権は、相手方に対する意思表示によって行使します。

　裁判上の請求による必要はありません（最判S41.7.14民集20・6・1183）。

　裁判による請求及び裁判における抗弁でも行使することができます。

　遺留分侵害額請求の意思表示をせずに、遺産分割協議の申入れをしたり、遺産分割の審判の申立てをしたりした場合に、遺留分侵害額請求の意思表示が含まれるかが問題となることがあります。この点、平成30年民法改正前のものですが、裁判例は、相続人の1人に包括遺贈がなされるなどして、遺産分割協議の申入れや審判の申立てが遺留分侵害額請求を前提としているような場合には、遺留分侵害額請求の意思表示が含まれると評価していると思われます（東京高判H4.7.20判時1432・73［遺産分割審判の申立てのケース］、最判H10.6.11民集52・4・1034［遺産分割協議の申入れのケース］）。

### ⑶　行使の主体

　遺留分侵害額請求権は、遺留分権利者とその承継人が行使できます（民1046Ⅰ）。

　遺留分権利者は、本章第1　2「遺留分権利者の範囲」を参照してください。

　承継人とは遺留分権利者の相続人、包括受遺者、相続分の譲受人等の包括承継人のほか、個別の遺留分権の譲受人のような特定承継人を含みます。

　遺留分権利者の債権者が遺留分権を債権者代位権により代位行使することについて、判例は原則としてこれを否定しています（最判H13.11.22民集55・6・1033、なお、同判決は「権利行使の確定的意思を有することを外部に表明したと認められる特段の事情がある場合を除いて、債権者代位の目的とすることができない」としています。）。

### (4)　行使の相手方

遺留分侵害額請求権行使の相手方は、次のとおりです。

**＜遺留分侵害額請求権行使の相手方＞**

| 行使の相手方 | 根拠条文 |
|---|---|
| 受遺者 | 民1046 I |
| 受贈者 | |
| 特定の財産を共同相続人の1人又は数人に承継させる旨の遺言（特定財産承継遺言）により財産を承継した相続人 | |
| 遺言により相続分の指定を受けた相続人 | |

### (5)　請求できる遺留分侵害額

遺留分侵害額請求権は金銭請求であるところ、平成30年改正民法では、遺留分侵害額として請求できる金額の具体的な算定方法を以下のとおり定めています（民1046 Ⅱ）。

**＜遺留分侵害額の算定＞**

| | 計算 | 対象項目 | 根拠条文 |
|---|---|---|---|
| ① | | 遺留分算定の基礎となる財産（相続開始時の相続財産＋贈与額－債務額） | 民1043 I |
| ② | × | 遺留分権利者の遺留分率 | 民1042 I Ⅱ |
| ③ | － | 遺留分権利者の受けた遺贈又は特別受益の価額 | 民1046 Ⅱ① |
| ④ | － | 法定相続分・遺言・特別受益により遺留分権利者が現実に取得すべき遺産の価額 | 民1046 Ⅱ② |
| ⑤ | ＋ | 被相続人の相続開始時の債務のうち、法定相続分に応じて遺留分権利者が承継する債務の額 | 民1046 Ⅱ③ |

**＜具体例＞**

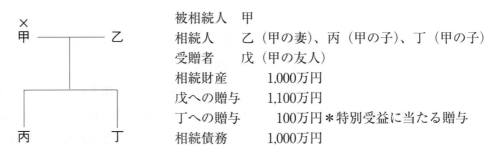

被相続人　　甲
相続人　　　乙（甲の妻）、丙（甲の子）、丁（甲の子）
受贈者　　　戊（甲の友人）
相続財産　　　　1,000万円
戊への贈与　　　1,100万円
丁への贈与　　　　100万円 ＊特別受益に当たる贈与
相続債務　　　　1,000万円

この場合、丁が戊に対して請求できる遺留分侵害額は、

①　1,000万円＋1,100万円＋100万円－1,000万円＝1,200万円

②　1200万円 $\times \dfrac{1}{8} = 150$万円

③　150万円 − 100万円 = 50万円

④　50万円 − ｛（1,000万円 + 100万円）$\times \dfrac{1}{4}$ − 100万円｝ = − 125万円

⑤　− 125万円 +（1,000万円 $\times \dfrac{1}{4}$）= 125万円

となり、125万円となります。

## (6)　受遺者・受贈者等の負担額

　遺留分侵害額請求の相手方は、遺贈、贈与、特定財産承継遺言による相続、相続分の指定による相続により取得した目的の価額を限度として、遺留分侵害額を負担します（平成30年改正民1047Ⅰ本文）。

## (7)　受遺者・受贈者等の支払猶予

　遺留分侵害請求をされた相手方は、裁判所に請求して、支払うべき金額の全部または一部の支払につき、相当の期限を許与するよう求めることができます（民1047Ⅴ）。

### 参考　遺留分権行使の方法・効果の見直し

　平成30年民法改正前は、遺留分権利行使の効果として、原則として物権的効力のみが認められ、受遺者等が価額弁償を選択した場合に例外的に金銭支払による、とされていました。そのため、遺留分減殺請求権を行使されると、遺留分の割合に応じて、相続財産すべてに当然に共有（準共有）関係が生じます。そうなると、共有（準共有）関係の解消に共有物分割の手続が必要となり、また、相続財産が事業用財産であった場合には、事業に関与していない相続人に事業用資産の共有持分が生じたり、株式が分散したりなどして、事業承継が円滑に進まない可能性があるなど、様々な問題が生じます。そこで、平成30年民法改正では、遺留分侵害額請求権行使の効果として、物権的効力を認めず、遺留分侵害額の金銭請求権のみを認めることとしました（民1046Ⅰ）。しかし、そうなると、遺留分減殺を受ける側に金融資産がない場合には、遺留分侵害額請求に応じた支払ができないことになります。そこで、遺留分侵害額請求に対し、裁判所の許可を得て、相当期間の支払猶予を認めることとしました（民1047Ⅴ）。

　なお、上記改正民法の施行日は令和元年7月1日であり、施行日以降に開始した相続に適用されます（平成30年改正民附則2）。

## 2　遺留分侵害額の負担の順序

遺留分侵害額を負担する順序は、次のとおり定められています。

**＜遺留分侵害額の負担の順序＞**

| 原　則 | 根拠条文 | 判　例 |
|---|---|---|
| 遺贈と贈与がある場合、まず受遺者が先に負担し、なお遺留分侵害額の回復が果たせない場合、受贈者が負担します。 | 民1047 I ① | |

| 死因贈与の順序 | 根拠条文 | 判　例 |
|---|---|---|
| 死因贈与については、これを遺贈と同じく扱うべきとする見解と贈与と同じく扱うべきとする見解がありますが、平成30年民法改正前の裁判例には、遺贈と同じく扱うべきとしつつ減殺の順序としては、遺贈の後、贈与の前に減殺すべきとしたものがあります（本章第2　2(1)ウ参照）。 | なし | 東京高判 H12.3.8 判時1753・57 |

| 複数の遺贈がある場合又は<br>複数の贈与が同時にされた場合 | 根拠条文 | 判　例 |
|---|---|---|
| 複数の遺贈がある場合又は複数の贈与が同時にされた場合は、目的物の価額の割合に応じて負担します。 | 民1047 I ② | |
| ただし、遺言者がその遺言書の中で負担の順序などについて別段の意思を表示していたときは、その意思に従います。 | 民1047 I ②ただし書 | |

| 複数の贈与がある場合 | 根拠条文 | 判　例 |
|---|---|---|
| 複数の贈与がある場合は、日付が後にされた贈与から負担し、順次前の贈与を負担していきます。贈与の先後は契約の先後によって決定すると解されています。 | 民1047 I ③ | |

| 受遺者、受贈者が無資力の場合 | 根拠条文 | 判　例 |
|---|---|---|
| 受遺者、受贈者が無資力の場合の損失は遺留分権利者の負担に帰するとされています。 | 民1047Ⅳ | |

## 3　相続分の指定に対して遺留分侵害額請求がされた場合の遺留分算定方法

　包括遺贈や特定財産の相続・遺贈ではなく、相続分の指定によって遺留分が侵害されることがあります。これに対して遺留分侵害額請求がされた場合、各相続人の相続分はどのように修正されるのでしょうか。

　この点、最高裁判所は、平成30年民法改正前の判例ですが、以下のように示しました（最判 H24.1.26裁時1548・1）。

【設例】

> 甲が死亡し、その相続人は前妻との間の子Ｘ１、Ｘ２、Ｘ３及び現在の妻Ｙ１、甲とＹとの間の子Ｙ２、Ｙ３です。甲は遺言で、Ｙ１の相続分を２分の１、Ｙ２、Ｙ３の相続分を各４分の１とし、Ｘ１〜Ｘ３については０と指定しました。

【Ｘ１らが侵害された遺留分】

| | 法定相続分 | 遺留分 |
|---|---|---|
| Ｘ１ | 1／10 | 1／20 |
| Ｘ２ | 1／10 | 1／20 |
| Ｘ３ | 1／10 | 1／20 |

　Ｘ１らが指定された相続分は０だったので、Ｘ１らはそれぞれ1/20ずつ遺留分を侵害されていることになります。

【Ｙ１らの相続分の修正】

　Ｘ１らの侵害された遺留分の合計３/20を、遺留分を侵害しているＹ１らがどのように負担すべきかについて、上記最高裁判所判例は「遺留分割合を超える相続分を指定された相続人の指定相続分が、その遺留分割合を超える部分の割合に応じて修正される」としました。

| | 遺留分（①） | 指定相続分（②） | 超過分（②－①） |
|---|---|---|---|
| Ｙ１ | 1／4 | 1／2 | 5／20 |
| Ｙ２ | 1／20 | 1／4 | 4／20 |
| Ｙ３ | 1／20 | 1／4 | 4／20 |

Ｙ１らの超過分の割合は

Ｙ１：Ｙ２：Ｙ３＝５：４：４

これに侵害された遺留分合計３/20を割り付けると

Ｙ１：３/20×５/（５＋４＋４）＝15/260
Ｙ２：３/20×４/（５＋４＋４）＝12/260
Ｙ３：３/20×４/（５＋４＋４）＝12/260

となります。

　そこで、指定相続分から上記割り付け分を差し引くと、各人の相続分は以下のとおり修正されます。

Ｘ１：１/20＝13/260
Ｘ２：１/20＝13/260
Ｘ３：１/20＝13/260
Ｙ１：１/２ －15/260＝115/260
Ｙ２：１/４ －12/260＝53/260
Ｙ３：１/４ －12/260＝53/260

## 4　遺留分侵害額請求権の時効

### (1)　期間

　遺留分侵害額請求権は、遺留分権利者が、相続開始及び遺留分を侵害する贈与又は遺贈があったことを知った時から１年間行使しないとき、相続開始の時から10年を経過したときは時効によって消滅します（民1048）。

　前者は消滅時効、後者は除斥期間と考えられています。

**＜期間＞**

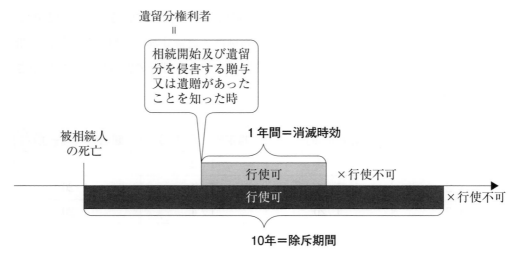

## ⑵　時効の起算点

　1年の時効期間の起算点である「遺留分を侵害する贈与又は遺贈があったことを知った時」の意義について、どの程度の事実を知る必要があるか、贈与や遺贈の効力を争っている場合に消滅時効が進行するかが問題となります。

　この点、平成30年民法改正前の判例は、単に贈与又は遺贈の事実を知った時ではなく、それが減殺できるものであることを知った時と解すべきであるから、遺留分権利者が贈与の無効を信じて訴訟上争っているような場合は、贈与の事実を知っただけで直ちに減殺できる贈与があったことまでを知っていたものと断定することはできないとして（大判 S13.2.26民集17・275）、具体的な権利の存在を知ることまでを要求しています。

　しかし、遺留分権利者となり得る者が訴訟上無効の主張をしさえすれば、それが根拠のないいいがかりにすぎない場合であっても時効は進行しないとするのは相当ではないことから、判例は、被相続人の財産のほとんど全部が贈与されていて遺留分権利者が右事実を認識しているという場合においては、無効の主張について、「一応、事実上及び法律上の根拠があって、遺留分権利者が右無効を信じているため遺留分減殺請求権を行使しなかつたことがもっともと首肯しうる特段の事情」が認められない限り、その贈与が減殺することのできるものであることを知っていたものと推認するのが相当というべきであるとしています（最判 S57.11.12民集36・11・2193）。

# 第4　遺留分の放棄

## 1　相続開始前の放棄

### (1)　遺留分放棄の手続

　遺留分を相続開始前に放棄することも可能です。

　ただし、相続開始前に遺留分を放棄するには、家庭裁判所の許可を受ける必要があります（民1049 I）。家庭裁判所の許可を受けるためには、管轄の家庭裁判所に遺留分放棄の許可の審判を申し立てます（家事39別1⑩）。

**＜遺留分放棄の許可の審判＞**

| | |
|---|---|
| 申立人 | 遺留分権利者 |
| 申立時期 | 相続開始前 |
| 管　轄 | 被相続人の住所地又は相続開始地の家庭裁判所 |
| 申立費用 | 収入印紙800円<br>連絡用の郵便切手（内訳は申し立てる裁判所に確認してください。） |
| 必要書類 | 申立書1通<br>申立人の戸籍謄本（全部事項証明書）1通<br>被相続人の戸籍謄本（全部事項証明書）1通<br>財産目録1通<br>㊟　事案によってはこの他の資料の提出を求められることがあります。 |

### (2)　許可の基準

　家庭裁判所が許可する場合の許可の基準に関しては、遺留分権利者の自由意思に基づくものであること、放棄理由の合理性・必要性、代償性（放棄と引換えに贈与等の代償が存在するか）が唱えられています（「新版注釈民法⑳」534頁以下）。

　家庭裁判所が遺留分放棄を許可しなかった審判例として、被相続人である父と申立人である子との間に長期間にわたる親子の激しい対立があり、申立人が被相続人の意思に反して婚姻届を提出した後、被相続人が自己の財産を申立人には相続させられないと考え、被相続人が作成した遺留分放棄の審判申立書に申立人が署名押印をしたため、当該申立書が裁判所に提出されたという事例において、裁判所は、当該申立てが被相続人からのはたらきかけによるもので、申立ての動機も被相続人による申立人に対する強い干渉の結果によることも容易に推認できるところであるとし、申立ては必ずしも申立人の真意であるとは即断できず、許可することは相当ではないとしたもの

があります（和歌山家妙寺支部審 S63.10.7家月41・2・155）。

### (3)　許可申立却下の審判に対する不服申立て

遺留分の放棄についての許可の申立てをした者は、申立てを却下する審判に対し、即時抗告をすることができます（家事216Ⅱ）。

### (4)　遺留分放棄許可の審判の取消し

遺留分放棄を許可する審判は、遺留分放棄の許可の審判を却下する審判と異なり、即時抗告をなし得ない審判ですから、許可の不当を理由にその取消しを求めることができます（家事78）。

許可の審判後に発生した事情の変更を理由として取消しを求めることも認められると解されていますが、その基準については、「遺留分放棄を許可する審判を取り消し、又は変更することが許される事情の変更は、遺留分放棄の合理性、相当性を裏づけていた事情が変化し、これにより遺留分放棄の状態を存続させることが客観的に見て不合理、不相当と認められるに至った場合でなければならないと解すべきである」とする裁判例があります（東京高決 S58.9.5判時1094・33）。

## 2　相続開始後の放棄

相続開始後の遺留分の放棄は、既に自分に帰属した権利の処分であることから、自由に行うことができます。裁判所の許可も不要です。

放棄の意思表示の相手方は、遺留分侵害額請求の相手方に行うべきと考えられます（島田充子「遺留分の放棄」判タ688・405参照）。

## 3　遺留分放棄の効果

共同相続人の1人がした遺留分の放棄は、他の各共同相続人の遺留分に影響を及ぼしません（民1044Ⅱ）。したがって、遺留分を放棄しても、他の相続人の遺留分が増加することはなく、反射的に被相続人が自由に処分できる相続財産の範囲が増加するに過ぎません。

遺留分の放棄は相続放棄とは異なるため、遺留分を放棄しても相続人の地位を失うわけではありません。したがって、相続放棄や限定承認が必要なケースでは改めて手続をとる必要があります。

なお、相続開始前の遺留分の放棄と相続開始後の放棄とで効果は変わりません。

# 第5　経営承継円滑化法

## 1　経営承継円滑化法とは

### ⑴　経営承継円滑化法の目的

ア　「中小企業における経営の承継の円滑化に関する法律」（以下「経営承継円滑化法」又は「経承法」といいます。）は、平成20年5月16日に公布され、一部を除き同年10月1日から施行された法律です。

　　中小企業において経営承継を行う際には、遺留分や相続税の負担等の問題があり、経営者の高齢化が進む中、地域経済と雇用を支える中小企業の経営承継を円滑に行うための総合的な支援策が求められていました。経営承継円滑化法は、こうした要請を踏まえて立法されたものです。

イ　この法律ができる以前には、中小企業の事業承継の支障になる問題として次の3点が指摘されていました。

⑺　遺留分による制約

　　第1に、中小企業のほとんどを占めるオーナー企業が、経営者の交代に際し、オーナー企業制を維持しようとする場合、自社株式や事業用資産等を後継者に集中して承継させる必要があります。しかし生前贈与や遺言によって、自社株式や事業用資産を後継者に集中して承継させようとしても、民法の規定によって後継者でない他の相続人（非後継者）の遺留分（民1042）による制約を受け、後継者が非後継者の遺留分を侵害しない限度までしか承継することができず、株式等の分散が生じるという問題がありました。

⑷　事業承継の際の資金調達の困難性

　　第2に、後継者が自社株式等を集中して承継しようとする場合、相続に伴って分散した株式や事業用資産等の買取りに多額の資金が必要となるほか、株式や事業用資産を相続すると相続税の納税資金も必要となるなど、後継者に資金需要が生ずることがあります。また中小企業の場合、経営者の交代により信用状態が悪化し、金融機関からの借入条件や取引先との取引条件が厳しくなるなど資金調達が困難になるおそれもあります。

㈡　相続税の負担

　第3に、経営者が死亡すると、株式や事業用資産が相続されることになりますが、特に業績のよい会社の場合、株式の評価額が高額になるために、一部を売却処分して換金することができる財産がなければ、納税資金を十分に確保することができないというおそれがあります。

㈢　所在不明株主による手続の停滞

　事業承継の方法として、例えば株主総会決議により事業譲渡や会社分割、株式譲渡等を行うことも考えられますが、所在不明の株主が多数いると、定足数を満たさず、株主総会の決議ができなくなるおそれがあります。会社からの通知等が継続して5年以上到達せず、配当も受領しない株主に対しては、会社がその保有株式の競売又は売却を行うこともできますが、この「5年」という期間の長さが、円滑な事業承継の妨げとなっていました。

　経営承継円滑化法は、これら問題点に対処して、中小企業における経営の承継の円滑化を図り、もって中小企業の事業活動の継続に資することを目的としています（経承法1）。

＜経営承継円滑化法の目的＞

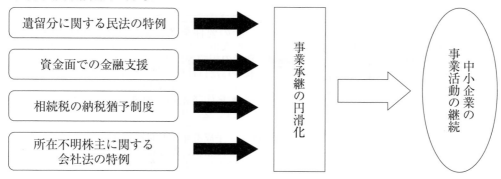

(2)　**経営承継円滑化法の内容**

　経営承継円滑化法は、以上の3点の問題に対応するために制定された法律です。具体的には次頁の表の①から③の3つの内容からなっています。

　このうち、本書では、遺留分に関する民法の特例について解説しています。その他の事業承継時の金融支援措置及び相続税の課税についての措置等については、中小企業庁が「中小企業経営承継円滑化法の申請マニュアル」を公表し、手続を含めて詳しく解説しているので、そちらを参照してください。

## ＜経営承継円滑化法の内容＞

| これまでの問題点 | 経承法の内容 | 具体的内容 | 経承法上での位置付け |
|---|---|---|---|
| 遺留分による制約の問題 | ① 遺留分に関する民法の特例 | 推定相続人及び後継者全員の合意により、先代から後継者に贈与された自社株式等算定の基礎となる財産について、<br>(ア) 遺留分から除外すること<br>(イ) 遺留分算定の基礎となる価額を合意時の時価に固定すること<br>ができます。(注) | 「遺留分に関する民法の特例」（経承法2章） |

(注)　平成28年4月1日以降に合意したものについては推定相続人以外の者も「後継者」となり得ます。

| | | | |
|---|---|---|---|
| 事業承継時における資金調達の困難性の問題 | ② 金融支援措置 | 経営者の死亡等に伴い必要となる資金（株式、事業用資産の取得資金、信用力低下時の運転資金、納税資金等）の調達を支援するため、経済産業大臣の認定を受けた中小企業者及びその代表者に対し特例を設け、<br>(ア) 中小企業信用保険法の特例（対象：中小企業者）<br>(イ) 株式会社日本政策金融公庫法及び沖縄振興開発金融公庫法の特例（対象：中小企業者の代表者）<br>を定め、融資の枠と対象者を拡大しています。 | 「支援措置」（経承法3章） |

| | | | |
|---|---|---|---|
| 相続税の負担の問題 | ③ 相続税等の課税についての措置 | 一定の要件を満たす会社及び個人事業主において、現経営者の相続等により後継者が取得した自社株式等について贈与税ないし相続税の納税が猶予及び免除されます。<br>（注1、2、3） | 租税特別措置法第70条の7～第70条の7の4、及び第70の6の8～第70の7の10 |

(注)1　平成27年1月以降に発生した相続、贈与は、親族以外の後継者も対象となります。

2　平成30年度税制改正により、「事業承継税制の特例」が新設され、納税猶予・免除の対象や範囲が拡大されています。詳しくは中小企業庁ホームページの事業承継税制の特例の頁をご覧ください。

3　以前はこの制度は会社のみが対象とされていましたが、平成31年4月の法改正により、個人事業主も対象となりました。

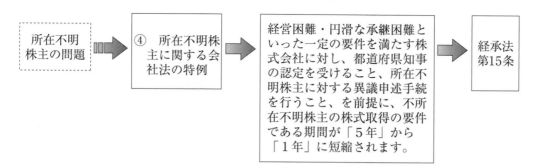

### (3) 経営承継円滑化法の対象企業

経営承継円滑化法の対象となる中小企業は、以下の図の「業種」ごとに「資本金」又は「従業員数」のいずれかの要件を満たす会社又は個人で、この法律では「中小企業者」と呼んでいます（経承法2、経承法施行令）。

**＜経営承継円滑化法の対象となる「中小企業者」＞**

| 業 種 | 資本金 | | 従業員数 |
|---|---|---|---|
| 製造業その他 | 3億円以下 | | 300人以下 |
| 卸売業 | 1億円以下 | | 100人以下 |
| サービス業 | 5,000万円以下 | 又は | 100人以下 |
| 小売業 | 5,000万円以下 | | 50人以下 |

**＜経営承継円滑化法施行令で拡大されている業種＞**

| 業 種 | 資本金 | | 従業員数 |
|---|---|---|---|
| ゴム製品製造業（自動車又は航空機用タイヤ及びチューブ製造業並びに工業用ベルト製造業を除きます。） | 3億円以下 | | 900人以下 |
| ソフトウェア業又は情報処理サービス業 | 3億円以下 | 又は | 300人以下 |
| 旅館業 | 5,000万円以下 | | 200人以下 |

この「中小企業者」には事業継続期間の制限はありません。ただし、「遺留分に関する民法の特例」の適用を受ける「特例中小会社」又は「旧個人事業者」となるためには、3年以上継続して事業を行っている必要があります（経承法3Ⅰ、4、経承法施行規則2）。

## 2　遺留分に関する民法の特例

**＜遺留分に対する民法の特例の背景＞**

| 経営継承における遺留分制度による限界 |
| --- |
| ①　自社株式や事業承継資産を後継者へ集中させることの困難性 |
| ②　遺留分権行使による経営権の分散 |
| ③　基礎財産参入の贈与財産評価の問題 |

**現行民法上での経営承継の方策**
　　非承継者が遺留分を事前放棄すること（民1043）による紛争の未然防止

| 遺留分の事前放棄の問題点 |
| --- |
| ①　非承継者の手続上の負担 |
| ②　家庭裁判所の拒否判断の不安定 |
| ③　遺留分算定基礎財産に算入すべき価額の固定化の困難性 |

→ **経承法による民法の特例**

### (1)　遺留分制度と経営承継円滑化法

　前述のようにオーナー企業や個人事業者において後継者に事業を承継させるべく自社株式や事業用資産を後継者に集中的に承継させようと遺言や生前贈与を行っても、非承継者からの遺留分による制約があります。

　遺留分の算定となる基礎財産は、被相続人が相続開始の時点で有する財産の価額に贈与した財産の価額を加え、ここから債務を差し引いて算定されます（民1043Ⅰ）。

　贈与した財産は相続開始前1年前までのものが対象ですが（民1044Ⅰ）、贈与の相手が相続人である場合は、相続開始前10年以内の婚姻もしくは養子縁組のため又は生計の資本としてなされた贈与が対象となります（民1044Ⅲ）。

　したがって、経営者がその相続人である後継者に自社株式や事業用資産を生前贈与した場合、相続開始前10年以内になされたものであれば、遡って遺留分の算定の基礎財産に加えられ、遺留分侵害額請求の対象となり得ることになります。

　また、遺留分算定の基礎財産に算入される財産の評価は、贈与時ではなく相続開始時に行うとされています（最判S51.3.18民集30・2・111）。このため贈与時以降相続開始までの間に財産の価値が上昇した場合、後継者の貢献は考慮されず、後継者の努力によって株価が上昇しても、上昇分は他の相続人の遺留分となって跳ね返ってくるため、後継者の経営意欲をそいでしまうという問題がありました。

　これらの問題に対応するために新設されたのが、経営承継円滑化法の「民法に関する遺留分の特例」です。なお、以前はこの特例は会社のみに認められていましたが平成31（令和元）年度税制改正により、個人事業者にも認められるようになりました。

＜「民法に関する遺留分の特例」の概要＞

| | 内　容 | 根拠条文 | 目　的 |
|---|---|---|---|
| 除外合意 | 生前贈与された株式や事業用資産を遺留分の対象から除外する制度 | 経承法4 I ①、4 Ⅲ | 相続に伴う株式や事業用資産の分散を防止します。 |
| 固定合意 | 生前贈与株式の評価額を予め固定する制度 | 経承法4 I ② | 後継者による株式上昇分を遺留分侵害額の対象外とし、経営意欲の阻害を防止します。 |
| 手　続 | ①　経営産業大臣の確認<br>②　家庭裁判所の許可 | ― | 後継者単独での申立てや申請等の手続を可能とし、手続上の負担を軽減します。 |

## (2)　遺留分に関する民法の特例が適用される「特例中小会社」及び「旧個人事業者」とは

　「遺留分に関する民法の特例」が適用されるのは「特例中小会社」及び「旧個人事業者」に限られます。

　この「特例中小会社」とは、中小企業者（一定期間以上継続して事業を行っている会社です。具体的には、民法の特例の合意をする時点で、業種ごとに定められた資本金の額又は従業員数以下の者をいいます（経承法2①〜⑤。次表参照））に該当し、かつ、①3年以上継続して事業を行っており（経承法施行規則2）、②株式を上場や店頭公開していない会社（経承法3 I ）のことをいいます。

　また「旧個人事業者」とは、中小企業者に該当し、かつ、3年以上継続して事業を行っている（経承法施行規則2）個人事業者をいいます。

＜経営承継円滑化法の対象となる「特例中小会社」及び「旧個人事業者」＞

| ①　経承法の対象となる中小企業者であること | 資本金 | | 従業員数 | | |
|---|---|---|---|---|---|
| 製造業その他<br><br>　ゴム製品製造業（自動車又は航空機用タイヤ及びチューブ製造業並びに工業用ベルト製造業を除きます。） | 3億円以下 | 又は | 300人以下<br><br>900人以下 | 特例中小会社 | 旧個人事業者 |
| 卸売業 | 1億円以下 | 又は | 100人以下 | | |
| サービス業 | 5,000万円以下 | | 100人以下 | | |
| ソフトウェア業又は情報処理サービス業 | 3億円以下 | 又は | 300人以下 | | |
| 旅館業 | 5,000万円以下 | | 200人以下 | | |
| 小売業 | 5,000万円以下 | 又は | 50人以下 | | |
| ②　3年以上継続して事業を行っている会社または個人事業者であること | | | | | |
| ③　株式を上場や店頭公開していない会社であること | | | | | |

## (3)　遺留分に関する民法の特例が適用される対象

### ア　会社の経営承継の場合

　　遺留分に関する民法の特例が適用されるのは、「旧代表者」から「会社事業後継者」が、特例中小会社の株式等の贈与等を受けた場合です。

#### ㈠　株式等の贈与

　　「株式等」とは、株式会社の株式、合名会社、合資会社、合同会社の持分をいい、株式は議決権がある株式である必要があります。もっとも、決議事項の全部について議決権のない、いわゆる完全無議決権株式ではなく、一定の事項に議決権が制限されている議決権制限株式であれば特例の対象になります（経承法3Ⅱ）。

　　贈与の時期に制限はなく、旧代表者から贈与を受けた株式であれば、経営承継円滑化法の民法の特例の施行日（平成21年3月1日）以前の贈与であっても、特例を利用することができます。

＜旧代表者と会社事業後継者＞

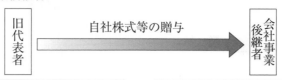

| ① 特例中小会社の元代表者 |
| ② 推定相続人（被相続人の兄弟姉妹及びこれらの者の子以外のもの） |
| ③ 推定相続人のうち少なくとも１人に株式等を贈与したもの |

（経承法３Ⅱ）

| ① 特例中小会社の現代表者 |
| ② 旧代表者の推定相続人 |
| ③ 株式等を旧代表者からの贈与等により取得 |
| ④ 議決権の過半数を保有 |

（経承法３Ⅲ）

(イ)　「旧代表者」とは

　「旧代表者」は、「特例中小会社」の代表者であった者（現在代表者である者を含みます。）であり、他の者に対しその特例中小会社の株式等を贈与したものをいいます（経承法３Ⅱ）。

(ウ)　「会社事業後継者」とは

① 「会社事業後継者」は、旧代表者から特例中小会社の株式等の贈与を受けた者、又はその贈与を受けた者からその株式等を相続、遺贈若しくは贈与により取得した者であって（②参照）、その特例中小会社の総株主（完全無議決権株式は除きます。）又は総社員の議決権の過半数を有し（③参照）、かつ、その特例中小会社の代表者であるものをいいます（経承法３Ⅲ）。

② 旧代表者から直接贈与を受けた者だけが会社事業後継者になるわけではなく、直接贈与を受けた者が旧代表者よりも先に死亡し、その死亡した者から株式等を相続・遺贈・贈与によって取得した者が会社事業後継者になる場合もあります。

③ 会社事業後継者が保有する株式等が、特例を利用する株式等を除き、既に50％を超えた議決権数を持つ場合には、特例を利用できません（経承法４Ⅰただし書）。例えば、35％の株式を有する会社事業後継者が旧代表者から25％の贈与を受けた場合は特例を利用できますが、既に51％を有する会社事業後継者が20％の贈与を受けた場合は利用できません（次表参照）。

＜特例を利用できない株式等の贈与＞

| 旧代表者 | | 会社事業後継者 | 特例の利用の可否 |
|---|---|---|---|
| | 贈 与 | 35％の株式を保有 | |
| 25％の株式 | → | 25％の株式を取得 | ○ 利用できる |

- - - - - - - - - - - - - - - - - - - - - - - - - - - - - - - - - - - - - - - -

| | 贈 与 | 51％の株式を保有 | |
|---|---|---|---|
| 20％の株式 | → | 20％の株式を取得 | × 利用できない |

㈍ 「推定相続人」とは

「推定相続人」は、相続が開始した場合に相続人となるべき者のうち、被相続人の兄弟姉妹及びこれらの者の子以外のものをいいます（経承法3Ⅵ）。遺留分権利者となり得る者がこれに当たります。


イ 個人の事業承継の場合

遺留分に関する民法の特例が適用されるのは、「旧個人事業者」から「個人事業後継者」が、事業用資産の全部の贈与等を受けた場合です。


㈎ 事業用資産の贈与

「事業用資産」とは、①土地又は土地の上に存する権利、②建物、③減価償却資産に該当するものに限られます（経承法3Ⅲ）。

また、①〜③の財産に該当しても、下記の条件を満たさないものは「事業用資産」には該当しません。

| 財産の種類 | 条 件 | 根拠条文 |
|---|---|---|
| 土地又は土地の上に存する権利 | ・「宅地等」に該当すること<br>・贈与の直前において事業の用に供されていたこと<br>・建物又は構築物の敷地の用に供されていること<br>・棚卸資産に該当しないこと | 経承法施行規則2Ⅱ① |
| 建物 | ・贈与の直前において事業の用に供されていたこと<br>・棚卸資産に該当しないこと | 経承法施行規則2Ⅱ② |

| 財産の種類 | 条　件 | 根拠条文 |
|---|---|---|
| 減価償却資産 | ・以下のいずれかに該当すること<br>・地方税法第341条第4号に規定する「償却資産」<br>・自動車税又は軽自動車税において、営業用の標準税率が適用される「自動車」<br>・租税特別措置法施行規則第23条の8の8第2項に規定する「減価償却資産」 | 経承法施行規則2Ⅱ③ |

(イ)　「旧個人事業者」とは

　「旧個人事業者」とは、3年以上継続して事業を行っていた個人である中小企業者であって、他の者に対して当該事業に係る事業用資産の全部の贈与をしたものをいいます（経承法3Ⅳ）。

(ウ)　「個人事業後継者」とは

　「個人事業後継者」とは、旧個人事業者から事業用資産の全部の贈与を受けた個人である中小企業者、又はその贈与を受けた者から当該事業用資産の全部を相続により取得した個人である中小企業者であって、当該事業用資産をその営む事業の用に供しているものをいいます（経承法3Ⅴ）。

(エ)　「推定相続人」とは

　会社の経営承継における推定相続人（522頁参照）と同様です。

## ⑷　遺留分に関する民法の特例の「除外合意」について

### ア　除外合意とは

　除外合意とは、特例中小会社においては、「旧代表者」の推定相続人及び会社事業後継者の全員でする、「旧代表者」から「会社事業後継者」が贈与を受けた株式等について、その価額を遺留分算定のための財産に算入しないこと、つまり、当該株式等を基礎財産から除外する合意（経承法4Ⅰ①）であり、旧個人事業者においては、「旧個人事業者」の推定相続人及び個人事業承継者の全員でする、「旧個人事業者」から「個人事業後継者」が贈与を受けた事業用資産の全部又は一部について、その価額を遺留分算定のための財産に算入しない旨の合意をいいます（経承法4Ⅲ）。

　平成30年民法改正前は、遺留分権行使の効果として物権的効力が認められていたため、「旧代表者」及び「旧個人事業者」から、「会社事業後継者」及び「個人事業後継者」に贈与された株式等や事業用資産が、遺留分減殺の対象となった場合に不

都合が生じました。具体的には、中小企業において「旧代表者」や「旧個人事業者」の財産は、株式等や事業用資産が占めている割合が大きく、株式等や事業用資産が遺留分減殺請求の対象となると、株式等や事業用資産が分散し、円滑な経営が阻害されるおそれがありました。そこで、「旧代表者」及び「旧個人事業者」から「会社事業後継者」及び「旧個人事業後継者」が贈与を受けた株式等や事業用資産については、遺留分算定のための基礎財産に加えないこととし、遺留分減殺の対象から除外する合意—除外合意—が認められたのです。

　しかし、平成30年民法改正により、遺留分減殺請求が金銭請求である遺留分侵害額請求へと変わったことから、株式等や事業用資産分散の危険は低下しました。ただ、遺留分権の行使が遺留分侵害額請求に変わった場合であっても、株式等や事業用資産が遺留分算定のための財産に算入されれば、金銭支払のために株式等や事業用資産売却を余儀なくされる場合も想定し得ます。したがって、平成30年改正民法下においても、除外合意の存在意義は依然として存在します。

＜除外合意の効果＞

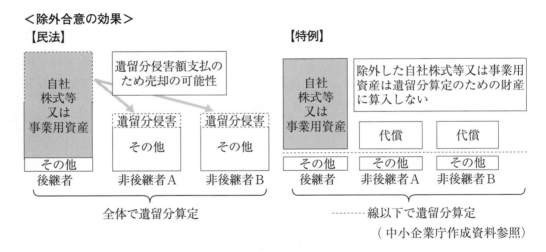

（中小企業庁作成資料参照）

### イ　除外合意の定め方

#### ①　推定相続人及び会社事業後継者又は個人事業後継者の全員の書面による合意

　除外合意は、書面で推定相続人及び会社事業後継者又は個人事業後継者の全員が署名をし、又は実印による記名押印をして行わなければなりません（旧代表者や旧個人事業者は入りません。経承法7Ⅲ①、経承法施行規則3Ⅱ①参照）。「旧代表者」や「旧個人事業者」から贈与を受けた者から「会社事業後継者」や「個人事業後継者」が相続・遺贈・贈与を受けた株式等や事業用資産についても除外合意を行うことができます。

　また、合意は「全員の真意」に出たものであることが必要です（経承法8Ⅱ）。「旧代表者」が「会社事業後継者以外の者」に対し、又は「旧個人事業者」が「個

人事業後継者以外の者」に対し、現預金等を生前贈与するなど株式等や事業用資産を基礎財産から除外することの相当な対価を与えるなどして合意を取り付けることにより「真意」に出たものであることを明らかにしておくことが考えられます。

### ②　除外合意の対象株式等以外の議決権が過半数を超えないこと

　会社の経営承継の場合は、除外合意の対象とする株式等を除いた残りが議決権の50％を超える場合には、除外合意をすることはできません（経承法4Ⅰただし書）。「固定合意」を併用したときは、除外合意の対象とする株式等と固定合意の対象とする株式等を合わせた残りの株式等が、議決権の50％を超えないことが必要です。

### ③　除外合意の対象株式の範囲

　除外合意は、贈与された株式等や事業用資産の全部でなく、一部について行うことができます。一部についてのみ除外合意をする場合、固定合意を併用することも可能です。例えば、議決権の80％に当たる株式等の贈与を受けた場合に、うち51％の株式等について除外合意をし、残りの29％の株式等について固定合意を行うことも可能です。

### ④　後継者が後継者でなくなるときの定め

　除外合意の目的は中小企業の経営承継の円滑を図る点にあるため、①「会社事業後継者」や「個人事業後継者」（以下、本項では「後継者」といいます。）が除外合意の対象とした株式等や事業用資産を処分したとき、②旧代表者や旧個人事業者の生存中に後継者が代表者でなくなったり、事業を営まなくなったときに、後継者以外の推定相続人がとり得る措置（例えば、合意の解除、譲渡しようとするとき予め他の推定相続人に通知し承諾を得なければならないとする定め、違反して譲渡した場合は譲渡した株式等の対価の一部か違約金を他の推定相続人に支払うこと等）について書面で決めておく必要があります（経承法4Ⅳ、Ⅴ）。

### ＜除外合意の定め方＞

| |
|---|
| ①　推定相続人及び後継者の全員が書面に署名又は記名押印（実印による）<br>　　※合意は「全員の真意」に出たものでなければなりません。<br>②　除外合意の対象が株式の場合、対象株式以外の議決権が過半数を超えないこと。<br>③　対象株式等は一部でもよく、固定合意を併用してもよいとされています。<br>④　後継者が対象株式等を処分したり、代表者でなくなったときに、後継者以外の推定<br>　　相続人がとり得る措置について書面で定めること。 |

⑸　遺留分に関する民法の特例の「固定合意」について

　ア　「固定合意」とは

　　「固定合意」とは、会社の経営承継において、「旧代表者」の推定相続人及び会社事業後継者の全員で、「旧代表者」から「後継者」が贈与を受けた株式等について、遺留分算定の基礎財産に算入する価額を「当該合意をした時の価額」に固定する合意です（経承法4Ⅰ②）。

　　先に述べたように、旧代表者から会社事業後継者に贈与された株式等は、遺留分侵害額請求の対象となる可能性がありますが、遺留分侵害額請求の対象となる場合、遺留分算定のための財産の評価は、相続開始時＝死亡時の価額をもって算定されるため、旧代表者から会社事業後継者に贈与した株式等も、旧代表者の死亡時の価額を算出して評価し、遺留分の算定のための財産に加えることになります。しかし、贈与時以降、会社事業後継者の経営努力によって会社が成長し株式等の価額が上昇した場合、会社事業後継者の貢献を考慮せず、上昇分は他の相続人の遺留分となって跳ね返るだけとなれば、会社事業後継者の経営意欲をそいでしまいます。そこで、こうした問題を解消するため、「旧代表者」から「会社事業後継者」が贈与を受けた株式等については、遺留分算定のための財産に加える際の価額を「当該合意をした時の価額」に固定する合意—固定合意—が認められたのです。

　　もっとも経営に関与していない他の推定相続人にとっては株式等の価値は不明確であることが多く、後日の紛争を予防するために、株式等の価額は、弁護士、公認会計士、監査法人、税理士等の専門家が、合意した時における相当な価額と証明したものでなければならず（経承法4Ⅰ②）、推定相続人全員で自由に決めることはできません。弁護士等の評価のあり方については、「経営承継法における非上場株式等評価ガイドライン」（平成21年2月9日）があります。なお、同ガイドラインにおける評価方法のうち「国税庁方式」については、平成29年4月27日付国税庁長官通達により、評価方法が改正されています。

＜固定合意の効果＞

【民法】株式評価額　　　　　　　　　　　　　　【特例】株式評価額

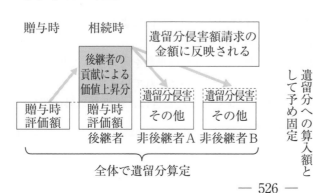

### イ　固定合意の定め方

#### ①　推定相続人全員の書面による合意

　この合意は、「除外合意」と同様、書面で、推定相続人及び後継者の全員（旧代表者は入りません。）が署名をし、又は実印による記名押印をして行います（経承法7Ⅲ①、経承法施行規則3Ⅱ①参照）。「旧代表者」から贈与を受けた者から「後継者」が相続・遺贈・贈与を受けた株式等についても固定合意を行うことができます。

　除外合意は、「全員の真意」に出たものであることが必要です（経承法8Ⅱ）。

#### ②　合意の対象株式以外の議決権が過半数を超えないこと

　固定合意の対象とする株式等を除いた残りが議決権の50％を超える場合には、固定合意をすることはできません（経承法4Ⅰただし書）。除外合意を併用したときは、除外合意の対象とする株式等と固定合意の対象とする株式等を合わせた残りの株式等が議決権の50％を超えないことが必要となります。

#### ③　固定合意の対象株式の範囲

　固定合意は、贈与された株式の全部でなく一部についても行うことが可能です。一部についてのみ除外合意をし、他の一部について固定合意をすることも可能です。

#### ④　後継者が後継者でなくなるときの定め

　除外合意の場合と同様、①後継者が除外合意の対象とした株式等を処分したとき、②旧代表者の生存中に後継者が代表者でなくなったときに、後継者以外の推定相続人がとり得る措置について書面で決めておく必要があります（経承法4Ⅲ）。

＜固定合意の定め方＞

| |
|---|
| ①　推定相続人及び後継者の全員が書面に署名又は記名押印（実印による）<br>　　※合意は「全員の真意」に出たものでなければなりません。<br>②　固定合意の対象株式以外の議決権が過半数を超えないこと。<br>③　対象株式等は一部でもよく、除外合意を併用してもよいとされています。<br>④　後継者が対象株式等を処分したり、代表者でなくなったときに、後継者以外の推定<br>　　相続人がとり得る措置について書面で定めること。 |

### (6)　会社事業後継者についての株式「以外の」財産の除外合意

　会社の経営承継においては会社事業後継者が旧代表者から贈与を受けた株式等又は持分だけではなく、株式等又は持分「以外の」財産についても、遺留分算定の基礎財産の価額に算入しない旨の合意ができます（経承法5①）。

　これは、株式等だけではなく、株式等以外の財産（会社経営のために必要な工場や本社等の事業用不動産や現金、預金等）をも遺留分算定のための基礎となる財産から除外することを認めることによって、事業承継の円滑化をより一層推し進めようとするものです。

　なお、この除外合意は、旧代表者の推定相続人及び会社事業後継者の全員が書面をもって合意することが必要であり、また株式についての除外合意又は固定合意と「併せて」合意しなければならず、株式等以外の財産の除外合意のみ単独で行うことはできません。会社事業後継者が旧代表者から贈与を受けた財産だけではなく、旧代表者から贈与を受けた者からの相続、遺贈又は贈与を受けた財産であっても構いません。

## (7)　「会社事業後継者及び個人事業後継者以外の推定相続人」が贈与を受けた財産についての除外合意

　旧代表者から贈与された財産を遺留分算定の基礎財産から除外できるのは、「会社事業後継者」や「個人事業後継者」に対する贈与に限られません。これらの後継者と他の推定相続人との間の公平を図るための措置として、旧代表者や旧個人事業者から「後継者以外の推定相続人」が贈与を受けた財産についても、遺留分算定の基礎財産の価額に算入しない旨の合意をすることができます（経承法6Ⅱ）。

　この合意を使い、例えば後継者が他の推定相続人に対し金銭等を贈与するといった交換条件を定めれば、株式等や事業用資産についての除外合意がまとまりやすいといわれています。

**＜会社事業後継者及び個人事業後継者以外の推定相続人についての除外合意の要件＞**

> ①　除外合意又は株式等についての固定合意をする際に併せて行うこと。
> 　※会社事業後継者及び個人事業後継者以外の推定相続人についての除外合意のみを単独で行うことはできません。
> ②　旧代表者の推定相続人及び会社後継者又は旧個人事業主の推定相続人及び個人事業後継者の全員の合意で行うこと。
> ③　合意を書面で行うこと。
> ④　会社事業後継者及び個人事業後継者以外の推定相続人が旧代表者及び旧個人事業者から贈与を受けた財産や、旧代表者及び旧個人事業者から贈与を受けた推定相続人からの相続、遺贈又は贈与を受けた財産であること。

## (8)　遺留分に関する民法の特例の手続

　除外合意と固定合意を行った後、「会社事業後継者」や「個人事業後継者」は、1か月以内に経済産業大臣に認可の申請を行い、その確認を受けて（経承法7）、その後1か月以内に家庭裁判所に許可の申立てをする必要があります（経承法8Ⅰ、家事

39別1⑬⑭)。

　経済産業大臣の確認の申請と家庭裁判所の許可申立ては、推定相続人及びこれらの後継者の全員で行う必要はなく、これらの後継者単独で行うことができます。

**＜遺留分に関する民法の特例の手続＞**

**会社の経営の承継の場合**

・当該合意が経営の承継の円滑化を図るためにされたものであること
・申請者が会社事業後継者の要件に該当（旧代表者から株式等の贈与を受けた者であり、議決権の過半数を有する代表者であること）
・合意の対象となる株式等を除くと、会社事業後継者が議決権の過半数を確保できないこと
・以下の場合に非会社事業後継者がとることができる措置の定めがあること
　①会社事業後継者が合意の対象となった株式等を処分した場合
　②旧代表者の生存中に会社事業後継者が代表者として経営に従事しなくなった場合

家庭裁判所の許可の要件－合意が当事者全員の真意によるものであること

（中小企業庁作成資料より）

**個人事業の承継の場合**

　手続は会社の経営の承継の場合と同様ですが、経済産業大臣の確認事項は以下の内容となります。

・当該合意が当該旧個人事業者が営んでいた事業の経営の承継の円滑化を図るためにされたものであること
・申請をした者が当該合意をした日において個人事業後継者であったこと
・以下の場合に非個人事業後継者がとることができる措置の定めがあること
　①　個人事業後継者が合意の対象となった事業用資産を処分した場合
　②　個人事業後継者が合意の対象となった事業用資産を専ら事業以外の用に供している場合
　③　旧個人事業者の生存中に個人事業後継者が事業を営まなくなった場合

　経済産業大臣の確認の申請手続については、中小企業庁の「中小企業経営承継円滑化法申請マニュアル「民法特例」」（令和３年２月改訂）22頁以下にまとめられています。

　家庭裁判所の許可申立ての手続の概要は次のとおりです。

**＜遺留分算定に係る合意の家庭裁判所の許可の手続＞**

| 申立てに必要な費用 | 収入印紙800円<br>連絡用の郵便切手（金額内訳は裁判所に問い合わせてください。） |
|---|---|
| 必要書類等 | 申立書（記載例は532頁参照）　1通<br>「遺留分に関する民法の特例に係る確認証明書」（経済産業大臣作成）　1通<br>合意書面のコピーを、申立人を除く推定相続人の人数分の通数<br>申立人を含む推定相続人全員の戸籍謄本（全部事項証明書）各1通 |

### (9)　除外合意・固定合意の効力

　除外合意や固定合意は(8)で述べた手続を経て、家庭裁判所の許可を受けて初めて遺留分に関する民法の特例として合意の効果が認められます。遺留分の算定に関する規定（民1043、1044）の特例としての効力が生ずると、除外合意の対象となった財産の価額については遺留分算定のための財産の価額には算入しないこととなります（経承法9Ⅰ）。また、固定合意の対象となった株式等の遺留分算定のための財産の価額に算入すべき価額は、当該合意により定めた額となります（経承法9Ⅱ）。

### (10)　除外合意・固定合意の効力の消滅

　家庭裁判所の許可を得て発効した除外合意や固定合意は、一定の場合には効力が消滅し（経承法10）、民法の原則に戻り遺留分算定のための基礎財産については合意がなかったものとして算定されることになります。

**＜除外合意・固定合意の効力の消滅（経承法10）＞**

| 消滅事由 | 根拠条文 |
|---|---|
| 経済産業大臣の確認（経承法7Ⅰ）が取り消された場合 | 経承法10① |
| 旧代表者生存中に会社事業後継者が死亡し、又は後見開始若しくは保佐開始の審判を受けた場合、又は旧個人事業者生存中に個人事業承継者が死亡した場合 | 経承法10② |
| 当該合意の当事者（旧代表者の推定相続人でない会社事業者及び旧個人事業者の推定相続人でない個人事業後継者を除きます。）以外の者が新たに旧代表者又は旧個人事業者の推定相続人となった場合 | 経承法10③ |
| 当該合意の当事者の代襲者が旧代表者又は旧個人事業者の養子となった場合 | 経承法10④ |

　このほか、合意の解除事由を定めていてその事由が生じた場合や、合意当事者の全員によって合意を解除することはできるとされています。

## ＜遺留分の算定に係る合意の許可申立書の記載例＞

| 受付印 | 家 事 審 判 申 立 書　　事件名（遺留分の算定に係る合意） |
|---|---|
| | （この欄に申立手数料として1件について800円分の収入印紙を貼ってください。）<br><br>印　紙<br><br>（貼った印紙に押印しないでください。）<br>（注意）登記手数料としての収入印紙を納付する場合は，登記手数料としての収入印紙は貼らずにそのまま提出してください。 |

| 収 入 印 紙 | 円 |
|---|---|
| 予納郵便切手 | 円 |
| 予納収入印紙 | 円 |

| 準口頭 | | 関連事件番号　平成・令和　　　年（家　　　）第　　　　　　　　　　号 |
|---|---|---|

| ○ ○ 家 庭 裁 判 所<br>御中<br>令和 ○ 年 ○ 月 ○ 日 | 申 立 人<br>（又は法定代理人など）<br>の 記 名 押 印 | 甲　野　次　郎　㊞ |
|---|---|---|

| 添付書類 | |
|---|---|

|  | 本　籍<br>（国　籍） | （戸籍の添付が必要とされていない申立ての場合は，記入する必要はありません。）<br>○○　都道府県　○○市○○町○丁目○番地 |
|---|---|---|
| 申<br><br>立<br><br>人 | 住　所 | 〒 ○○○ － ○○○○　　　　　電話　○○○（○○○）○○○○<br>○○県○○市○○町○丁目○番○号<br>（　　　　　　方） |
| | 連絡先 | 〒　　－　　　　　　　　　　　電話　（　　　）<br>（注：住所で確実に連絡ができるときは記入しないでください。）<br>（　　　　　　方） |
| | フリガナ<br>氏　名 | コ ウ ノ　　ジ ロ ウ<br>甲　野　次　郎 | 昭和・平成・令和　○ 年 ○ 月 ○ 日生<br>（　○　歳） |
| | 職　業 | 会社代表者 | |

| ※<br><br>旧<br>代<br>表<br>者 | 本　籍<br>（国　籍） | （戸籍の添付が必要とされていない申立ての場合は，記入する必要はありません。）<br>○○　都道府県　○○市○○町○丁目○番地 |
|---|---|---|
| | 住　所 | 〒 ○○○ －○○○○　　　　　電話　○○○（○○○）○○○○<br>○○県○○市○○町○番地○<br>（　　　　　　方） |
| | 連絡先 | 〒　　－　　　　　　　　　　　電話　（　　　）<br>（　　　　　　方） |
| | フリガナ<br>氏　名 | コ ウ ノ　　ハ ナ コ<br>甲　野　花　子 | 昭和・平成・令和　○ 年 ○ 月 ○ 日生<br>（　○　歳） |
| | 職　業 | 無職 | |

（注）　太枠の中だけ記入してください。
※の部分は，申立人，法定代理人，成年被後見人となるべき者，不在者，共同相続人，被相続人等の区別を記入してください。

別表第一（1/ 2 ）

<table>
<tr><td colspan="1">申　立　て　の　趣　旨</td></tr>
</table>

　経済産業大臣が令和〇年〇月〇日付け中第〇〇号をもって確認した遺留分の算定に係る合意

を許可するとの審判を求めます。

<table>
<tr><td colspan="1">申　立　て　の　理　由</td></tr>
</table>

1　申立人は旧代表者の二男です。旧代表者は〇〇株式会社の代表取締役でしたが，平成〇年〇

　月〇日，申立人が旧代表者から同会社の代表権を受け継ぎ，それ以後，申立人が代表者を務め

　ています。

2　申立人及び「遺留分に関する民法の特例に係る確認証明書」添付の「後継者以外の推定相続

　人目録」記載の旧代表者の推定相続人全員は，令和〇年〇月〇日，同会社の経営の承継の円滑

　化を図るために，上記証明書添付の合意書面の写しのとおり，中小企業における経営の承継の

　円滑化に関する法律4条1項（及び5条／6条2項）の遺留分の算定に係る合意をしました。

3　申立人は，令和〇年〇月〇日，経済産業大臣に対し，上記合意の確認申請を行い，同法7条

　1項の各号のいずれにも該当することについて，令和〇年〇月〇日にその確認を受けましたの

　で，合意の効力を生じさせるため，申立ての趣旨のとおりの審判を求めます。

別表第一（**2／2**）

（東京家庭裁判所ホームページより）

# 第10章　特別の寄与

## 第1　特別の寄与とは

　特別の寄与は、平成30年民法改正で新設された制度です。

　これまであった寄与分の制度（民904の2）は、共同相続人間で相続分を調整する制度ですが、特別の寄与は、相続人ではない被相続人の親族が、相続人に対して、特別寄与料を請求することができる制度です。

　なお、上記改正民法の施行日は令和元年7月1日であり、施行日以降に開始した相続に適用されます（平成30年改正民附則2）。

# 第2　特別寄与料を請求できる者

　特別寄与料を請求できるのは、被相続人の親族です。

　相続人は、特別寄与料を請求できません。もっとも、相続人に特別の寄与があれば寄与分（民904の2 I）を請求できます（第3章　第3　3「寄与分」を参照）。

　相続の放棄をした者、相続人の欠格事由（民891）のある者、廃除によって相続権を失った者（民892）は、特別寄与料を請求できません。

　なお、親族の範囲については、第1編第1章第1　1「親族の範囲」を参照してください。

＜特別寄与料を請求できる者＞

| 属　性 | 特別寄与料を請求できるか | 備　考 |
|---|---|---|
| 共同相続人 | できない。 | 寄与分（民904の2 I）の請求が可能 |
| 相続人ではない親族 | できる。 | ― |
| 　相続放棄をした者<br>　相続欠格事由がある者<br>　廃除により相続権を失った者 | できない。 | ― |
| 親族関係にない者 | できない。 | ― |

# 第3 特別の寄与の対象

　特別寄与料の請求が認められるためには、被相続人に対して、無償で療養看護その他の労務の提供をしたことにより被相続人の財産の維持又は増加について特別の寄与をしたと認められる必要があります。

**＜特別の寄与が認められる要件＞**

| | |
|---|---|
| ① | 「特別の寄与」であること |
| ② | 相続財産の維持・増加と相当因果関係があること |
| ③ | 無償で療養看護その他の労務の提供をしたこと |

## 第4　特別寄与料を請求する手続

### 1　協議

　特別寄与者は、相続の開始後、相続人に対して、寄与に応じた額の金銭（特別寄与料）の支払を請求することができます（民1050 I ）。

### 2　家庭裁判所による協議に代わる処分

　特別寄与料の支払について当事者で協議が整わないとき、又は協議をすることができないときは、特別寄与者は家庭裁判所に協議に代わる処分を請求でき、家庭裁判所は、審判で相続人に対し、金銭の支払を命ずることができます。（民1050 II 、家事216の3）。ただし、特別寄与者が相続の開始及び相続人を知った時から6か月、又は相続開始から1年を経過すると家庭裁判所へ協議に代わる処分を請求することができなくなります（民1050 II ただし書）。

　手続としては、家事調停を申し立てる方法（家事244）と、審判を申し立てる方法（家事39別2⑮）があります。

**＜審判手続における特別寄与料請求の手続＞**

| 内　容 | | | 根拠条文 |
|---|---|---|---|
| 家庭裁判所へ申立て | 申立人 | 被相続人の親族 | 民1050 I |
| | 相手方 | 相続人 | |
| | 管轄 | 相続が開始した地を管轄する家庭裁判所 | 家事216の2 |

⇩

| | 内容 | 根拠条文 |
|---|---|---|
| | 審判前の保全処分（仮差押え、仮処分その他の必要な保全処分）<br>①強制執行を保全する必要があるとき。<br>②申立人の急迫の危険を防止するため必要があるとき。 | 家事216の5 |

⇩

| 審判 | 家庭裁判所は、寄与の時期、方法及び程度、相続財産の額その他一切の事情を考慮して、特別寄与料の額を定めます。当事者に対し、金銭の支払を命ずることができます。 | 民1050 Ⅲ<br>家事216の3<br>家事39別2⑮ |
|---|---|---|

⇩

| 即時抗告 | 即時抗告をすることができる者<br>①特別の寄与に関する処分の審判：申立人・相手方<br>②特別の寄与に関する処分の申立てを却下する審判：申立人 | 家事216の4 |
|---|---|---|

⇩

| 確定 | 審判の告知を受けた日から2週間で確定します。 | 家事74Ⅳ、86 I |
|---|---|---|

# 第5　特別寄与料の額

　特別寄与料の額を家庭裁判所が決める場合、家庭裁判所は、寄与の時期、方法及び程度、相続財産の額その他一切の事情を考慮して定めます（民1050Ⅲ）。

　特別寄与料の額は、被相続人が相続開始の時において有した財産の価額から遺贈の価額を控除した残額を超えることはできません（民1050Ⅳ）。また、相続人が複数いる場合は、各相続人が相続分に応じて負担することになります（民1050ⅠⅤ）。

　なお、遺言により相続分がないものと指定された相続人は、遺留分侵害額請求権を行使した場合であっても、特別寄与料を負担しないとされています（最決Ｒ5.10.26裁時1826・63）。

# 〔索　　引〕

## (監 修 者)

鈴木　潤子（すずき　じゅんこ）

弁護士（北原法律事務所）

1993 年 3 月上智大学法学部法律学科卒業、1996 年 11 月司法試験合格、1999 年 4 月弁護士登録（第 51 期：東京弁護士会所属）、2005 年〜 2014 年上智大学法科大学院非常勤講師

取扱業務

企業法務（人事労務相談、学校法人相談、不動産関連業務、エネルギー関連業務、ほか）、一般民事全般（相続、後見、離婚、交通事故、ほか）、公益通報社外窓口など

主な著作

「Ｑ＆Ａ不動産取引トラブル解決の手引」（新日本法規出版・共著）、「図解民法（親族・相続）」（大蔵財務協会・監修）、「図解民法（総則・物権）」（大蔵財務協会・共著）、「合意書・示談書等作成マニュアル」（新日本法規出版・共著）

（監 修 者）

鈴 木 潤 子

令和6年版

図　解　　　民法（親族・相続）

令和6年9月18日　初版印刷
令和6年10月11日　初版発行

不　許
複　製

監修者　鈴　木　潤　子
（一財）大蔵財務協会 理事長

発行者　木　村　幸　俊

発行所　一般財団法人　大 蔵 財 務 協 会

〔郵便番号 130-8585〕
東 京 都 墨 田 区 東 駒 形 1 丁 目 14 番 1 号
（販　売　部）TEL03（3829）4141・FAX03（3829）4001
（出版編集部）TEL03（3829）4142・FAX03（3829）4005
https://www.zaikyo.or.jp

乱丁、落丁の場合は、お取替えいたします。　　　　　印刷・恵友社
ISBN978-4-7547-3233-2